/ 教育治理与领导力丛书 /　　王定华 总主编

［美］

安妮塔·伍尔福克
Anita Woolfolk

陈红兵 张春莉
译

教育心理学

Educational Psychology

(Fourteenth Edition)

U0358573

华东师范大学出版社
全国百佳图书出版单位
上海

第14版
上

图书在版编目（CIP）数据

教育心理学：第 14 版/（美）安妮塔·伍尔福克著；陈红兵,张春莉译.
—上海:华东师范大学出版社,2021

（教育治理与领导力丛书）

ISBN 978 - 7 - 5760 - 1907 - 0

Ⅰ.①教…　Ⅱ.①安…　②陈…　③张…　Ⅲ.①教育心理学—教材
Ⅳ.①G44

中国版本图书馆 CIP 数据核字(2021)第 140372 号

教育治理与领导力丛书

教育心理学（第 14 版）

丛书总主编　　王定华
著　　　者　　[美]安妮塔·伍尔福克
译　　　者　　陈红兵　张春莉

策 划 编 辑　　王　焰
责 任 编 辑　　曾　睿
特 约 审 读　　朱雪婷　孙弘毅
责 任 校 对　　时东明
装 帧 设 计　　膏泽文化

出 版 发 行　　华东师范大学出版社
社　　　址　　上海市中山北路 3663 号　邮编　200062
网　　　址　　www.ecnupress.com.cn
电　　　话　　021 - 60821666　行政传真　021 - 62572105
客 服 电 话　　021 - 62865537
门市(邮购)电话　021 - 62869887
地　　　址　　上海市中山北路 3663 号华东师范大学校内先锋路口
网　　　店　　http://hdsdcbs.tmall.com

印　刷　者　　青岛双星华信印刷有限公司
开　　　本　　16 开
印　　　张　　66
字　　　数　　1047 千字
版　　　次　　2022 年 1 月第 1 版
印　　　次　　2022 年 1 月第 1 次
书　　　号　　ISBN 978 - 7 - 5760 - 1907 - 0
定　　　价　　238.00 元

出 版 人　　王　焰

（如发现本版图书有印订质量问题,请寄回本社客服中心调换或电话 021 - 62865537 联系）

上海市版权局著作权合同登记 图字:09 - 2018 - 635 号

总　序

王定华

　　人类社会进入 21 世纪第 3 个十年后，国际政治巨变不已，科技革命加深加广，人工智能扑面而来，工业 4.0 时代渐成现实，各种思想思潮交流交融交锋，人们的学习方式、工作方式和生活方式发生很大变化。中国正在日益走进世界舞台中央，华夏儿女应该放眼世界，胸怀全局，不忘本来，吸收外来，继往开来，创造未来。只是，2020 年在全球蔓延的新冠肺炎疫情，波及范围之广、影响领域之深，历史罕见，给人类生命安全和身体健康带来巨大威胁，给我国和各国的经济社会发展带来巨大挑战，对世界经济与全球治理造成重大干扰。教育作为其中的重要领域，也受到剧烈冲击。这是一次危机，也是一次大考。教育部门、各类学校、出版行业必须化危为机，抓住机遇，迎接挑战，与各国同行、国际组织良性互动，把教育治理及各项工作做得更好。

　　一切生命都需要新陈代谢，否则必然灭亡；任何文明都应当交流互鉴，否则就会僵化。一种文明只有同其他文明取长补短，才能保持旺盛活力。[①] 习近平总书记深刻指出："改革开放已走过千山万水，但仍需跋山涉水，摆在全党全国各族人民面前的使命更光荣、任务更艰巨、挑战更严峻、工作更伟大。……必须坚持扩大开放，不断推动共建人类命运共同体。……我们必须高举和平、发展、

---

①习近平：《深化文明交流借鉴 共建亚洲命运共同体——在亚洲文明对话开幕式上的主旨演讲》，《光明日报》，2019 年 5 月 16 日。

合作、共赢的旗帜，……维护国际公平正义。"①这些重要指示为新时代各行各业改革发展、砥砺前行、建功立业指明方向、提供遵循。

在我国深化教育改革和改进学校治理过程中，必须立足中国、自力更生、锐意进取、创新实践，同时也应当放眼世界、知己知彼、相互学习、实现超越。我国教育治理的优势和不足有哪些？我国中小学校长如何提升办学治校能力、打造高品质学校？② 美国等西方国家的教育是如何治理的？其管理部门、督导机构、各类学校的权利与义务情况如何？西方国家的中小学校长、社区、家长是如何相互配合的？其教师、教材、教法、学生、学习是怎样协调统一的？诸如此类的问题，值得以广阔的国际视野，全面观察、逐步聚焦、深入研究；值得用中华民族的情怀，去粗取精、厚德载物、悦己达人；值得用现代法治精神，正视剖析、见微知著、发现规律。

现代法治精神与传统法治精神、西方法治精神既有相通之处，又有不同之点。现代法治精神是传统法治精神的现代化，同时也是西方法治精神的中国化。在新时代，现代法治精神包括丰富内涵：第一，全面依法治国。就是各行各业都要树立法治精神，严格依法办事；就是无论官民都要守法，官要带头，民要自觉，人人敬畏法律、了解法律、遵守法律，全体人民都成为法治的忠实崇尚者、自觉遵守者、坚定捍卫者，人民权益靠法律保障，法律权威靠人民维护；就要做到有法可依、有法必依、违法必究、执法必严，自觉守法，遇事找法，解决问题靠法。第二，彰显宪法价值。宪法是全国人民共同意志的体现，也是执政党治国理政的基本制度依托和最高行为准则，具有至高法律效力。严格遵循宪法是建设社会主义法治国家的首要任务和基础性工作。第三，体现人文品质。法律是治国之重器，良法是善治之前提。法治依据的法律应是良法，维护大多数人利

①习近平：《在庆祝改革开放40周年大会上的讲话》，新华网，2018年12月18日。
②2018年1月《中共中央国务院关于全面深化新时代教师队伍建设改革的意见》提出"提升校长办学治校能力，打造高品质学校"。

益,照顾弱势群体权益,符合社会发展方向;执法的行为应当连贯,注重依法行政的全局性、整体性和系统性;法律、法规、政策的关系应当妥处,既严格依法办事,又适当顾及基本国情。第四,具有中国特色。坚定不移地走中国特色社会主义法治道路,坚持党的领导、人民当家作主、依法治国有机统一,不断促进国家治理体系和治理能力现代化,为实现"两个一百年"奋斗目标、实现中华民族伟大复兴的中国梦提供有力的法治保障。第五,做到与时俱进。顺应时代潮流,根据现代化建设需要,总结我国历史上和新中国成立后法治的经验教训,参照其他国家法治的有益做法,及时提出立、改、废、释的意见建议,促进物质、精神、政治、社会、生态等五个文明建设,调整公共权力与公民权利的关系结构,约束、规范公共权力,维护、保障公民权利。

树立现代法治精神,必须切实用法治精神推进社会治理创新。过去人们强调管理(Management),现在更提倡治理(Governance)。强调管理时,一般体现为自上而下用权,发指示,提要求;而强调治理,则主要期冀调动方方面面积极性,讲协同,重引领。治理是各种公共的或私人的机构,或者个人管理其共同事务的许多方式的总和,是使相互冲突的或不同的利益得以调和并且采取联合行动的持续过程。① 治理的实质是建立在市场原则、公共利益和认同之上的合作。它所拥有的管理机制不单是依靠政府的权威,还依赖合作网络的权威,其权力是多元的、相互的,而非单一或自上而下。② 治理是公共利益最大化的社会管理过程,其最终目的是实现善治,本质是政府和公民对社会公共生活的合作管理,体现政府、社会组织与公民的新型关系。

政府部门改作风、转职能,实质上都是完善治理体系、提高治理能力。在完善治理体系中,应优先完善公共服务的治理体系;在提高治理能力时,须着力提升公共事务的治理能力。教育是重要的公共事务,基础教育又是其重中之重。

①李阳春:《治理创新视阈下政府与社会的新型关系》,中共中央党校学报,2014 年第 5 期。

②Anthony R. T. et al: Governance as a trialogue: *government-society-science in transition*. Berlin:The Springer Press, 2007:29.

基础教育作为法定的基本国民教育,面向全体适龄儿童少年,关乎国民素质提升,关乎中华民族伟大复兴,是国家亟需以现代法治精神引领的最重要的公共服务,是政府亟待致力于治理创新的最基本的公共事务。

创新社会治理的体系方式、实现基础教育的科学治理,就是要实行基础教育的善治,其特点是合法性、透明性、责任性、适切性和稳定性,实现基础教育治理体系和治理能力现代化。实行善治有一些基本要求,每项要求均可对改善基础教育治理以一定启迪。一是形成正确社会治理理念,解决治理为了谁的问题。基础教育为的是全体适龄儿童少年的现在和未来,让他们享受到公平而有质量的教育,实现全面发展和健康成长。二是强化政府主导服务功能,解决过与不及的问题。基础教育阶段要处理好政府、教育部门、学校之间的关系,各级政府依法提供充分保障,教育部门依法制定有效政策,学校依法开展自主办学,各方履职应恰如其分、相得益彰,过与不及都会欲速不达、事倍功半。三是建好社区公共服务平台,解决部分时段或部分群体无人照料的问题。可依托城乡社区构建课后教育与看护机制,关心进城随迁子女,照顾农村留守儿童。还可运用信息技术、人工智能,助力少年儿童安全保护。四是培育相关社会支撑组织,解决社会治理缺乏资源的问题。根据情况采取政府委托、购买、补贴方式,发挥社会组织对中小学校的支撑作用或辅助配合和拾遗补缺作用,也可让其参与民办学校发展,为家长和学生提供一定教育选择。五是吸纳各方相关人士参加,解决不能形成合力的问题。中小学校在外部应普遍建立家长委员会,发挥其参谋、监督、助手作用;在内部应调动教师、学生的参加,听其意见,为其服务。总之,要加快实现从等级制管理向网络化治理的转变,从把人当作资源和工具向把人作为参与者的转变,从命令式信号发布向协商合作转变,在加快推进教育现代化进程中形成我国基础教育治理的可喜局面。

2019年初,中共中央、国务院印发了《中国教育现代化2035》。作为亲身参与这个重要文献起草的教育工作者,我十分欣慰,深受鼓舞。《中国教育现代化2035》提出推进教育现代化的指导思想:以习近平新时代中国特色社会主义思想为指导，全面贯彻党的十九大和十九届二中、三中全会精神，坚定实施科教兴国战略、人才强国战略，紧紧围绕统筹推进"五位一体"总体布局和协调推进"四个全面"战略布局，坚定"四个自信"，在党的坚强领导下，全面贯彻党的教育方针，坚持马克思主义指导地位，坚持中国特色社会主义教育发展道路，坚持社会主义办学方向，立足基本国情，遵循教育规律，坚持改革创新，以凝聚人心、完善人格、开发人力、培育人才、造福人民为工作目标，培养德、智、体、美、劳全面发展的社会主义建设者和接班人，加快推进教育现代化、建设教育强国、办好人民满意的教育。将服务中华民族伟大复兴作为教育的重要使命，坚持教育为人民服务、为中国共产党治国理政服务、为巩固和发展中国特色社会主义制度服务、为改革开放和社会主义现代化建设服务，优先发展教育，大力推进教育理念、体系、制度、内容、方法、治理现代化，着力提高教育质量，促进教育公平，优化教育结构，为决胜全面建成小康社会、实现新时代中国特色社会主义发展的奋斗目标提供有力支撑。

《中国教育现代化2035》提出了推进教育现代化的八大基本理念：更加注重以德为先，更加注重全面发展，更加注重面向人人，更加注重终身学习，更加注重因材施教，更加注重知行合一，更加注重融合发展，更加注重共建共享。明确了推进教育现代化的基本原则：坚持党的领导、坚持中国特色、坚持优先发展、坚持服务人民、坚持改革创新、坚持依法治教、坚持统筹推进。

《中国教育现代化2035》提出，到2035年，我国将总体实现教育现代化，迈入教育强国，推动我国成为学习大国、人力资源强国和人才强国，为到本世纪中叶建成富强、民主、文明、和谐、美丽的社会主义现代化强国奠定坚实基础。建成服务全民终身学习的现代教育体系、普及有质量的学前教育、实现优质均衡的义务教育、全面普及高中阶段教育、职业教育服务能力显著提升、高等教育竞争力明显提升、残疾儿童少年享有适合的教育、形成全社会共同参与的教育治理新格局。

立足新时代、推进教育治理体系和治理能力现代化，应当积极推进教育治理方式变革,加快形成现代化的教育管理与监测体系,推进管理精准化和决策科学化。提高教育法治化水平,构建完备的教育法律法规体系,健全学校办学法律支持体系。健全教育法律实施和监管机制。提升政府综合运用法律、标准、信息服务等现代治理手段的能力和水平。健全教育督导体制机制,提高教育督导的权威性和实效性。提高学校自主管理能力,完善学校治理结构。鼓励民办学校按照非营利性和营利性两种组织属性开展现代学校制度改革创新。推动社会参与教育治理常态化,建立健全社会参与学校管理和教育评价监管机制。要开创教育对外开放新格局。全面提升国际交流合作水平,推动我国同其他国家学历学位互认、标准互通、经验互鉴。扎实推进"一带一路"教育行动,加强与联合国教科文组织等国际组织和多边组织的合作,提升中外合作办学质量。完善教育质量标准体系,制定覆盖全学段、体现世界先进水平、符合不同层次类型教育特点的教育质量标准,明确学生发展核心素养要求。优化出国留学服务。实施留学中国计划,建立并完善来华留学教育质量保障机制,全面提升来华留学质量。推进中外高级别人文交流机制建设,拓展人文交流领域,促进中外民心相通和文明交流互鉴,鼓励大胆探索、积极改革创新,形成充满活力、富有效率、更加开放、有利于高质量发展的教育体制机制。

立足新时代、推进教育治理体系和治理能力现代化,应当全面落实立德树人根本任务。广泛开展理想信念教育,厚植爱国主义情怀,加强品德修养,增长知识见识,培养奋斗精神,不断提高学生思想水平、政治觉悟、道德品质、文化素养。树立健康第一理念,防范新冠病毒和各种传染病;强化学校体育,增强学生体质;加强学校美育,提高审美素养;确立劳动教育地位,凝练劳动教育方略,强化学生劳动精神陶冶和动手实践能力培养。① 建立健全中小学各学科学业质量标准和体质健康标准。加强课程教材体系建设,科学规划大中小学课程,分类制定课程标准,充分利用现代信息技术,丰富创新课程形式。创新人才培养

---

① 王定华:《试论新时代劳动教育的意蕴与方略》,课程教材教法,2020年第5期。

方式,推行启发式、探究式、参与式、合作式等教学方式,培养学生创新精神与实践能力。建设新型智能校园,提炼网络教学经验,统筹建设一体化智能化教学、管理与服务平台。利用现代技术加快推动人才培养模式改革,实现规模化教育与个性化培养的有机结合。创新教育服务业态,建立数字教育资源共建共享机制,完善利益分配机制、知识产权保护制度和新型教育服务监管制度。

立足新时代、推进教育治理体系和治理能力现代化,应当特别关注广大教师的成长诉求。百年大计,教育为本;教育大计,教师为本。教师是人类灵魂的工程师,是时代进步的先行者,承担着传播知识、传播思想、传播真理的历史使命,肩负着塑造灵魂、塑造生命、塑造新人的时代重任,是教育改革发展的第一资源,是实现中华民族伟大复兴的重要基石。当前,工业化、信息化、新型城镇化、农业现代化迅速发展,国际竞争日趋激烈,国家经济社会发展对高素质人才的渴求愈发迫切,人民群众对“上好学”的需求更加旺盛,教育发展、国家繁荣、民族振兴,亟需一批又一批的好教师。所以,必须从战略高度充分认识教师工作的极端重要性,优先规划,优先投入,优先保障,创新教师治理体系,解决编制、职称、待遇的制约,真正加强教师队伍建设,造就师德高尚、业务精湛、结构合理、充满活力的高素质专业化创新型教师队伍。广大教师和教育工作者需要学习了解西方教育发达国家的新的教育理念和教育思想,并应当在此基础上敢于超越、善于创新。校长是教师中的关键少数。各方应加强统筹,加强中小学校长队伍建设,努力造就一支政治过硬、品德高尚、业务精湛、治校有方的校长队伍。

“教育治理与领导力丛书”是华东师范大学出版社为适应中国教育改革和创新的要求、推动中国教育现代化进程,而重点打造的旨在提高教师必备职业素养的精品图书。为了做好丛书的引进、翻译、编辑,华东师范大学出版社相关同志做了大量扎实有效的工作。首先,精心论证选题。会同培生教育出版集团(Pearson Education)共同邀约中外专家,精心论证选题。所精选的教育学原著均为培生教育出版集团和国内外学术机构推荐图书,享有较高学术声誉,被

200 多所国际知名大学广泛采用,曾被译为十多种语言。丛书每一本皆为权威著作,引进都是原作最新版次。其次,认真组织翻译。好的版权书,加上好的翻译,方可珠联璧合。参加丛书翻译的同志主要来自北京外国语大学、北京师范大学、浙江大学、南京大学、西南大学等"双一流"高校,他们均对教育理论或实践有一定研究,具备深厚学术造诣,这为图书翻译质量提供了切实保障。再次,诚聘核稿专家。聘请国内相关专业的专家学者组建丛书审定委员会,囊括了部分学术界名家、出版界编审、一线教研员,以保证这套丛书的学术水准和编校质量。"教育治理与领导力丛书"起始于翻译,又不止于翻译,这套丛书是开放式的。西方优秀教育译作诚然助力我国教育治理改进,而本国优秀教育创作亦将推动我国学校领导力增强。

华东师范大学出版社王焰社长、曾睿编辑邀请我担任丛书主编,而我因学识有限、工作又忙,故而一度犹豫,最终好意难却、接受邀约。在丛书翻译、统校过程中,我和相关同志主观上尽心尽力、不辱使命,客观上可能仍未避免书稿瑕疵。如读者发现错误,请不吝赐教,我们当虚心接受,仔细订正。同时,我们深信,这套丛书力求以其现代化教育思维、前瞻性学术理念、创新性研究视角和多样化表述方式,展示教育治理与领导力的理论和实践,是教育现代化进程中广大教师、校长和教育工作者所需要的,值得大家参阅。

王定华

2020 年夏于北京

(王定华,北京外国语大学党委书记,国际教育学院教授、博士生导师,国家督学、国家教师教育专家咨询委员会副主任委员,曾任教育部基础教育一司司长、教育部教师工作司司长、中国驻纽约总领事馆教育领事。)

前　言

　　本书面向的读者,主要是注册学习教育心理学课程以为将来从事教学、咨询、语言障碍矫正或心理学等专业做准备的人们。本书的内容应吸引关心教育和学习的每一个人——从护士学校的志愿者到服务残疾人的社区指导者。理解书中的内容并不需要具有心理学和教育学的背景,本书尽可能减少使用术语,为了使这一版清晰、有针对性和令人感兴趣,许多人付出了辛勤努力。

　　从《教育心理学》第 1 版至今,这一领域已取得了许多令人振奋的成就。第 14 版继续强调有关儿童发展、认知科学、学习、动机、教学和评价的研究在教育中的意义和应用。理论和实践不是孤立的,而被视为一个整体,书中展示了如何将来自教育心理学研究的信息和观点应用于解决日常教学问题。为了探索研究与实践之间的联系,书中提供了大量案例、课堂片段、个案研究、指南和来自有经验教师的实践提示等。阅读本书读者会发现教育心理学的价值和益处,教育心理学为勇于教学和热爱学习的人提供独一无二且关键的知识。

本版新增内容

在本书中,许多重要主题的内容有所增加,其中包括:

- 第二章所强调和融入其他章节中的有关大脑、神经科学和教学等内容。
- 技术和虚拟学习环境对当今学生和教师生活的影响。
- 愈加强调当今课堂中的多样性(特别是第一至第六章)。刻画教育情境之中的学生,使读者感受到真实且人性化的多样性。在许多章节中设置了新练习,请读者"将自己置于他们的位置",作为培养对众多学生及情形具有移情能力的一种方式。
- 教育科学研究所(*Institute for Educational Science*)提出的学习原则之有

效运用。(https://ies.ed.gov/ncee/wwc/PracticeGuide/1)

各章关键内容的变动包括：

第一章:本章目标是提供知识和技能,以使学生为形成针对不同情境和不同对象的真正教学效能感奠定坚实基础,因此提供有关《每个学生都成功法案》(Every Student Succeeds Act, ESSA)的新信息。此外,研究部分目前增加了混合方法(mixed methods)(补充方法)(请参见表1.2)和循证实践(evidence-based practice)。

第二章:有关大脑和大脑成像技术、突触可塑性、儿童期和青春期大脑发育及其教学意义方面的新信息。此外,对皮亚杰和维果斯基的理论进行了更具批判性的分析。

第三章:更新了有关青春期身体变化、游戏中文化差异、儿童肥胖、饮食失调及支持网站、养育子女、攻击性、种族身份认同和自我概念的部分。

第四章:新增有关标签偏见、神经科学与智力、学习方式问题、注意力缺陷多动障碍、学生吸食毒品、癫痫发作与其他严重健康问题以及自闭症谱系障碍的部分。

第五章:有关语言发展、读写萌芽、语言多样性和双语教育的新信息。

第六章:新增关于多元交织性、民族和种族、偏见的部分,拓展有关刻板印象威胁、性别、性别认同、性取向以及创建文化包容教室的部分。

第七章:扩展有关行为主义方法伦理问题、课堂混乱的原因、行为学习理论教学意义的部分。

第八章:更新有关大脑与认知学习、多任务处理、工作记忆与认知负荷、概念教学、合理难度、有效练习以及认知学习理论教学意义的内容。

第九章:新增有关复杂学习和稳健知识、元认知策略新近讨论、检索练习、实例、论证和批判性思维的内容。

第十章:新增有关设计学习环境、建构主义课堂里的辅助、搭建支架、提出和回答深层问题以及翻转课堂的部分,更新有关协作、数字化时代学习和计算机思维的讨论。

第十一章:更新有关榜样、自我效能感及其作用、教师效能感、自我调节学习以及情绪自我调节的内容。新增关于毅力的部分。

第十二章:本章围绕五个动机主题进行重组,更新有关期望—价值—代价理论的处理,新增有关定势的部分,更新有关心流体验和动机 TARGET 框架的资料。

第十三章:新增有关课堂管理中关系、社交技能和指导的作用的内容,更新有关处理纪律问题、欺凌和网络欺凌、恢复性司法以及对文化回应型课堂管理的材料。

第十四章:更新有关教学、家庭作业和教师期望的研究,以及新增有关学习目标、共同核心(common core)、提出深层问题和提供反馈的部分。

第十五章:新增有关形成性和中期评估、使用不同类型测试形式和规则的指南以及评估复杂思维的部分,更新有关与学生家人讨论测试结果、围绕高风险测试的争论、增值评估以及 PARCC 和 SBAC 测试的内容。

教育心理学领域及其动态的简介

第 14 版保持了本书享有盛誉的简明清晰的写作风格。本书提供了教育心理学以下基本领域的准确和最新内容:学习、发展、动机、教学和评估,并洞察分析这些领域的新趋势和影响学生学习的社会因素,例如学生多样性、融合有特殊学习需要的学生、教育与神经科学、教育政策和技术。

教育 MyLab(MyLab for Education)

第 14 版中最明显的变化(当然也是最有意义的变化之一)是文本中嵌入的数字化学习和评估资源的扩展。这些资源旨在使读者更直接地进入 K－12 教室时空之中,并帮助读者了解教育心理学概念对学习和发展的真实影响。这些数字化学习和评估资源包括:

● 为读者提供在教学中使用教育心理学概念的练习。

● 帮助读者检测对本书和媒体资源所呈现的概念的理解程度。

● 帮助读者更深入地思考分析教育心理学以及作为教师如何运用它(作为一种学习工具)。

视频案例。在几乎所有章节,嵌入的视频提供了实践中的教育心理学原理或概念,这些视频案例绝大多数呈现了课堂中学生和教师的活动,有的呈现了学生或教师描述他们的想法或经验。

播客音频。在所有章节中,安妮塔谈话(Anita Talks)播客直接链接到安妮塔谈论教学(Anita Talks About Teaching)的相关部分,这个系列播客的内容是伍尔福克博士讨论每章内容与教学专业的关系。

自我检查。在所有章节中,都可以找到(My Lab for Education)自检测验:每章有4到6个测验,每个主要文本部分后有一个。它们旨在帮助读者评估对文中概念的掌握程度。这些自我检查由多项选择题组成,它们不仅提供有关你是否正确回答问题的反馈,而且还提供正确和错误回答的理由。

应用练习。每一个主要部分的最后,你可以找到一个或两个应用练习,它们促使读者运用章节内容来反思真实课堂中的教学。这些练习中的问题通常是选择题。读者一旦提交了你自己的答案,就将收到专家编写的参考答案作为反馈。

执照考试练习。每一章最后都有一个练习,让读者有机会在阅读案例研究的同时应用本章内容,然后回答多项选择题和单项选择题,类似于许多教师执照考试中出现的问题。通过在"连接并扩展到许可证"练习结束时单击 My Lab for Education 热链接,读者可以在线完成活动并获得有关答案的反馈。

课堂管理模拟。在 My Lab for Education 的左侧导航栏中,读者将能够看到交互式模拟,在模拟中读者将参与有关课堂管理策略的决策。这些互动案例集中于教师日常最常遇到的课堂管理问题。每个模拟在开始时呈现一个挑战场景,然后提供一系列解决挑战的选择。在此过程中,读者会收到导师对读者的选择的反馈,并有机会在必要时做出更好的选择。

学习模块。在 My Lab for Education 的左侧导航栏中,读者还可以找到一组学习模块(Study Module)。这些互动的和应用导向的模块提供了阅读之外学习基础教育心理学概念的其他方式。这些模块通过包括动画、样例和课堂视频的屏幕捕获视频来呈现内容。每个模块由三部分组成。第一部分从学习部分开始,介绍几个关键概念和策略,然后解决应用部分的问题。这些使读者练习将概念和原则应用到实际教学和学习场景中。每个模块的第三部分是评估部分的多项选择题。这项测试包括更高级的问题,这些问题不仅评估读者对模块内容的记忆,还评估读者在实际课堂情境中运用所学概念和策略的情况。

视频分析工具。My Lab for Education 的左侧导航栏中也提供了广受期待的视频分析工具(Video Analysis Tool)。视频分析工具可以帮助读者形成分析教学的技能。练习提供课堂视频和说明以辅助读者的分析,时间戳和评论工具可以让读者很容易地对视频进行注释,并将读者的观察结果与本书中学到的教育心理学概念联系起来。

其他文本特征

由于坚定不移地强调教育心理学与课堂中教师和学生的相关性和实践意义,本书包括了大量的当前问题与争议、举例、课堂片段、案例研究以及经验丰富教师的实践理念。

每章的"观点与争论"(Point/Counterpoint)针对有关该领域的争议问题提供了两种观点。主要包括以下争论主题:应该以何种研究指导教育(第一章)、基于脑的教育(第二章)、自尊运动(第三章)、给多动症学生药丸还是技能(第四章)、教英语学习者的最佳方法(第五章)、男孩和女孩的教学方式应该有所不同吗?(第六章)、使用奖励鼓励学生学习(第七章)、多任务处理有什么问题?(第八章)、教授批判性思维和解决问题(第九章)、基于问题的教育(第十章)、有毅力的学生更成功吗?(第十一章)、使学习有趣的价值(第十二章)、零容忍(第十三章)、共同核心标准(第十四章)和让孩子留级(第十五章)。

指南(Guidelines)贯穿每一章,提供了所讨论理论或原理的具体应用。

指南:与家庭和社区形成合作伙伴关系(*Guidelines*:*Family and Community Partnerships*)提供了具体的准则,以使所有家庭参与其子女的学习——尤其是对父母的参与的需求空前高涨且家庭与学校之间的合作需求至关重要时,这一点尤其重要。

教师案例簿(*Teachers' Casebook*)在每章开篇向学生展示了现实的课堂情景,并提出问题"你会做什么?"这使学生有机会通过回答这些问题将本章所有重要主题应用于这些情景。然后,学生可以将他们的回答与每章最后出现的资深教师的回答进行比较。

惠及每个学生(*Reaching Every Student*)介绍了当今包容性教室中评估、教学和激励所有学生的理念。

给教师的建议(*Lessons for Teachers*)是基于研究的简洁而实用的教学原则。

以他人角度思考(*Put Yourself in Their Place*)通过让学生想象自己在不同情况下的感受发展同理心。

停下来想一想(*Stop and Think*)活动为学生提供了所讨论概念的第一手感受。

补充材料

本书的许多补充材料可用于提升读者,特别是作为教师的学习和发展水平。

在线教师手册。教师可在网址 www. pearsonhighered. com/educator 下载《教师手册》,其中包含有关学习活动、补充讲座、小组活动和其他媒体资源的建议,这些都是经过精心挑选的,以支持、丰富和拓展学生在本书中阅读内容。

在线幻灯片。教师可在网址 www. pearsonhighered. com/educator 下载幻灯片,包括关键概念总结和其他图表辅助工具,以帮助学生理解、组织和记住核心概念和思想。

在线测试库。本书随附的测试库包含多项选择题和论文题。有些项目(低层次问题)只是要求学生识别或解释他们所学的概念和原理,但是还有许多问题(高层次问题)要求学生将这些概念和原则应用于特定的课堂情景,即应用于实际的学生行为和教学策略。低层次问题评估教育心理学的基础知识,但最终更高层次问题可以更好地评估学生在他们自己的教学实践中运用教育心理学原理的能力。

测试代(TestGen)。测试代是功能强大的测试生成器,只能从培生教育发行商处获得。教师将测试代安装在个人计算机(Windows 或 Macintosh)上,并创建自己的测试题以用于课堂测试和其他特定的使用方式,例如通过局域网或互联网。一家测试库也被称为测试项目文件(Test Item File, TIF),包含大量测试项目,这些测试项目按章进行组织,便于根据关联的教科书材料创建测试。评测——包括方程式、图表和科学符号——纸笔或在线格式——可以以纸笔方式或在线方式创建。

评测可以以下列格式下载:

TestGen Testbank file—PC

TestGen Testbank file—MAC

TestGen Testbank—Blackboard 9 TIF

TestGen Testbank—Blackboard CE / Vista(WebCT)TIF

Angel Test Bank(zip)

D2L Test Bank(zip)

Moodle Test Bank

Sakai Test Bank(zip)

致谢

在我写这本书的这些年里,从初稿到最新的这一版,得到了许多人的支持。

没有他们的帮助,这本书就不可能撰写完成。

许多教育家为此版本和以前各版本做出了贡献。肯塔基大学(University of Kentucky)的艾伦·L.厄舍(Ellen L. Usher)贡献了她的非凡学识和悦人文字,修订了第六章和第十一章。卡罗尔·温斯坦(Carol Weinstein)在第十三章中撰写了有关学习空间的部分。普渡大学(Purdue University)的迈克尔·尤格(Michael Yough)审查了几章,其中包括第五章"语言发展、语言差异和移民教育"。俄亥俄州立大学(The Ohio State University)的阿伦·海尔维拉(Alan Hirvela)的建议也改进了第五章。鲍尔州立大学(Ball State University)的珍若欧·卡桑迪(Jerrell Cassady)为第十二章"动机、教学和学习"提供了宝贵的指导。第一章和第六章中的学生描述由佐治亚大学(University of Georgia)的南希·纳普(Nancy Knapp)提供。

全国各地同事花时间完成了我的调查,回答我的问题并回顾这些章节,当考虑如何修订此版本时,我受益于他们的想法。

感谢以下学者的修订审阅:乔治海森大学的凯伦·班克斯(Karen Banks)、北卡罗来纳州立大学的马库斯·格林(Marcus Green)、北卡罗来纳州立大学格林斯伯勒分校的谢丽尔·格林伯格(Cheryl Greenberg)、北得克萨斯大学的米歇尔·库萨(Michelle Koussa)、密西西比州州立大学的尼克尔·力奇(Nicole Leach)和鲍尔州立大学的王陆(Lu Wang)。

遍布全国和世界各地的许多一线教师都将他们的经验、创造力和专业知识贡献给了"教师案例簿",我非常享受与这些杰出教师的交往,并对他们带给本书的观点深表谢意:

艾米·弗雷德特(AIMEE FREDETTE),二年级教师,Fisher Elementary School, Walpole, MA;

艾伦·奥斯本(ALLAN OSBORNE)副校长,Snug Harbor Community School, Quincy, MA

芭芭拉·普雷斯利(BARBARA PRESLEY),过渡/工作学习协调员——高中级别, BESTT Program (Baldwinsville Exceptional Student Training and Transition Program) C. W. Baker High School, Baldwinsville, NY

卡拉·希金斯(CARLA S. HIGGINS),五年级扫盲协调员,Legend Elementary School, Newark, OH

丹·道尔(DAN DOYLE),十一年级历史教师,St. Joseph's Academy, Hoffman, IL

丹尼尔·哈特曼(DANIELLE HARTMAN),二年级教师,Claymont Elementary School, Ballwin, MO

南希·希恩-梅尔扎克博士(NANCY SHEEHAN-MELZACK),艺术和音乐教师,Snug Harbor Community School, Quincy, MA

杰卡琳·D. 沃克(JACALYN D. WALKER),八年级科学教师,Treasure Mountain Middle School, Park City, UT

简·W. 坎贝尔(JANE W. CAMPBELL),二年级教师,John P. Faber Elementary School, Dunellen, NJ

詹妮弗·L. 马茨(JENNIFER L. MATZ),六年级教师,Williams Valley Elementary, Tower City, PA

詹妮弗·平科斯基(JENNIFER PINCOSKI),K-12 学习资源教师,Lee County School District, Fort Myers, FL

杰西卡·N. 马赫塔班(JESSICA N. MAHTABAN),八年级数学教师,Woodrow Wilson Middle School, Clifton, NJ

乔丽塔·哈珀(JOLITA HARPER),三年级教师,Preparing Academic Leaders Academy, Maple Heights, OH

卡伦·博亚尔斯基(KAREN BOYARSKY),五年级教师,Walter C. Black Elementary School, Hightstown, NJ

凯蒂·丘吉尔(KATIE CHURCHILL),三年级教师,Oriole Parke Elementary School, Chicago, IL

凯蒂·皮尔(KATIE PIEL),六年级教师,West Park School, Moscow, ID

基思·J. 博伊尔(KEITH J. BOYLE),九至十二年级英语教师,Dunellen High School, Dunellen, NJ

凯利·克罗基特(KELLEY CROCKETT),Meadowbrook Elementary School, Fort Worth, TX

凯利·L. 霍伊(KELLY L. HOY),五年级人类学教师,Katherine Delmar Burke School, San Francisco, CA

凯利·麦克罗伊·博宁(KELLY MCELROY BONIN),高中顾问,Klein Oak

High School, Spring, TX

劳伦·罗林斯(LAUREN ROLLINS),一年级教师,Boulevard Elementary School, Shaker Heights, OH

琳达·格利森(LINDA GLISSON)和苏·米德尔顿(SUE MIDDLETON),五年级团队教师,St. James Episcopal Day School, Baton Rouge, LA

琳达·斯帕克斯(LINDA SPARKS),一年级教师,John F. Kennedy School, Billerica, MA

劳·德·劳罗(LOU DE LAURO),五年级语言文学教师,John P. Faber School, Dunellen, NJ

M. 丹尼斯·卢茨(M. DENISE LUTZ),技术协调员,Grandview Heights High School, Columbus, OH

马迪亚·阿亚拉(MADYA AYALA),高中教师,Eugenio Garza Lagüera, Campus Garza Sada, Monterrey, N. L. Mexico

玛丽·霍夫曼·赫特(MARIE HOFFMAN HURT),八年级外语教师(德语和法语),Pickerington Local Schools, Pickerington, OH

迈克尔·亚西斯(MICHAEL YASIS),L. H. Tanglen Elementary School, Minnetonka, MN

南希·谢弗(NANCY SCHAEFER),九至十二年级教师,Cincinnati Hills Christian Academy High School, Cincinnati, OH

帕姆·加斯基尔(PAM GASKILL),二年级教师,Riverside Elementary School, Dublin, OH

帕特里夏·A. 史密斯(PATRICIA A. SMITH),高中数学教师,Earl Warren High School, San Antonio, TX

保罗·德拉金(PAUL DRAGIN),面向英语作为第二语言的学生,九至十二年级教师,Columbus East High School, Columbus, OH

保拉·科尔梅尔(PAULA COLEMERE),英语、历史科目的特殊教育教师,McClintock High School, Tempe, AZ

莎拉·文森特(SARA VINCENT),特殊教育教师,Langley High School, McLean, VA

托马斯·奈史密斯(THOMAS NAISMITH),七至十二年级科学教师,Slocum

Independent School District, Elkhart, TX

瓦莱丽·A. 奇尔卡特(VALERIE A. CHILCOAT),五年级/六年级高级学业教师,Glenmount School, Baltimore, MD

编写这一版,我再次有幸与一个杰出的编辑团队合作,他们的智慧、创造性、出色的判断力、风格和对品质精益求精的责任感,体现在这本书的每一页。主任兼出版家凯文·戴维斯(Kevin Davis)以艺术家的眼光、学者的头脑以及高效的保障力指导着项目直至完成,他是一位对该领域及其未来发展有明智把握和敏感性的合作者。编辑助理凯西·科里尔(Casey Coriell)让一切都顺利进行,让我的电子邮件嗡嗡不停。在这个版本的写作中我很幸运得到了凯西·史密斯(Kathy Smith)的帮助,她细心而熟练阅读和重读每一页,提升每一章的写作和逻辑,她的专业知识和奉献精神为项目中的每个人树立了榜样。艾丽西娅·赖利(Alicia Reilly)是优秀的发展型编辑,在她身上我们看到广博知识、组织能力和创造性思维的完美结合,如果没有她不懈的努力,本书特色、教师案例以及优秀的教学法支持将不复存在。来自培生的内容和媒体制作人珍妮尔·罗杰斯(Janelle Rogers)、劳伦·卡尔森(Lauren Carlson)和丹尼尔·德怀尔(Daniel Dwyer)以及盖尔·戈特弗里德(Gail Gottfried),以惊人的技巧、风度和风趣幽默使项目的方方面面顺利推进,他们使原本可能出现的混乱之处变得有条不紊,使原本可能的繁琐无聊的工作变得有趣。现在这本书已经交到市场经理克里斯托弗·巴里(Christopher Barry)和克里斯塔·克拉克(Krista Clark)的手里,我迫不及待地想看看他们为我所做的规划! 多么富有才华和创造力的团队,我很荣幸能和他们一起工作。

最后,我要感谢我的家人和朋友,在我撰写这本书的漫长的日日夜夜中,他们给予我理解和支持。献给我的家人——马里恩、鲍勃、埃里克、苏兹、丽兹、韦恩、玛丽、凯利,还有新成员阿玛亚,你们太棒了。

当然,还有韦恩·霍伊——我的朋友、同事、灵感、激情、丈夫——你就是最好的。

安妮塔·伍尔福克·霍伊

(Anita Woolfolk Hoy)

目　　录

第一部分　学　生

第二部分　学习与动机

第七章　学习的行为主义观点 ···················· [405]

第三部分 教学与评价

第一章　学习、教学与教育心理学

概览

教师案例簿

不让一个学生掉队——你会做什么?

你已经在林肯东校区工作两年了。在过去的四年中,你所在学校中来自移民家庭的学生人数急剧增加。你所教的班级中,有两个学生说索马里语、一个说老挝语、一个说波斯语、四个说西班牙语。有些人会说一点儿英语,但许多孩子除了"OK"之外,对英语一窍不通。如果在学校里说某种外语的学生较多,学校就会针对这些孩子额外设计一些课程或特殊教学项目。然而事实上,现在学校里说不同语言的学生的数量都还没有达到必须另设课程的地步。除此之外,班里还有几个学生有特殊需求,最常见的问题是学习障碍,特别是阅读困难。你所在的州和学区要求你使所有学生做好通过来年春季统一测验的准备,美国强调的是在高中毕业前使每个孩子为进入大学和就业做好准备,而唯一有可能给你提供额外帮助的,是一名来自当地大学的实习教师。

批判性思维

- 为了帮助班里所有学生取得进步并准备好参加来年的成绩测验,你能做些什么?

- 你将如何利用实习教师资源以使得他和班里学生的学习都有所增进?

- 你将如何使非英语学生的家长和学习障碍学生的家长参与进来支持他们孩子的学习?

概述与目标

与许多学生一样,你也许正抱着期待而又疑惑的心态面对这门课程。你之所以选择教育心理学,可能是因为在教师教育、言语治疗、护理或咨询等行业的培训中,它是必不可少的课程,也可能你只是把它作为一门选修课。无论你学习的原因是什么,你可能对教育、对学校、对学生、甚至对自己的成长经历存在一些困惑,期望这门课程能够帮助你解决这些问题。我正是带着这些问题完成了《教育心理学》第14版的修订。

在第一章里,我们先谈谈当今的教育。教师有时候被公众指责为"不尽职",有时候又被歌颂为年轻学子们未来的希望。那么,教师真的能对学生的学习产生影响吗?优质教学应该具备什么样的特征呢? ——真正称职的教师如何思考和行动? 他们对学生、学习和自己有什么看法？只有了解了当今学习和教学中面临的机遇和挑战，你才能领会教育心理学对教学实践的意义。

在简短介绍教师的职业角色之后，我们将回头讨论教育心理学本身的问题：教育心理学家的研究结论如何对教师、治疗师、家长和其他热衷于教育和学习的人产生影响？教育心理学包含的确切内容是什么？从何而来？最终，我们将建构一个可以整合教育心理学研究的宏观模型，以此来确认与学习有关的学生和学校的关键因素（J. Lee & Shute，2010）。我的目标是，你将成为一个有信心和有能力的新教师。学完这一章，你应该能：

目标 1.1　描述《不让一个孩子掉队》法案及其后续《每个学生都成功法案》的关键要素，并讨论测验和问责制对教师和学生的持续影响。

目标 1.2　讨论有效教学的本质特征，包括描述好教师所做工作的不同框架。

目标 1.3　描述教育心理学领域中所使用的研究方法以及每种方法可以解决的问题类型。

目标 1.4　了解影响教育实践的主要发展和学习理论。

当今的学习与教学

欢迎来到我最喜欢的教育心理学领域，这是一门研究学校内外学生的发展、学习、动机、教学与评估的学科。我相信，在你成为学校教师或咨询教师的各项准备中，无论你未来的学生是儿童还是成人，无论你将需要教授学生如何阅读抑或是如何改善伙食，教育心理学都会是你需要学习的最重要课程之一。事实上，有证据表明，接受过有关"儿童发展与学习"课程训练的新手教师在教学岗位上的留任率，是没有受过此类训练的教师的两倍（National Commission on Teaching and America's Future，2003）。对你来说，这可能是一门必修课，因此我首先将向你介绍当今的课堂状况，以帮助你找到学习教育心理学的理由。

今日的学生：多元化与擅长技术

当今美国课堂中的学生是何种面貌呢？这里有一些有关美国学生的统计数据。

- 美国是一个移民国家。大约有25%的18岁以下儿童生活在移民家庭(Turner, 2015)。很有可能到2060年,美国居民中近20%将是在国外出生的,而西班牙裔人口将占人口的30%左右。到2044年,美国一半以上的人口将来自少数族群(Colby & Ortman, 2015)。

- 2017年,美国卫生与公众服务部根据其定义的贫困标准——一个四口之家的年收入为24600美元(阿拉斯加为30750美元,夏威夷为28290美元),统计出美国近1500万儿童——占儿童总数约22%——生活在贫困中。在公立学校,超过一半的学生有资格享受免费或低价午餐,这是一个粗略的贫困指标(南方教育基金会,2015)。美国的儿童贫困率为22%,在世界35个经济发达国家中位居第二,居于罗马尼亚之上、保加利亚之下。冰岛、斯堪的纳维亚国家、塞浦路斯和荷兰的儿童贫困率最低,约为7%或更低(Ann E. Casey基金会,2015;儿童保护基金会,2015;国家儿童贫困中心,2013;联合国儿童基金会,2012)。

- 典型的黑人家庭拥有典型白人家庭财富的6%,西班牙裔家庭的比例为8%(Shin, 2015)。

- 大约六分之一的美国儿童患有轻度到重度的发育障碍,如言语和语言障碍、智力障碍、脑瘫或自闭症,其中超过半数的儿童大部分时间都在接受通识教育课程(疾病控制中心,2015c)。

- 2012年,17岁及以下的儿童中,20%父母离异或分居,11%与酗酒或吸毒的人生活在一起,7%父母曾在监狱服刑,9%与患有精神疾病的人生活在一起(儿童趋势,2013)。

根据这些统计数据,埃里卡·特纳(Erica Turner)得出结论,"美国社会和学校比以往任何时候都更加多元化和不平等"(2015,p.4)。与此相反,由于大众媒体的影响,这些多元化的学生也具有很多的相似性,特别是现在的大多数学生比他们的老师具有更好的技术素养。例如：

- 8 岁及以下的孩子平均每天花近 2 小时看电视或视频,29 分钟听音乐,25 分钟玩电脑或电脑游戏。2013 年,75% 有该年龄段孩子的家庭拥有智能手机、平板电脑或其他移动设备(常识媒体,2012,2013b)。今天这些数字可能有所增加。

- 皮尤研究中心(Pew Research)2015 年的一项调查显示,在 13 岁至 17 岁的青少年中,92% 的人说他们每天都上网,24% 的人几乎一直在上网。这是可能的,因为 88% 的青少年可以使用某种类型的手机,其中大多数(73%)是智能手机。71% 的青少年使用多个社交媒体网站;Facebook、Instagram 和 Snapchat 是最受欢迎的(Lenhart,2015)。

这些统计数据虽然令人印象深刻,但也仅仅是冷冰冰的数据而已。无论你的身份是一名教师、咨询者、娱乐工作者、言语治疗师,抑或是一名家长,你都需要面对真实的、有血有肉的孩子。在本书中,你将会看到很多鲜活的个案,比如 Josué,一名聪明的一年级学生,他的第一语言是西班牙语,正努力学习阅读手机游戏提供的唯一一种语言;Alex,11 岁,创造了 10 种语言和 30 或 40 个字母表;Jamie Foxx 是得克萨斯州一个小镇上的一名非常聪明的三年级学生,他的老师为了奖励他一周的努力学习,让他每周五在班上表演单口喜剧;Tracy,一名未通过考试的高中生,她不明白为什么她的学习策略使其落败;Felipe 上五年级,来自一个说西班牙语的家庭,现在他在一个新的语言环境中学习文化课程,并结交了新的朋友;Ternice 是一个性格开朗的非裔美国女孩,在城里一所中学学习,却总是习惯于隐藏自己的才能;Trevor 是一个小学二年级的学生,他对符号的理解有困难;Allison 是一个黑帮小团伙的头目,常常虐待流浪者;Elliot 是一个六年级的阳光少年,但却有严重的学习障碍;Jessie 在一所农村高中上学,她的平均成绩越来越差,但她却无动于衷。

在教室里,虽然学生之间在种族或民族、宗教信仰、语言、经济水平上差异日益悬殊,但是教师之间的差异性却没有那么大——白人教师的比例在上升(目前大约为90%),而黑人教师的比例在减少,仅为7%。显然,对所有教师而言,深入了解自己的每个学生并且有效地和学生合作是很重要的。为此,本书将有若干章来帮助教师理解学生的多样性。此外,在各章的具体内容中,我们也将通过研究、案例或实践应用等来探索学生的多元化和复杂性。

自信无处不在

学校是以教与学为中心的,其他的所有活动都从属于这个主要目标。但我们在上文中提到的新情境下的教与学,会对教师和学生都提出挑战。本书的主要目的就在于帮助你了解发展、学习、动机、教学和评估的复杂过程,从而使你成为一个有能力而又自信的教师。

我自己的很多研究都聚焦于教师效能感(teachers'sense of efficacy)①。所谓教师效能感,是指一个教师相信他有能力帮助任何一个学生、甚至是学习困难学生的信念。这种自信是能够预测学生学业成就的为数不多的教师个性特点之一(Çakıroglu, Aydın, & Woolfolk Hoy, 2012; Woolfolk Hoy, Hoy, & Davis, 2009)。即使学生们很难教,具有较高效能感的教师在工作时也会非常努力,并具有较强的韧性,原因在于这些教师不仅对自己有信心,同时也对学生抱有信心;此外,具有较高效能感的教师较少体验到职业倦怠感,并且更能从工作中获得满足感(Fernet, Guay, Senécal, & Austin, 2012; Fives, Hamman, & Olivarez, 2005; Klassen & Chiu, 2010)。

我的研究发现,教育实习任务的完成可以增强实习教师的个人效能感,但这种效能感在真正做老师的第一年后会有所下降,也许是因为原本在教育实习过程中能获得的支持现在却没有了(Woolfolk Hoy & Burke-Spero, 2005)。当学校管理者和其他教师对某教师的学生抱有高期望,且这位教师能从学校领导那里获得如何解决教学和管理问题的帮助时,其效能感往往是比较高的(Capa, 2005)。效能感的增强来自教学的真正成功,而不仅仅来自专家和同事们的精神支持或鼓励。任何能够真正帮助你胜任日

---

① 教师效能感——教师相信自己有能力帮助任何一个学生,甚至是有学习困难的学生进行学习的信念。

常教学工作的体验或培训,都会为你在教师职业生涯中获得效能感提供帮助。我们写作本书的目的就在于提供一些相关的知识和技能,为培养教学中真实的效能感奠定坚实的基础。

对教师和学生的高期望

2002 年,布什总统签署了《不让一个孩子掉队》法案(No Child Left Behind,简称 NCLB)。实际上,这是自 1965 年颁布《美国中小学教育法案》(The Elementary and Secondary Education Act,简称 ESEA)以来,最为权威的教育政策法规。简言之,《不让一个孩子掉队》法案要求三至八年级的所有学生每年都必须参加阅读和数学的标准化成就测验,进入高中后还必须测试一次。除此之外,每个学段(小学、初中、高中)的学生都必须参加一次科学测验。基于这些测验成绩,学校可以判断学生是否为取得合格的年度进步(Adequate Yearly Progress,简称 AYP)而做出了足够的努力,这些成绩还标志着学生是否熟练掌握了考试科目的内容。州政府和学校必须制定 AYP 目标,并分别报告不同类型学生的测验分数,这些类型包括不同种族和少数民族学生群体、学习障碍学生群体、母语为非英语的学生群体、来自低收入家庭的学生群体等。不管州政府怎样制定这些标准,NCLB 法案要求必须在 2013—2014 学年末实现所有在校学生对考试科目达到熟练程度的目标,你可能注意到——这并没有发生。

有一段时间,NCLB 法案主导了整个教育领域,各种测试越来越多。学校和老师如果表现不佳,就会受到惩罚。例如,如果一所学校连续 5 年表现不佳,联邦政府的资金可能会被取消,教师和校长可能会被解雇,学校可能会被改成特许学校或关闭。正如你所能想象的,或者可能经历过的那样,如此高风险的惩罚迫使教师和学校为了考试而教学,甚至更糟,课程缩减了,很多时间都花在了训练和练习上。作弊也是一个问题,一些高中为了避免受到惩罚而降低了毕业要求(Davidson, Reback, Rockoff, & Schwartz 2015;Meens & Howe, 2015;Strauss, 2015)。

由于所有这些都集中在考试准备上,一些学校和州政府似乎在实现他们的 AYP 目标方面取得了进展,但是太多的学校被贴上了失败的标签。从这些成功和失败可以看出,各州使用不同的公式和程序来计算 AYP 目标,因此我们无法真正比较各州的结果

(Davidson et al.,2015)。总而言之,NCLB法案的要求被大众批评为生硬的措施,产生了不当的绩效结果、错误的激励和意料之外的负面后果(Hopkins et al.,2013,p.101)。

NCLB法案本应该在2007年或2008年进行修订,但直到2015年12月10日奥巴马政府签署了《每个学生都成功法案》(Every Student Succeeds Act,简称ESSA)①,才对NCLB法案进行调整。ESSA和NCLB的主要区别在于,对所有学生在某一特定日期前的熟练程度的要求已经被取消了,大部分控制权归还给了各州,由他们自己来制定标准和干预措施,惩罚不再是法案的核心。一些关键变化包括:

1. 学校仍然必须在同一年级测试相同的科目,并且至少95%的学生必须参加测试。但现在,地方学区可以决定什么时候进行测试和是否将一场大考分解成几场小考,甚至可以决定如何测试以便更好地真正了解重要的学习成就。问责计划必须提交给教育部,在这些计划中,测试成绩和毕业率比其他更主观的衡量标准更重要,但必须包括至少一个额外的衡量学校质量的指标,如校风和安全或学生参与度,以及衡量英语学习者英语语言能力进步的指标(Korte,2015)。

2. 学校仍然需要收集不同学生群体的数据,但如果这些群体中的学生表现不佳,他们不会受到惩罚,除非表现不佳的情况持续了一段时间。

3. 只有测试成绩排在倒数5%、毕业率低于学生总数三分之二以及一直表现不佳的学校才会被视为失败。各州必须通过"基于证据"的项目对这些学校进行干预,但是ESSA法案将使用何种干预的决定权留给了州政府(Strauss,2015)。

4. 各州可以采用共同核心标准(Common Core Standards,见第十四章),但联邦政府不会激励或施压各州这样做,其目标是让高中毕业生为上大学和就业做好准备。

5. 如果私立学校和宗教学校的学生有资格获得特殊服务,现在各州必须为这些学生提供"公平服务"资金,但是许多州并没有足够的钱来充分资助公立学校的这些服务,对于这些州来说,这可能是一个问题(Strauss,2015)。

---

① 《每个学生都成功法案》——2015年《不让一个孩子掉队》法案的替代文件。《每个学生都成功法案》对所有学生在某一特定日期前的熟练程度的要求已经被取消,大部分控制权归还给了各州,由他们自己来制定标准和干预措施。

6. ESSA 法案还强调通过为幼儿教育提供新的资金以增加学前教育的机会（Wong，2015）。

尽管这些似乎是重大变化，但对许多州和学校来说，实际影响可能不会太大。到2015 年，教育部部长已经豁免了 42 个州和哥伦比亚特区达到 100% 熟练程度的要求。为了获得豁免，各州必须证明他们已经采用了自己的测试和问责计划，并在实现让所有毕业生为上大学或就业做好准备的目标方面取得了进展。换句话说，这 42 个州和哥伦比亚特区已经在按照 ESSA 法案的主要条款运作（Meens & Howe，2015；Wong，2015）。

所有教师和教师教育者都关注的 ESSA 法案的一项条款是建立教师教育学院。受欢迎的学院类型是非传统的、非大学的、营利性不必达到大学项目标准的项目，许多教师教育者担心这一步会降低新教师的质量（Strauss，2015）。

时间将会告诉我们新的 ESSA 法案究竟开展得如何，尤其是在唐纳德·特朗普当选美国总统的情况下。许多优秀教师仍然认为，他们花了太多的时间准备考试，而没有足够的时间支持学生学习不需测试的科目，如社会科学、美术、音乐、体育和科技（Cusick，2015）。但无论政府采取什么政策，都需要有能力和自信的教师。真是这样吗？教师真的有重要作用吗？这确实是个很好的问题。

教师有重要作用吗？

之前呈现的统计数据表明，美国有许多孩子生活在贫困家庭中。早期研究发现，是家庭的经济和社会地位而不是教师的教学决定着学生在校的学习效果（e. g.，Coleman，1966）。事实上，这些研究大多是由教育心理学家发起的，但是，这些教育心理学家又大都拒绝接受"教师在面对贫穷和社会问题时无能为力"的说法（Wittrock，1986）。

你如何看待教学的重要作用？也许曾经有一位对你影响颇大的老师，使你决定成为一名教育者，即使你有这样一位老师——当然我希望你有，但总体而言，教育心理学需要研究更大的群体，特别是本书的目标之一是超越个体经验和证据，正如你接下来将要看到的，许多大规模的研究验证了教师在学生生活中的作用。

教师与学生关系。布里奇特·汉恩(Bridgett Hann)和罗伯特·皮亚塔(Robert Pianta)(2001)曾在一个学区内调查了所有幼儿园的入学儿童,并追踪这批孩子直到八年级。研究者发现,幼儿园时期师生关系的质量(以"师生冲突水平"、"儿童对教师的依赖"以及"教师对儿童的情感"为指标)能够预测八年级时学生的学习和行为表现,尤其是对那些存在严重行为问题的学生来说,预测效果更加明显。即使将学生的性别、种族或民族、认知能力、对学生行为评定的方法等因素的作用都剔除出去,师生关系依然可以预测学生在学校各方面的成就。因此,对于那些早期有严重行为问题的学生,如果教师能够敏感地察觉到他们的需要,并提供经常性和一致性的反馈,那么,他们在接下来的学校生活中,出现行为问题的可能性就会降低。

教师关系与学生成绩之间的联系似乎很普遍。黛博拉·罗尔达(Deborah Roorda)和她的同事(2011)回顾了来自世界各地的99项研究,这些研究调查了师生关系与学生参与度之间的关系。积极的教师关系可以预测各年级学生的积极参与度,并且这种关联对于那些在学业上处于危险中和年龄较大的学生尤其强烈。例如,拉塞尔·毕肖普(Russell Bishop)及其同事(2014)观察了1263名中学教师,他们教新西兰的毛利土著学生。研究人员发现,当教师与学生建立起一种温暖、关爱的、类似于大家庭的那种关系时,学生的参与度会更高。事实上,没有这种关系就没有学生的参与。因此,已经有越来越多的证据显示,师生关系质量与学生在学校的表现之间有着极强的关联。

劣质教学的代价。在一项备受关注的研究中,研究者探讨学生如何受到不同教学水平教师的长期影响(Sanders & Rivers, 1996)。研究者考察了来自田纳西州两个大城市学校系统内的五年级学生。结果发现,在两个学区中,那些三、四、五年级都接受优秀教师教学的学生,在标准化数学成就测验中平均成绩分别为83%和96%(百分数计分法,满分是99%)。相比之下,这三年中都由能力最差教师教育的学生,在标准化数学成就测验中平均成绩分别为29%和44%——在两个学区中都差了不止50个百分点。而在三年中分别接受了低、中、高能力教师教学的学生,所取得的成绩介于上述二者之间。由此,桑德斯(Sanders)和里弗斯(Rivers)得出结论:优秀的教师能促使所有学生在学业上获得更加出色的表现,尤其是原本成绩比较差的学生更能从优秀教师的教学中获益。教学的效果不但具有累积性,也具有延续性。也就是说,即使高年级的有效教学能够在一定程度上弥补低年级时劣质教学的缺漏,但它仍然无法完全消除低年级劣质教学带来的不足(Hanushek, Rivkin, & Kain, 2005;Rivkin, Hanushek, & Kain, 2001)。

另一项关于洛杉矶公立学校考试成绩提高的研究可能会让你特别感兴趣。罗伯特·戈登(Robert Gordon)和他的同事(2006)测量了新教师班级小学生的考试成绩。根据学生在教师教学前两年的表现,将教师按照四分位数进行排序。然后,研究人员观察了排名前25%和后25%的教师班级内学生在第三年的考试成绩。在控制了学生以前的考试成绩、家庭财富等因素的影响后,他们发现,相比最初考试成绩相近的学生,排名前25%的教师班级中的学生的平均成绩要高出5个百分点,而排名后25%的教师班级内的学生平均成绩要低5个百分点。如果这些退步逐渐累积起来,那么接受劣质教学的学生将会越来越落后。事实上,研究人员推测出"……连续四年拥有一名排名前25%的教师就足以填补黑人和白人之间的考试成绩差距(约34个百分点)"(R. Gordon, Kane, & Staiger, 2006, p. 8)。

既然能与学生建立积极师生关系的教师会对学生的成长产生重大影响,而且,问题学生能从优质的教学中获益更多,那么一个重要问题是,"怎样才能成为优秀的教师呢? 什么才是好的教学呢?"

什么是好的教学?

对于这个问题,教育工作者、心理学家、哲学家、小说家、新闻工作者、数学家、科学家、历史学家、政策制定者和父母等等都思考过,答案不计其数。而且好的教学并不局限于课堂里——它可能出现在家庭、医院、博物馆、销售会议、临床医生办公室和夏令营中。本书主要关注课堂教学,但是你所学的许多知识也将应用于其他场合。

走进三个课堂

为了对好的教学进行分析,让我们先到三位杰出教师的课堂里去看看,这三个教学情境都是真实的。首先介绍的两位教师与我教过的教师在当地中小学校一起工作,而且我的同事卡罗尔·温斯坦(Carol Weinstein)对他们进行过研究(Weinstein & Romano,2015)。第三位教师在一名咨询师的协助下,成为帮助学生解决严重学习困难问题的专家。

一年级双语班。在维维安娜(Viviana)的课堂上有 25 名学生。大多数刚从多米尼加移民过来,其余来自尼加拉瓜、墨西哥、波多黎各和洪都拉斯。尽管这些孩子刚上学时几乎不会或根本不会说英语,但是到七月离校时,维维安娜已经帮助他们掌握了所在区设置的第一级标准课程。她实现这一结果的做法是,在这个学年的早些时候用西班牙语教学以帮助学生理解,然后在学生们准备好时,逐渐使用英语。她不将学生分离开或将他们标为低等。她鼓励学生以说西班牙语为荣,同时利用每一个可能的机会支持他们提高英语熟练程度。

维维安娜对学生的期望和对自己的要求都很高。她的奉献精神展现了她的乐观态度:"我一直希望有某个人在那里,我可以触及他,我可以影响他。"(Weinstein & Romano,2015,p. 15)。对维维安娜而言,教学不仅是工作,更是生活方式。

一个郊区五年级班。肯(Ken)在新泽西州中部的一所郊区学校教五年级。班上的学生来自不同种族或民族,家庭收入差异很大,语言背景也不同。他强调"过程化写作",学生们先写作文草稿,然后大家在班上讨论、修改、编辑,最后出版他们的作品。学生们还坚持写日刊,并以此与肯沟通想法。他们叙说家里的问题、与他人打架的事和感到的恐惧,肯则经常给以书面回复。肯也运用一些技术手段将课程与真实生活联系起来。比如,引导学生使用一种特殊的交互式软件程序来学习海洋生态系统;引导学生通过两个模拟的历史游戏来学习社会科学知识,其中一个游戏是关于美国土著文明的发展,另一个是关于美国的殖民主义。

在这一年中,肯十分关注学生在社会性和情感方面的发展,希望他们在学习科学和社会学的同时发展责任心和公正感,从学期之初制定的班级规则中就明确体现了这一想法。规则中并没有具体规定什么能做、什么不能做,而是由肯和学生一起设计了一份"权利单",描述了学生的权利。这些权利涉及了需要"规范"的大多数情形。

全纳课堂。Eliot 非常聪明并且口齿伶俐,当他还是孩子的时候,他就能轻而易举地记住各种故事情节,但是他无法自己阅读故事。他的问题源于一种严重的学习障碍,这种障碍是由视听统合困难以及长时视觉记忆缺陷造成的。当他尝试写作的时候,一切都变得很混乱。南希·怀特博士(Nancy White)和 Eliot 的老师米娅·拉塞尔(Mia Russell)一起工作,根据 Eliot 的学习模式和错误特点,为他量身制定了一套缜密的辅导计划。在老师几年的帮助下,Eliot 最终成为一名学习能手和独立学习者,他清楚地知道自己在何时需要运用何种策略。在 Eliot 看来,"学习那些材料虽然不好玩,但是很有用!"(Hallahan & Kauffman, 2006, pp. 184—185)

从这三个课堂中你看到了什么? 教师们对学生是尽职尽责且充满信心的。他们必须面对学习能力不同的学生,接受来自不同语言背景、不同家庭环境、不同能力和障碍学生的各种挑战。他们必须采取适宜的指导和评估方式。对于一部分学习困难的学生,他们需要把最抽象的概念(如生态系统)变得真实具体而容易理解。专家型教师在教授学业材料的整个过程中,也注意到学生的情感需要,唤起挫败的自尊心和责任感。如果从他们上课的第一天开始追踪,我们会发现,他们认真规划和教授课堂生活和学习的基本程序,他们能高效率地收集和批改作业、改变学生分组、给予指导、分配资料以及应付突发事件——做这一切的同时还注意观察某些学生过于疲倦的原因。此外,他们还是反思型(reflective)①教师——他们常常通过回顾教学情境来分析自己做了什么以及为什么那么做,并进而思考应该如何改善教学来促进学生的学习。

什么是好的教学? 优质教学究竟是科学还是艺术? 是对一般性理论的应用还是通过具体实践的创造发明? 优秀的教师是专业的解说者——"讲台上的圣人"或伟大的教练——还是"学生身旁的引导者"? 这些争论已经持续了很多年。在你选修的其他教育学课程上,你可能会听到很多对于教学基于科学理论、以教师为中心的批判。你会被鼓励成为一位有创造性的、以学生为中心的引导者。不过,我认为你应该清楚这两种观点各有利弊。教师应该兼博学与创造性于一身:他们能够灵活使用各种策略,并且他们会发明新的策略;他们应该懂得一些基于研究的常规课堂管理策略,但是

---

①反思型——深思熟虑并具有创造性。反思型教师能够通过回溯教学情境分析自己做了什么以及为什么要做,进而思考应该如何改善教学来促进学生学习。

当某些情境发生变化时,他们应该主动从常规管理模式中跳出来;他们不仅需要了解有关学生发展的研究,还需要了解他们自己的学生,知道他们是文化、性别及地理环境等的独特结合体。就我个人而言,我希望,无论你在哪里教学,都能同时成为一名很好的"说教者"和"引导者"。

另一个有关"什么是好的教学"的回答涉及教学必须提供哪些不同的模式和框架。下面我们就来具体看一看。

良好教学模式:教师观察与评价。在过去的几年里,教育工作者、政策制定者、政府机构和慈善家们花费了数百万美元来探究什么在教学中起作用,特别是如何实施好的教学。这些努力创建了一些教学模式和教师评价体系。

我们将简单地分析三个模式,以帮助回答"什么是好的教学"这个问题。考虑这些模型的另一个原因是,当你成为一名教师时,你可能会根据这些方法中的一种或者类似的方法进行评估。教师评价是最近非常热门的话题! 我们将了解"夏洛特·丹尼尔森教学框架"(Charlotte Danielson's Framework for Teaching)、密歇根大学"教学工程"项目(TeachingWorks)所确定的高效教学实践以及比尔和梅琳达·盖茨基金会资助的"有效教学措施"(The Measures of Effective Teaching)。

"丹尼尔森教学框架"。《教学框架》于1996年首次出版,自那以后已经修订了三次,最近一次是在2013年(在 daniel-songroup. org 可以查阅丹尼尔森及其教学框架的有关信息)。根据丹尼尔森(2013):

> "教学框架"识别了实证研究和理论研究所证实的教师责任的基本方面,以促进提高学生的学习。虽然这个框架不是对实践的唯一可能描述,但这些责任寻求界定教师在他们的专业实践中应该知道什么和应该能够做什么。(p.3)

丹尼尔森框架有4个职责领域:计划和准备、课堂环境、教学和专业职责。每个领域又被进一步划分为5或6个部分,整个框架总共有22个部分。例如,领域1:计划和准备,分为6个部分:

1a 说明有关内容和教学方法的知识;

1b 说明有关学生的知识;

1c 设置教学目标;

1d 展示资源知识;

1e 设计连贯指导;

1f 设计学生评估。

当该框架用于教师评价时,将这 22 个部分中的每一个进一步划分为要素(共 76 个),并说明每个要素的若干个指标。例如 1b 部分,说明有关学生的知识,包括描述如下知识的要素:

- 儿童及青少年发展;

- 学习过程;

- 学生技能、知识和语言能力;

- 学生的兴趣和文化特色;

- 学生的特殊需求。

有关学生的知识的指标包括:教师在计划教学时收集到的关于学生的正式和非正式信息,教师识别的学生兴趣和需要,教师参与的社区文化活动,教师为家庭提供的分享文化传统的机会,以及教师为有特殊需要学生准备的数据库(Danielson,2013)。

评估系统进一步为 22 个组成部分中的每一个定义了 4 个熟练水平:不满意的、基本的、熟练的和出色的,并给出了定义、关键属性和每个级别在实际操作中可能的示例。关于学生知识的出色水平的两个例子是:一名老师为不同学生设计了三种不同的后续活动,旨在匹配不同学生的能力;一名老师参加了当地的墨西哥遗产活动,与学生的大家庭成员见面。其他的例子还有很多,但这两个例子给人一种具有渊博的学生知识的感觉(1b 部分)。

你可以看到,要想用好这个框架来进行教师评价,需要大量的培训。当你成为一名教师时,你可能会因为你的校区在使用这种好的教学观念而了解更多。现在,请放心,本书学习中你将获得所有 22 个部分的知识和技能。例如,你将在第二章至第六章中获得关于学生的知识(1b 部分)。

"教学工程"。"教学工程"是一个位于密歇根大学的国家级项目,其致力于改进教学实践。项目成员与有经验的教师一起工作,确定了 19 种高效教学实践,这些实践被定义为对教学至关重要的行动,在大多数年级、学科和教学情境中都是有用的。"教学工程"的研究人员称这些实践为"由研究证据、实践智慧和逻辑支撑的一套'最佳选择'"(teachingworks. org/work-ofteaching/high-leverage-practices)。这些实践具体到可教学和可观察,所以可以作为教师学习和评价的依据。这 19 项实践见表 1.1。同样,你将在本书学习中发展有关所有这些实践的技能和知识。(有关 19 种高效教学实践的更完整描述,请参见 teachingworks. org/work-of-teaching/high-leverage-practices。)

表 1.1 "教学工程"19 种高效教学实践活动

这些做法都是基于研究证据、实践智慧和逻辑。

1. 通过解释、建模、表述和举例,使内容(如具体的文本、问题、理论、过程)变得明确。
2. 引导全班讨论。
3. 诱发和解读学生个体的思维方式。
4. 建立以主题领域为核心的课堂话语和工作的规范和常规。
5. 认识到学生在某一主题领域的思维和发展的特定共同模式。
6. 针对学生常见的思维模式,确定并实施一种教学对策或策略。
7. 教授一节课或一段教学内容。
8. 执行组织的常规、程序和战略,以支持学习型环境。
9. 设立和管理小组工作。
10. 与学生进行恰当的建立关系的对话。
11. 参照外部基准,为学生制定长期和短期学习目标。
12. 为特定的学习目标评估、选择和修改任务和文本。
13. 朝着特定的学习目标设计课程序列。
14. 选择和使用特定的方法来检查学生的理解和监测学生的学习情况,包括课中和课后。
15. 撰写、选择、解释和使用来自测验、测试和其他终结性评估方法的信息。
16. 向学生提供关于其活动的口头和书面反馈。
17. 与父母或监护人交流学生情况。
18. 分析教学以改进教学。
19. 与其他专业人员交流。

资料来源: Reprinted with permission from TeachingWorks (2014), *High-leverage practices*. Retrieved from http:www. teachingworks. org/work-of-teaching/high-leverage-practices

当你将表 1.1 中的高效教学实践与前面列出的丹尼尔森教学框架进行比较时,你是否看到了相似之处和重叠之处?

"教师成效衡量标准"。2009 年,比尔和梅琳达·盖茨基金会启动了"教学成效衡量标准"(the Measures of Teaching Effectiveness,MET)项目,这是一个由 3000 名教师和几十家机构的研究团队共同参与的研究项目。项目的目标从其名称上体现得很明确——建立和测试有效教学的标准。盖茨基金会之所以要解决这个问题,是因为研究表明教师很重要,他们比技术、资金或学校设施更重要。在追求这个目标的过程中,项目成员做了一个关键的假设。教学是复杂的,需要多元标准来获得有效教学的信息,并为人事决策和专业发展提供有用的反馈。除了使用学生在国家测试中的成绩,MET 的研究人员还研究了许多既定的和较新的衡量有效性和内容知识的标准。该项目的最终报告(MET 项目,2013)确定了以下三种评量标准,将它们结合使用是评估教学的有效和可靠方法:

1. 学生的州测试得分。

2. 基于哈佛大学罗恩·弗格森(Ron Ferguson)开发的"Tripod 学生知觉调查"(Tripod Student Perception Survey)(R. F. Ferguson,2008),调查学生对教师的看法,询问学生是否同意或不同意一些说法,如"我的老师花时间帮助我们记住我们所学的知识"(针对 K-2 年级学生);"在课堂上,我们学会了改正错误"(小学高年级学生);"在这门课上,我的老师只接受我们全力以赴"(中学生)(来自剑桥教育,Tripod 项目,学生调查系统)。

3. 课堂观察,来自丹尼尔森(2013)教学框架。

记住,教学是复杂的,为了获得有效教学的信息,必须将这些标准准确而综合地使用。此外,在国家测试和高层次思维测试中,标准化测试得分在评估教学成效中的权重在 33% 到 50% 之间,学生的看法和课堂观察结果提供其余信息,此时达成学生获益的可靠性和预测性最佳组合(MET 项目,2013)。

在衡量教师有效性时,评价教师有关所教学科的内容知识并不相关,你是否对此感到惊讶? 到目前为止,数学似乎是教师的知识与学生学习相关的一个领域,但随着对教师知识的更好测量,我们可能会发现更多的关系(Gess-Newsome,2013;Goe,2013;MET 项目,2013)。

这些关于专家教师和有效教学的言论是否让你有些紧张？维维安娜、肯和米娅是教学科学和艺术方面的专家,但他们有多年的经验,那你呢？

新教师

停下来想一想：想象一下你开始教学的第一天,列出你的担心、恐惧和忧虑。你为这份工作带来了哪些储备？怎样才能建立你的教学信心？

各地的新教师都有许多担忧,包括维持课堂纪律、激励学生、照顾学生的差异、评估学生的工作、与家长打交道、与其他教师相处等(Conway & Clark, 2003; Melnick & Meister, 2008; Veenman, 1984)。许多教师在接受第一份工作时,会经历所谓的"现实冲击",因为他们真的无法轻松地进入自己的职责。初入职场的第一天,新教师与有多年经验的教师面临着同样的任务。实习教学虽然有重要作用,但并不能真正让未来的教师为新学年的开始做好准备。如果你在回答"停下来想一想"的问题时列出了这些顾虑,你不应该感到困扰,它们与新教师的工作相伴而生(Borko & Putnam, 1996; Cooke & Pang, 1991)。

有了经验、努力工作和良好的支持,教师可以关注到学生的需求,并以学生的成就来判断他们的成功(Fuller, 1969; Pigge & Marso, 1997)。一位经验丰富的教师这样描述从关注自己到关注学生的转变："新教师和经验丰富教师之间的区别在于,新教师问的是'我做得怎么样',而经验丰富的教师问的是'孩子们做得怎么样'。"(Codell, 2001, p.191)。

我写这本书的目的是让你在积累经验的同时,为成为专家打下基础。专家要做的一件事就是倾听学生的意见。表1.2是一个一年级班级给实习老师的一些建议:看来学生们对好的教学也有所了解。①

---

① 联系与拓展 PRAXIS II:你的专业成长有赖于你成为一个实践群体的成员。这里列出的全国性组织在全国各地有数百个附属机构和分会,定期召开会议以促进其领域的教学。请浏览他们的网站,了解他们处理与专业有关的问题的方法。National Council of Teachers of English (ncte. org); International Reading Association (reading. org); National Science Teachers Association (nsta. org); National Council for the Social Studies (ncss. org); National Council of Teachers of Mathematics (nctm. org)。

表1.2 学生给实习教师的建议

Amato 女士的一年级班级的学生们在实习教师实习的最后一天把建议作为礼物送给了她。

1. 尽可能多教我们吧。
2. 给我们布置家庭作业。
3. 当我们在学习中遇到困难时,帮助我们。
4. 帮助我们做正确的事情。
5. 帮助我们在学校里亲如一家。
6. 为我们读书。
7. 教我们读书。
8. 帮我们写远方的故事。
9. 给我们很多赞美,比如"哦,真漂亮"。
10. 对我们微笑。
11. 带我们去散步和旅行。
12. 尊重我们。
13. 帮助我们接受教育。

资料来源: Nieto, Sonia, Affirming diversity: *The sociopolitical context of multicultural education*, 4th ed. , © 2004. Reprinted and Electronically reproduced by permission of Pearson Education, Inc. Upper Saddle River, New Jersey.

我在本章开始时声称,教育心理学是你将要学习的最重要的课程之一。好吧,也许我有点偏见——我教这门课已经四十多年了! 所以,让我来告诉你更多关于我最喜欢的话题。

教育心理学的作用

自从教育心理学的正式研究出现——至今已存续了100 余年——关于它究竟为何的争议便一直未息。有些人认为教育心理学只是从心理学中获得并应用到课堂活动中的知识。另一些人则认为它是应用心理学方法来研究课堂和学校生活(Brophy, 2003)。纵观历史可以看出,教育心理学与教学自始至终都有着密切的联系。

创立之初: 将教育心理学与教学联系起来

从某种意义上说,教育心理学是非常古老的。柏拉图和亚里士多德所讨论的问题——教师角色、教师和学生的关系、教学方法、学习的性质和秩序、情感在学习中的作用——至今仍是教育心理学的主题。但让我们快进到近代史,心理学在美国从一开始就与教学联系在一起。1890 年在哈佛大学,威廉·詹姆斯(William James)创立了心理学领域,并为教师开设了一个系列讲座,名为"和老师们谈论心理学",这些讲座在全国各地的教师暑期学校进行,后在 1899 年出版发表。詹姆斯的学生 G. 斯坦利·霍尔(G. Stanley Hall)创立了美国心理学协会,教师帮助他收集数据,用于他撰写关于儿童对世界的理解的论文。霍尔鼓励教师对学生的发展进行详细的观察研究——就像他的母亲当教师时做的那样。霍尔的学生约翰·杜威(John Dewey)在芝加哥大学建立了实验学校,被认为是进步教育运动之父(Berliner, 2006;Hilgard, 1996;Pajares, 2003)。威廉·詹姆斯的另一位学生 E. L. 桑代克(E. L. Thorndike)于 1903 年撰写了第一本教育心理学教材,并于 1910 年创办了《教育心理学杂志》。

今天的教育心理学

今天的教育心理学是什么? 普遍接受的观点是,教育心理学(educational psychology)①是一门独特的学科,有自己的理论、研究方法、问题和技术。教育心理学家对学习和教学进行研究,同时,也致力于改善教育政策和实践(Anderman,2011)。为了尽可能多地了解学与教,教育心理学家研究当某人(教师或家长或软件设计师)在某种环境(教室或剧院或体育馆)中向其他人(学生或同事或团队)传授某种东西(数学或编织或舞蹈)时,会发生什么(Berliner,2006;Schwab,1973)。因此,教育心理学家研究儿童和青少年的发展、学习和动机(包括人们如何学习不同的学业科目如阅读或数学)、社会和文化对学习的影响、教学和教师以及评估(包括测试)(Alexander & Winne,2006)。

但是,即使有这么多课题研究,教育心理学家的研究成果对教师真的有那么大的帮助吗? 毕竟,大多数教学都是常识,不是吗? 让我们花几分钟时间来研究这些问题。

这只是常识吗?

在许多情况下,教育心理学家提出的原则——在花了很多思考、时间和金钱进行研究之后——听起来是可怜的、显而易见的。人们很想说"大家都知道",而且他们通

---

①教育心理学——有关教与学过程的学科,应用心理学方法和理论,也采用其自有的方法和理论。

常也真的这么说了。考虑一下这些例子。

帮助学生。教师在做班级活动时,什么时候应该为成绩较差的学生提供帮助?

常识性回答。教师应经常提供帮助。毕竟,这些成绩较差的学生可能不知道什么时候需要帮助,或者他们可能不好意思寻求帮助。

基于研究的答案。桑德拉·格雷厄姆(Sandra Graham,1996)发现,当教师在学生提出要求之前提供帮助,学生和其他旁观者更有可能得出结论,认为受到帮助的学生没有能力成功。学生更有可能将失败归因于能力不足而不是缺乏努力,因此积极性受到影响。

跳级。学校应该鼓励特别聪明的学生跳级还是提前进入大学?

常识性的回答。不对!比同学小几岁的非常聪明的学生,很可能在社会交往中不合群。他们没有做好与年龄较大的学生打交道的生理和情感准备,在学校里非常重要的社交场合中会很痛苦,尤其是在他们即将跳入的年级。

基于研究的答案。也许吧。《一个被欺骗的国家:学校如何阻碍美国最聪明的孩子》报告的前两个结论是:(1) 对于有天赋的儿童来说,加速是最有效的课程干预措施;(2) 对于聪明的学生来说,加速具有长期有益的影响,无论是在学业上还是在社会性上(Colangelo, Assouline, & Gross, 2004)。一个积极的长期影响的例子是,在小学或中学跳级的数学天才学生更有可能获得高级学位,并在科学期刊上发表被广泛引用的文章(Park, Lubinski, & Benbow, 2013)。加速是否是学生的最佳解决方案取决于许多具体的个性特征,包括学生的智力和成熟程度以及其他可行的选择。对于一些学生来说,与年长学生一起在高级课程中快速学习资料和工作可能是一种非常积极的体验(Kretschmann, Vock, & Lüdtke, 2014)。关于根据学生能力调整教学的更多内容,请参见第四章。

学生的控制。让学生对自己的学习有更多的控制——更多的选择——是否有助于他们的学习?

常识性回答。当然了!学生自己选择学习材料和任务,就会更加投入,从而学到更多的知识。

基于研究的答案。不是那么快!有时候,给学生更多的控制权和选择权可以支持学习,但很多时候并非如此。例如,让能力较差的学生选择学习任务,有时意味着学生只是继续练习他们已经做得很好的东西,而不是解决更难的作业。在给美发专业的学生提供选择时,就发生了这种情况,低能力学生一直在练习简单的任务,如洗头,但不愿意尝试更难的项目,如烫发。当建立作品集来监督他们的进步,并从他们的老师那里得到定期的指导和建议时,学生们做出了更好的选择-——因此,在某些情况下,指导性选择和某种教师控制可能是有用的(Kicken, Brand-Gruwel, van Merriënboer, & Slot, 2009)。

答案显而易见吗? 多年前,莉莉·旺(Lily Wong, 1987)就证明,只要看到书面的研究成果,就能让它们看起来很明显。她从教学研究中选取了12项研究结果,将其中6项研究结果以正确的形式呈现给大学生和有经验的教师,另外6项则以完全相反的形式呈现给他们。大学生和教师都把大约一半的错误结果评为"显然"正确。

最近,保罗·克施纳和乔伦·范·梅林(Paul Kirschner & Joren van Merriënboer, 2013)也提出了类似的观点,他们对教育界关于学习者(就像刚才描述的美发学生)最知道如何学习的说法提出了质疑。目前,这些关于学生是自我教育的数字原住民,他们能够完成多项任务,具有独特的学习风格,并且总是能很好地选择学习方式的信念,在研究中没有坚实的基础,但它们还是被接受了。

你可能以为教育心理学家把时间花在发现显而易见的事情上。前面的例子指出了这种想法的危险性。当一个原则用简单的语言来阐述时,听起来会很简单。当我们看到一个专业的舞蹈家或运动员的表演时,也会出现类似的现象,训练有素的表演者让人觉得很简单。但我们看到的只是训练的结果,而不是掌握各个动作的所有努力。而且要记住,任何研究发现——或者它的反面——可能听起来像是常识,问题不在于什么听起来很有道理,而在于当这个原则在研究中得到检验时什么得到证明——我们的下一个主题(Gage, 1991)。

利用研究来理解和改进学习

停下来想一想:快速列出你能想到的所有不同的研究方法。

教育心理学家设计和进行许多不同类型的研究,其中有些是描述性研究(descriptive studies)①——其目的只是为了描述特定情景中的事件。

相关性研究。通常,描述性研究的结果包括相关性的报告。在接下来的章节中,你会遇到许多相关性,所以让我们花一分钟时间来研究这个概念。相关性(correlation)②是表示两个事件或测量值之间关系的强度和方向的数值,相关性的范围

---

①描述性研究——收集有关特定情景的详细信息的研究,通常使用观察、调查、访谈、录音或这些方法的组合。

②相关性——两个变量密切关系的统计描述。

从 +1.00 到 −1.00。相关性越接近 +1.00 或 −1.00,关系越强。例如,成人体重与身高之间的相关性约为 0.70(关系很强);成人体重与所讲语言数量之间的相关性约为 0.00(完全没有关系)。

相关系数的符号表明关系的方向。正相关(positive correlation)①表明两个变量共同增加或减少,当一个变量增加,另一个也随之增加。身高和体重是正相关,因为较高的身高一般与较重的体重相联系。负相关(negative correlation)②意味着一个因素的增加与另一个因素的减少相关。例如,户外温度与所穿衣服的重量的关系是负向的,因为当温度降低时,人们倾向于穿厚重的衣服。

重要的是需要注意,相关性并不证明因果关系(见图 1.1)。身高和体重是相关的——较高的人一般比较矮的人更重,但显然增加体重并不会使一个人长高。了解一个人的体重只能使你对他的身高做出一般估计。教育心理学家识别相关关系,以便对课堂中的重要事件有所预测。

当研究表明景观草坪和学校成绩是相关的,这并不代表二者有因果关系。第三种变量——社区财富,可能是学校成绩和景观草坪的原因。

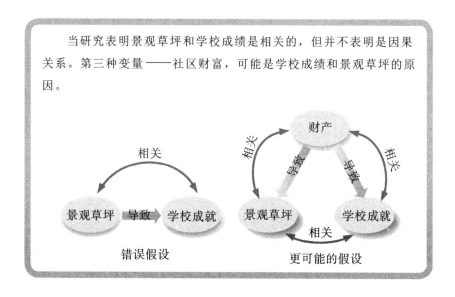

图1.1　相关性并不表明因果关系

①正相关——两个变量共同增加或降低的相关关系,例如,摄入热量与体重增加。
②负相关——两个变量之间存在一个变量高数值与另一个变量的低数值相联系的关系。例如,身高与头顶到天花板的距离之间的关系。

实验研究。第二类研究——实验(Experimentation)①——使得教育心理学家不仅做出预测,还实际研究因果关系。研究者不只是观察和描述现有的情况,而是引入变化并记录结果。首先,创建一些可比较的参与者群体。在心理学研究中,参与者(participants,也叫被试者 subjects)②这个词一般指的是被研究的人——比如教师或九年级学生。确保参与者群体基本相同的一种常见方法是使用随机程序将每个人分配到一个组别。随机(random)③意味着每个参与者有同等机会进入任何一组。准实验研究④(Quasi-experimental studies)符合真正实验的大部分标准,但重要的例外是参与者不是被随机分配到各个组别,而是由班级或学校等现有群体参与实验。

在实验或准实验中,对于所研究的一个或多个小组,实验者改变情况的某些方面,看这种改变或"处理"是否有预期的效果。然后,通常使用统计学的方法对每组的结果进行比较。当差异被描述为具有统计学显著意义(statistically significant)⑤时,这意味着它们可能不是简单地偶然发生的。例如,如果你在一项研究中看到 $p < .05$,这表明所报告的结果偶然发生的可能性 100 次中不到 5 次,而 $p < .01$ 意味着 100 次中不到 1 次。

我们将考察的一些研究试图通过提出这样的问题来识别因果关系:如果一些教师接受了如何使用单词构成进行拼写教学的培训(原因),他们的学生是否会比那些未接受培训教师的学生拼写得更好(结果)? 这实际上是一个现场实验,因为它是在真实的教室里进行的,而不是在模拟的实验室情况下进行的。此外,这是一个准实验,因为学生是在现有的班级里,并没有随机分配给教师,所以我们不能确定实验组和对照组在教师接受培训之前是一样的。研究者的处理方法是看拼写能力的提高,而不仅仅是看最终的成绩水平,结果显示培训是有效的(Hurry et al. ,2005)。

ABAB 实验设计。ABAB 设计的目标是确定一种疗法、教学方法或其他干预的结

————————————

①实验——对变量进行操作并记录效果的研究方法。

②参与者/被试——被研究的人或动物。

③随机——没有任何确定的模式;没有遵循任何规则。

④准实验研究——符合真正实验的大部分标准的研究,但重要的例外是,参与者不是被随机分配到各个组别,而是由班级或学校等现有群体参与实验。

⑤统计学显著意义——不可能是偶然发生的。

果,先观察参与者的基线期(A)评估所关注的行为,尝试一种干预(B),并记录结果;然后去除干预并回到基线条件(A);最后恢复干预(B)。这种设计形式可以帮助建立因果关系(Plavnick & Ferreri,2013)。例如,教师可能会记录学生在为期一周的基线期间未经允许离开座位的时间(A)。然后,教师尝试忽略那些离开座位的学生,但赞扬那些坐着的学生,再次记录一周内有多少学生游离于座位之外(B)。接下来,教师回到基线条件(A)并记录结果,然后恢复表扬和忽略策略(B)。当这种干预措施第一次被测试时,表扬和忽视策略被证明能有效地增加学生在座位上的时间(C. H. Madsen, Becker, Thomas, Koser, & Plager, 1968)。

临床访谈和案例研究。让·皮亚杰(Jean Piaget)首创了一种称为临床访谈的方法来了解儿童的思维。临床访谈采用开放式提问方式来探究儿童的回答,并对回答进行追问,问题随着孩子的反应而变化。下面是对一个7岁孩子进行临床访谈的例子,皮亚杰试图了解孩子对谎言和真相的思考,所以他问:"什么是谎言?"

什么是谎言?——不是真的,他们说他们没有做过的事。——猜猜我多大了。——20岁了。不,我已经三十岁了。——你对我说的是谎言吗?——我不是故意这样做的。——我知道,但是,它仍是谎言,是吗?——是的,还是谎言,因为我没有说真话。——你应该受到惩罚吗?——不。——是淘气还是不淘气呢?——不那么淘气。——为什么?因为我后来说了真话!(Piaget, 1965, p.144)

研究人员还可以采用个案研究。个案研究(case study)①是对一个人或一种情况进行深入调查。例如,本杰明·布鲁姆(Benjamin Bloom)和他的同事对成就卓著的音乐会钢琴家、雕塑家、奥林匹克游泳运动员、网球运动员、数学家和神经学家进行了深入研究,试图了解是什么因素支持了杰出人才的发展。研究者采访了家庭成员、教师、朋友和教练,对这些成就卓著的人逐一建立了深入的个案研究(B. S. Bloom 等,

---

①个案研究——深入研究一个人或一种情景。

1985)。一些教育工作者建议采用个案研究方法来识别资优计划的学生,因为收集到的信息比单纯的考试分数更丰富。

课堂民族志。民族志方法(ethnographic methods)①是从人类学借用过来的,包括研究某个群体生活中的自然发生事件,以了解这些事件对相关人员的意义。在教育心理学研究中,民族志可能会研究来自不同文化群体的学生如何被他们的同龄人看待,或者教师对学生能力的信念如何影响课堂互动。在一些研究中,研究者使用参与式观察(participant observation)②,实际参与到小组中,从局内人的角度来理解行动。教师可以自己做非正式的民族志来了解课堂上的生活。

研究中时间的作用。心理学家要研究的许多事情,如认知发展(第二章),都是在几个月或几年内发生的。理想的情况是,研究者通过观察他们的受试者在许多年内发生的变化来研究其发展,这被称为纵向研究(longitudinal studies)。这类研究提供了大量信息,但耗时甚多,而且并不总是实用的:随着参与者的成长和迁移,在若干年内对他们进行跟踪研究是不可能的。因此,许多研究都是横向(cross-sectional)的,集中在不同年龄的学生群体上。例如,为了研究从3岁到16岁数字概念的变化,研究人员可以采访几个不同年龄段的儿童,而不是跟踪同一个儿童14年。

纵向研究和横向研究考察的是长期变化。微发生研究(microgenetic studies)③的目标是在变化实际发生时深入研究认知过程。例如,研究者可能会分析儿童如何在几个星期的时间里学习两位数加法的一种特定策略。微发生方法有三个基本特征:研究者观察整个变化过程——从变化开始到相对稳定;(1)进行多次观察,通常使用视频记录、访谈和被研究者的确切话语记录;(2)将观察到的行为"放在显微镜下",也就是说,他们逐时逐刻或逐个事件进行分析,目标是解释变化的基本机制——例如,发展了什

---

①民族志方法——一种关注群体内的生活并试图理解事件对相关人们的意义的描述性研究方法。

②参与式观察——进行描述性研究的方法,研究者成为情境的参与者,以便更好地了解此群体的生活。

③微发生研究——在几天或几周的一段时间里,随着学习过程的展开细致观察和分析认知过程的变化。

么新知识或技能而使变化得以发生。这种研究既昂贵又耗时，所以往往只研究一两个孩子。

什么是证据？定量研究与定性研究的对比。在你学习教育心理学的过程中，你会遇到一个区别：定性研究（qualitative research）①与定量研究（quantitative research）②的对比，它们都是大的研究类别，和许多类别一样边界有点模糊，但下面是它们的简要区别。

定性研究。案例研究和人种志是定性研究的例子，这类研究使用文字、对话、事件、主题和图像作为数据，访谈、观察和分析记录是关键程序。其目标是深入探索特定的情境或人物，了解事件对当事人的意义，以讲述他们的故事。定性研究者认为，任何理解意义的过程都不可能是完全客观的，他们更感兴趣的是解释主观的、个人的或社会构建的意义。

定量研究。相关性研究和实验性研究一般都是定量的，因为要进行测量和计算。定量研究使用数字、测量和统计来评估变量之间关系的水平或大小，或群体之间的差异。定量研究者尽量做到客观，以便从结果中消除自己的偏见。良好的定量研究的一个优点是，一项研究的结果可以被概括或应用于其他类似的情形或人群。

混合方法研究。现在，许多研究者都在使用混合方法或互补方法来广泛而深入地研究问题。这些研究设计是"在一项或一系列研究中收集、分析和'混合'定量和定性方法以理解一个研究问题的程序"（Creswell，2015，p. 537）。结合方法的基本方式有三种。第一种，研究者同时收集定量和定性数据，然后在分析中对数据进行合并和整合。第二种方法，研究者首先收集定量数据，例如从调查或观察工具中收集，然后再对选定的参与者进行深入的定性访谈。这里的目标往往是解释或寻找原因。最后，这个顺序可以反过来——研究者首先进行访谈或案例研究，以确定研究问题，然后在定性结果的指导下收集定量数据。这里的目标可能是深入探索一种情况（Creswell，2015）。混

---

①定性研究——试图利用个案研究、访谈、民族志、参与观察等方法深度分析少量被试，了解事件对这些被试的意义的探索性研究。

②定量研究——使用实验、统计分析、测验、结构化观察等客观方法，以较为正式和控制方式针对许多被试的研究。

合方法研究在教育心理学中越来越普遍。

基于科学的研究和基于证据的实践。2002 年具有里程碑意义的 NCLB 法案的一项要求是,接受联邦资金的教育项目和实践必须符合"基于科学的研究",即进行严格的系统研究,收集有效和可靠的数据,并以适当的统计方法分析这些数据。2015 年取代 NCLB 的《每个学生都成功法案》也要求在失败的学校采取"基于证据"的干预措施——基于严格的科学研究的策略。例如,美国教育科学研究所(IES)提供了一系列实践指南,其中包含了专家们关于教育工作者所面临的各种挑战的建议——基于研究的有力证据的行动指南(http://ies. ed. gov/ncee/wwc/Publications_Reviews. aspx)。在接下来的章节中,我们将探讨其中的一些指南,例如,在第八章中的《组织教学和研究以改善学生学习》(Pashler et al. ,2007)。

以科学为基础的研究和以证据为基础的实践,比民族志研究或个案研究等定性方法更适合前文所述的定量实验方法,但正如你将在下面的"观点与争论"中看到的那样,相关争论仍在继续。

在最终分析中,所使用的方法——定量、定性或两者的混合——应该适合所提出的问题。如表 1.3 所示,不同的研究方法可以提出不同问题并提供不同答案。

教师作为研究者。研究也可以成为改进一个课堂或一所学校教学的方法。在大型研究项目中发生的那种细致的观察、干预、数据收集和分析,同样可以应用于任何课堂,从而回答诸如这样的问题:"哪种写作提示似乎最鼓励我班学生进行创造性写作?""什么时候肯恩似乎最难集中精力完成学业任务?""在科学小组中分配任务角色是否会使女生和男生更公平地参与工作?"这种解决问题的探究叫作行动研究(act research)①。通过关注一个具体的问题,并进行细致的观察,教师可以从教学和学生身上学到很多东西。

你可以在本书所参考的期刊中找到各类研究结果的报告。多年来,我一直是《理论融入实践》杂志(Theory Into Practice)(tip. he. osu. edu)的编辑。我认为这是一本了

---

①行动研究——教师或学校为改进教学和学习而进行的系统观察或检测方法。

不起的期刊,它可以启发和指导课堂上的行动研究。关于过去 50 年教育研究和实践的精彩回顾,请参见《理论融入实践》50 周年特刊(Gaskill,2013)。

观点与争论:应该以何种研究指导教育?

在过去的十年里,卫生保健和心理问题治疗的政策都强调以证据为基础的实践(McHugh & Barlow, 2010),这适合教育吗?

观点: 是的,研究应该是科学的;教育改革应该以坚实的证据为基础。

罗伯特·斯莱文(Robert Slavin, 2002)认为,医学、农业、交通和技术等领域已经取得了巨大进步,因为这些领域的实践是建立在科学证据的基础上,随机临床试验和重复实验是证据的来源。

> 这些创新改变了世界。然而,教育却未能采取这种推进方式,结果,教育从一种潮流转向另一种潮流。教育实践确实会随着时间的推移而改变,但改变的过程更像是艺术或时尚所特有的品味的钟摆式波动(想想裙摆),而不是科技所特有的渐进式改进。(2002, p. 16)

库尔特·费舍尔(Kurt Fisher, 2009, pp. 3—4)在"(国际)心智、脑与教育学会"第一届大会发表主席致辞时,也提出了类似的观点。

> 教育怎么了?如果说研究为世界上大多数工业和商业提供了有用的知识,那么它不应该为教育发挥同样的作用吗?不知何故,教育在大多数情况下都没有立足于研究……在教育领域,没有任何基础设施可以对学习和教学进行常规研究,以评估效果。如果 Revlon 和 Toyota 可以花费数百万美元进行研究,以创造更好的产品,那么学校怎么能在未收集真正有效证据的情况下继续使用所谓的"最佳做法"呢?

《纽约时报》的一篇文章表明,缺乏证据仍然是一个问题。

> 大多数被认为有效的(教育)项目背后都没有良好的证据。当进行严格的研究时,多达90%的项目在小规模的、不科学的研究中看起来很有希望,但对成绩没有影响,或者实际上使成绩更差(Kolata,2013,p. 3)。

对立的观点:实验和对照研究并不是教育唯一或最好的证据来源。

大卫·奥尔森(David Olson,2004)强烈反对斯莱文的立场。他声称,我们不能用医学来类比教育。教育中的"治疗"比医学中的考虑使用一种药物还是另一种药物要复杂得多和更不可预测。而每一个教育项目都会因课堂条件和实施方式而改变。我在俄亥俄州立大学的同事帕蒂·拉瑟(Patti Lather)说:"在提高实践质量的过程中,不能幻想抹掉情景中实践的复杂性和杂乱状况,试图这样做会导致恶化而不是优化,这种损失是由我们学校的孩子、教师和管理者承担的。"(Lather,2004,p. 30)大卫·伯林纳(David Berliner,2002)也提出了类似的观点:

> 在教育领域做科学工作和应用科学发现是如此困难,因为学校里的人被嵌入复杂和不断变化的社会互动网络中。这些网络中的参与者每天都有不同的力量相互影响,而生活中的普通事件(一个生病的孩子、一场混乱的离婚……生日聚会、酗酒、新校长、教室里新来了一个孩子、下雨让孩子们无法在学校大楼外休息)都会限制教育研究结果的可推广性,从而影响在学校环境中做科学研究。与设计桥梁和电路或拆分原子或基因相比,帮助改变学校和课堂的科学更难做,因为情境无法控制。(p. 19)

伯林纳的结论是:"单一的方法不是政府应该为教育研究者提倡的"(Berliner,2002,p.20)。目前一些教育循证干预的支持者认为,我们可以从实践者和研究者的知识和智慧中获益。基于设计的研究(design-based research)①正是如此。实践者根据实

---

①基于设计的研究——实践者根据实践中的问题确定研究问题,然后研究者收集和分析数据来解决这些问题。

践问题确定研究问题。然后,研究者利用他们的时间和才能,收集和分析数据,以解决这些问题(Scanlan,2015)。

小心"非此即彼"。教育中的复杂问题需要一系列的研究方法,以及研究者和教育者的投入。定性研究具体地告诉我们在一种或几种情形下发生了什么,其结论可以深入应用,但只适用于所研究的问题。定量研究可以告诉我们在某些条件下一般会发生什么,其结论可以更广泛地应用。教育工作者必须帮助研究者锁定最重要的问题,这些问题需要基于证据的解决方案。

表1.3 我们可以学到什么?

不同的研究方法可以提出和回答不同的问题。

研究方法	处理的目的/问题	举例
相关性	评估两个变量之间关系的强弱和方向;进行预测	平均每周完成的家庭作业量是否与学生的单元测试成绩有关? 如果有,关系是正向还是负向?
实验研究	确定因果关系;检验对效果的可能解释	多布置家庭作业会不会让学生在科学课上学得更多?
ABAB 实验	确定某项治疗或干预措施对一个或多个人的影响	当学生记录他们每晚阅读的页数时,他们会不会阅读更多的页数? 如果停止记录,他们的阅读量会不会恢复到以前的水平?
个案研究	要深入了解一个或几个人或情况	一个男孩如何实现从农村小学校到大中学的转变? 他面临的主要问题、顾虑、议题、成就、恐惧、支持等是什么?
民族志	从参与者的角度理解经验,它们的意义是什么?	新教师如何理解新学校的规范、期望和文化? 如何应对?
混合方法	提出涉及原因、意义、变量之间关系的复杂问题;在研究问题上追求深度和广度	根据对 20 个班级的研究,使用定量观察工具,选择行为问题最少的 5 个班级和后期问题最多的 5 个班级。接下来采访这些教师和他们的学生,并分析开学第一周拍摄的录像带,以回答这个问题:有效的和无效的教师在建立班级规则和程序方面有什么不同?

教学理论

正如我们前面所看到的,教育心理学的主要目标是了解在某种环境下,当某人把某件事情教给别人时会发生什么(Berliner,2006;Schwab,1973)。达到这个目标是一个缓慢的过程。很少有里程碑式的研究能够一劳永逸地回答一个问题。学生、教师、任务和环境的种类太多,而且人是相当复杂的。为了应对这种复杂性,教育心理学的研究考察的是一个情境的有限方面——也许一次只考察几个变量或一两个教室里的生活。如果在某个领域完成了足够多的研究,并且研究结果反复指向相同的结论,我们最终会得出一个原则(principle)①,这是一个术语,指的是两个或两个以上因素——例如某种教学策略与学生成绩之间的既定关系。

另一个建立对教学过程更好理解的工具是理论。理论的常识理解(如"哦,好吧,这只是一个理论")是"一种猜测或直觉",但理论(theory)②的科学含义却完全不同。"科学中的理论是一组相互关联的概念,用来解释一组数据,并对未来的实验结果进行预测。"(Stanovich,1992,P. 21)教育心理学家对许多变量甚至整个关系系统之间的关系做出了解释。有一些理论可以解释语言如何发展、为什么目标会影响动机以及人们如何学习。

在本书中,你会遇到许多关于发展、学习和激励的理论,理论是研究周期的起点和终点。开始时理论提供了要检验的研究假设(Hypothesis/hypotheses)③(对将要发生的事情的预测)或研究的问题。例如,皮亚杰的理论可能会提出这样的假设:指导不能教幼儿进行更抽象的思考,而维果斯基的理论可能会提出这样的不同假设:指导将是有效的。当然,有时候心理学家还不知道如何陈述假说,所以他们只是提出研究问题。一个例子可能是:"来自不同种族的男女青少年在互联网使用上是否有差异?"

研究是一个持续的周期,包括:

● 在现有理论的基础上,明确提出假设、问题或疑问。

---

① 原则—各因素之间的既定关系。
② 理论—试图解释一种现象并做出预测的综合原理说明。
③ 假设/假说—根据理论和前人的研究,预测研究中会发生什么。

- 在精心选择的情景下,从精心挑选的研究参与者那里系统地收集和分析有关问题的各种信息(数据)。

- 使用适当的方法解释和分析收集到的数据,以回答问题。

- 根据这些分析的结果修改和改进解释理论。

- 根据改进后的理论提出新的和更好的假设,等等。

这种收集数据以检验和改进理论的实证过程是反复进行的,实证(empirical)①的意思是"基于数据"。当研究人员说确定一种有效的抗生素或选择一种成功的阅读教学方式是一个"经验性问题"时,他们的意思是你需要数据和证据来做出决定。从经验分析中构建决策,可以保证心理学家不至于根据个人偏见、谣言、恐惧、错误信息或偏好来发展理论(Mertler & Charles,2005)。好的研究是可以自我修正的,如果预测没有实现,或者对精心设计的问题的回答不支持当前的最佳理解(理论),那么就必须改变理论。你可以在与学生的合作中使用同样的系统性和自我修正的思维。

很少有理论能够完美地解释和预测。在本书中,你将看到许多教育心理学家采取不同理论立场的例子,对学习和动机等广泛主题的整体解释存在分歧,因为没有一种理论能提供所有的答案,所以考虑每种理论所能提供的东西是有意义的。

那么,你可能会问,为什么要和理论打交道呢? 为什么不直接坚持原则? 回答是两者都是有用的。比如说,课堂管理的原则,会帮助你解决具体问题。另一方面,一个好的课堂管理理论,会给你提供一种新的思考纪律问题的方法;它会给你提供认知工具,让你为许多不同的问题创造解决方案,并预测在新的情况下什么可能会有效。本书的一个主要目标是为你提供最好的、最有用的发展、学习、动机和教学理论——那些在其背后有坚实证据的理论。尽管你可能更喜欢一些理论,但仍要把它们都看作是理解教师所面临的挑战的方法。

在本章的开头,我断言教育心理学是我最喜欢的主题,也是教学知识和技能的重要来源。在这一章的最后,我又为我的热情提供了更多一点的证据。教育心理学将帮

---

①实证——基于系统收集的数据。

助你支持学生的学习——所有教学的目标。

支持学生学习

李智贤和瓦莱丽·舒特(Jihyun Lee & Valerie Shute,2010)在我们这个领域的主要杂志《教育心理学家》上发表文章,报告说,他们筛选了60年来对学生学习进行的数千项研究,试图找出那些直接衡量学生阅读和数学成绩的研究。然后,他们将研究焦点缩小到具有明显效果的研究上。大约有150项研究符合他们所有的严格标准。利用这些研究的结果,李智贤和舒特确定了大约十几个与K-12学生成绩直接相关的变量。研究人员将这些因素归纳为两类:学生个人因素和学校及社会背景因素,从表1.4中可以看出。当我读到这篇文章时,我很高兴地看到,我最喜欢的学科——教育心理学,几乎为发展除校长领导力以外的所有领域的知识和技能提供了基础(关于这个学科,你必须参考我和丈夫写的一本关于校长作为教学领导者的书——Woolfolk Hoy & Hoy,2013)。

正如你在表1.4中所看到的,这本教材应该能帮助你成为一个有能力和有信心的教师,能让学生参与到课堂学习共同体——一个尊重其成员的共同体中。本书将引导你成为一名帮助学生发展成为有兴趣、有动力、自我约束、有自信的学习者的教师。因此,你将能够为你的学生设定很高的期望,争取家长的支持,并建立自己作为教师的效能感。

表1.4 基于研究的支持K-12班级学生成绩的个人和社会背景因素

学生个人因素	举例	本书的对应章节
学生参与		
行为上	确保学生上课、遵守规则、参加学校活动	第五、六、七、十三章
心智和动机上	设计具有挑战性的任务,挖掘内在动机,支持学生对学习的投入,培养学生的自我效能感和其他积极的学业信念	第二、三、十、十二章
情感上	联系学生的兴趣,激发学生的好奇心,培养学生的归属感和班级联系,减少学生的焦虑,增加学习的乐趣	第三、五、六、十、十二章

学习策略		
认知策略	直接传授知识和技能,支持学生学习和深加工有价值的信息(如总结、推断、应用和推理)	第七、八、九、十四章
元认知策略	直接教会学生监控、调节、评价自己作为学习者的认知过程、优势和劣势;教会学生何时、何地、为何、如何使用具体策略	第七、八、九、十一章
行为策略	直接教给学生管理、监控和评价自己的行动、动机、情感和环境的策略和技巧,如在以下方面的技能: ● 时间管理 ● 应试 ● 求助 ● 记笔记 ● 家庭作业管理	第七至十四章
社会—情景因素	举例	本书的对应章节
学校氛围		
学业重视	树立对学生的高期望,并鼓励全校学生也这样做;强调与学校共同体的积极关系	第十一、十二、十三章
教师变量	若可能,要到集体效能、教师自主性、归属感强的学校任教	第一、十一、十三章
校长领导力	若可能,在一个具有集体主义、士气昂扬、目标明确的积极品质的学校任教	参见 Woolfolk Hoy 和 Hoy(2013)。
社会—家庭影响		
父母介入	支持家长支持孩子的学习	第三、四、五、六、十二章
同伴影响	建立班级和学校规范,尊重成绩,鼓励同伴支持,阻止同伴冲突	第三、十、十三、十五章

资料来源:Based on Lee, J., & Shute, V. J. (2010). Personal and social-contextual factors in K – 12 academic performance: An integrative perspective on student learning. Educational Psychologist, 45, 185 – 202.

总结

当今的学习与教学

今天的课堂是怎样的? 大约25%的18岁以下美国儿童生活在移民家庭中。到2060年,很可能有近20%的美国人口是在外国出生的,而西班牙裔的人将占到这一人口的近30%。到2044年,美国将不存在多数种族或族裔群体,每个美国人都将是少数群体的成员。目前约有22%的美国儿童生活在贫困中,超过一半的残疾学生在普通教育课堂上接受大部分教育。尽管教室里的学生在种族、民族、语言和经济水平上越来越多元化,但教师的多样性却少得多——白人教师的比例在增加,而黑人教师的比例在下降。本书是关于理解发展、学习、动机、教学和评估的复杂过程,以便你能成为一个有能力、有信心、有较高真实效能感的教师。

什么是 NCLB 和 ESSA? 2002年的《不让一个孩子掉队》法案(NCLB)要求在三至八年级(高中再考一次)进行阅读和数学标准化统考,在小学、初中和高中每个年级跨度进行一次科学测试。法律还要求学校所有学生在2013—2014学年结束前达到这些科目的完全熟练程度,但这并没有实现。主要原因是那些在完全熟练这一目标上没有取得足够年限进展(AYP)的学校被给予重大处罚。考试之后,一系列负面后果接踵而至——作弊、应试教学、将课程范围缩小到少数科目、将教师赶出课堂。2015年,美国总统奥巴马签署了《每个学生都成功法案》(Every Student Succeeds Act,简称 ESSA),该法案取代了 NCLB,将大部分控制权交还给了各州。同样的年级和科目仍有测试,但各州和地方学校决定何时、如何测试,以及如何干预表现最低的学校。ESSA 还支持提供更多的早期儿童教育机会,并在学院和大学之外建立师范学院。

有什么证据表明教师有重要作用? 有几项研究表明了教师在学生生活中的作用。第一项研究发现,幼儿园的师生关系的质量可以预测到八年级之前学生在校表现的几个方面。第二项研究发现,从学前班到五年级的学生也有类似的结果,这一发现得到了世界各国近100名学生的证实。第三项研究考察了两大学区的学生从三年级、四年级到五年级时的数学成绩,同样,教师素质产生影响。连续拥有三位高素质教师的学生的成绩,远远超过了那些与不太称职的老师相处了一年或更长时间的同级学生。在一项对三年级至五年级儿童进行跟踪调查的研究中,两个因素帮助数学技能较低的儿童开始缩小成绩差距:更高水平的教学(不仅仅是基本技能)和与教师的积极关系。类似的研究结果也适用于新教师。

什么是好的教学?

优秀的教师要对学生负责。他们必须应对各种学生的能力和挑战:不同的语言、不同的家庭环境以及不同的能力和残疾。他们必须根据学生的需要调整教学和评估。在这些专家浏览学习材料的整个过程中,他们也要照顾学生的情感需求,支撑起挫败的自尊心,并鼓励他们承担责任。从上课的第一天起,他们就精心计划并教授班级生活和学习的基本程序。

基于研究的有效教学模式有哪些? 丹尼尔森介绍了一个教学框架,它有 22 个组成部分,组织成四个教学责任领域:计划和准备、课堂环境、教学和专业职责。这个框架是广泛使用的教师评价体系的基础。"教学工程"是一个位于密歇根大学的全国性项目,致力于改善教学实践,它已经确定了 19 种高效教学实践,这些实践被定义为对教学至关重要的行动,并可用于大多数年级、学科和教学情境中。最后,比尔和梅琳达·盖茨基金会发起了教学成效衡量项目(MET),这是一个由 3000 名教师和几十家机构的研究团队共同参与的研究项目,该项目确定了一个由三部分组成的优秀教学评价体系,包括州测验的成绩(权重为 33% 至 50%)、学生对教师的看法以及使用丹尼尔森教学框架的课堂观察,后两者在评价中的权重占 66% 至 50%。

新教师有哪些顾虑? 学习教学是一个循序渐进的过程。随着教师能力的增长,他们所关注的问题也会发生变化。在开始的几年里,他们的注意力往往集中在维持纪律、激励学生、照顾学生的差异、评价学生的工作、与家长打交道以及与其他教师相处等方面。即使有这些顾虑,许多初任教师还是为他们的教学带来了创造力和活力,并且每年都在进步。更有经验的教师可以转向关注专业成长和提升面向多元化学生时教学的有效性。

教育心理学的作用

什么是教育心理学? 教育心理学自一个多世纪前在美国创立时就与教学联系在

一起。教育心理学的目标是理解和改进教学过程。教育心理学家开发知识和方法,他们还利用心理学和其他相关学科的知识和方法来研究日常情境中的学习和教学。教育心理学家研究当某人/某事(教师或家长或计算机)在某种环境(教室或剧院或体育馆)中向其他人(学生或同事或团队)教授某事(数学或编织或舞蹈)时会发生什么。

教育心理学的研究方法有哪些? 相关性方法可以识别关系并进行预测。相关性是一个数字,它既表示两个事件或测量值之间关系的强度,也表示其方向。相关性越接近 +1.00 或 -1.00,关系越强。实验研究使研究者能够发现原因,而不仅仅是做出预测。实验研究应该帮助教师实施有用的改变。研究者不只是观察和描述一个现有的情况,而是引入改变并记录结果。准实验研究符合真正实验的大部分标准,但重要的例外是参与者不是随机分配到各组,而是让班级或学校等现有群体参与实验。在 ABAB 实验设计中,研究者通常采用基线/干预/基线/干预的方法,研究某些措施对一个或多个人的影响。临床访谈、个案研究和民族志方法详细研究少数个人或群体的经历。如果对参与者进行长时间的研究,这种研究称为纵向研究。如果研究人员在几个疗程或几个星期内密集地研究变化中的认知过程——因为变化正在实际发生,那么这种研究就是微发生研究。无论使用什么方法,研究的结果都会被用来进一步发展和改进理论,从而可以发展出更好的假设和问题来指导未来的研究。

定性研究和定量研究的区别是什么? 一般来说,定性研究和定量研究是有区别的。这些都是大类,和许多类别一样,边界有点模糊。定性方法,如个案研究和民族志,使用文字、对话、事件、主题和图像作为数据。目的是深入探讨特定的情境或人物,了解事件对当事人的意义,以讲述他们的故事。定量研究使用数字、测量和统计来评估变量之间关系的水平或大小,或群体之间的差异——关系研究和实验研究就是例子。不同类型的研究可以回答不同的问题。今天,许多研究者都在使用混合方法来研究广泛和深度的问题。有三种基本的组合方法。第一,研究者同时收集定量和定性数据,然后在分析中对数据进行合并和整合。第二,研究者首先收集定量数据,例如,从调查或观察工具中收集,然后再对选定的参与者进行深入的定性访谈。这里的目标往往是解释或寻找原因。最后,这个顺序可以反过来——研究者首先进行访谈或个案研究,以确定研究问题,然后在定性结果的指导下收集定量数据。这里的目标可能是深入探索一种情况。

以科学为基础的研究与定量研究更为一致,它系统地使用观察或实验来收集有效和可靠的数据;涉及收集和分析数据的严格和适当的程序;清楚地描述,以便其他人可以重复;并由合适的独立专家严格审查。循证实践,即根据 ESSA 法律必须用于干预失败学校的那种实践,是建立在系统的、严格的研究结果之上的。当教师或学校为改善学生的教学和学习而进行系统的观察或测试方法时,他们就是在进行行动研究。

区分原则和理论。 原则是指两个或多个因素之间的既定关系,例如某种教学策略与学生成绩之间的关系。理论是一组相互关联的概念,用于解释一组数据并做出预测。研究的原则为具体问题提供了许多可能的答案,而理论则为分析几乎所有可能出现的情况提供了视角。研究是一个持续的循环,它包括在良好理论的基础上明确提出假设或问题,系统地收集和分析数据,用适当的方法对收集到的数据进行解释和分析以回答问题,根据结果修改和完善解释理论,并根据改进后的理论提出新的、更好的问题。

哪些关键因素支持学生的学习? 综合约 150 项关于学生学习的研究,发现有两大类影响因素:学生个人因素和学校及社会背景因素。当我读到这篇文章时,我很高兴地看到,我最喜欢的学科——教育心理学,几乎为发展除校长领导力以外的所有领域的知识和技能提供了基础。

关键术语

Action research	行动研究
Case study	个案研究
Correlations	相关性
Descriptive studies	描述性研究
Design-based research	基于设计的研究
Educational psychology	教育心理学

Empirical	实证
Ethnography methods	民族志方法
Every Student Succeeds Act（ESSA）	《每个学生都成功法案》
Experimentation	实验
Hypothesis/hypotheses	假设/假说
Microgenetic studies	微发生研究
Negative correlation	负相关
Participant observation	参与式观察
Participants/subjects	参与者/被试者
Positive correlation	正相关
Principle	原则
Qualitative research	定性研究
Quantitative research	定量研究
Quasi-experimental studies	准实验研究
Random	随机
Reflective	反思型
Statistically significant	统计学显著意义
Teachers'sense of efficacy	教师效能感
Theory	理论

教师案例簿

不让一个学生掉队——他们会做什么？

以下是几位专家型教师谈论他们将如何使高度多元化的学生为春季成绩测试以及大学和职业做好准备。

JENNIFER PINCOSKI　十二年级学习资源教师

Lee County School District, Fort Myers, FL

在这种情况下,教师可利用的优势之一是,许多对有学习障碍的学生有效的策略对第二语言学习者也有效,即使是达到基准的学生也能从这些支持中受益。其中一些策略包括在整个教室里贴上语言/词汇学习的标签,尽可能提供视觉支持,以及使用各种图形工具。合作学习小组和全身反应法(TPR)也有助于语言技能和内容知识的发展。可以根据学生的理解水平对活动进行分级,为了展示他们的学习成果,可以为学生提供多种作业选择。

通过听觉、视觉和动手操作的教学让学生接触新的词汇和内容,将产生最佳效果。回到最基本的层面,这一理念可以用一句谚语来概括:"告诉我,我会忘记;给我看,我就会记住;让我参与,我就会明白。"学生应该是学习过程中的积极参与者,而不是旁观者。

JESSICA N. MAHTABAN 八年级数学教师

Woodrow Wilson Middle School, Clifton, NJ

首先要解决的是生存问题。每个学生都必须了解自己的姓名、地址和电话号码。在任何类型的紧急情况下,所有学生都必须知道这些信息。之后,学生将熟悉课堂常规和要求。一旦学生对这些感到满意,他们将能够专注于语言学习。实习生、行政人员、家长和我必须经常见面,共同为每个学生制定项目和目标。

在任何一节课上,我都会提供视觉提示(手势、图片、物体)与口头指导。我会用简短的句子和学生说话,并给出明确的例子,说明对他们的期望。实习生和我将在学生独立或合作开展活动时与他们互动。我们也会经常检查学生的理解能力,以便帮助任何不理解的学生。

PAUL DRAGIN - ESL 九至十二年级教师

Columbus East High School, Columbus, OH

在这种情况下,会有多种障碍。这个情境呈现了两个信息,我会重点关注。一是阅读方面的问题似乎是最常见的,我将列为头等挑战,因为它在预测未来学业成功方面有突出地位。如果没有阅读方面的成功,在成就测验中取得好成绩,在大学里取得好成绩,都不是现实的期望。另一个有利的信息是当地大学的学生实习。以阅读为重点,我会指导实习生进行一些基本的阅读诊断,以更清楚地了解每个学生的阅读水平,从而选择适合的课文来提高理解力和流畅度。有了两位老师在教室里,我们就可以更好地针对不同的阅读水平进行小组教学。这种有针对性的阅读指导对实习生和学生都有好处,因为实习生的服务对教学至关重要,我们将共同帮助学生进行阅读理解和后续的语言学习。

PAULA COLEMERE 特殊教育教师(英语、历史)

McClintock High School, Tempe, AZ

在开始教这群学生之前,我会为促进学生的学习而布置教室。学生们可能会因为墙上太多的东西而分心,因此,我会非常慎重选择展示的一切。要做到这一点,我会从一片空白开始,把墙上的所有东西都拿掉。我会在门、削铅笔机、课桌等物品上贴上标识,帮助英语学习者(English language learners, ELLs)的学生积累词汇。我会留出一块区域,为内容部分的词汇建立"单词墙";这将帮助英语学习者和有特殊需要的学生。对我来说,学生的背景和他们来自哪里是很重要的。这将帮助我与每个学生建立个人联系,这将帮助我在与家庭接触时了解文化差异。同样重要的是,要了解他们的祖国正在发生的事情,以尝试根据他们的经验与学习建立联系。最后,图形工具将是我备课的一个关键部分,因为它们可以帮助学生组织信息。

第一部分

学 生

第二章 认知发展

概览

你会做什么?

教师案例簿:象征和钹

地方课程的指导者呼吁能够加入一些包含诗歌中象征主义课程的诗歌单元。你可能会担心,大多数四年级学生可能还没有做好理解抽象概念的准备。为此,你询问了一些学生:什么是象征(Symbols)?

"它就是你将两个大的金属物体撞击在一起。"特雷西像一个鼓乐队队长一样挥动他的手。

"没错,"肖恩补充道,"我的姐姐在高中的乐队里就演奏过钹(Cymbals)。"

你意识到他们理解错了你的问题,所以你又试着引导了一次。"我想说的是另一种不同的象征,比如戒指可以作为婚姻的象征,心可以作为爱的象征等等。"

你感受到了学生们茫然的目光。

特雷弗尝试着说:"你是说像奥运会火炬那样?"

"那这象征着什么呢,特雷弗?"你问道。

"就像我刚说的呀,一个火炬。"特雷弗在心里想你怎么会这么愚钝。

批判性思维

• 学生的反应表明他们的思维是怎样的?

• 你将如何处理这一单元的学习?

• 你应如何去"聆听"学生的思维,使你的教学适合他们的思维水平呢?

• 你该怎样给学生一些关于象征的具体的经验呢?

• 如果你的学生还没有发展到有足够的能力接受这部分内容,你怎么办?

概述与目标

特雷弗怎么了? 在这一章,你将会得到答案。我们从发展的定义和三个基本问题的调查出发。多年来,心理学家一直在争论这些问题的答案:先天和后天,连续性与非连续性,发展的关键期与敏感期。接着我们研究了大多数心理学家认定的人类发展的一般原则。为了理解认知发展,我们从研究大脑如何工作开始,然后深入研究了让·皮亚杰(Jean Piaget)和利维·维果斯基(Lev Vygotsky)这两名最具影响力的认知发展学家的理论。皮亚杰的观点能够在(不同年龄阶段的)学生是如何思维的以及(不同年龄阶段的)学生能学习的内容方面给予教师启示。我们也会从批判的角度对他的理论进行分析。俄罗斯心理学家利维·维果斯基的研究强调了教师和家长在孩子的认知发展过程中的重要作用。维果斯基的理论在儿童发展领域的影响力越来越大。当你阅读完这一章的内容的时候,你应该能够达到以下目标:

目标2.1 给出发展理论的三个基本原则的定义,描述关于发展问题三个持续性的争议,以及目前对于这些问题的共识。

目标2.2 总结大脑发育可能会对教学产生影响的研究。

目标2.3 解释皮亚杰认知发展理论中提出的原则和阶段,以及对他的理论的批评。

目标2.4 解释维果斯基发展理论中提出的原则,以及对他理论的批评。

目标2.5 讨论皮亚杰和维果斯基的理论对教学的启示。

发展的定义

在接下来的几章中,当我们探索儿童是如何发展的时候,我们将遇到一些令人惊讶的情况。

- 利亚,一个5岁的孩子,将球形的黏土搓成条形后认为条形的黏土比球形的黏土多。

- 一名瑞士日内瓦9岁的孩子坚定地认为,他不可能同时是瑞士人和日内瓦人:"我已经是瑞士人了。我不可能还是日内瓦人。"

- 贾马尔,一个非常聪明的小学生,无法回答"如果人们不睡觉,生活将有什么不同?"这个问题,因为他坚持说:"人们必须要睡觉!"

- 一个2岁的孩子带着自己的妈妈去安慰正在哭泣的朋友,尽管这名朋友的妈妈也有空闲的时间。

用什么解释这些有趣的事件?你很快就会找出问题的答案,因为你正在进入儿童和青少年发展的世界。

在最普遍的心理意义上,发展(development)①作为一种心理学术语,是指从受精到死亡的过程中人类(或动物)发生的必然的变化。该术语不适用于所有变化,而是适用于那些以有序方式出现并保持相当长时间的变化。例如,因短暂的疾病引起的暂时性变化,就不能看作是一种发展。人类的发展可以分为若干个不同的方面。正如你所想到的那样,生理发展(physical development)②是指身体方面的变化;个性发展(personal development)③,是指个人身份和性格的变化;社会性发展(social development)④,是指

---

①发展——我们从受精到死亡的过程中经历的有序的、适应性的变化;这些发展的变化会存在相当长的一段时间。

②生理发展——随时间推移而产生的身体结构和功能上的变化。

③个性发展——个体成长过程中发生的个性变化。

④社会性发展——我们与其他人相处的方式随时间发生变化。

个体与他人在人际关系方面的变化;认知发展(cognitive development)①,是指思维、推理、决策方面的变化。

在发展过程中的许多变化源于生长和成熟。成熟(maturation)②是指自然和自发出现的变化,并且在很大程度上由遗传决定。这种变化随着时间的推移而出现,除了营养不良或严重疾病的情况,相对地不受外在环境的影响。大部分生理上的发展属于这一类型。其他变化由学习引起,比如个体与他们周围环境的交互影响。这种变化构成了人的社会发展的很大一部分。但是关于人的思维和个性的发展呢? 大多数心理学家都同意在这些领域,成熟和与外部环境的交互影响(有时称作先天与后天)很重要,但他们不同意偏重其中某一方面。先天与后天的关系是仍存在争议的关于发展的三个基本问题之一。

发展理论的三个基本问题

由于关于发展的研究和理论有许多不同的方法,因此围绕发展的关键问题仍然存在一些争议。

什么是发展的根源? 先天与后天。个体的"先天条件"(遗传、基因、生物进化、成熟等)和外在环境下的"后天因素"(教育、家庭培养、文化、社会政策等)哪一个对于发展来说更重要? 这场争论已经持续了至少2000年,并且在此过程中积累了许多相关的争论,包括"遗传与环境"、"生物与文化"、"成熟与学习"以及"天赋与后天努力"。在早期的几个世纪中,哲学家、诗人、宗教领袖和政治家都在争论这个问题。即使在科学解释中,答案也依旧像钟摆一样,在先天与后天之间来回摆动(Cairns & Cairns,2006;Overton,2006)。

科学家现在为讨论带来了新的工具,比如,他们可以绘制基因图谱或追踪药物对大脑活动的影响(Gottlieb,Wahlsten,& Lickliter,2006)。今天,外在环境的影响被视为发展的关键,但生物因素和个体差异也十分关键。事实上,一些心理学家断言,行为100%由生物学决定或者100%由环境因素决定——它们是不能被分开的(P. H.

---

①认知发展——在缓慢而有序的变化中,心理过程变得更加复杂和精致。
②成熟——遗传决定的,随着时间推移自然发生。

Miller,2011)。目前的观点强调先天和后天之间复杂的相互作用(coactions)①(联合作用)。例如,一个生来有着非常随和、温和性格的孩子和一个经常不安、难以抚慰的孩子可能会得到来自父母、玩伴和老师的不同的反应。这表明每个个体都在积极构建自己发展的外部环境。但环境同时也塑造了个体——如果不是,教育又能带来什么好的变化? 所以现在,教育学家和发展心理学家对于"先天和后天"非此即彼的争论已经不那么感兴趣了。正如一位开拓性的发展心理学家在100多年前所说的那样,更令人感兴趣的问题已经是关于理解"两者如何共同发挥作用"了(Baldwin,1895,p.77)。

什么是发展的形式? 连续性与非连续性。人类发展究竟是一个持续增长能力的过程,还是当能力真实地发生变化时会跳跃到新的阶段? 一个持续的过程就像通过系统的练习逐步提高你跑步的耐力。不连续的变化(也称为质变)就像人类在青春期的许多变化,例如模仿的能力——一种完全不同的能力。

你可以把连续或量变想象成顺着坡道越爬越高:进步是稳定的。不连续或质变更像是走楼梯:会有不同的水平阶段,你可以一下子就到达下一阶段。即将在下一节中描述的皮亚杰的认知发展理论,就是儿童思维能力定性、不连续变化的一个例子。但是,其他基于学习理论的认知发展强调渐进的、连续的、量的变化。

时间:太晚了吗? 发展的关键期与敏感期。是否存在需要开发某些能力(如语言)的关键时期? 如果错过了那些机会,孩子还能"赶上"吗? 这些是关于时间和发展的问题。许多早期的心理学家,尤其是那些受弗洛伊德影响的心理学家,认为幼儿经历至关重要,特别是对于情感/社交和认知发展。但早期的如厕训练真的让我们所有人都走上了特定的人生道路吗? 可能不是。最近的研究表明,后天的经验也很强大,可以改变发展方向。今天,大多数心理学家都在谈论敏感期(sensitive periods)②——而非关键期。当一个人对某些经历特别需要或敏感时,"机会之窗"就会出现(Scalise & Felds,2017)。

---

①相互作用——个体生物学和环境的联合作用,彼此塑造和影响。

②敏感期——一个人为准备好学习某些事物或对某些经历做出反应而特别留出的时间,特定能力和行为发展的最佳时期。

当心"非此即彼"。正如你可能想象的那样,这些关于发展的争论被证明过于复杂,以至于无法通过将替代方案分解为其中一种或两种可能性来解决(Griffins & Gray,2005)。今天,大多数心理学家将人类发展、学习和动机,从影响发育的内在生物结构和过程,如基因、细胞、营养和疾病,到家庭、社区、社会关系、教育和卫生机构、公共政策、时间区间、历史事件等外部因素,视为一系列相互作用和共同作用的背景。16 世纪出生在贫困家庭的儿童会通过放血或水蛭治疗疾病,对于同样的疾病,出生在 2018 年富裕家庭的儿童将获得这一时期最好的治疗。因此,对于不同时期儿童疾病的认知发展是完全不同的。儿童疾病对 16 世纪贫困家庭出生的通过放血或水蛭治疗的孩子的认知发展的影响,与同一疾病对 2018 年出生在富裕家庭、并获得该时期最好的治疗的孩子的认知发展的影响是完全不同的。在本书的其余部分中,我们将在不陷入非此即彼的陷阱的情况下尝试理解发展、学习、动机和教学。

发展的一般原则

虽然现在我们对于发展究竟是如何发生的存在分歧,但是仍有一些为所有理论家所接受的一般原则:

1. 每个人发展的速度不同。在你自己的课堂上,你将拥有各种不同发展速度的实际示例。有些学生能够更好地进行协调,思维和社交能力更加成熟。其他学生在这些领域的成熟则慢得多。除了发展非常迅速或非常缓慢这种极少数情况之外,在任何较大的学生群体中出现发展速度上存在差异的现象都是正常的。

2. 发展相对而言是有序的。人们发展自己的能力是有逻辑顺序的。在婴儿期,他们在走路之前先学会坐着,在说话之前先学会咿呀学语,在他们开始想象其他人如何看待这个世界之前,他们先通过自己的眼睛看世界。在学校里,他们将在代数之前掌握加法,在了解莎士比亚之前接触哈利·波特等等。但"有序"并不一定意味着线性或可预测——人们可能会前进,在一段时间内保持不变,甚至倒退。

3. 发展是逐步产生的。很少有变化是在一夜之间表现出来的。一个学生不会使用铅笔或回答假设的问题,以后可能会很好地发展这种能力,但这种变化是需要时间的。

大脑与认知发展

学过心理学导论课程的话,你一定读到过关于大脑和神经系统方面的内容。比如,你可能记得大脑有几个不同的区域,特定的区域有特定的功能。例如,脑干处理基本功能,如心率、呼吸和血压,以及睡眠和清醒注意力等唤醒水平。像羽毛一样软软的小脑调节和控制人体的熟练活动——从优美的舞蹈姿势到日常吃饭时不会用叉子插到鼻子等。小脑也在更高的认知功能(如学习)中发挥作用。海马体在回忆新信息和近期经验方面至关重要,而杏仁核则指导情绪和攻击。丘脑参与了我们学习新信息的能力,尤其是有关口头形式的信息。胼胝体连接大脑的两个半球,以便在它们之间对复杂的心理进行处理。额叶是通过使我们能够处理信息来进行规划、记忆、决策、解决问题和创造性思考而使人类与众不同的区域(Schunk,2016)。图 2.1 显示了大脑的各个区域。

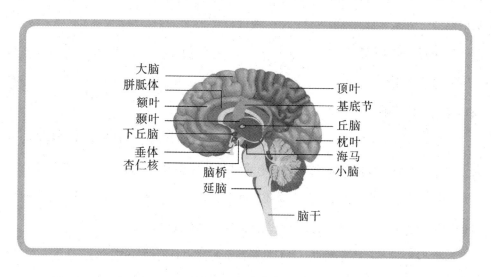

图2.1 大脑的分区

大脑成像技术的进步使得科学家能够更加方便地了解大脑的功能。例如,计算机轴向断层扫描(computerized axial tomography,CAT)①给出了大脑的三维图像。正电子发射计算机断层显像(positron emission tomography, PET)②可以跟踪不同条件下大脑的

①计算机轴向断层扫描——一种利用 X 射线呈现技术提供被扫描身体部位的清晰的增强三维图像的技术。

②正电子发射计算机断层显像——一种通过使用计算机辅助捕捉的大脑运动图像的定位和测量大脑活动的方法。

活动。脑电图(electroencephalograph，EEG)①用于测量大脑中的电子模式，事件相关电位(event-related potential，ERP)②是通过脑电图来研究当人们进行阅读或学习词汇时大脑的情况。功能性磁共振成像(functional magnetic resonance imaging，fMRI)③能够显示当儿童或成人进行不同的认知任务时血液在脑内的流动情况。最后，一种新的方法：近红外光层析成像(near-infrared optical tomography，NIR-OT)④是使用红外光通过头皮来评估大脑的活动。表2.1总结了每种技术所能完成或不能完成的内容。

让我们通过检验大脑的三个微小的组成部分：神经元、突触和神经胶质细胞来进一步研究我们的大脑。

表2.1 脑成像技术

脑成像的进步使人们更加了解大脑的功能。每种技术都可以提供相应的某种信息，但不能提供其他信息。

名称	功能	示例	局限性
CAT Scan 计算机轴向断层扫描	使用X射线技术提供清晰的三维大脑图像	定位和研究大脑中的肿瘤或病变	由于辐射的原因不能经常使用；不能提供有关大脑活动的详细信息
PET Scan 正电子发射计算机断层显像	显示大脑不同部位的活动程度。将少量放射性葡萄糖注入身体并运送到大脑，大脑活动较多的区域会使用更多的葡萄糖，进而在计算机脑图上显示出更明亮的颜色	研究大脑如何工作以及哪些区域或多或少地参与不同的认知活动，如阅读；诊断脑肿瘤、中风和痴呆等疾病	因为需要放射性注射，所以不能做很多次；因为会有较短的滞后，所以不能捕捉快节奏的神经活动；只能捕捉活动发生的位置，不能捕捉活动发生的时间

①脑电图——一种利用附着在头皮上的电极测量由神经元运动产生的大脑中的电模式的技术。

②事件相关电位——通过头骨或头皮评估大脑电活动的测量。

③功能性磁共振成像——一种成像技术，它使用磁场和无线电波以及计算机来创建身体内部的详细图片，测量大脑活动时大脑中发生的微小变化。

④近红外光断层析成像——一种利用光纤将近红外光透过头皮并进入大脑的技术。一些光被反射回来，表明血液中的血液流动和氧合，揭示大脑活动。

EEG 脑电图	通过附着在头皮上的电极测量由神经元运动产生的大脑中的电模式。不需要药物或辐射	研究睡眠障碍、癫痫、语言障碍和认知负荷(第八章)	不提供大脑的二维或三维图像;只能反映整个大脑的活动,不能具体显示活动发生的位置
ERP 事件相关电位	提供基于 EEG 数据的计算,反映大脑对刺激或事件的反应	研究感官和认知活动,特别是语言以及视觉问题和脑部疾病	擅长评估神经活动的速度,但不善于识别位置
fMRI 功能性磁共振成像	当儿童或成人进行不同的认知任务时,通过显示与神经活动相关的大脑内的瞬间血流,显示出该认知任务在大脑中工作的准确区域。不需要辐射或注射	研究与感知、情绪、思维和行动相关的大脑过程和结构;诊断何时使用化学物质治疗中风;在手术前绘制患者的大脑图谱	几乎没有局限性,并且已经在很大程度上取代了 PET 扫描,但是大脑活动的变化和功能性磁共振成像所带来的血流变化之间存在短暂的滞后
NIR-OT 近红外光层析成像	使用光纤将近红外光穿过头皮进入大脑。一些光被反射回来,表明血液中的血液流动和氧合,揭示大脑活动	研究特定活动、社交互动、课堂学习期间的大脑过程和变化;不侵入人体,不使用化学品或辐射;可以移动并在较长时间内使用	除了只能检测到近红外光可以穿透的几厘米内大脑的活动外,几乎没有什么限制

发育中的大脑：神经元

新生婴儿的大脑重约 1 磅,仅为成年大脑重量的三分之一。但是在婴儿的大脑中有数十亿个神经元(neurons)①,这些神经细胞在大脑和神经系统的其他部分累积并传递信息(以电活动的形式)。神经元是浅灰色的,因此它们有时被称为大脑灰质。神经元具有小型计算机的信息处理能力。这意味着一个 3 磅重的人脑的处理能力可能比世界上所有的计算机都要强大。当然,计算机做很多事情会比人类快很多,比如计算较大数字的平方根(J. R. Anderson,2015)。这些非常重要的神经元细胞很小,3 万个

---

①神经元——存储和传输信息的神经细胞。

左右也才只是针尖那么大（Sprenger,2010）。科学家曾认为一个人所拥有的所有神经元在出生时就都已经存在了,但现在我们意识到了新神经元的产生,神经形成（neurogenesis）①会一直持续到成年期,特别是在海马体这个区域（Koehl & Abrous,2011；Scalise & Felde,2017）。

神经元细胞发出的长臂和枝状纤维与其他神经元细胞连接,称为轴突和树突。不同神经元的末端实际上并没有接触;它们之间有微小的空间,大约十亿分之一米,称为突触（synapses）②。神经元通过使用电信号和释放越过突触的化学物质来共享信息。轴突将信息传递给肌肉、腺体或其他神经元;树突接收信息并将其传递给神经细胞自身。这些传递在神经元之间的突触连接在使用或实践时会变强,在不使用时会变弱。神经路径被记忆痕迹所加固便是学习的最终结果（Scalise & Felde,2017；Schunk,2016）。因此,这些突触连接的强度是动态的——随着学习的发生而不断变化。这被称为突触可塑性（synaptic plasticity）③,或可塑性（plasticity）④,你很快就会看到这对教育工作者来说是一个非常重要的概念。研究人员发现,物理运动在维持健康的、可塑的大脑中起着至关重要的作用（Doidge,2015；Dubinsky,Roehrig,& Varma,2013）。下图2.2 显示了神经元系统的组成部分（J. R. Anderson,2015）。

在出生时,每个孩子有100 到200 亿个神经元,约有2500 个突触。然而,从神经元伸出的纤维和纤维末端之间的突触会在生命的最初几年内增加,可能会持续到进入青春期或更久。到2 至3 岁时,每个神经元大约有15,000 个突触,这个年龄的孩子比成年人有更多的突触。事实上,孩子所拥有的用于适应环境的神经元和突触的数量是供过于求的。然而,只有那些使用的神经元才能存活,未使用的神经元将被"修剪"。这种修剪是必要的,有助于认知发展。研究人员发现,一些发育障碍与干扰修剪的基因缺陷有关（Berk & Meyers,2016；Bransford,Brown,& Cocking,2000；Broderick & Blewitt,2015）。

①神经形成——新神经元的产生。
②突触——神经元之间的微小空间——化学信息通过这些间隙发送。
③突触可塑性——大脑倾向于保持适应性或灵活性。
④可塑性——大脑倾向于保持适应性或灵活性。

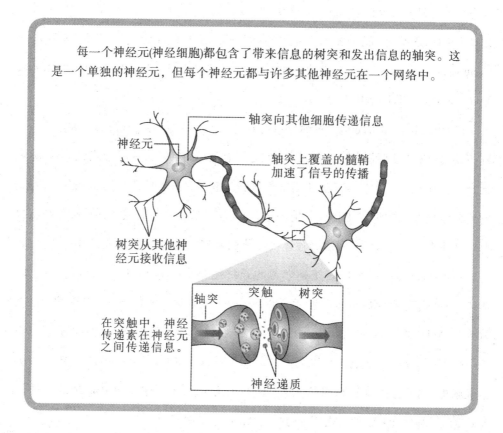

每一个神经元(神经细胞)都包含了带来信息的树突和发出信息的轴突。这是一个单独的神经元,但每个神经元都与许多其他神经元在一个网络中。

图2.2 单个神经元

神经元在发展的过程中会出现两种过量生产和修剪的过程。一种被称作经验——期待(Experience-expectant),即突触在特定发育期的某些部分过度产生,等待(期待)刺激。例如,在生命的最初几个月,大脑期望视觉和听觉刺激。如果出现正常范围的视觉和声音,那么大脑的视觉和听觉区域就会发展。但是,完全失聪的孩子不会受到听觉刺激,因此,他们大脑的听觉处理区域将用于处理视觉信息。同样地,盲儿出生时的大脑视觉处理区域也用于处理听觉信息(C. A. Nelson,2001;Neville,2007)。

经验—期待的过度生产和修剪过程负责大脑中很大一部分的一般发展,由此或许可以解释为什么成年人难以发出不属于他们的母语的音节。例如,r 和 l 的声音之间的区别在英语中很重要,但在日语中并不重要。大约 10 个月大的日本婴儿失去了区分 r 和 l 的能力,因为那些神经元被修剪掉了。因此,日本成年人学习这些声音需要强烈的指导和练习。试想一下学习两种语言的婴儿成长的认知优势及其额外的能力（Broderick & Blewitt，2015；Hinton，Miyamoto，& Della-Chiesa，2008）。

第二种突触过量生产和修剪被称作经验—依赖（experience-dependent）。在这里，突触连接是基于个体的经验形成的。新的突触是在非常局部的大脑区域响应神经活动而形成的，例如学习骑自行车或使用电子表格。大脑不会"预料到"这些行为，因此新的突触会响应这些经历而形成。产生的突触多于"修剪"的突触。依赖经验的过程涉及个人学习，例如掌握你正在学习的第二语言的不熟悉的声音发音。

刺激环境可能有助于早期修剪过程（经验—依赖期），也可能支持成年期突触发育增加（经验—依赖期）（Broderick & Blewitt，2015；J. L. Cook & Cook，2014）。事实上，动物研究表明，在刺激环境中饲养的老鼠（放有玩具、学习任务、其他老鼠，以及人为干预）比几乎没有受到刺激的老鼠多发育并保留了 25% 以上的突触。尽管对老鼠的研究可能不直接适用于人类，但很明显，极度剥夺会对人类大脑发育产生负面影响。但额外的刺激并不一定会改善已经获得足够、典型突触的幼儿的脑部突触发育（Berk & Meyers，2016；Byrnes & Fox，1998）。因此，在昂贵的玩具或婴儿教育计划上花钱可能会提供比儿童所需的更多的刺激，甚至可能是有害的。锅和平底锅、木块和书籍、沙子和水都提供了极好的适当刺激——特别是如果伴随着与父母或老师的关怀对话。

回顾图 2.2，神经元之间似乎没有任何东西，只有空气。实际上，这是不正确的。这些空间中充满了胶质细胞（glial cells）[1]，即脑白质。这些细胞有数万亿，远远超过神经元的数量。胶质细胞似乎具有许多功能，例如对抗感染、控制血流和神经元之间的联系，以及在轴突纤维周围提供髓鞘涂层（见图 2.2）。髓鞘化（myelination）[2]，即轴突神经元纤维的涂层被绝缘脂肪胶质覆盖，髓鞘化会影响思维和学习。这个过程类似于用橡胶或塑料涂覆裸露的电线。这种髓磷脂涂层使信息传输更快、更有效。髓鞘化在早年发展迅速，但进入青春期时速度会减慢。儿童在出生后的第一年，其脑容量会翻倍，进入青春期后会再次翻倍（J. R. Anderson，2015；Ormrod，2016）。

---

[1] 胶质细胞——大脑的白质。这些细胞数量上大大超过神经元，并且似乎具有许多功能，例如对抗感染、控制血流和神经元之间的通信，以及在轴突纤维周围提供髓鞘涂层。

[2] 髓鞘化——神经纤维涂有称为髓鞘的脂肪鞘的过程，使信息传递更有效。

发育中的大脑：大脑皮质

现在，从讨论神经元转到大脑本身，大脑几乎80%是水，其余的是脂肪和蛋白质（Schunk,2016）。外部1/8英寸厚的覆盖物是大脑皮质——大脑的最大区域。它是一块薄薄的神经元，但对于成年人来说，其面积几乎是3平方英尺。为了遍布头脑中的所有区域，这一表层会形成许多皱褶和皱纹（J. R. Anderson,2015）。人类大脑的这个区域比低级动物要大得多。大脑皮质约占成年期大脑重量的85%，并且含有最多的神经元。大脑皮质为人类达到最大的成就提供了保障，例如复杂的问题解决和语言。

皮质是大脑发育的最后一部分，因此它被认为比大脑的其他区域更容易受环境影响（Gluck,Mercado,& Myers,2016）。不同部位皮质的成熟速率不同。控制身体运动的皮质区域首先成熟，然后成熟的是控制视觉和听觉等复杂感官的区域，最后是控制高阶思维过程的额叶。皮质的颞叶在情绪、判断和语言中起主要作用，这一区域直到高中时期甚至更晚才能完全发展。

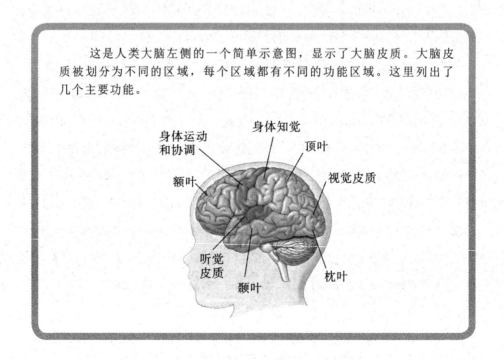

这是人类大脑左侧的一个简单示意图，显示了大脑皮质。大脑皮质被划分为不同的区域，每个区域都有不同的功能区域。这里列出了几个主要功能。

身体运动和协调
身体知觉
顶叶
额叶
视觉皮质
听觉皮质
颞叶
枕叶

图2.3　大脑皮质视图

皮质的不同区域似乎具有不同的功能,如图2.3所示。尽管大脑的特定区域有不同的功能,但这些专门功能是非常具体和基本的。为了完成更复杂的功能,如口语或阅读,皮质的各个区域必须相互沟通和协同工作(J. R. Anderson,2015)。

偏侧性(lateralization)①是大脑功能对认知发展的另一个方面的影响,或称作大脑的两个半球的专门化。我们知道大脑的每一半控制着与其对应的身体的另一侧。大脑右侧的损伤会影响身体左侧的运动,反之亦然。此外,大脑的某些区域会影响特定的行为。对于我们大多数人来说,大脑的左半球处理语言,右半球处理空间视觉信息和情绪(非语言信息)。对于一些左撇子的人来说,这种关系可能会逆转,但对于大多数左撇子和女性来说,半球专门化程度是较低的(J. R. Anderson,2015;Ormrod,2016)。幼儿的大脑表现出更多的可塑性(适应性),因为它们不像大龄儿童和成年人的大脑那样专业化或有偏侧性。大脑左侧有损伤的幼儿在某种程度上能够克服这一损伤,使得语言发展得以进行。大脑的其他区域会接管受损区域的功能。但是在年龄较大的儿童或成人中,在左半球受损后这种补偿不太可能发生。

然而,大脑半球的这些差异更多的是相对的而非绝对的。在执行某些功能时,一个半球会比另一个半球效率更高。语言由左右半球"不同但同时"处理(Alferink & Farmer-Dougan,2010,p. 44)。几乎任何任务,特别是涉及教师的复杂技能和能力的任务,都要求大脑的许多不同区域同时参与并进行彼此之间的持续沟通。例如,大脑的左侧是理解语法和句法的地方,但右侧能更好地弄清楚故事的意义或解释反讽、讽刺、隐喻或双关语,因此大脑的两侧都必须共同阅读或理解文学、电影和笑话。请记住,没有任何心理活动完全是大脑中一个部分的工作,所以没有"右脑学生"这样的个体存在,除非该个体已经去除了左半球——对某些癫痫病的罕见的、激进的根治性治疗方法(Ormrod,2016)。

儿童和青少年的大脑发育

在整个童年和青春期,大脑都会持续发育。在婴儿期,儿童通过照顾他们的人所

---

① 偏侧性——大脑皮质的两个半球(侧面)的专门化。

说的语言来识别成人世界中的模式。婴儿通过探索、行动和观察学习来形成神经连接和网络。他们在这种冒险中是自我导向的——这是一件好事，因为他们有很多需要学习的东西。在这段时间里，一个刺激、一个回应和安全的环境是比抽认卡或结构化课程更好的"老师"，因为幼儿有自己的兴趣和好奇心。

在小学阶段，孩子的大脑继续增长。支持各种认知过程（如感知、记忆和情感）的大脑的不同部分变得更加网络化，联系更加紧密。这些相互联系使孩子能够反复思考他们的感受和想法。孩子们也可以同时扩大知识储备并在记忆中保存更多信息。在这个年龄，他们准备学习第一语言中更多的单词和语法，并学习第二语言。但是他们的注意力仍然有限，因此更长的课程、活动或指导手册应该分为可管理的和易于记忆的片段（McDevitt & Ormrod,2016）。此外，第十一章中关于发展自我调节学习的所有想法都可以帮助学生，因为他们不断壮大的大脑为理解和控制自己的认知过程开辟了新的可能性。

在青春期，大脑的变化会增加个体在低压力和高压力情况下控制其行为的能力，使个体更有目的性和组织性，并抑制冲动行为（Wigfield et al.,2006）。但这些能力直到二十出头才完全发展，所以至少在低压力的情况下青少年可能"看起来"像成年人，但他们的大脑并不成熟。他们经常难以避免风险和控制冲动。这就是为什么青少年的大脑被形容为"马力高，转向差"（Organisation for Economic Co-operation and Development［OECD］,2007, p. 6）.

避免风险和冲动行为这一问题的一个解释是，大脑的两个关键组成部分——边缘系统和大脑的前额叶皮质——的发展速度存在差异（Casey,Getz, & Galvan,2008）。边缘系统发育较早，它涉及情绪、寻求奖赏、新奇、冒险、轰动行为。前额叶需要更多的时间来发展，它涉及判断和决策。随着边缘系统的成熟，青少年对寻求快乐和情感刺激的反应更加强烈。事实上，青少年似乎比儿童和成年人需要更强烈的情感刺激，所以这些年轻人是为冒险和寻求刺激而生。冒险和寻求新奇可以是青少年发展的积极因素，因为年轻人勇敢地尝试新的想法和行为，学习受到刺激（Luna,Paulsen,Padmanabhan, & Geier,2013）。但是他们不成熟的前额叶还不擅长说："哇，这种刺激过火了！"因此，在情绪激动的情况下,他们寻求刺激多于谨慎,至少直到前额叶的发育在青春期结束时赶上并且与边缘系统更加融合之前都是这样。此后他们可以根据长期影响来评估风险,而不是即时刺激(Casey et al.,2008；D. G. Smith,Xiao,& Bechara,2012)。此外,也存在个体差异:一些青少年比其他青少年更容易从事危险行为。

教师可以利用青少年学生情感的强烈程度,帮助他们将精力和热情投入到政治、环境、公共服务或社会事业等领域(L. F. Price,2005),或引导他们探索与历史上或文学中的人物的情感联系。与家庭、学校、社区和积极信念系统的联系有助于青少年"遏制"鲁莽和危险的行为(McAnarney,2008)。

青春期神经系统的其他变化会影响睡眠。青少年每晚需要大约 9 个小时的睡眠时间,但许多学生的生物钟被重置,使他们很难在午夜之前入睡。苏马提·雷迪(Sumathi Reddy,2014)采访的一些专家建议理想的高中应该在早上 9 点甚至 10 点开始——对我来说听起来不错!然而在许多学区,高中开始于 7:30,这使得 9 小时的睡眠不可能实现,因此学生不断被剥夺睡眠。神经科学的研究表明,睡眠剥夺会损害事实记忆的初步形成,因此学习会受到影响。这意味着熬夜备考实际上会干扰学习,因为大脑用以记忆学习内容的部分故障了(Scalise & Felde,2017)。让学生在座位上记整整一节课笔记的课程可能会"让学生入睡"。由于没有时间吃早餐而且午餐吃得很少,这些学生的营养需求也常常被剥夺(Sprenger,2005)。

整合起来:大脑是如何工作的

大脑的概念是什么?大脑是否是一个不受文化影响的容器,以同样的方式为每个人提供知识?大脑是一个事实库还是一个充满信息的计算机?你早上醒来,下载你需要的东西,然后再愉快地上路吗?大脑就像是一个将信息从一个人传递到另一个人的管道——比如教师和学生?库尔特·费舍尔(Kurt Fischer)是一位发展心理学家,同时也是哈佛大学教授,他提出了一种基于神经科学研究的不同观点,认识是积极地构建理解和行动。知识基于我们的活动,大脑在不断变化。经验"塑造我们大脑的工作方式,改变神经元、突触和大脑活动"(Fischer,2009,p. 5)。有关大脑的其他一些想象和事实,请参见表2.2。

表 2.2　关于大脑的神话

常见的关于大脑的神话	真相
1. 你只使用大脑的10%	1. 你用掉了所有的大脑。这就是为什么中风如此具有破坏性
2. 听莫扎特会让孩子更聪明	2. 听莫扎特不会,但学习演奏乐器与认知成就的提高有关
3. 有些人更擅长右脑,有些人更擅长左脑	3. 做大部分事情都需要两侧大脑
4. 幼儿的大脑一次只能学会一种语言	4. 全世界的孩子都可以同时学习两种语言
5. 你无法改变你的大脑	5. 我们的大脑一直在变化
6. 对大脑的伤害是永久性的	6. 大多数人从轻微的脑损伤中恢复良好
7. 玩数独游戏可以防止你的大脑衰老	7. 玩数独游戏可以让你更好地玩类似的游戏。体育锻炼是防止衰退的更好选择
	8. 抹香鲸的大脑比人类大五倍
8. 人脑是最大的脑	9. 大量饮酒不会杀死脑细胞,但它会损害被称为树突的神经末梢,这会导致大脑中传递信息出现问题。这种伤害大多是可逆的
9. 酒精饮料会杀死脑细胞	
10. 青少年的大脑与成年人的大脑相同	10. 青少年和成年人的大脑之间存在重大差异,特别是在判断和风险评估方面

资料来源:阿莫特(Aamodt),王(Wang)(2008);K. W. 费希尔(K. W. Fischer)(2009);弗里曼(Freeman)(2011);OECD(2007).

文化与大脑可塑性。所有经历都塑造了大脑——游戏和刻意练习,正式和非正式学习(Dubinsky et al.,2013)。你之前遇到过这个术语可塑性,它描述了大脑中神经元、突触和活动的不断变化的能力。大脑活动中的文化差异提供了世界各种互动如何通过可塑性塑造大脑的例子。例如,在一项研究中,当中国人对数字做加法和比较时,他们大脑的运动区域显示大脑活动,而执行相同任务的说英语的人在语言区域中有活动(Tang et al.,2006)。一种解释是,中国儿童使用算盘进行算术运算——这是一种涉及运动和空间位置的计算工具。作为成年人,这些孩子保留了一种视觉运动的数字感(Varma,McCandliss,& Schwartz,2008)。语言如何影响阅读也存在文化差异。例如,当阅读时,母语为汉语的人会激活与空间信息处理相关的大脑的其他部分,这可能是因为书面汉语中使用的语言字符是图形化的。但是,中国人在阅读英语时也会激活大脑的这些空间区域,这表明阅读的熟练程度不同,所通过的神经通路也不同(Hinton,

Miyamoto,& Della-Chiesa,2008）。因此,多亏了可塑性,大脑在活动、文化和环境的影响下会不断变化。知识形成于我们做事的过程,我们从动作上和心智上处理物体和观念的过程。

正如你可以想象的那样,教育工作者一直在寻找神经科学研究在教学上的应用。这便是我们接下来要谈论的。

观点与争论:基于大脑的教育

教育工作者越来越多地关注基于大脑的教育,大脑的神经科学研究是否有明确的教育意义?

观点:不,意义不明确。

詹姆斯·麦克唐纳基金会主席约翰·布鲁尔(John Bruer)撰写的文章批评了以大脑为基础的教育热潮(Bruer,1999,2002)。他指出,许多所谓的大脑研究应用都是从坚实的科学开始,然后转向无根据的猜测,并以一种关于大脑和学习的有趣的民间故事结束。他建议,对于每一个主张,教育者应该问:"科学在哪里结束,猜测从哪里开始?"布鲁尔的质疑之一即所谓的左脑学习、右脑学习,这是一个流行的观点,即使神经科学家30多年来不断驳斥这一说法。例如,在他写给教育者的《大脑如何学习》一书中,大卫·苏斯(David Sousa)建议教师让学生通过生成和使用心理图像来使用他们的"右脑"。尽管不同的大脑区域专门针对不同的任务,但这种专门化是发生在非常精细的分析水平上的,而且视觉图像涉及大脑的许多部位。正如我们将在本书后面看到的那样,图像可以是一个很好的学习策略,但不是因为它在学习中使用了"未充分利用"的右脑(Bruer,1999)。国际心灵、大脑和教育协会主席库尔特·费舍尔(2009)感叹,许多如表2.2中那些关于神经科学的迷信——对大脑和身体如何工作的荒唐谬论——仍然被广泛接受。

没有老师怀疑大脑在学习中的重要性。正如哈佛大学心理学教授史蒂芬·平克(Steven Pinker,2002)观察到的,有没有人真的认为学习发生在其他地方,比如胰腺,但是知道学习影响大脑并不能告诉我们如何教学。所有学习都会影响大脑,"这应该是显而易见的,但是现在任何关于学习的陈词滥调都可以被包装成一种神经科学,人们对此的态度就像这是什么科学大发现一样"(Pinker,2002,p.86)。几乎所有所谓的基于大脑的教育最佳实践都是基于对人们学习方式的理解,而不是大脑如何运作的简单重述。例如,许多短小的实践环节比一节漫长的填鸭式课程更有效地促进学习,这已经是我们一百多年前就知道的事。将这一事实与建立更多的树突结构联系起来可能会给出该策略有效的一个原因,但它并没有为教师提供新的策略(Alferink & Farmer-Dougan,2010)。

对立的观点:是的,教学应该以大脑为基础。

《新闻周刊》等热门杂志上的文章称:"……说对大脑的探索对理解人类学习方式没有任何影响是天真的。"(Begley,2007)科学家们同意吗?在教育心理学家关于"将认知神经科学研究应用于教育"的文章中,塔米·卡齐和朱利亚纳帕雷·布拉戈耶夫(Tami Katzir & Juliana Paré-Blagoev,2006)得出结论:"如果应用得当,脑科学可以作为推动我们对学习的理解和发展的应用工具……通过揭示参与特定的任务和活动的其他系统,对于大脑的研究可以挑战关于教学和学习的常识观点。"(p.70)如果我们要防止夸大大脑研究和教育之间的联系,那么我们不应该问是否要向职前教师传授神经科学,而是要转向如何最好地进行教学(Dubinsky et al.,2013)。许多大学,包括哈佛大学、剑桥大学、达特茅斯大学、得克萨斯大学阿灵顿分校、明尼苏达大学、南加州大学、北京师范大学、南京东南大学和约翰霍普金斯大学都是这一进程的先驱。他们为大脑与教育研究中的教育者制定了培训计划(Dubinsky et al.,2013;K.Fischer,2009;Wolfe,2010)。其他教育心理学家呼吁建立一个新的专业——神经教育者(Beauchamp & Beauchamp,2013)。

一个名为FastForword的阅读改进产品由两位神经科学家莫山尼奇博士(Michael Merzenich)和塔拉尔博士(Paula Tallal)开发,目前已在全国各地的教室中使用(见www.scilearn.com/results/success stories/case-studies)。它利用神经可塑性的发现来改变大脑阅读印刷文字的能力(Tallal & Miller,2003)。

库尔特·费舍尔(2009)在第一届国际心灵、大脑和教育学会会议的主席演讲中也指出,该组织的主要目标是通过对生物学、认知科学、发展和教育的扎实研究来开展教育,同时避免神话和流行的误解。费舍尔指出,我们可以从了解大脑如何运作到理解认知过程,然后到发展教育实践,但直接从关于大脑的知识跳到教育实践可能导致过多猜测。

当心"非此即彼"。神经科学在教育中的应用实际上一直受到误用的困扰,因为教育者和神经科学研究者对学习概念有不同的解释。很少有教育工作者具有神经生物学背景,大多数神经科学家无法创造具体和有用的大脑研究应用,因为他们对幼儿园到高中的教学细节知之甚少(Beauchamp & Beauchamp,2013)。然而,忽视我们对大脑的了解是不负责任的。以大脑为基础的学习为需要更有目的、更有见识的教学方法的教育者提供了一些指导。至少,神经科学研究正在帮助我们理解为什么有些教学策略是有效的,例如分布式实践。创造、发明和应用策略的最佳人选是一位懂得大脑工作方式和儿童学习方式的老师(Scalise & Felde,2017)。

资料来源:关于了解大脑的播客:http://www.oecd.org/edu/ceri/understanding the brain the birth of alearning science.htm

神经科学、学习和教学

倡导基于脑科学的教育的教育工作者和持怀疑态度的神经科学研究人员之间一直存在着激烈的争论,他们提醒我们大脑的研究还没有真正解决主要的教育问题。请参阅观点与争论以了解此争论的一部分。

指导是否影响了大脑发展? 与指导相关的大脑活动存在差异。例如,为中风患者提供的康复强化指导和练习可以通过形成新的联系和使用大脑的新区域来帮助他们恢复功能(Bransford,Brown,& Cocking,2000;McKinley,2011)。在一个关于教学如何影响大脑发育的戏剧性例子中,K. W. 费希尔(K. W. Fischer)(2009)描述了两个因治疗严重的癫痫病移除了一个大脑半球的孩子。尼克的右半球在3岁时被移除,他的父母被告知他永远不会有良好的视觉空间技能。凭借强大而持续的支持和教学,尼克成长为一名技艺精湛的艺术家!当布鲁克11岁时,他的左半球被移除了。他的父母被告知他会失去交谈的能力。再次,在强有力的支持下,他重新获得了足够的说话和阅读能力,可以完成高中学业并进入社区大学。

大脑和学习阅读。脑成像研究揭示了熟练和技能水平较低的读者在学习新词时的有趣差异。例如,一项成像研究表明,技能水平较低的读者难以在大脑中形成高质量的新词描述,正如大脑电活动的 ERP 测量所示。当他们后来遇到一个新词时,技能较低的读者的大脑往往不会认识到他们之前已经看过这个词,即使他们在之前的课程中已经学会了这个词。如果你不熟悉之前学到的单词,你会发现很难理解你所阅读的内容(Balass,Nelson,& Perfetti,2010)。

阅读不是天生的或自动的——每个大脑都必须被教导阅读(Frey & Fisher,2010)。阅读是大脑中识别声音、书写符号、含义和序列以及联系读者已知内容的系统的复杂集成,这必须快速而自动地发生(Wolf et al.,2009)。有哪些建议采取的策略? 在阅读、写作、讨论、解释、绘图和建模中使用多种方式教授声音、拼写、意义、排序和词汇。不同的学生可能会以不同的方式学习,但都需要练习识字。

情绪、学习与大脑。最后,大脑与课堂学习之间的另一个明确的联系是在情绪与压力方面。让我们来看一个发生在一堂高中数学课上的例子:

帕特丽夏,一名高中生,在数学学习上表现得很吃力。在课堂的尾声,她回答了一个数学问题,但她因搞砸了感到十分尴尬,这也使得数学与消极情绪之间形成了某种联系。她的老师刚才只是让她到黑板前做一道题,这导致这种充满感情的联系立即转移到杏仁体,而杏仁体是引发恐惧的地方。与此同时,有关这个情景的一种缓慢的受大脑皮质驱使的认知评价正在发生:她记住了昨晚在完成数学作业时所遇到的困难,注意到了黑板上充斥着复杂曲线的问题,而且她意识到她喜欢的男生正在前排座位上看着她。这些各式各样的想法汇聚在一起,形成了一种确切的认知,即这是一个令人感到恐怖的情景,这强化了她对于这种恐怖的应答过程,并破坏着她专注于解决数学问题的能力。

在第七章你将了解到情绪是如何与特殊情景相联系的,第十二章你将会看到焦虑对学习的阻碍作用,以及挑战、兴趣和好奇心对于学习的促进作用。如果学生感到不安和焦虑,他们不可能把精力放在学业上(Sylvester,2003)。但是如果学生没有遇到挑战或拥有兴趣,学习亦会痛苦。持续给予学生适当的挑战和支持对于老师来说也是一种挑战,而且帮助学生去管理他们自己的情绪和动力是一种重要的教育目标(详见第十一章）。简而言之，"如果教育者能帮助学生最小化他们在学校的压力和恐惧，教学生一些情绪管理的方法，以及提供一种对学生有激励作用的积极的学习环境"，那么学习将会是更有效的（Hinton，Miyamoto，& Della-Chiesa，2008）。

停下来想一想：作为一名老师，你自然不想过分痴迷于那些过于简单化的所谓的"基于大脑的"学习口号。但显而易见的是，大脑与学习紧密相连。所以你应该如何成为一个懂行的人，一个懂得"神经科学的"的老师（Murphy & Benton，2010）？

给教师的建议：一般性原则

我们可以从神经科学中学到什么？一个首要的观点是老师和学生应该转变学习观念，从使用你的大脑到改变你的大脑——相信大脑那令人惊讶的可塑性（Dubinsky et al.，2013）。以下是一些普遍性的教学启示，它们取自于：布朗、罗丁格和麦克丹尼尔（Brown，Roedinger & McDaniel，2014）、德里斯科尔（Driscoll，2005）、杜宾斯基（Dubinsky）和其同事（2013）墨菲和本顿（Murphy & Benton，2010）、施普伦格（Sprenger，2010）、斯卡拉斯和菲尔德（Scalise & Felde，2017）以及伍尔夫（Wolfe，2010）。

1. 人类的能力——智力、沟通、问题解决等等——来自每个人独特的突触结构，这些结构覆盖在他或她天生的大脑解剖结构上。遗传与环境两个因素时常相互作用。大脑会通过先天在神经连接或结构上出现异常的方式给予学习一些阻碍，但是学习也可以通过其他方式在大脑里发生（正如尼克和布鲁克所证明的那样）。所以，学与教是有多种方式的，这一切取决于学生。

2. 许多认知功能是有区别的，它们与大脑的不同部位相联系。使用一系列利用通感的教学方式和活动或许可以支持学习。举个例子——使用地图和音乐来教地理，使用不同的方式也可以让学生保持专注，评价方式也应该是不同的。

3. 大脑是相对可塑的、十分复杂的。活跃的环境和灵活的结构策略可能会促进孩子的认知发展和成年人的学习。大脑在从细胞水平到联结水平的多个层次上不断改变，以在新的区域里重新分配技巧，来对思维的可塑性做出应答。

4. 改变大脑需要时间，所以老师们在以不同的方式教学和再教学时必须始终如一、耐心且富有同情心。正如尼克和布鲁克的父母和老师们可能告诉你的那样，不要用一个一下子给出过多信息量的沉重的认知负荷压垮你的大脑(详见第八章)。给予学生一些应对认知负荷的方式,比如使用形象的组织、教具、表格、词汇、注释和其他"外部大脑"工具。

5. 某些学习上的混乱或许有神经学上的基础。神经学上的测试或许有助于诊断和治疗这些混乱,以及评估多种治疗的效果。

6. 在实际生活问题和真实经历中学习帮助学生们构建知识体系,也可以给予他们学习和检索信息的多元化的方式。获取的某一知识应该是与特殊情景相联系。被记住但不被使用的"惰性"知识很快就会被遗忘。

7. 大脑在寻求有意义的图式和与现存网络的连接,所以老师应该把新的信息与学生已习得的知识相联系,帮助他们形成新的连接。如果可能的话,兼用具体与抽象的例子,同时要求学生自己想出例子。未与目前知识相联系的信息很容易遗忘。通过指出相同和不同以及如何探索图式来帮助学生识别图式。

8. 因为大脑天生就在寻找图式,以及对接下来的期待做出预判。反馈很关键,因为反馈是一种帮助大脑纠正和改进其预测的一种方式。

9. 建构和巩固知识需要大量的练习,花费较长的时间。在不同背景下大量地访问和练习,这些访问和练习在时间上是分散的(而非一次完成的),通过这些来帮助构建有力的、多元化的联系。随着时间的流逝,改变大脑(学习)会从在不同的学科背景和情景下阐释、延伸和应用某些概念中获益。试探性的问题、制定例子、注释和仔细标注图表和图形、反思,并要求学生向自己或在同学之间解释新的知识,这些都会有所帮助。

10. 大的、一般性的概念应该在小的、具体的事实上加以强调,以让学生们可以构建持久有效的知识分类和联系,而不用不断地去修改。

11. 应该在教学中使用故事。故事能啮合大脑的许多区域——记忆、经验、感受和信念,故事也是有组织有次序的——开头、中间、结尾——所以故事比那些无组织无联系的信息更容易被记住。

12. 情感和健康影响学习——积极的情绪支持学习和记忆,反之消极情绪会妨碍学习。你将在第十二章中看到,情绪也与动机相关。压力、睡眠不足、营养不良和缺乏锻炼都可能影响大脑的学习能力。

13. 帮助学生们理解这些活动（分散练习、问题解决、联结形成、调查探究等等）如何改变大脑，情绪、压力如何影响注意力和记忆，可能会有激励作用，进而使他们有更强的自我效能感和自主学习能力（关于这个在第十一章中会提到更多）。对于学生们来讲，一个重要的启示是他们有责任去做那些需要做的事来改变自己的大脑，他们不得不通过工作（和玩耍）来学习。

这个章节的最后，我们要把注意力从大脑和认知发展转向检验几个主要的认知发展理论，第一位是从生物学家转变而来的心理学家皮亚杰。

皮亚杰的认知发展理论

瑞士心理学家皮亚杰的确是一个奇才。事实上，在青少年时期，他就软体动物（诸如牡蛎、蛤蜊、章鱼、蜗牛和乌贼）发表过许多科技论文，以至于他被提供了一个职位——在日内瓦的自然历史博物馆里做软体动物收藏品的监护人。他告诉博物馆的官员他想要先完成高中学业。过了一段时间，皮亚杰在阿尔弗雷德·比涅（Alfred Binet）的实验室工作，从事儿童发展智力的测试。儿童在解释他们的错误答案时所给出的理由深深吸引了皮亚杰，这促使他去研究隐藏在答案背后的思维方式。这个问题引发了他之后的兴趣（Green & Piel, 2010）。在后来的人生阶段中，他笔耕不辍，直到他84岁去世（P. H. Miller, 2016）。

在漫长的职业生涯中，皮亚杰设计出一个模型来描述人类是怎样通过收集和组织信息，进而理解他们的外部世界（Piaget, 1954, 1963, 1970a, b）。我们将仔细地研究皮亚杰的思想，他的理论为幼儿到成人的思维发展过程提供了一个很好的解释。

从儿童角度思考：你能同时出现在匹兹堡、宾夕法尼亚州和美国吗？这对于你来说是一个很难的问题吗？你需要多长时间才能回答这个问题？

根据皮亚杰的理论（1954），对成人来说特别简单的思维方式，正如"停下来 & 想一想"里的匹兹堡问题，对孩子而言就不那么容易了。举个例子，你还记得本章节一开始的那个九岁的孩子吗？他被问到他是否是一名日内瓦人，他回答说："不，那是不可能的。我已经是瑞士人了,不可能再成为一名日内瓦人。"(Piaget,1965/1995,p.252)想象一下教这个孩子地理。他在把一个概念(日内瓦)归入另一个概念(瑞士)的子集里存在一定困难。成人与孩子在思维上还有许多不同点,孩子的时间概念与你有所不同。比如,他们可能认为,有一天他们在年龄上能赶上他们的哥哥姐姐,或者对过去和未来这样的概念感到迷惑不解。让我们来看看这是为什么。

影响发展的因素

发展不只是往一个已有的信息容器里加入新的事实和观念。皮亚杰认为,因为我们在不断地努力了解这个世界,我们的思维过程从出生到成熟都在发生着根本的变化,虽然这种变化不那么快。我们是怎么做的呢?皮亚杰指出了四个要素——生理成熟、活动、社会经验和平衡——相互作用着影响思维的变化(Piaget,1970a)。成熟指在每个人身上出现的生理变化,这些变化从理论上说是由遗传决定的。除了确定孩子营养状况良好和关心他们的健康,父母和教师的帮助对孩子这方面的认知发展没有什么影响。随着生理上的成熟,孩子们不断增长的能力作用于环境并从中学习。当一个孩子的协调能力得到了合理的发展,比如,孩子玩了秋千后,可能会从中发现关于平衡的一些原理。因此,活动的——探索、实验、观察,最后组织得到的信息——同时也在改变着我们的思维过程。我们的认知发展也受到社会传播以及向他人学习的影响。没有社会传播,我们就得自己重新摸索已经被我们的文化所创造出来的所有东西。个体可以根据不同的认知发展阶段,从社会传播中学习。我们将在下一章节回到思维的第四种影响因素——平衡的讨论之中。

成熟、活动和社会传播共同影响认知的发展。对这些影响,我们是怎么反应的呢?

思维的基本倾向

从早期生物学研究中,皮亚杰得出所有物种都继承了两种基本趋向。一个趋向是组织(organization)①——把行为或概念组合、调配、再组合、再调配到现有的系统结构中去;另一个趋向是适应(adaptation)②,或者说是调整以适应环境。

_____

①组织——把信息和经验处理到内部智力系统或类别的一种正在进行的过程。
②适应——据环境做一定调整。

组织。人天生就有一种把思维过程内化成心理结构的倾向,这个结构就是我们理解和与外界交流的系统。原来简单的结构,经过组合和调整变得越来越复杂和有效。例如,很小的幼儿,把一个东西放到他们手里,他们能盯着看或者是抓那个东西,但就是不能同时协调看和抓两个动作。随着不断地长大,幼儿逐渐可以把这两个分离的行为结构组织成一个更高水平的协调结构——看、伸手够、抓到物体。当然,这些动作仍能分开(Flavell, Miller, & Miller, 2002;P. H. Miller, 2016)。

皮亚杰称这种结构为图式(schemes)①,他认为图式是思维这座大厦的基石,这些组织化的动作和思想系统使我们得以在头脑中展现或思考事物。图式可能很小、很专门化,例如,用吸管吸这个动作图式,或者区别玫瑰花的图式;也可能更大、更一般化,例如,喝的动作图式,或给植物分类的图式。随着思维过程越来越有条理和不断建立新的图式,个体的行为也变得更加丰富和成熟,更易适应环境。

适应。除了建构心理图式的趋向以外,另一个趋向是对环境的适应,其中包括同化和顺应两个基本的过程。

同化(assimilation)②是在人们试图用已经存在的图式解释事物时产生的,是把新的知识纳入原有的知识体系当中进行解释。为了使新的知识适合我们的图式,我们有时会使新的信息失实。比如,许多孩子第一次见臭鼬的时候,把臭鼬叫作猫。他们在识别动物的时候就在尝试使新的经验和已经建立起来的图式相匹配。

顺应(accommodation)③是在当人们解释不了新的情景,必须改变原有的认知图式时发生的。如果接收的信息不适合已有的任何图式,那么就有必要建立更加合适的认知图式。我们对自己的思维进行调整使之适应新信息,而不是调整新的信息让信息适应我们的思维。孩子们为了辨别动物,在已有图式的基础之上加了一个识别臭鼬的图式,就是顺应的过程。

当现有的图式起作用时,人们使用这些图式(同化);当需要一些新东西时,人们扩

---

①图式——知觉或经验的心理系统或类别。
②同化——把新的信息组合到已有的图式中去。
③顺应——为了适应新的信息,改变已有的图式或创建新的图式。

充调整图式(顺应)。由此,人们不断适应越来越复杂的环境。实际上,两个过程在大多数情况下有。即使是在用已经建立起来的图式,比如,用吸管吸这个动作,要是吸管和平时用的不大一样,可能就需要在吸管的型号长度方面做些调整。如果你已经喝过盒式果汁,肯定知道得在会吸的基础上加一个新的技巧——不能挤那盒子,不然的话果汁会从吸管里径直喷出来,弄脏你的衣服下摆。无论什么时候,把新的经验纳入已有的图式中,总会使图式扩大和或多或少变化,所以同化必然包含顺应(Mascolo & Fischer, 2005)。

也有一些时候,同化和顺应都没起什么作用。如果人们碰到的信息太过陌生,他们就选择忽略掉这些信息。在既定的时间里,人们总在对信息做一种过滤,使得到的信息适合他们自己当时的思维方式。比如,你无意中听到有人在用一种外语交谈,除非你懂点这种语言,否则你不会试图弄明白他们交谈的内容。

平衡。根据皮亚杰的理论,建构、同化、顺应的过程都被看作是一种复杂的平衡运动。他认为,思维实际的变化发生在平衡(equilibration)①过程中,即寻求平衡的行为中。皮亚杰假设人们不断地在检测自己的思维过程是否恰当,以获得平衡。简单地说,平衡的过程是这样的:如果我们把一特定图式应用到一个事件或者是一个情景中,已有的图式起了作用,平衡就建立起来了;如果这个图式不能得出令人满意的结果,就存在失衡(disequilibrium)②状态,这时我们就会感到不安。这种不安就驱使我们通过同化和顺应来找一个解决的办法,我们的思维就向着解决问题的方向发生变化。为了在认知世界的图式和外界所提供的信息之间获得一种平衡,我们不断地用已有的认知图式同化新的知识,并且一旦同化不成功,产生不平衡的状态,便调整原有的认知图式。

认知发展的四个阶段

现在我们来看看,皮亚杰假定的孩子们在成长过程中的实际的差异。皮亚杰的认

---

①平衡,即在认知图式和来自外部环境中的信息之间寻找一种心理平衡。
②失衡——皮亚杰的理论中,指当一个人意识到他或她当前的思维方式不足以解决问题或理解情况时产生的一种"不平衡"状态。

知发展四阶段是:感觉运动阶段、前运算阶段、具体运算阶段和形式运算阶段。他认为每个人都会以这样的顺序经历这几个阶段。记住,你看到的阶段和相应的年龄只是一般的划分,不代表一定年龄的所有孩子。皮亚杰感兴趣的是个体能够使用的思维方式的特点,而不是给它们分出具体的阶段。人们经常用不同的思维水平解决不同种类的问题。皮亚杰指出,个体可能会在这几个阶段之间经历一个长时期的转换,一个人在一个情景中可能会表现出一个特定阶段的特征,但在其他的情景中表现的是更高或更低阶段的特征。因此,单单知道一个学生的年龄,并不能确定他的思维特点(Orlando & Machado,1996)。表2.3总结了这些阶段。

表2.3　皮亚杰的认知发展阶段

阶段	大约年龄	特征
感觉运动阶段	0—2岁	通过对环境的反应、感觉和动作来学习;开始模仿他人并记住事件;转向符号思维;开始认识到东西藏起来看不到,并不是不存在了;从无意义行为向有意义行为转化
前运算阶段	从开始说话到7岁左右	开始发展语言并开始使用符号来表示对象;在这一阶段理解过去和未来很困难;能够进行一维的逻辑思维;从别人的观点来看问题有困难
具体运算阶段	大约从一年级开始,到青春期早期,11岁左右	能用逻辑方式解决遇到的具体问题;能够理解客体守恒的规律;能分类和排序;能理解可逆性;能理解过去、现在和未来
形式运算阶段	青春期到成年期	能假设和演绎地进行思考;思维更具科学性;可以思考多种观点;发展对社会问题、个人身份和正义的关注

婴儿期:感觉运动阶段。个体成长早期被称为感觉运动(sensorimotor)①阶段,因为这时候孩子的思维方式涉及直接的动作,如看、听、动、触摸、尝等等。在这一阶段,婴儿发展了客体永久性(object permanence)②,理解物体存在不依赖于是不是能被看到。这是建构心理表征这一能力的开始。正像大部分家长注意到的,在婴儿获得客体永久性之前,能很容易地从他们那里把东西拿走。窍门就是分散他们的注意力,在他们不看的时候把东西拿走——"看不到了,也就没有了"。大一点的孩子会去找滚出视野以外的球,这表明他们知道物体即使看不到了,也还是存在的。(M. K. Moore & Meltzoff, 2004)

在感觉运动阶段取得的另一个主要进步就是逻辑的开始——目的性行为(goal-directed actions)③。想想那种幼儿常玩的玩具,通常是塑料的,上面有个盖子,里面放着几个彩条,彩条能倒出来也能换。六个月大的孩子可能会因为打不开盒子而感到沮丧。再大一点儿的已经掌握了感觉运动阶段基本内容的孩子,就可能能够用有次序的动作对付这个盒子。在不断的尝试和错误中,孩子慢慢建立了一个"盒子玩具图式":(1)把盖子拿掉;(2)把盒子倒过来;(3)要是彩条挤在一起了,就晃一晃;(4)看彩条掉出来。为了达到目标,彼此分离的低水平的认知图式已经被组织成一个更高水平的图式。

这个孩子很快就能反着做,把彩条再装进去。学会反向动作是这一阶段的一个基本的进步。正如我们很快会看到的,逆向思维——就是学会想象动作结果的反面,得要更长一点时间。

儿童早期到小学初期——前运算阶段。在感觉运动阶段结束时,孩子可以使用许多动作图式。然而,只要这些图式仍然与实际行动联系在一起,它们在回顾过去、跟踪信息或制定计划方面就毫无用处。为此,儿童需要皮亚杰所称的运算(operations)④,即在精神上而不是身体上进行的且可逆的行动。在前运算(preoperational)⑤阶段,孩

---

①感觉运动——指感觉和运动活动。

②客体永久性——理解物体有独立的、永久的存在性。

③目的性行为——指向一定目标的有意行为。

④运算——个体通过思考在脑中行动,而不是直接在现实世界中行动。

⑤前运算——儿童掌握逻辑思维操作之前的阶段。

子正在逐步掌握这些心理操作,但尚未达成(所以思维是前运算的)。

　　皮亚杰认为,思维的第一步是将动作与动作图式分开,使动作图式符号化。形成和使用象征符号——词、手势、符号、表象等的能力,这是前运算阶段的主要进步,有助于儿童进一步掌握下一阶段的心理操作。这种运用象征符号的能力就是符号功能(semiotic function)①,比如用"马"这个词,或者是一张马的图片,甚至是骑扫帚假装是在骑马。孩子们早期是在比比画画中运用象征符号的,他们不会说话的时候常常用动作符号——假装从空杯子里喝水,来表示他们知道杯子是干什么用的。他们的这种行为也表明他们的动作图式越来越细致,越来越少地依赖具体的动作。举个例子,在前运算阶段喝水的图式也可以用于过家家,语言也是一种会迅速发展的重要的符号系统。在两岁和四岁之间,大部分孩子的词汇量会从大约 200 个迅速扩展到 2000 个。

　　随着孩子在这一阶段的发展,用象征符号思考具体对象的能力还是只限于单向思维,或者是单维逻辑。对孩子们来说"逆转思维"或者是把任务中的各步反过来进行是很困难的。逆向思维(reversible thinking)②存在于许多任务中,这对前运算阶段的孩子们来讲不容易,比如守恒的问题。

　　守恒性(conservation)③是指即使物体的排列和外观上发生了变化,只要数量仍保持不变。如果把一张纸撕成几片,数量上和原来的整张纸是一样的。为证明一下,你能把这个过程反着做一下,把这几片纸重新粘起来,但处在前运算阶段的儿童很难从这几个角度进行思考。给五岁的利亚看两个杯子,杯子的高度和粗细都是一样的,里面都盛着同样多的有颜色的水。她同意水是"一样多的"。然后实验者把其中一个杯子里的水倒进一个高高细细的杯子里,再问利亚杯子里的水是不是还一样多。利亚回答高杯子里的水更多,因为"它的水面上升了"(她指着高杯子里的水平面说)。皮亚杰对利亚的回答做了解释,她注意的中心或者说焦点在高度这个维度上,一次从多个角

---

　　①符号功能——使用符号的能力——用语言、图画、符号或者手势代表思维中的行为或实物。

　　②逆向思维——反向思维,从结尾到开头。

　　③守恒性——不管外表怎么变化,物体的某些特征仍然保持不变的规律。

度对情景进行考虑对她来讲是困难的,或者说去中心化(decentering)①是不容易的。前运算阶段的孩子还不能理解增加的直径补偿了下降的高度,这得需要同时考虑两个维度。因此,前运算阶段的孩子不能把自己和所看到的周围世界分开来。

这就引出了前运算阶段的另一个重要特征。根据皮亚杰的观点,前运算阶段的儿童有一种自我中心(egocentric)②的倾向,他们从自己的角度看待世界和他人的经历。这就是为什么前运算阶段的孩子很难理解当你面对他们时,你的右手和他们的右手是不一样的。正如皮亚杰所言,利己主义的概念并不意味着自私,这仅仅意味着孩子们通常认为其他人都和他们有一样的感受、反应和观点。例如,在这一章的开头,两岁的孩子带着自己的母亲去安慰一个痛苦的朋友,尽管朋友的母亲在身边,这个孩子只是简单地用自己的眼睛看待情况,并为朋友提供他想要的东西。

然而,研究表明,幼儿在任何情况下都不是完全以自我为中心的。2岁大的孩子向不在场的父母描述的情况,比向和他们一起经历过这种情况的父母描述得更详细。因此,至少在某些情况下,幼儿似乎确实能够考虑到他人的需求和不同的观点(Flavell等,2002)。公平地说,不仅是孩子,即使是成年人也可能会假设他人的感受和想法和自己一样,想想那些相信"人民同意我的观点"的政治家。"指南:与家庭和社区形成合作伙伴关系——面向前运算阶段孩子的教学"为与处于前运算阶段的人合作以及指导家庭支持其子女的认知发展提供了思路。

指南:与家庭和社区形成合作伙伴关系——面向前运算阶段孩子的教学

鼓励家庭尽可能使用具体道具和直观教具。举例:

1. 讨论一些概念时,比如"部分"、"整体"或者"一半",用房间里的各种物体或者一些能拼和拆的比萨饼纸板来演示。

2. 让孩子们用小棍、小石块、彩色的碎片做加减。这种技巧对于那些处于前运算阶段早期的学生们也很有帮助。

---

①去中心化——同时考虑两个或几个方面。
②自我中心——假定其他人和自己体验世界的方式是一样的。

指示要相对短一些——不要一次给出太多的步骤,语言和身体动作都要用上。举例:

1.当教师下指示时,比如如何喂养宠物,首先给他们做一个示范,然后再要求他们去尝试。

2.通过演示游戏的部分内容,讲解一个游戏。

帮助学生们发展一种从他人的角度来理解世界的能力。举例:

1.要求孩子们去设想一种情况:当你毁坏你的姐姐的玩具时,她会做何反应。

2.弄清楚共有和使用材料的规则。帮助孩子们理解规则的价值所在,通过让他们思考自己想要被别人对待的方式来和孩子们一起提升同理心。但不要在"分享"或去变得"善良"方面做冗长的解释。

让他们做大量的有技巧的亲自实践的练习,为将来掌握更复杂的技能打基础,比如,阅读和合作。举例:

1.给出一些单个的字母,让孩子们造词。

2.进行一些涉及测量和简单算术的活动——烹饪,把一炉爆米花均分。

提供宽泛的具体经验背景,为孩子们的概念学习和语言打基础。举例:

1.组织外出,去动物园、公园、剧场、音乐会等;把能讲故事的人请到课堂上来。

2.给出一些词,让学生们描述一下他们正在干什么、听什么、看什么、摸什么、尝什么、闻什么。

小学到初中:具体运算阶段。皮亚杰用具体运算(concrete operations)①来描述这个阶段的"动手"思维,这个阶段的基本特征是对物理世界的逻辑稳定性的认知,认识到变化或者转化了的元素仍保有它原有的特征,理解这些变化能倒转进行。图2.4给出了通过给予儿童不同任务来进行评估的例子。皮亚杰认为,孩子能解决守恒问题的能力有赖于三个基本方面的理解:同一性、补偿性和可逆性。完全掌握同一性(identity)②时,学生明白如果物体没有增加和减少,量就不会变化。理解了补偿性

---

①具体运算——思维任务和具体实物或情景相联系。
②同一性——人或物不随时间发生变化的规律。

(compensation)①,孩子就知道在一个方向上的明显变化,能从另一个方向上的变化中得到弥补。这就是说,如果玻璃杯里的水升高了,那同时玻璃杯肯定变细了。认识到可逆性(reversibility)②,学生就能在头脑里展现这些已经发生的变化。利亚显然知道那是相同的水(同一性),但她缺乏补偿思维和可逆思维,所以她尚未掌握守恒性。

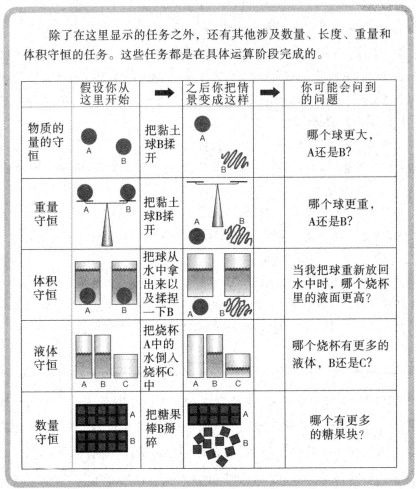

图2.4 皮亚杰的一些守恒任务

---

①补偿性——一个维度上发生变化,可能被其他方面的变化抵消掉的一种规律。

②可逆性——在头脑里思考一连串的几步,然后倒过来思考,回到起点的能力,也叫逆向思维。

这一阶段另一个重要的操作是分类(classification)①。分类依赖学生聚焦于物体的单一特征(如颜色),并据此把物体分组的能力。这个阶段更高水平的分类是把一类纳入更高一级的类别中去。一个城市可能是在某个州、某个省、某个国家,正如当我问起美国宾夕法尼亚州匹兹堡市时你或许会明白这一点。当孩子们把这种分类用在写地址上时,他们常常对完整的地址着迷。比如,利·杰瑞,5116 森林山街区,瑞彻曼德山,昂塔力奥,加拿大,北美洲,北半球,地球,太阳系,银河,宇宙。

分类和可逆性也有联系。具备在头脑中反转一个过程的能力,使具体运算阶段的孩子们能从更多的角度给一组物体分类。比如,学生们理解扣子能从颜色上分类,也可以从型号和上面小孔的个数再次分类。

排序(seriation)②是从大到小或者从小到大进行有序排列的过程。这种对次序关系的理解有助于学生们从中建立起逻辑序列,A < B < C(A 小于 B 且小于 C)等。不像前运算阶段的孩子只能顺着看,具体运算阶段的孩子能理解 B 比 A 大,比 C 小。

不管你教几年级,了解具体运算思维方面的知识总是有帮助的(参考"指南:面向具体运算阶段孩子的教学")。对于低年级,学生们的思维正在向这种逻辑性思维发展;对于中年级,正是他们的思维通过教育得到应用和拓展的时候;高中生甚至成年人仍会普遍使用具体运算思维,特别是对于新的或不熟悉的领域。

指南:面向具体运算阶段孩子的教学

继续用具体的小道具和视觉形象提供帮助,特别是在处理复杂材料的时候。举例:

1. 学历史的时候用时间线,上自然科学时用三角模型。

2. 用图表说明层次关系。比如,政府的各个分支和每个分支下的各个机构。

继续给学生们操作和检验对象的机会。举例:

1. 设置一些简单的科学实验。比如,下面这个涉及氧气和火之间的关系的实验。

---

①分类——把物体按某种特征分组到不同的类别。
②排序——根据物体的某个方面,比如数量、重量、体积等,按一定的顺序进行排列。

离开一段距离向着火吹气,火焰会有什么变化?(如果不把火吹灭,火会慢慢变大,因为有了更多的氧气助燃。)用一个广口瓶扣在火上,会看到什么变化?

2.让学生们把灯芯浸在蜡油里做蜡烛,在简易织布机上织布,烤面包,用手做出各种形状,或者做其他一些殖民时期日常事务的手工。

确信演示文稿和阅读材料是简略的、组织好的。举例:

1.让学生读那种短的、合乎逻辑的篇章,等他们准备好了,再布置长的阅读作业。

2.分解演示文稿,在往下介绍之前给学生机会先练习前面的几步。

用熟悉的例子解释复杂的观念。举例:

1.把学生们的生活和故事中的角色做比较。读完《蓝色海豚之岛》(一个在荒岛上长大的小女孩的真实故事)后,提问:"你曾经不得不独自在一个荒岛上待过很长一段时间吗? 那时你有什么感觉?"

2.通过让学生对学校两个不同大小的教室进行测量,教授面积的概念。

给学生机会去分类和组合那些逐渐复杂的对象和观念。举例:

1.给学生几张写有独立的句子的纸,让他们把句子连接并组成段落。

2.比较人体和其他类似的系统:大脑和计算机、心脏和抽水机。把故事分成几部分,从广泛到具体:作者、故事、人物、情节、题目、地点、时间、对白、描写、行为。

给学生提供一些需要逻辑分析、系统思考的问题。举例:

1.讨论开放式的问题,激发思维"大脑和智力是一回事吗?""城市怎样处理流浪的动物?""最大的数字是多少?"等等。

2.使用危机情景下的动态图像或图片(红十字会正在帮助有需要的受灾人群、贫困或战争中的受害者以及老人)来激发解决问题的讨论。

初中和高中阶段:形式运算阶段。具有处理诸如保存、分类和序列化等操作的能力,在具体操作阶段的学生最终发展出一套完整的、有逻辑的思维系统,但这种思维仍然与物理现实和事物的实际状态相联系。儿童还无法推断出涉及多个因素同时协调的假设的抽象问题。这就是皮亚杰认知发展的最后阶段的一部分,即形式运算(formal operations)①。在这个阶段,思考的焦点可以从"是什么"转为"可能是什么"。情境不一定要经历才能想象。

在本章开头提到的贾马尔,即使他是一个聪明的小学生,他也无法回答这个问题:"如果人们不用睡觉,生活会有什么不同?"因为他坚持说:"人们必须睡觉!"相比之下,精通形式运算的青少年可以考虑反向事实问题。在回答问题时,青少年表现出形式运算的特征——假设—演绎推理(hypothetico-deductive reasoning)②。处于形式运算阶段的人可以考虑一个假设的情况(人们不睡觉),演绎地进行推理(从一般的假设到具体的影响,例如更长的工作日、更多的钱花在能源和照明上、没有卧室的小房子或新的娱乐产业)。形式运算还包括归纳推理,或通过具体的观察来确定一般原则。例如,经济学家观察了股票市场的许多具体变化,并试图从这些信息中找出关于经济周期的一般原则。

使用形式运算是一种新的推理方式,涉及"思考之上的思考"或"心理运算之上的心理运算"(Inhelder & Piaget,1958)。例如,处于具体运算阶段的儿童可以按动物的物理特征或栖息地对它们进行分类,但处于形式运算阶段的孩子可以对这些类别的操作执行"二级"操作,来推断栖息地与物理特征之间的关系,例如理解动物厚皮毛的物理特性与他们的北极栖息地有关(Kuhn & Franklin,2006)。抽象的形式运算阶段是顺利完成许多高中和大学课程的必要条件。大多数数学都关注假设的情景、假设和给定条件:"设 $x = 10$"或"假设 $x^2 + y^2 = z^2$"或"给定两边和相邻角度"……社会研究和文学方面的工作也需要抽象思维:"当威尔逊把第一次世界大战称为'结束一切战争的战争'时,他的意思是什么?""在莎士比亚的十四行诗中,希望与绝望的隐喻是什么?""T. S. 艾略特在《荒原》中用什么符号象征老年?""在伊索寓言中,动物是如何象征人的性格特征的?"

停下来想一想:你正在为长途旅行而收拾行李,想要轻装上阵。如果你有三件衬

---

①形式运算——心理任务,涉及抽象思维和协调一些变量。

②假设—演绎推理——一种形式运算的问题解决策略,其中个人从识别可能影响问题的所有因素开始,然后推断并系统地评估特定解决方案。

衫、三条宽松的裤子和三件夹克,你将能有多少种搭配方法(假设所有搭配都符合时尚潮流)？看看你需要用多长时间可以得到答案。

有条理的、科学的形式运算思维需要学生对给定的情景系统地想到各种可能性。比如,问孩子上面给出的问题,形式运算阶段的孩子可以得到全部27种可能的组合形式。处于具体运算阶段的人可能只会列举出几种组合,每件衣服只会使用一次。

这个阶段的另一个特征是青少年自我中心(adolescent egocentrism)①。与以自我为中心的儿童不同,青少年并不否认其他人可能有不同的看法和信仰,青少年只是变得非常专注于自己的观点和想法。这就导致了埃尔金德(Elkind,1981)所说的假想观众的感觉——每个人都在看自己的感觉:"每个人都注意到我这周穿了两次这件衬衫。""全班都认为我的答案是愚蠢的!"你可以看到,如果"所有人都在观看",那么社交方面的失误或外貌上的缺陷可能是毁灭性的。幸运的是,这种"在舞台上"的感觉似乎在14岁或15岁的青春期早期达到顶峰,尽管在不熟悉的情况下,我们都可能觉得自己的错误处于众目睽睽之下。

对青少年来说,能够进行假设思考、考虑替代方案、识别所有可能的组合、分析自己的想法会产生一些有趣的结果。因为他们可以想象不存在的世界,所以他们经常对科幻小说感兴趣。他们可以从一般的原则推理到具体的行动,他们经常批评那些行动似乎与他们的原则相矛盾的人。青少年可以推断出一套"最佳"的可能性,并想象出理想的世界(或理想的父母和老师)。这就解释了为什么许多这个年龄的学生对乌托邦、政治和社会问题产生了兴趣。青少年也可以为自己设想许多可能的未来,并试图决定哪一个是最好的。他们对其中的任何一种理想都可能有强烈的感情。

我们都达到了第四阶段吗？ 大多数心理学家认为,有一种思维水平比形式运算更为复杂,但我们都达到了这个水平吗？皮亚杰理论的前三个阶段是通过物理现实强加给大多数人的,对象是守恒的。当把水从一个玻璃杯子倒入到另一个玻璃杯中时,水的量是不会改变的。然而,形式运算与物理环境的联系并不密切。能够使用形式运算

---

①青少年自我中心——假设其他人都有着和自己一样的想法、感受和担忧。

可能是解决假设问题和使用形式科学推理的训练产生的结果,这些是高中和大学读写文化中看重并教授的能力。即使在这一文化背景下,也并不是所有的高中生或成年人都能完成皮亚杰的形式运算任务(Shayer,2003)。形式运算思维可能只在青少年和成年人有经验、兴趣或参加高级班的内容领域发展(Lehman & Nisbett,1990;Piaget,1974)。因此,可以预料到在中学或高中课堂中会有许多学生在思考假设时有困难,特别是当他们学习新事物的时候。学生有时会无法找到处理问题的捷径,他们可能会记住公式或解题步骤。这些系统可能有助于通过考试,但只有当学生能够超越这种表面记忆的使用时,他们才能真正理解。"指南:帮助学生进行形式运算"将会帮助发展学生的形式运算。

指南:帮助学生进行形式运算

继续使用进行具体运算的教学策略和材料。举例:

1. 使用图表和插图等视觉辅助工具以及更复杂的图形和图表,尤其是使用新材料时。

2. 将学生的经历和故事中人物的经历相比较。

给学生探究许多假设性问题的机会。举例:

1. 让学生写下自己的见解,然后和后座的人交换,并讨论社会问题,如环境、经济和国民健康保险问题。

2. 让学生把他们自己想的乌托邦的样子写出来,描述一下世界若没有性别差异会是什么样的,人类灭绝之后地球又会是什么样的。

给学生提供科学解决问题和科学推理的机会。举例:

1. 组织小组讨论,学生通过设计实验来解答问题。

2. 让学生为关于动物权利的两个观点辩护,每个观点都要有合理的论据。

不管什么时候,尽可能利用和学生的生活密切相关的材料和观念,教学生一些广义的概念,不要只是告诉他们一些事实。举例:

1. 讨论美国内战时,思考除了种族主义的原因还有没有其他的原因使得南北对立。

2.在教授诗歌时,让学生从流行歌曲中寻找那些阐明诗意的歌词,然后讨论一下这些歌词是否很好地表达出了词作者想表达的意蕴。

皮亚杰认知发展理论的局限性

尽管大多数心理学家都认同皮亚杰对儿童思维方式的洞见,但许多人不同意他对思维为什么那样发展的解释。

关于发展阶段的问题。一些心理学家对思维的四个分离的发展阶段提出质疑,当然他们同意儿童确实经过皮亚杰所描述的那些变化(Mascolo & Fischer, 2005;P. H. Miller, 2016)。其中的一个问题是儿童的思维缺少一致性。举个例子,儿童获得数量守恒(重排之后的木块数量保持不变)要比重量守恒(把泥巴团压平,重量没有变化)早一年或者两年。为什么他们不能在每个情景中对守恒性的掌握都保持一致?

关于分离的发展阶段这一想法的另一个问题是,这些过程或许比他们所认为的更持久一些。当我们从更长的时间段来看时,变化似乎是不连续的、质变的。固执地寻找他丢失的玩具的三岁儿童与那些玩具滚到沙发底下也不会想念和寻找它的婴儿有本质上的不同。但是,如果我们仔细观察一个发育中的孩子,每时每刻地观察或者每小时每小时地观察,我们可能真的会发现他逐渐而持久的变化。这种“藏起来的玩具仍然存在”的知识或许是一个大一点的孩子记忆逐渐完善的结果,并非突然出现。他知道玩具是在沙发下面是因为他记得玩具滚到下面去了,然而婴儿无法保留那个记忆。如果你想要他们在寻找玩具之前保持更长时间的等待,那么他们记住这个物件的时间也就需要更长,那么能成功的孩子的年纪也就不得不更大一些(Siegler & Alibali, 2005)。

变化既是连续的,也是不连续的。正如灾难理论(数学的一个分支)所描述的那样,那些突然出现的改变,如桥的坍塌,是在那些缓慢发展的变化(如金属结构体的腐蚀)之后的。相似地,在儿童身上逐渐发展的变化能够造成那些在能力方面看起来有些突然的大的改变(Bjorklund, 2012;Dawson-Tunik, Fischer, & Stein, 2004;Siegler & Alibali, 2005)。公平地来讲,我们应该在皮亚杰之后的书里注意到这一点,甚至他自已也很少关注认知发展的阶段,而更多关注思维是如何通过平衡来发生变化的(P. H. Miller, 2016)。

低估了儿童的能力。皮亚杰低估了孩子的认知能力,尤其是幼儿的认知能力。问题出在他给孩子们出的问题太难,提问的方向太模糊。皮亚杰的被试者在解决那些问题时所理解的东西比他们所展现出来的东西更多。例如,格尔曼和她的同事们的研究(Gelman, 2000;Gelman & Cordes, 2001)表明即使学前儿童有时会犯错误或者感到困惑,他们对数字这一概念的了解也要比皮亚杰了解的多。如果学前教育者一次只让他们操作三或四个对象,不论是把对象远远地分成几个部分,还是将他们紧紧地团在一起,他们都能判断出数量没有发生变化。米里亚姆·埃伯斯巴赫(Mirjam Ebersbach, 2009)宣称,在她的研究中,大部分德国幼儿园儿童在他们估测一块木块的体积时都会考虑三个维度——宽度、高度和长度(事实上,就是在考虑拼成一个更大的木块所需的小立方块应该是多少)。换句话说,我们可能生来就具备了一个认知工具储藏室,它比皮亚杰所想的更大。一些基本的理解,比如客体永久性、数量感,可能是我们发展装备的一部分,在认知发展过程中随时备用(Berk & Meyers, 2016;Woodward & Needham, 2009)。

最后,皮亚杰认为认知操作(如守恒和抽象思维)的发展不能被加速。他认为儿童必须在发展的过程中准备好学习。然而,很多研究表明,伴随着有效率的指导,儿童可以学会去执行像守恒这样的认知操作。他们不需要自然地发现他们自己的思维方式。在某个情境下的知识或经验可以影响学生们的思维方式。

认知发展与文化。对皮亚杰理论的最后一个批评是他忽视了儿童所处的文化和社会环境的影响。跨文化研究普遍证实了一点,即使皮亚杰精确地提出了儿童思维发展的阶段顺序,这些阶段的年龄范围依然没那么固定。西方儿童普遍会比非西方社会里成长起来的儿童早两到三年进入下一发展阶段。但是严谨的研究表明,跨文化的差异取决于所测试的主题和领域,以及某种地域文化是否重视和教授相关领域的知识。举个例子,那些不上学而在街市中卖水果的巴西儿童似乎并不能完成皮亚杰的类包含任务(图中是否有更多的雏菊、更多的郁金香或更多的鲜花)。但是当这些任务以一种他们所熟悉的概念(卖水果)表达时,这些孩子要比同年龄阶段正在上学的孩子表现得更好(Saxe,1999)。当一种文化或环境强调某一种认知能力时,成长在那种环境下的孩子倾向于更快地获取这种能力。在一项比较中美一、三、五年级学生的研究中,中国学生比美国学生早两年完成一项皮亚杰关于距离、时间和速度之间关系的任务,很大可能是因为中国教育体系更注重低年级学生数学与科学的教育(Zhou,Peverly,Beohm,& Chongde,2001)。

即使是分类等具体操作,也可能因在不同的文化中而有不同的发展情况。例如,让来自非洲的格贝列人把给出的 20 个物体排序,他们创建并赋予这些组以含义——锄头和土豆、刀子和橘子。实验者没能使格贝列人改变他们的类别划分,他们说聪明人都会这么做的。最后,实验者绝望地问道:"好吧,那傻瓜会怎么做?"然后所有物体就如实验者所期待的那样,都被清清楚楚地划分为四类——食物、工具等(Rogoff & Morelli,1989)。

信息处理、新皮亚杰主义和神经科学认知发展观

在第八部分你会看到关于为什么孩子理解守恒和皮亚杰的其他任务有困难的不同解释,这些解释集中在儿童信息处理技能上的发展,比如注意、记忆能力、学习策略等。随着儿童的逐渐长大,他们会更有能力来集中注意力,更快地处理信息,在记忆中存储更多的信息,更自如灵活地使用思维的策略(Berk & Meyers,2016;Siegler,2000,2004)。一个关键性的发展是执行功能的提高。执行功能包括所有我们用来组织、协调和执行有目的性动作的过程。执行功能(executive functioning)①涉及集中注意力、抑制冲动反应、制定和改变计划,以及利用记忆来存储控制信息(Best & Miller,2010;Raj & Bell,2010)。随着孩子们的执行功能的技巧越来越复杂和高效,他们就会积极地推进自我的发展,他们正在建构、组织和提升自己的知识和认知策略(Siegler & Alibali,2005)。举个例子,皮亚杰的一个经典任务就是给孩子们看 10 朵雏菊和 2 朵玫瑰,然后问是否有更多的雏菊或更多的花。年幼的孩子看到更多的雏菊,跳起来回答:"雏菊。"

---

①执行功能——我们用来组织、协调和执行目标导向的有意行为的所有过程,包括集中注意力、抑制冲动响应、制定和改变计划,以及使用记忆来保存和控制信息。

随着他们的成熟,孩子们更擅长抵抗(抑制)基于表象的第一反应,并能基于事实回答雏菊和玫瑰都是花,甚至是成年人也要花费零点几秒抑制住第一反应,所以抑制冲动反应对于发展那些贯穿生命中的复杂知识是很重要的(Borst, Poirel, Pineau, Cassotti & Houdé 2013)。

　　一些心理学家发展了皮亚杰的理论,即新皮亚杰理论(neo-Piagetian theories)①,其中保留了皮亚杰对儿童知识建构和儿童思维的一般趋势的理解,另外加入关于注意、记忆和策略的信息处理过程的研究发现(Croker, 2012)。或许,最有名的发展理论是洛比·凯思提出的(Robbie Case, 1992, 1998)。他提出的认知发展的一个解释是,儿童在具体特定的领域中的发展呈现阶段性,如数字概念、空间概念、社会任务、讲故事、物理对象的推理和运动发展等。在儿童练习使用特定领域的图式(比如,数字概念领域中的计数图式)时,获得这些图式只需较少的注意和工作记忆。由于儿童不需要费很大力气去思考,图式变得越来越自动化,这就省下许多智力资源和记忆空间来做更多其他的事。儿童现在能把许多简单的图式组合到一个更复杂的图式中去,并且在需要时(动作的同化和顺应)建立新的图式。

　　库尔特·费舍尔(2009)将不同领域的认知发展联系起来进行人脑的研究。尽管孩子们可能通过不同的方式掌握说、读和数学运算技能,但他们的成长模式经历了相似的一系列事件,而且他们都经过了可预测的发展阶段。当儿童学习一项新知识时,他们会经历三个阶段——从动作到表征,再到抽象。在每一阶段中,模式从单个操作转为筹划和协调两个动作。比如,在数学中整合加法和乘法,再到创造完整的理解系统。在抽象阶段,孩子们开始构建解释性原则。这或许会让你想起皮亚杰理论中的感觉运动阶段、具体运算阶段和形式运算阶段。在每一个技能水平上,大脑也会自我重组。在这个过程中,由于不断的练习和大脑的特质的支持,技能在每个阶段都会很快地发展。支持和练习是我们下一步所要讨论的维果斯基理论的认知发展解释的关键。

---

①新皮亚杰理论——将皮亚杰对儿童思维和知识建构的洞见与注意、记忆和策略上的发现整合而成的更新近的理论。

维果斯基的社会文化观

今天的心理学家们认识到儿童所处的文化氛围通过决定他们学什么和怎么学(思维的内容和过程)塑造了他们的认知发展。那些鼓励合作和分享的文化会更早地教会儿童们那些能力,而鼓励竞争的文化则会培养孩子身上的竞争能力。皮亚杰的发展阶段对所有孩子来说并不是自然而然的,因为在某种程度上,这些发展阶段反映了西方文化环境的期待和行为。正如克佩勒等人之前的描述所教会我们的那样(Kozulin, 2003;Kozulin et al. , 2003;Rogoff, 2003)。

社会文化理论(sociocultural theory)①的一个主要提出者是跟皮亚杰同一年(1896)出生的苏联心理学家。利维·谢苗诺维奇·维果斯基(Lev Semenovich Vygotsky)死于肺结核,终年只有 37 岁,但在短暂的生命旅程中他出版了 100 多本书和论文。一些翻译现在仍然是可以找到的(例如,Vygotsky, 1978, 1986, 1987a, 1987b, 1987c, 1993, 1997)。维果斯基开始研究学习与发展始于想要完善他自己的教学。沿着这条路,他写了关于思维和语言、艺术心理、学习和发展、个别化教学的文章。他的作品因为提到西方心理学家,被苏联查禁了许多年。在过去 50 年里,随着人们对他的著作的重新认识,维果斯基关于语言、文化、认知发展的思想已经逐渐成为心理学和教育的主流,为皮亚杰的许多理论提供了有益的补充(Gredler, 2009a, 2009b, 2012;Kozulin, 2003; Kozulin 等, 2003;Moll, 2014;Van Der Veer, 2007;Wink & Putney, 2002)。

维果斯基认为人的活动是在一定文化下的活动,不能脱离文化来理解人的活动。他的一个主要思想是人的智力结构和思维过程来自和其他人的社会交往,这些交往不只影响认知发展,还创造了认知结构和思维过程(Palincsar, 1998)。实际上,"维果斯基定义的发展是外部社会活动向内部过程的转化"(John-Steiner & Mahn, 1996, p. 192)。我们将研究维果斯基著作中的三个主题,它们解释了社会交往过程怎样形成学习和思维,文化工具在学习和发展中的作用,尤其是语言以及最近发展区(Driscoll, 2005;Gredler, 2012;P. H. Miller, 2016)。

------

①社会文化理论——强调儿童与比他们更富有知识的社会成员之间的合作对话在儿童认知发展中的作用。儿童在这些交往过程中学到他们的社区文化(思考和行为的方式)。

个体思维的社会根源

维果斯基设想：

儿童文化发展中的每项机能都表现在两个水平上。首先是社会活动水平，然后是个体水平；开始是人和人之间的（群体心理间的），然后是儿童内部的（心理内的）。这一点平行应用在有意注意、逻辑记忆以及概念的形成上。所有的高级功能都源自人和人之间的互动的实际效果中（Vygotsky，1978，p. 57）。

换句话说，高级心理过程——比如控制你自己的注意力以及考虑问题，首先出现在人和人之间的协作活动中。然后这一共同建构过程（co-constructed process）①被儿童内化成自己认知发展的一部分（Gredler，2009a，2009b；Mercer，2013）。例如，在和其他人的活动中，儿童先是使用语言试图规范其他人的行为（"不要睡觉"或者"我要块糕点"），后来儿童能用自我语言来协调自己的行为（"小心点，别洒了"），在下文你还会看见这样的内容。所以维果斯基认为，社会交往不只是产生影响，而且是高级心理过程（如问题解决）的起源。思考下面的例子：

一个六岁的孩子把玩具弄丢了，向父亲求助。父亲问她最后一次看见玩具是在什么地方，孩子说："不记得了。"父亲又问了许多问题——房间里有吗？外边？隔壁房间呢？每次问小女孩都回答："没有。"当父亲问道："汽车里呢？"她说："我想是在那里。"就跑过去取玩具了（Tharp & Gallimore，1988，p. 14）。

是谁回想起来的呢？好像既不是父亲也不是女儿，而是他们两个人一起想起来的。这种一起回忆和解决问题过程是在两个人的交往协作中完成的。孩子（以及父亲）可能从中已经把这些策略内化，下次东西丢了就能用上了。到了一定时候，孩子就能够独立解决这类问题。所以这种找玩具的方法，即一种高级机能，首先出现在儿童和一个"指导者"之间，然后是在儿童的思维内部出现（Kozulin，2003；Kozulin et al.，

---

①共同建构过程——人们之间通过交往和协商（通常是口头的）来建立理解或者解决问题的一种社会过程。最终产品的形成是所有参与者合作的结果。

2003；P. H. Miller，2016)。

这里还有关于个体思维来自社会的例子。理查德·安德森(Richard Anderson)和他的同事们(2001)研究了四年级的学生是如何在课堂上的小组讨论环节使用论证策略的。论证策略指的是像"我认为……(看法),因为……(原因)"这一类的特定句式,学生们只需要把自己的看法和理由填进去就好了。比如说,某个学生可能说:"我认为狼群不应该被干涉,因为它们并没有伤害任何人。"另一种论证策略的形式是"如果……(某种行为),就会……(坏的结果)",比如说"如果你不猎捕狼群,它们就会吃掉牛群。"其他的形式就要涉及参与互动了,像是"你认为怎么样"或是"让……发表一下意见吧"。

安德森的研究发现了 13 种谈话和论证形式,它们对组织讨论、让所有人都参与、提出并坚持观点、处理疑难有帮助。对这些不同形式的使用就好像滚雪球一样,只要有一个学生使用了讨论策略,这个方法就会在其他学生之间传递开来,然后这种策略就会越来越多地出现在讨论当中。比起老师主导的发言,自由讨论——学生之间互相提问并解答会更有助于这种论证策略的发展。随着时间的推移,这些提出观点、反驳别人观点、坚守自己观点的方法就会被个体学生内化为心理推演以及理智决策的方法。

皮亚杰和维果斯基都强调社会交往在认知发展过程中的重要性,但皮亚杰看到的是交往的另一个不同的作用。他认为交往通过产生不平衡状态即认知冲突,促进发展变化,所以最有效的交往应该是发生在同伴之间,因为同伴之间的认知水平相似,能彼此之间提出异议。相反,维果斯基(1978,1986,1987,1993)认为儿童的认知发展是在和更善于思考、思维水平更高的人的交往活动中发展的,比如父母、教师等(Moshman,1997；Palinscar,1978)。当然,学生既可以向成年人学习,也可以向同伴学习。而当下,电脑也可以在跨距离、甚至跨语言的交流中扮演一个积极的角色。

文化工具与认知发展

维果斯基认为社会文化工具(cultural tools)①在认知发展中起着重要的作用,包括技术工具(印刷机、尺子、算盘、坐标纸,以及今天的移动电话、电脑、互联网、为移动装

---

①文化工具——供一定社会中的人们交流、思考、解决问题和创造知识使用的物质工具(计算机、天平等)和符号工具(数字、语言、图表等)。

置设计的同声传译、搜索引擎、电子日历、学生学习中使用的辅助技术等）和心理工具（数字、数学规律等符号和表征系统、盲文和手语、地图、艺术作品、代码、语言）。例如，如果我们只知道用罗马人的阿拉伯数字来表示数量，数学思维的一些特定方式（从分解到微积分）几乎是不可能的。但如果一个数字系统中有零、分数、正负数和数的无穷，则大有可为。数学体系是支持学习和认知发展的一个心理工具，它可以改变你的思考过程。这个符号系统通过正式和非正式的交往和教学活动，在成人与孩子之间传递下去。

数码时代的科技工具。在教育领域，计算器和拼写检查程序这一类的科技工具的使用一直以来都备受争议。科学技术在不断地"检查"我们，我们就要依靠文字处理程序里面的拼写检查器来避免发生尴尬的情况。但我也读过一些学生论文，这些论文里的拼写一看就是文字处理程序做出的修改，而不是作者自己的"感觉检查"。这种工具给学生们的学习过程带来的是有害影响还是有利影响呢？只因为在以前学数学的时候，学生们要用纸笔来写写算算说这是最好的学习方式，肯定是不对的。事实上，计算器的研究表明，计算器的使用不仅没有降低学生们的基本技能，反而对学生们的问题解决能力和对数学的态度有积极的影响（Ellington，2003，2013；Waits & Demana，2000）。但是，这并不是这么简单就可以下定论的。对于简单的数学问题，其实应该在去借助计算器之前先尝试着自己思考或亲手算出答案。当学生使用计算器之前就自己算出答案时，他们数学事实的学习和算术的流畅性得到了提升（Pyke & LeFevre，2011）。

心理工具。维果斯基相信所有的高级智力过程，比如推理和问题解决，都借助于心理工具得以实现。这些心理工具通过让儿童不断加强对认知发展的掌控来转化他们的思维。在使用这些工具的过程中，他们也在不断推进自己的发展。维果斯基相信认知发展的本质，就在于掌握像语言这样的心理工具，以达到不通过使用这些工具就无法更进一步地思考和解决问题（Gredler，2012；Karpov & Haywood，1998）。这个过程差不多像这样：儿童跟成人或者更有能力的同伴进行活动的过程中，彼此交流想法或思考和表示概念的方式，比如画地图来表示空间和地方。这些共同创造的想法被儿童内化。这样,儿童的知识、思想、态度、价值就会通过社会文化和活动小组中更有能力的人提供的思维或行为方式得到发展(Wertsch,2007)。

在这个信号、符号和解释的交换过程中,儿童开始建立起一套社会文化工具,来解释和学习他周围的世界(Wertsch,1991)。这套工具有铅笔、画刷等直接指向外部世界的技术工具,还有概念、问题解决策略和(之前提到的)讨论策略等指向精神活动的心理工具。儿童不只是被动接受别人那里来的工具,他们在建构自己的表征、符号、模式和理解的同时,也在转换工具。这些理解随着儿童继续参与社会活动和解释世界也在不断变化(John-Steiner & Mahn, 1996;Wertsch, 1991)。在维果斯基的理论中,语言是这套工具里最重要的符号系统,也正是靠它,我们才能把其他工具也收入囊中。

语言和自我言语的作用

语言在认知发展过程中的作用非常重要,它提供了表达思想、请教问题、思考概念和类别、联结过去和未来的方式。语言将我们从现在这个瞬间中解放出来,让我们得以思考过去发生了什么,以及未来可能发生什么(Driscoll, 2005;Mercer, 2013)。维果斯基认为:

> 人类特殊的语言能力给儿童提供解决困难任务的辅助工具,以克服冲动性行为、在实施之前设计问题的解决办法、掌控自己的行为(Vygotsky,1978,p.28)。

维果斯基比皮亚杰更强调学习和语言在认知发展过程中的作用。维果斯基相信,是自我言语(和自己对话)在引导认知发展。

自我言语:比较维果斯基和皮亚杰的观点。 要是你花时间跟孩子们相处过,你肯定知道他们玩的时候经常跟自己说话。这种情况可能在孩子独处,甚至更频繁地在小组活动的时候发生——每个孩子都在非常主动地说话,但其实并没有发生任何的互动和交流。皮亚杰把这种情况称为集体独白(collective monologue)[1],并把所有儿童指向

---

[1]集体独白——对话的一种形式,小组中的儿童全都在说话,但只是各说各的,并没有交流。

自我的言语叫作"自我中心言语"。他认为这种自我中心言语正说明儿童不能通过别人的视角来看问题,所以他们在交流的过程中不考虑听众的需要和兴趣。皮亚杰认为,随着不断成熟,尤其是有了跟他们有分歧的同伴,儿童就发展了社会言语,开始学会倾听和交换意见。

维果斯基对于自我言语(private speech)①的观点和皮亚杰不同,他认为自我言语并不只是一种认知不成熟的表现,这些嘀嘀咕咕在认知发展中起很重要的作用,它们促进儿童的自我调控:计划、监控、指导自己思考和解决问题的能力。首先,儿童的行为由其他人借助语言和手势这样的信号调控。比如说,当儿童用手去碰蜡烛的火焰时,家长会说:"不要动。"然后,儿童也学会了使用相同的工具去调控别人的行为:当别的孩子要拿走一个玩具时,这个被吼过的儿童也会说:"不要动",通常还会模仿家长的语气。儿童通常使用自我言语来规范他自己的行为,比如当自己企图去碰火的时候悄悄地说:"不要动。"最后,儿童会学会用无声的内部言语来调控自己的行为(Karpov & Haywood,1998)。

例如,在任何一个学前班里都会听到四五岁大的孩子在玩拼图的时候说:"不,不合适,试试这儿,转过来,转一下,可能这个行。"在 7 岁左右,儿童非常直接的自言自语就会由明转暗,从讲出来的悄悄话,最后转变成无声的唇部动作。最终,儿童只是在头脑里思考这些指导性词句了。自我言语在 9 岁左右达到顶峰,然后就会消退。不过有一项研究发现,有些 11—17 岁的学生在解决问题时还是会自发地嘟嘟囔囔(McCafferty,2004;Winsler,Carlton,& Barry,2000;Winsler & Naglieri,2003)。维果斯基将这种内部对话称为"言语思维的内部局面"(Vygotsky,1934/1987c,p. 279)——在达到更高级别的思维方式道路上的重要成就。

这种从口头言语到内部对话的一系列步骤是另一个关于高级心理功能首先出现在人与人之间的交流和对彼此行为的调控中,然后在个体内部以认知过程重现的例子。在这种功能性的过程中,儿童通过语言来完成集中注意力、解决问题、做计划、形

①自我言语——儿童的自我对话,指导他们自己的思考和行为。最终这些口头语言描述转化为无声的内部言语。

成概念以及自我约束这一类的认知活动。研究是支持维果斯基的想法的（Berk & Spuhl，1995；Emerson & Miyake，2003）。当陷入疑惑、困难以及犯错误时，儿童和成人都倾向于使用更多的自我言语（R. M. Duncan & Cheyne，1999）。你有没有自己在心里考虑过这样的一些事："让我们来看看，第一步是……"或者是"我上次把眼镜放哪儿了"又或者是"如果我学完这一页，我就可以……"？你会使用内部对话来提醒、暗示、鼓励，或者引导自己。

这种内部的言语思维直到12岁才稳定下来。为了发展控制思维的能力，小学阶段的儿童可能还是需要在解决问题和解释推理的时候"说出来"（Gredler，2012）。因为自我言语可以帮助学生调控自己的思维，所以允许、甚至鼓励学生在学校里使用自我言语是有意义的。在学生们解决困难问题的过程中，老师要求完全安静其实会让他们解决问题的过程变得更难。在课堂上嘟囔的声音变多的时候，你就要留意了——这可能是学生需要帮助的信号。

表2.4比较了皮亚杰和维果斯基关于自我言语的理论，我们注意到皮亚杰接受了许多维果斯基的观点，同意语言可以同时用在自我中心和问题解决两个方面（Piaget，1962）。

表2.4　皮亚杰和维果斯基关于自我中心或自我言语的不同观点

	皮亚杰	维果斯基
意义和目的	代表孩子还不能考虑其他人、不能与别人交流	代表外部思维；它的功能在于自我交流，以实现自我指导和自我定向
发展历程	随年龄增长逐渐减少	年幼阶段增多，然后逐渐减少，从有声言语转向内部言语
与社会言语的关系	消极的；社交和认知成熟的儿童使用更多自我中心水平最低言语	积极的；自我言语的发展源于与他人的社会互动
与环境背景的关系	没有关系	随着任务难度的增加而增多；自我言语在需要通过更多的认知努力去解决问题的情景中提供了自我引导的功能

资料来源：From "Development of Private Speech among Low-Income Appalachian Children," by L. E. Berk and R. A. Garvin, 1984, DevelopmentalPsychology, 20, p. 272. Copyright © 1984 by the American Psychological Association. Adapted with permission.

最近发展区

维果斯基认为不论处在哪个发展阶段,儿童总处在解决某些问题的边缘上——"在当时还未成熟但处于成熟的过程中"(Vygotsky, 1930 – 1931/1998, p. 201)。儿童只是需要一些结构、示范、线索、暗示、记起一些细节和步骤的帮助、鼓励等等。当然,有一些问题,即使每一步都解释得很清楚,也是在儿童能力范围之外的。最近发展区(zone of proximal development)①是指儿童现在的表现水平(儿童不需要任何支持就可以独立解决的问题)到儿童通过成年人的指导或者和另一个"发展更全面的孩子"共同完成才能达到的水平之间的区域(p. 202)。这是一个在学生和教师互动和交换意见的过程中会不断变化的动态区间。在这个区域内的指导才是成功的。凯瑟琳·伯杰(Kathleen Berger,2015;2016)把这个区域称为"神奇中间区域"(magic middle)——在学生已经掌握和学生还未准备好去接受之间的区域。

自我言语和最近发展区。我们可以看到,维果斯基关于自我言语在认知发展中的作用和最近发展区的理论契合良好。成人常常用口头言语提示和指导帮助孩子解决问题或完成任务。后面我们会看到这种支持被称为"支架"(scaffolding)。这种支持可以随着儿童逐渐掌握技能而减少,初期可能体现为自我言语的辅助,最后则是内部言语。再以之前那个丢了玩具的女孩为例子,让我们看看在几年之后作为一个高年级的学生,当她发现课本弄丢了之后,她有什么看法。可能听起来会是这样的:

"数学课本呢? 上课时用了,下课后放进书包,坐公车的时候放在公车上,笨蛋莱瑞撞了我一下,可能……"这个小姑娘已经能不用他人的帮助,自己有条理地思考那本书的下落了。

学习和发展的作用。皮亚杰将发展定义为知识的主动建构,而将学习定义为联想的被动形成(Siegler, 2000)。他对知识的建构很有兴趣,并且认为认知发展一定发生

---

①最近发展区——如果提供某种适当的帮助和支持,孩子就能完成任务的一种状态。

在学习之前——儿童必须在认知上"准备好"去学习。比如说,学生们可以记住日内瓦是在瑞士,但却还是坚持一个人不能同时是日内瓦人和瑞士人。真正的理解只有在学生们能进行类包含的操作后才会发生——即一个种类是可以包含在另一个种类中的。但就像我们之前看到的,研究结果并不支持皮亚杰关于认知发展先于学习的看法(Brainerd,2003)。

与此相反,维果斯基认为学习是一种不需要等待准备就绪的主动过程。他将学习看为发展中的一个工具,学习将发展拉到了一个更高的层次,而社会交往则是学习的关键。换言之,学习影响了接下来的发展(Bodrova & Leong,2012;Gredler,2012;Wink & Putney,2002)。这意味着其他人,包括老师,在认知发展中都扮演了一个重要的角色。这并不意味着维果斯基认为记忆就是学习。当老师试图直接灌输他们的理解时,其结果可能是"毫无意义地学了一堆单词"以及"纯粹是有口无心的和尚念经"(Vygotsky 1934/1987b, p. 356),掩盖了根本不理解的事实(Gredler,2012)。用维果斯基的话来说,老师"解释、传递信息、做出要求、纠正,并强迫学生做出解释"(p. 216)。

维果斯基理论的局限性

维果斯基的理论通过强调文化和社会过程在认知发展中的作用,对先前的理论进行了重要的补充,但他也许走得太远了。通过前几章的阅读你可能已经注意到,我们可能在出生时就自带一套储备量比皮亚杰和维果斯基认为的更多的认知工具。一些基础性的理解,例如增加数量的想法,也许是我们生理倾向的一部分,为认知发展的使用做好了准备。年幼的儿童在有机会向他们的文化或老师学习之前,就对这个世界有了一定程度的了解(Schunk,2016;Woodward & Needham,2009)。但是,维果斯基理论的主要局限其实在于,它由一些过于普通的看法构成;在他可以拓展理论、做进一步的研究以精细阐述他的理论之前,维果斯基就去世了。他的学生继续研究他的看法,但其中的大部分研究直到20世纪50年代和60年代才得到政府的支持(Gredler,2005,2009b;Kozulin,2003;Kozulin et al.,2003)。而最后的局限在于,维果斯基没有时间细化他的理论在教学方面的应用,虽然他对指导十分有兴趣。结果,现今提到的大多数应用都是由其他人创造的——我们甚至不能确定维果斯基本人对这些应用是否赞同。很明确的是,他的一些理论,比如最近发展区,是时常被误传的(Gredler,2012)。

皮亚杰和维果斯基的理论对教师的启示

皮亚杰没有给出特别精确的教育方面的建议,而维果斯基没有足够的时间来发展一套完整的应用。但我们还是可以从两人那里得到一些指导。

皮亚杰:我们能学到什么?

比起指导教师,皮亚杰对理解儿童的想法更有兴趣,但他确实表达了一些对教育哲学的看法。他相信教育的主要目标应该是帮助学生了解如何真正学习,并且对于学生的心智,教育应该"塑造而非提供工具"(Piaget,1969,p. 70)。皮亚杰已经教了我们,只要仔细倾听儿童的看法,且对他们解决问题的方法保持高度的注意,我们就能更多地了解儿童是如何思考的。而如果我们更多地了解儿童的思维方式,我们就能更好地把教学方法和儿童的现有知识与能力匹配起来。换言之,我们可以更好地区分指导。

虽然皮亚杰没有基于他的理论来设计教育计划,但是他对先进教育实践的影响还是巨大的(Hindi & Perry,2007)。比如说,美国幼儿教育协会就把皮亚杰的理论吸收到"发展适宜性实践(DAP)"的指导方针中(Bredekamp,2017;Bredekamp & Copple,1997)。

理解和建构学生的思维。课堂上的每个学生在他们的认知发展和知识水平这两个方面上都是变化极大的。作为一名老师,如何确定学生遇到困难的原因是思维能力的缺乏,还是仅仅因为他们还没有学到必要的基本知识点?为了做出正确的判断,凯斯(Case,1985)建议,老师应该仔细观察学生是如何解决你提出的问题的。他们用的是哪种逻辑?他们是只考虑了一种情况吗?他们是不是被表象蒙蔽了?他们是系统地提出解决方案,还是在乱猜而且前言不搭后语?问问学生,看他们是怎么尝试解决这个问题的。听听他们的策略,在重复的错误和问题背后隐藏的是哪种思考?学生本人是了解他们如何思考的最好的信息来源(Confrey,1990)。

皮亚杰理论对教育的一个重要应用是很多年前被亨特(Hunt,1961)称为"匹配问题"(the problem of the match)的应用。学生接受的,一定既不能是简单到无聊的内容,也不能是难到完全不能理解的内容。按照亨特的说法,不平衡一定要被控制到"刚刚好"的位置,以鼓励学生进步。设置一些结果意外的情景有助于创造一个合适的不平衡。当学生经历一些他们以为会发生(比如,因为一块木头很大,所以它应该会沉到水面下)和真实发生(它浮起来了)的矛盾时,他们就可能会重新考虑情景,这时新知识就可能会发展。

有很多素材和教训都可以从不同层次理解,而且都可能"正好"在认知能力的接受范围内。像《爱丽丝梦游仙境》这样的经典,还有神话、童话,都可以在具体和象征两个层面上被欣赏。把一个共同的主题介绍给一组学生,再让他们以个人为单位来进行后续的符合自身学习需求的任务,这也是一种可行的方法。使用多等级的课程被称为"差异化教学"(Gipe, 2014; Tomlinson, 2005b)。在第十四章我们会更仔细地讨论这个方法。

活动和建构知识。皮亚杰的基本观点是,个体建构自己的理解,学习是一个建构的过程。在认知发展的每一个水平,你都会期待看到学生也主动地参与到学习过程中。用皮亚杰的话来说:

> 知识不是现实的复制品。了解一个物品,或是了解一个事件,不是简单地看着它,然后在心里留下一个复制品或是图像就可以了。了解一个物件是需要实际操作的。了解的过程是要去修改、转化这个物件,然后了解这个转化的过程,最后达到了解此物件是如何构建的这一结果(Piaget, 1964, p. 8)。

比如说,对数学教育的研究表明,从幼儿园阶段到大学阶段的学生,当学会使用像计数棒、模式块、分数条或积木这样的操作性工具,而不是只用抽象符号后,他们对基本理论的记忆会更完善(Carbonneau, Marley, & Selig, 2013)。但是,只要你给了学生教具,他们就会自动地去学习,你要当心这样的假设。在一项研究中,当教师们给出了对教具使用较强的指引后,中学生就更侧重学习理科了。在其他地区的研究也给出了相似的结果（Hushman & Marley，2015；Marley & Carbonneau，2014）。哪怕是在最早期的学习过程中，这种主动的经验也不应该局限在对物体的物理层面上的操作。它也应该包括在课堂活动和试验中对冒出来的点子的心理层面的操控（Gredler，2005，2012）。比如说，在一节关于职业的社会调查课之后，一个小学阶段的老师就可以给学生展示一个女人的照片，然后问："这个人是干什么的?"在听到类似"老师"、"医生"、"秘书"、"律师"、"销售员"一类的答案之后，老师可以提出："会不会是个女儿?"然后"姐姐"、"妈妈"、"阿姨"、"孙女"这一类的答案就会跟着出来。这可以帮助学生转换分类的层次，也可以让他们注意到不同的情况。接下来老师就可以提出"美国人"、"慢跑者"，或者"金发的"。对大一点的学生来说，就可以把等级分类涵盖进来了：照片上的是一个女人，女人是人类，人类是灵长类，灵长类是哺乳动物，哺乳动物是动物，动物是一种生命形式。

为了测试自己的思路，所有学生都应该和老师还有伙伴有所互动，要被挑战，要获得反馈，要看看别人是怎么解决问题的。当老师和伙伴提出了一个新的解决问题的思路后，不平衡很自然地就出现了。基本原则是，学生要参与、操作、观察，然后（对其他学生或者老师）说出或写出他们感受到的东西。实际感受过的经验会提供思路的原材料，和其他人的交流会让学生使用和检测自己的思维策略，甚至有时会改变他们的思维策略。

维果斯基：我们能学到什么?

和皮亚杰一样，维果斯基相信教育的主要目标是高级心理功能的发展，而不是简单地把事实装进学生的脑袋。所以维果斯基可能会反对现在那种只有宽度没有深度或是像常识问答题这样的课程。作为一个常识问答题课程的例子，玛格丽特·格莱德勒（Margaret Gredler）给一个持续9周的科学单元提供了一套有61个专业术语的材料，比如"水溶液"、"氢键"、"分离结晶"——大多数词都只用一到两个句子来描述（2009a）。

通过文化工具来发展高级心理功能，并让它从一个个体传递到另一个个体，至少有三种方法：模仿学习（一个人试着去模仿另一个人）、指导学习（学习者将老师的指导内化,并用它们来自我调整)、合作学习(一组伙伴努力地去互相理解,并在这个过程中学习)(Tomasello, Kruger, & Ratner, 1993)。维果斯基最在意第二种方法,即在直接教学中指导学习或是通过组织化的经验来鼓励其他人学习,不过维果斯基的理论同样也支持在模仿和合作中学习。也就是说,对于直接教育、提供教育模型的间接教育或是提供一个合作学习的环境,维果斯基的理论都是有用的。

成人和同伴的作用。维果斯基认为,在探索交流和分类的认知操作中,儿童不是孤独的。这个探索的过程会受到家庭成员、老师、伙伴,甚至是软件道具的协助和调节(Puntambekar & Hubscher, 2005)。大部分指导是用语言交流的,至少在西方是这样。在另一些文化环境里,指导儿童的学习不是跟孩子说,而是让他们自己观察熟练的示范(Rogoff, 1990)。有些人把这种成人的帮助叫作脚手架/支架(scaffolding)①(Wood, Bruner, & Ross, 1976)。这个术语巧妙地说明了,儿童在建立稳固的理解时利用这种帮助作为支持,建立起来的理解最终使他们能独立解决问题。事实上,当伍德(Wood)和他的同事们引入"支架"这个词的时候,他们讨论的是教师应该怎么设置或建构学习的环境,但维果斯基的理论关注的更多是老师指导学生完成他们不能自主进行的任务的动态交流——比如下文中你会看到的辅助学习的共同作用(Schunk, 2016)。

辅助学习。为了让学生能独立发现,维果斯基建议教师除了设置学习环境以外还需要做许多事。人们不能也不应该期待儿童去重新建构或者重新发现他们文化中已有的东西。相反,在学习中,儿童需要指导和辅助(Karpov & Haywood, 1998)。

辅助学习(assisted learning)②或者课堂指导,首先需要从学生那里了解他们需要什么,然后在合适的时间适量地提供信息、提示、回顾、鼓励;之后再逐渐让学生自己多做,教师可以通过适合学生当前水平的材料、问题进行辅助教学;演示技巧或者思维过程;对于复杂问题看着学生一步一步地进行;教师完成部分问题(比如,代数学习中,学

---

①脚手架/支架——为学生的学习和问题解决提供的帮助。这些帮助可能是线索、暗示、鼓励、把问题分解成几步、给出例子或者其他一些辅助,让学生逐渐成长为一个独立的学习者。

②辅助学习——在学习的最初阶段提供一定的基本帮助,随着学生越来越独立逐渐减少这种帮助。

生建立方程,教师做具体计算部分);给出详细的信息反馈,允许修正错误;通过提问集中学生注意等(Rosenshine & Meister,1992)。认知学徒就是例子(第十章)。表 2.5 给出了一些课堂策略的例子。

表 2.5 提供支架和辅助教学的策略

- 为学生提供一种思维过程的模板:比如说,解决问题或描述文章的时候可以自言自语。
- 提供一些提问的组织方法,比如问是什么? 做什么? 为什么? 怎么做? 接下来呢?
- 协助解决一部分问题。
- 给一些暗示和线索。
- 鼓励学生设置短期目标,并细化步骤。
- 把新知识和学生的兴趣以及现有知识联系在一起。
- 用一些形象的组织方法:时间轴、表格、平面图、分类图、备忘录、曲线图。
- 简化任务,明细目标,给出清晰的指导。
- 教关键词并示范。

示范课程:思想的工具

黛博拉·梁(Deborah Leong)和埃琳娜·伯德洛娃(Elena Bodrova)(2012)以维果斯基的理论为基础,花了几年的时间为学前班到二年级的学生开发了一种课程。在俄罗斯,黛博拉博士和维果斯基的学生以及同事一起做过研究,她想把维果斯基的理论带给教师。最后的结果就是"思想的工具"这个项目,它包含了给学前班、幼儿园、特殊教育机构的学生的课程理念(详见 toolsofthemind. org)。从维果斯基处获得的第一个关键理念是,当儿童有了像集中注意力这样的思想的工具之后,他们就不再被环境束缚——不再会被视野中的新东西或声音转移注意力,他们学会了控制自己的注意力。第二个关键理念是玩——尤其是戏剧扮演——是支持幼儿发展最重要的活动。在戏剧表演的过程中,儿童学会集中注意力,抑制冲动,遵循规则,使用符号,控制他们自身的行为,与他人合作。所以"思想的工具"的一个核心元素就是让儿童自己制订扮演计划。儿童要画出自己的扮演计划,并把它描述给老师听;而老师则要做记录,以此作为读写能力的示范。在儿童变成更好的策划者之后,他们做出的计划也会更复杂和精细。图 2.5 上有布兰登在三岁初做出的简单的计划,还有一个在四岁末时做的计划。他的后一个计划展示出更好的动力掌控、更成熟的绘画能力,提升的想象力,更好的语言运用。

在三岁初，布兰登表示他想去艺术中心。在四岁末，布兰登则假装是国王。他开始在写作中使用拟声词。

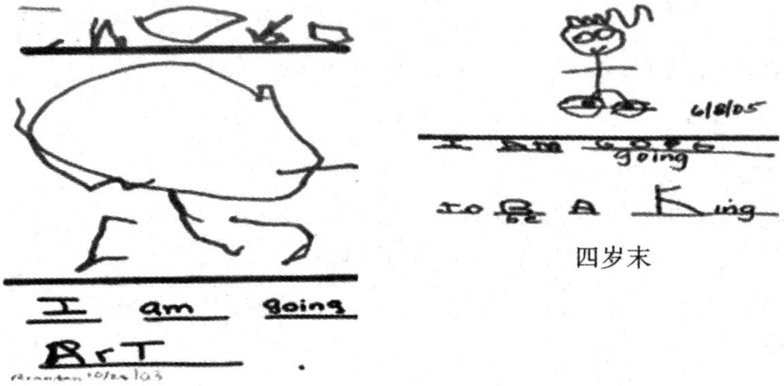

四岁末

三岁初

资料来源："Brandon's Plan, Beginning Age 3 Preschool". Tools of the Mind. http://www.toolsofthemind.org/curriculum/preschool. Used by permission.

图2.5 布兰登的扮演计划

惠及每一位学生：在"神奇中间区域"教学

皮亚杰和维果斯基都认同学生应该在"神奇中间区域"(magic middle)学习(Berger，2015，2016)，或者说在"匹配"位置中学习(J. Hunt，1961)，在这个区域中既不会无聊也不会太累。学生应该被放置在这样的情境中：他们必须靠努力才能有成果，同时他们可以从同学、教辅、老师那里获得帮助。有的时候，最好的老师其实是刚好知道该如何解决问题的同学，因为这个学生应该也在提问者的最近发展区里面。让学生和另一个比他程度好一点的学生一起学习其实是一个很好的主意，因为两个学生都能在解释、提问、思考的交换过程中受益。此外，应该鼓励学生用语言来组织他们的思考过程，交流他们想要达成的目标，就像图2.5里那样。在学习的道路上，对话和讨论是很重要的(Karpov & Bransford，1995；Kozulin & Presseisen，1995；Wink & Putney，2002)。"指南：维果斯基的理论在教学中的应用"提出了更多关于应用维果斯基卓见的想法。

给教师的建议：认知发展

尽管认知发展的不同理论中有着跨文化的差异,但大家还是有一些共识的。皮亚杰、维果斯基,还有近来一些认知发展领域的研究者们应该会认同以下的几个大观点:

1. 认知发展同时需要生理和社会两方面的刺激。

2. 为了发展思维,儿童必须保持生理、心理、语言三方面的活跃。他们需要经历、谈论、描述、思考、书写、解决问题。同时,他们的思维也会在教学、指导、质疑、解释、示范、挑战中受益。

3. 教学生他们已经知道的知识是无趣的。逼着他们去学还没有准备好应对的知识,是无效且打击自信心的。

4. 在背后支持学生面对挑战,能使他们参与其中而不会造成恐惧。

指南:维果斯基的理论在教学中的应用

建立适合学生需要的支架。举例:

1. 学生开始新的任务或题目时,给他们提供范例、提示、口令(sentence starters)、训练、反馈。随着学生逐渐进步,减少帮助,给他们更多独立作业的机会。

2. 让学生自己选择任务的困难水平和完成任务的独立程度,鼓励他们向自己挑战,但真正进行不下去的时候,也鼓励他们寻求帮助。

确信学生已经获得辅助思考的有效工具。举例:

1. 教学生使用学习策略和组织策略、研究工具、语言工具(字典或电脑搜索)、电子制表软件、字处理程序。

2. 示范如何使用工具。例如,给学生展示如何使用手机上的预约簿或日历来制定计划和安排时间。

依靠学生丰富的文化知识基础(N. Gonzalez, Moll, & Amanti, 2005；Moll 等, 1992)。举例:

1. 让学生采访他们的家人,了解他们的工作和家庭知识(农业、经济、制造业、家庭管理、医学和疾病、宗教、儿童教育、烹饪等),以确定何为家庭知识。

2. 为这些知识设置相应的任务,并让专家来评估。

利用对话和小组学习。举例：

1. 尝试朋辈教学,教学生如何提出好的问题以及如何给出好的解释。

2. 尝试第 10 章里讨论的合作学习策略。

资料来源：For more information about Vygotsky and his theories, see tip. psychology. org/vygotsky. html

---

总结

发展的定义

有几种发展？ 人类的发展可以分为生理发展(身体上的变化)、人格发展(个体人格上的发展)、社交发展(个体之间联系方法的发展)、认知发展(思维的发展)。

发展的三问题和三原则。 几十年来,心理学家和公众一直在争论:发展更多地是由先天还是后天塑造的？变化是一个持续的过程,还是涉及质变或阶段的过程？是否有发展某些能力的关键时期？我们今天知道,这些简单的"要么就这样、要么就那样"的区别不能反映人类发展的复杂性,因为合作和互动是人类发展的规律。理论家们普遍同意人们发展的速度不同,以及发展是一个有序的、渐变的过程。

大脑与认知发展

大脑的哪个部分和高级心理功能有关？ 大脑皮质是一层皱巴巴的神经元,有三大功能:接收感觉器官发出的信号(如视觉或听觉信号)、控制自主运动、形成连接。控制身体运动的大脑皮质首先发育和成熟,然后是控制视觉和听觉等复杂感官的区域,最后是控制高阶思维过程的额叶。

什么是偏侧性？它为什么很重要？ 偏侧性是大脑两侧或半球的专门化。对于大多数人来说,左半球主要控制语言,而右半球在空间和视觉方面的处理能力更突出。尽管某些功能与大脑的特定部分有关,但大脑的各个部分和系统是共同工作来学习和执行复杂的活动的,如阅读和构建理解。

对教师有什么启示？ 最近在教学方法和神经科学发现上的进步提供了关于学习过程中大脑活动的令人兴奋的信息,以及拥有不同能力、面对不同挑战、来自不同文化的人之间的大脑活动差异。这些发现对教学有一些基本的启示,但是"以大脑为基础"的倡导者提供的许多策略只是好的教学。也许我们现在对这些策略的作用有了更多的了解。

皮亚杰的认知发展理论

什么是影响认知发展的主要因素？ 皮亚杰的认知发展理论基于这样的假设，即人们试图理解世界，并通过与物体、人和想法的直接体验积极创造知识。生理成熟、活动、社会经验以及对平衡的需求都会影响认知发展。为了应对这些影响，思维过程和知识通过思想组织的变化（图式的发展）和调整，包括同化的互补过程（融入现有图式）和适应（改变现有图式），来发展。

什么是图式？ 图式是思维的基本组成部分。它们是有组织的行动或思想系统，允许我们在心理上描绘或"思考"我们世界中的物体和事件。图式可能非常小和具体（比如抓取、识别一个正方形），也可能更大和更一般（比如在一个新的城市使用地图）。人们在增加和完善图式的过程中适应环境。

当孩子们从感觉运动转向形式运算思维时，主要的变化是什么？ 皮亚杰认为，人在成长过程中会经历四个阶段：感觉运动、前运算、具体运算和形式运算。在感觉运动阶段，婴儿通过他们的感官和运动探索世界，他们努力掌握对象的持久性和执行目标导向的活动。在前运算阶段，符号思维和逻辑运算开始发展。在具体运算阶段，儿童可以逻辑地思考具体的情况，并可以演示守恒性、可逆性、分类和排序。进行假设演绎推理、协调一组变量和想象其他世界的能力标志着形式运算阶段。

新皮亚杰派和信息处理观点如何解释儿童思维随时间而变化？ 信息处理理论关注的是注意力、记忆能力、学习策略和其他处理技巧，用来解释孩子们如何制定规则和策略来理解世界并解决问题。新皮亚杰派的方法还着眼于注意力、记忆和策略，以及思维如何在不同领域（如数字或空间关系）中发展。神经科学的研究表明，当孩子们学习一项新技能时，他们会经历三个阶段——从动作到表征再到抽象。在每一层中，模式从完成单个操作转移到筹划或协调两个操作（如协调数学中的加法和乘法），再到创建整个理解系统。

皮亚杰的理论有哪些局限性？ 皮亚杰的理论受到了批评，因为儿童和成年人的思维方式往往与他提出的不变阶段不一致。皮亚杰似乎低估了儿童的认知能力。他坚持说，不能教儿童下一阶段的操作，必须靠儿童自己去发展。另一种解释更强调学生信息处理的技巧和教师促进学生发展的方式。皮亚杰的作品也因忽视儿童发展中的文化因素而受到批评。

维果斯基的社会文化观

根据维果斯基,影响认知发展的三个主要因素是什么?维果斯基认为,必须在人们各自的文化背景中理解人类活动。他相信特定的心理结构和过程可以追溯到我们与他人的互动;文化的工具,尤其是语言的工具,是发展的关键因素;而最近发展区是学习和发展的可能所在。

什么是心理工具?它们为什么重要?心理工具是符号和符号系统——如数字和数学系统、代码、语言——它们支持学习和认知发展。它们通过激活和塑造思维来改变思维过程。许多这些工具是由成人通过正式和非正式的互动和教导传递给儿童的。

解释心理间的发展是如何成为心理内的发展的。高级心理过程首先出现在人们之间,因为人们在共同的活动中共同构建。当孩子们与成年人或更有能力的同龄人一起参与活动时,他们就会交换想法、思维或表达概念的方式。孩子们将这些共同创造的想法内化。儿童的知识、思想、态度和价值观是通过挪用或"自给自足"的方式发展起来的,这些方式是由他们的文化和群体中更有能力的成员提供的。

皮亚杰和维果斯基对自我言语及其在发展中的作用的观点有何不同?维果斯基的社会文化观点认为,认知发展取决于社会互动和语言的发展。维果斯基举了一个例子,他描述了孩子们自我指导的谈话在引导和监控思维及解决问题方面的作用。而皮亚杰则认为自我言语是孩子自我中心主义的表现。维果斯基比皮亚杰更强调成年人和能力更强的同龄人在儿童学习中发挥的重要作用。这种成人帮助提供了早期的支持,而学生建立了对未来解决问题必要的理解。

什么是学生的最近发展区?在任何一个特定的发展阶段,都有一些问题是孩子即将能够解决的,而另一些问题则超出了孩子的能力。最近发展区是指儿童不能单独解决问题,但可以在成人指导或与更强的同伴合作下成功解决问题的区域。

对维果斯基理论的两个批评或者说它的局限是什么?维果斯基可能过分强调了社会互动在认知发展中的作用,但孩子们自己会搞清楚很多事情。另外,由于维果斯基去世得过早,他无法进一步阐述自己的想法。从那以后,他的学生和其他人开始从事这项工作。

皮亚杰和维果斯基的理论对教师的启示

亨特描述的"匹配问题"是什么?"匹配问题"是学生们既不能对过于简单的工作

感到厌烦,也不能因为教他们不懂的东西而掉队。亨特认为,为了促进成长,必须谨慎平衡那些"失衡"。设置一些学生意想不到的结果的情况可以帮助创造一个适当的不平衡水平。

什么是主动学习?为什么皮亚杰的认知发展理论与主动学习相一致?皮亚杰的基本观点是个体构建自己的理解,学习是一个建设性的过程。在认知发展的每一个层面上,学生必须能够将信息融入自己的图式中。要做到这一点,他们必须以某种方式对信息采取行动。这种积极的体验,即使在最初的学校阶段,也应该包括对物体的物理操纵和对思想的心理操纵。一般来说,学生应该行动、操作、观察,然后谈论和(或)写下他们的经历。具体的经验为思考提供了原材料,和其他人的交流会让学生使用和检测自己的思维策略,甚至有时会改变他们的思维策略。

什么是辅助学习?支架起什么作用?辅助学习,或课堂上的引导参与,需要搭建支架,即理解学生的需求,在适当的时间提供适当数量的信息、提示、提醒和鼓励,然后逐渐允许学生们自己做越来越多的事情。教师可以通过调整材料或问题以适应学生的当前水平、展示技能或思维过程、引导学生完成复杂问题的步骤、完成部分问题、提供详细的反馈并允许修改、提出问题以重新聚焦学生的注意力等方式帮助学生学习。

关键术语

Accommodation	顺应
Adaptation	适应
Adolescent egocentrism	青少年自我中心
Assimilation	同化
Assisted learning	辅助学习
Classification	分类
Coactions	相互作用
Co-constructed process	共同建构过程
Cognitive development	认知发展
Collective monologue	集体独白
Compensation	补偿性

Computerized axial tomography（CAT）	计算机轴向断层扫描
Concrete operations	具体运算
Conservation	守恒性
Cultural tools	文化工具
Decentering	去中心化
Development	发展
Disequilibrium	失衡
Egocentric	自我中心
Electroencephalograph（EEG）	脑电图
Equilibration	平衡
Event-related potential（ERP）	事件相关电位
Executive functioning	执行功能
Formal operations	形式运算
Functional magnetic resonance imaging（fMRI）	功能性磁共振成像
Glial cells	胶质细胞
Goal-directed actions	目的性行为
Hypothetico-deductive reasoning	假设—演绎推理
Identity	身份同一性/身份认同/同一性
Lateralization	偏侧性
Maturation	成熟
Myelination	髓鞘化
Near-infrared optical tomography（NIR-OT）	近红外光层析成像
Neo-Piagetian theories	新皮亚杰理论
Neurogenesis	神经形成
Neurons	神经元
Object permanence	客体永久性
Operations	运算
Organization	组织
Personal development	个性发展
Physical development	生理发展

Plasticity	可塑性
Positron emission tomography（PET）	正电子发射计算机断层显像
Preoperational	前运算
Private speech	自我言语
Reversibility	可逆性
Reversible thinking	逆向思维
Scaffolding	脚手架/支架
Schemes	图式
Semiotic function	符号功能
Sensitive periods	敏感期
Sensorimotor	感觉运动
Seriation	排序
Social development	社会性发展
Sociocultural theory	社会文化理论
Synapses	突触
Synaptic plasticity	突触可塑性
Zone of proximal development（ZPD）	最近发展区

教师案例簿

象征（符号）和钹——他们会做什么？

下面是几位专家老师说他们将如何帮助学生理解抽象概念。

LINDA GLISSON AND SUE MIDDLETON 五年级团队教师

St. James Episcopal Day School, Baton Rouge, LA

开始上课时,我会让学生们使用字典定义单词符号(词根符号)来发现它的意思是"表示或代表其他事物的东西"。然后我会给他们一个简短的"贯穿整个课程"练习,让他们每天都对符号和象征主义进行思考。下面是例子。社会研究与美国历史:美国国旗只是一块布。那么,我们为什么要对它背诵誓言呢?当游行队伍经过时要立正站好吗?它代表什么?英语、文学—寓言和童话:狼通常代表什么?狮子吗?羔羊?艺术:什么颜色代表灿烂的夏日?邪恶?善良和纯洁?我将继续下去,比如数学符号、科学符号和音乐符号,并引导学生写出其他的例子,比如代表节日的符号。然后我会告诉他们我所记录的他们自己的象征的例子。学生对练习的参与和热情程度表现出他们是否准备好了材料。

DR. NANCY SHEEHAN – MELZACK 艺术与音乐教师

Snug Harbor Community School, Quincy, MA

即使是非常小的孩子也能识别符号,符号一旦出现,解释也就会随即出现。每当我在杆子上画一个八边形时,孩子总会给我一个"停车标志"的答案。儿童识别符号,但需要教师带领他们从具体的知识深入更抽象的概念,日常生活中有很多可以画的符号。一年级的孩子都能辨认出交通标志的形状和字母、数字,进一步可以认识到它们代表的方向、声音、数量。当孩子们谈论这些非常常见的符号时,他们也能意识到大家都用它们来表达相同的意思。

VALERIE A. CHILCOAT 五/六年级高级学业教师

Glenmount School, Baltimore, MD

象征主义的具体例子必须来自学生自己的世界。路牌,特别是那些有图片而没有文字的,就是一个很好的例子。然而,这些具体的象征与诗歌中的象征并不完全相同。联系必须从具体到抽象,愚蠢的诗歌是一种方法。诗歌可提高学生读和听的积极性,可以提供许多一个东西作为另一个东西的例子。这种策略也可以用于低年级学生,让他们简单地接触含有象征意义的诗歌。

KAREN BOYARSKY 五年级教师

Walter C. Black Elementary School, Hightstown, NJ

你可以通过解读学生的反应来了解他们的想法。知道如何理解学生的反应和你可能使用的其他评估工具一样重要。在这种情况下,很明显学生们对象征的概念感到困惑。这甚至是一个对许多五年级学生来说都难以理解的概念,应该慢慢来。解决这个问题的一种方法是给学生展示一些熟悉的符号的图片,比如麦当劳的金色拱门、耐克的商标或者塔吉特的商标,学生可以尝试解释这些符号的含义。接下来将讨论制造商为什么选择使用符号而不是文字。另一种方法是让学生解释比喻。例如,"苏就像花一样漂亮。"老师会引导学生看到作者用一朵花来象征苏的长相。

第三章　自我、社会性和道德发展

概览

教师案例簿

刻薄的女孩——你会做什么?

你曾经遇到过这样的情况,但是今年在你所教的中学班级中这种情况似乎尤为恶劣。一群受欢迎的女孩让以前的几个朋友过得很痛苦,因为她们现在受到排挤。这群被抛弃的朋友犯了不合群的"罪",只是因为穿错了衣服,或长得不够漂亮,或不再对男孩感兴趣。受欢迎女孩为了保持她们与其他人的地位差别,到处散播旧友们的八卦流言,经常公开几个月以前这群"圈外"女孩和"圈内"女孩是闺蜜时曾透露的秘密。今天,你发现其中一位被排挤的女生斯蒂芬妮写了一封很长的、揭露心声的邮件给她曾经最好的朋友艾莉森,质问艾莉森为何要如此卑鄙刻薄。而目前正受欢迎的艾莉森将这封邮件转发给了整个学校,斯蒂芬妮受到了羞辱。这事儿发生后斯蒂芬妮已经有三天没来学校了。

批判性思维

• 你将如何回应这些女孩中的每一位?

• 如果你想对其他学生交谈,你想说些什么?

• 你是否有办法解决班级里由这种情况引发的问题?

• 回顾你的学校时光,你的经历更像艾莉森还是更像斯蒂芬妮?

概述与目标

学校涉及的不仅仅是认知能力的发展。当你回想自己在学校的时光时,是什么占据了你的回忆? 是划了线的学业知识,还是有关感情、友谊和恐惧的记忆? 在本章中,我们将分析后者,其中包括个性、社会性和道德情感的发展。

我们将从影响其他所有方面发展的基本因素——学生发育时的生理变化开始。然后我们将探讨尤里·布朗芬布伦纳(Urie Bronfenbrenner)的生物生态学理论,并将其作为一个框架,以研究影响儿童个性和社会性发展的三个主要因素:家庭、同伴和教师。现在的家庭已经发生了许多转变,这些变化影响到教师的角色。接着,我们探究如何通过自我概念和包括种族—民族认同在内的同一性来理解自身。埃里克森(Erikson)的心理社会理论为观察这些发展提供了一个视角。最后,我们将探讨道德发展。哪些因素决定了我们对道德的看法? 教师可以通过哪些措施来培养诚实和合作等个性品质? 为什么学生会在学业上作弊,教师可以做些什么?

当完成这章的学习时,你应该能够:

目标3.1 描述童年和青少年身体发育的一般趋势、群体差异和挑战。

目标3.2 讨论布朗芬布伦纳的生物生态学理论模式的组成部分是如何影响发展的,特别是对家庭、教养方式、同伴和教师的影响。

目标3.3 描述身份同一性和自我概念发展的一般趋势和群体差异。

目标3.4 解释科尔伯格(Kohlberg)、吉利根(Gilligan)、努奇(Nucci)和海特(Haidt)等学者的道德发展理论,并讨论教师应如何应对学生作弊的道德挑战。

生理发育

本章是关于个性和社会性发展,但是我们从个体和家庭最基本的关注点——生理发育开始。

设身处地想一想:你多高? 当你达到那个高度时,你的年级是多少? 你曾经是初中或高中最高或最矮的学生之一吗? 还是平均水平? 你知道有些学生因为他们的外表被戏弄吗? 身体发育对你的自我感受来说有多重要?

生理与运动发展

对大多数孩子来说,至少在最初几年中,成长意味着长得更高大、更强壮、更协调,这些变化可能使人感到惊慌、失望、兴奋和困惑。

学前阶段。学前的孩子非常活跃。他们的大运动(gross-motor)(大肌肉)技能在早期提高得非常快。在 2 岁到 4 岁或者 5 岁时,学龄前孩子的肌肉变得更强壮,他们大脑的发展能更好地整合运动信息,平衡性提高,身体重心下降,因此他们能够做到跑、跳、爬和单腿跳。到 2 岁时,大多数孩子都会停止"蹒跚学步"。他们笨拙、阔腿的步态变得平滑而有节奏,他们开始行走自如。在 3 岁时,大多数孩子学会跑、扔、跳,但这些活动直到 4 或 5 岁才得到很好的控制。如果儿童的生理能力正常,并且有玩耍机会,大多数这样的动作都会自然发展起来。然而,那些有生理问题的孩子可能需要通过特殊训练来发展这些能力。而且因为他们总是不能判断何时停止,许多学龄前儿童需要在体力消耗后安排休息。(Berk & Meyers,2016;Thomas & Thomas,2008)

精细运动(fine-motor)技能,比如穿鞋或系纽扣,这些都需要细小动作的协调,这些技能同样在学前期间提高很快。孩子们需要使用大的画笔、粗的蜡笔、大张的画纸和松软的黏土或面团以适应他们未发育完善的技能。在这一时期,孩子们将表现出他们对左手或右手的偏好,大约90%的学生更喜欢右手从事大多数技术工作,10%左右的学生更喜欢左手,偏好左手的儿童中男孩比女孩多(RS Feldman,2004;EL Hill & Khanem,2009)。用手习惯是由遗传决定的,所以不要迫使他们改变。一些研究甚至表明,左撇子比右撇子更有可能发展高级语言和数学技能(Berk & Meyers,2016)。

小学阶段。小学阶段大多数孩子的生理发育相对稳定,他们变得高了、瘦了和更强壮了,因此他们能更好地掌握体育运动和游戏。然而,孩子间存在很大差别。某个特定的孩子长得可能比平均水平要大很多或小很多,但仍然非常健康。这个年龄阶段的孩子已意识到生理的差别,但他们说话不知变通和不够谨慎,你可能听到他们在谈论"你太小了,不能上五年级。你有什么毛病吗?"或者是"你怎么变得这么胖?"。

整个小学阶段,很多女孩可能会和班上的男孩子一样高或更高一些。11岁到14岁之间,平均水平上女孩子比同龄的男孩子更高和更重一些。这种差异使女孩子在生理活动方面占据优势,尽管有些女孩子对此感到矛盾,并因此不重视她们自己的身体能力(Woolfolk & Perry,2015)。

青少年时期。青春期(puberty)①标志着性成熟的开始。它并不是某一方面的发展,而是涉及身体几乎每一个部分的一系列变化。在小学后期生理发展中表现出的性别差异在青春期早期表现得更加明显。但这些变化需要时间。女孩进入青春期最早的可见迹象是乳头和乳房的发育,非洲裔美国女孩约9岁开始进入青春期,欧洲裔美国女孩和加拿大女孩约10岁开始。大约在同一时间,男孩的睾丸和阴囊开始变大。从平均来看,在12至13岁之间,女孩进入第一次月经期,称为月经初潮(Menarche)②,但初潮时的年龄从10岁到16岁半不等,非洲裔美国女孩的平均初潮时间比欧洲裔美国女孩和加拿大女孩早6个月。男孩的第一次射精,称为初精(Spermarche)③,在12至14岁之间。男孩们会在接下来的几年里开始长胡须,在18岁或19岁胡子差不多就长齐了,除了一些例外,有的男孩需要更长的时间才能长完胡子。青春期不太受欢迎的变化是皮肤油腻、皮肤痤疮和体臭加剧。

女孩在14至16岁之间达到最终身高,比男孩提前几年。所以在中学有一段时间,就像小学时期一样,许多女孩都比男同学高。大多数男孩持续长到19岁左右,但男孩和女孩也都会在25岁之前缓慢成长。(Thomas & Thomas,2008;Wigfield, Byrnes, & Eccles, 2006)。

早熟和晚熟。心理学家早已经对成熟早和成熟晚的青少年之间存在的学业、社会性和情感上的差异感兴趣。

对女孩来说,比同学提早成熟可能是非常不利的。在许多国家文化中,比同龄人

---

①青春期——人开始有了繁殖能力的这段生理变化时期。
②月经初潮——女孩的第一次月经。
③初精——男孩的第一次射精。

更早发育并不是一个值得"称赞"的事情(D. C. Jones,2004;Mendle & Ferrero, 2012)。在以瘦为美的社会中,至少对于欧美裔美国女孩来说,早熟伴随着情绪障碍, 如抑郁、焦虑、学业成绩差、酗酒和嗑药、意外怀孕、自杀、晚年患乳腺癌的风险增加以 及厌食。研究者发现,早熟的非洲裔美国女孩的问题较少,但对这些女孩的研究却很 有限(DeRose,Shiyko,Foster, & Brooks-Gunn,2011;Stattin,Kerr, & Skoog,2011)。

成熟时间早晚并不是影响女孩的唯一因素,社会影响也很重要。在对美洲原住民 女孩(美国)和第一民族(First Nation)①女孩(加拿大)的研究中,梅丽莎·沃尔斯和莱 斯·惠特贝克(Melissa Walls & Les Whitbeck,2011)发现早熟的女孩更容易酗酒和吸 毒,但这种关联受社会因素的影响,如早恋以及同龄人对毒品的态度。早熟会使女孩 提前进入早恋和交友的环境中,在这种环境下很难对毒品说不。晚熟的女孩可能会有 较少的问题,但是他们会担心自己有什么毛病,所以成人的保护和支持非常重要。

男性的早熟伴随着人气的增长。早熟的男孩子身体要高一些、肩膀要宽一些,这 样的体型符合传统的理想男性形象。即便如此,最近研究更多指出了男孩早熟的缺 点,而不是优势。早熟的男孩往往会有更多的违法行为,这对白人、非裔美国男孩和墨 西哥裔美国男孩来说都是如此。他们似乎面临更大的风险,如抑郁、受欺凌、厌食、早 期性行为以及酗酒、嗑药和抽烟等。(Berk & Meyers,2016;Mendle & Ferrero,2012; Westling,Andrews,Hampson, & Peterson,2008)。

较晚成熟的男孩可能会度过一段很困难的时光,因为他们比"理想"男性更小、更 不强壮。然而一些研究表明,成熟较晚的男孩在成年时倾向于更有创造性、忍耐力和 理解力,经历成熟晚的考验和焦虑可能教会男孩成为更好的问题解决者(Brooks-Gunn, 1988;Seifert & Hoffnung,1991)。"正常"的生理成熟在时间和速度上存在广泛差异,并 且早熟和晚熟都面临许多挑战,认识到这一点对所有青春期的孩子都有益。请参阅 "指南:处理班级中的生理差异"。

---

①第一民族——指作为行政单位或起行政单位作用而无官方地位但得到联邦政府正式承 认的美洲本土印第安人社区。

指南:处理班级中的生理差异

不要在学生中引起对生理差异不必要的关注。举例:

1. 避免明显地按身高安排座位,但是要尽量安排个矮的学生坐到能看到的位置和参与整个班级活动的位置。

2. 通过反映学生认知、艺术、社交或音乐能力(如字谜或绘画游戏)的游戏来平衡依赖体型和力量的运动和游戏。

3. 不要使用也不允许学生使用基于生理特点的诨名。

4. 从学前班开始,持续提供可供左撇子使用的剪刀。

帮助学生获得在生理发育差异上的客观信息。举例:

1. 提供有关成长速度方面的性别差异的科学资料。

2. 围绕早熟和晚熟差异组织阅读和讨论,确保说明每一种情况的积极和消极的方面。

3. 分析学校在性教育和对学生非正式指导方面的政策。例如,一些学校鼓励教师和那些因第一次月经而烦恼的女孩交谈,而其他一些学校期望教师送女孩去与校医交谈。

4. 从文学作品中或学生群体中,寻找那些虽不具备理想的生理特征但仍取得高成就的个体为学生提供榜样。

理解青少年对外表和异性的关注将会占用他们很多时间和精力。举例:

1. 允许学生在课程结束时留出一些时间进行社交活动。

2. 在课程相关的资料中,处理一些有关性别差异的问题。

游戏、休息与体育运动

玛丽亚·蒙台梭利(Maria Montessori)曾说过:"玩是孩子们的工作。"皮亚杰和维果斯基应该也会同意这句话。大脑随着刺激而发展,并且游戏可以为每个年龄的孩子提供一些刺激。事实上,一些神经科学家认为,游戏在儿童时期修复脑突触的重要过程中可能会有帮助(Pellis, 2006)。其他心理学家认为,游戏可以让孩子安全地探索周围的环境、尝试新的行为、解决问题和适应新的情况(Pellegrini, Dupuis, & Smith, 2007)。感觉运动阶段的婴儿通过在他们的环境中进行探索、吸吮、捶打、摇晃、投掷等来学习。前运算阶段的学龄前儿童开始玩有规则的简单游戏。他们喜欢玩过家家这类游戏,并用这种假扮的身份来创造符号、探索语言以及与他人互动。小学时期的孩子也喜欢幻想,但这种幻想游戏变得更加复杂,因为孩子们创造了人物和规则,例如,关于如何屈服于并遵守"女王"的规则。他们也开始玩更加复杂的游戏和运动,并从中学习合作、公平、谈判、输赢以及开发更复杂的语言。随着孩子进入青春期,玩耍、游戏和运动继续成为他们生理和社会发展的一部分(Woolfolk & Perry, 2015)。对于孩子的幸福以及他们的社会性和认知发展而言,游戏尤为重要(Hopkins, Dore, & Lillard, 2015;Lillard et al., 2013)。

游戏中的文化差异。正如维果斯基可能会强调的,游戏与许多其他主题一样,都存在文化差异。在一些文化中,如在美国或土耳其社区,成年人,尤其是母亲,经常和他们的孩子一起玩耍。但在东印度、印度尼西亚或玛雅等其他文化中,成年人并不被视为适合儿童的游戏伙伴,兄弟姐妹和同龄人才是教小孩子如何参加游戏活动的人(Callaghan et al., 2011;Vandermass-Peler, 2002)。在一些家庭和文化中,比起单独或一起做游戏,孩子们的时间更多花在帮忙做家务上。

各个地区有各自特色的游戏形式:阿拉斯加土著儿童讲故事,中国儿童放风筝,喀麦隆儿童捕抓老鼠(Berger, 2015)。我的孙女来自加利福尼亚州,曾经有一段时间,她是《冰雪奇缘》里的艾莎,而我不得不成为安娜。现在我们会讨论《小马宝莉》中我们最喜欢的小马,她教我成为科学家,我们一起做实验。在不同的文化群体中可以使用不同的材料和玩具——从昂贵的电子游戏到硅棒、岩石和香蕉叶。儿童使用他们文化提供的东西去玩。此外,与挪威、瑞典、新西兰和日本等其他国家的教师相比,美国和澳大利亚的教师可能不太重视儿童学习游戏的价值,"游戏教学法"可能是他们课程的一部分。(Lillemyr, SØbstad, Marder, & Flowerday, 2011;Synodi, 2010)。

运动与休息。体育活动和参加体育运动有益于学生的身体健康、幸福、领导技能、社会关系、大脑发育和学习。因为今天大多数孩子在日常生活中没有多少体力活动,所以学校在督促体育活动方面发挥着重要作用。休息和锻炼的好处有坚实的理论基础。除了改善情绪和帮助学生集中注意力外,运动还能促进大脑中的血液流动和增加神经递质(Berger,2015)。有研究者指出,亚洲国家的学生在国际阅读、科学和数学测试中的表现一直优于美国学生,他们在每日上学期间都有更频繁的休息时间。一项对11,000名小学生进行的研究发现,每天课间休息15分钟或更长时间的学生在课堂上的表现要好于几乎没有休息的学生。即使在控制了学生的性别和种族、公立或私立学校环境以及班级规模之后,情况也是如此(Barros,Silver,& Stein,2009)。不幸的是,为了有更多的时间用来准备考试,美国的体育教育时间正在削减(Ginsburg,2007;Zhu,Boiarskaia,Welk,& Meredith,2010)。对于呼吁学校开展更多体育活动有一点特别需要注意:针对运动损伤导致脑震荡的研究表明,应避免全面冲击的接触性运动,至少对12岁以下的学生来说,保护性设备至关重要(Berger,2015)。

惠及每一位学生:包容性的体育运动

大多数学校的残疾学生参加体育活动的人数有限。对于患有注意缺陷多动障碍(ADHD)的学生,间歇休息可能尤为重要。如果提供更多间歇,可能就会有更少的学生被诊断患有ADHD,特别是男孩(Pellegrini & Bohn,2005)。但这可能会改变。联邦法律规定,学校有法律义务"为残疾学生提供与同龄人一起参加课余田径和体育俱乐部的平等机会……如果他们能够参与,学校不得排除有智力、发育、身体或任何其他残疾的学生参与体育活动"(Duncan,2013)。学校不应改变加入或留在队里的标准,但是他们应该做出合理的调整,例如在失聪者的比赛中,使用视觉启动器而不是起跑枪。此外,一些残疾学生的体育运动可以添加到课外选项中,如轮椅篮球。

关注儿童身体运动的另一个原因是肥胖儿童的增加,这正是下文将要谈到的。

生理发育的挑战

生理发育是显而易见的。每个人都能看到你的高矮、胖瘦、肌肉或者协调性。随着学生进入青春期,他们感觉自己就像是"在舞台上",好像每个人都在评估他们,生理发育是被评估的一部分。因此,生理发育也会影响心理发展。(Thomas & Thomas,2008)

肥胖。如果你最近曾看到过这类新闻,你会知道在美国肥胖是一个日益严重的问题,特别是对于儿童来说。事实上,1980年至2012年间,6至11岁肥胖儿童的比例从7%增加到18%,而12至19岁青少年中肥胖比例从5%增加到21%(疾病控制中心,

2015a)。肥胖通常被定义为:与同龄、同性别和同体格的其他人比较,要重20%以上。图3.1显示了美国一些州的高中生的肥胖率。然而有一些好消息,从2004年到2012年,学龄前儿童(2至5岁)的肥胖率显著下降,从近14%降至略高于8%(Ogden,Carroll,Kit,& Flegal,2014)。肥胖的后果对儿童和青少年来说是严重的:糖尿病、骨骼和关节紧张、呼吸问题,以及成年后患心脏病和肥胖的可能性更大。肥胖对儿童与朋友一起做游戏或参与体育运动也有负面影响,因为肥胖儿童往往是被残忍戏弄的对象。像其他涉及儿童发育的因素一样,肥胖率的增加也有很多相互作用的原因,包括不良饮食、遗传因素、坐在屏幕(电话、电脑、电视和平板电脑)前面的时间增加,以及缺乏锻炼(Woolfolk & Perry,2015)。

而对于许多孩子生理发育的另一挑战不是太胖,而是太瘦。

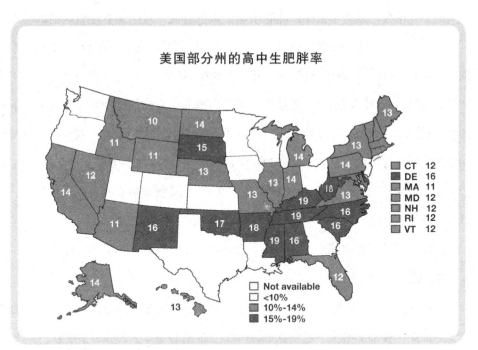

资料来源:Centers for Disease Control and Prevention. Map retrieved from http://www.cdc.gov/healthyschools/obesity/obesity-youth.htm

图3.1 美国部分州的高中生肥胖率

饮食异常。随着孩子们的成长以及身体的变化,青少年非常在意自己的身体,这本来是很正常的,但是,今天对身材和形象的强调可能使青少年更担心他们的身体是否符合网络、杂志和电影中的标准。纽约市管理者在 2013 年通过对本市 7 至 12 岁女孩进行调查的项目承认这一普遍问题（Hartocollis，2013；nyc. gov/html/girls/）。美国妇女健康办公室赞助的另一个项目"女性健康"（GirlsHealth. gov）为女孩提供有关身体形象、营养、人际关系和健身的帮助，他们的座右铭是"健康、快乐、做自己，这就是美丽。"

过度关注身体形象可能会造成饮食失调，如暴饮暴食（binge eating）①（例如吃下整加仑的冰激凌和整个蛋糕）、贪食症（bulimia）②（暴饮暴食后清洗肠胃、禁食或过度运动）和神经性厌食症（anorexia nervosa）③（自饿症）。饮食失调是青春期第三常见的慢性疾病，如果不及时治疗，则死亡率极高。

暴饮暴食并不仅仅是过度饮食这么简单，它有更为严重的问题，因为暴饮暴食伴随着身体和心理问题。美国约有 5% 至 6% 的人患有暴食症（American Psychiatric Association，2013b；Golden et al. ，2015）。贪食症是一种与之相关的异常，患者在暴食后，为了避免增肥，迫使自己呕吐，或者服用泻药，以排除多余的热量。患有贪食症的学生很难被发现，因为他们倾向于维持正常的体重，但是他们的消化系统受到了永久性损伤。美国约有 2% 的人患有贪食症（Downs & Blow，2013）。

约 1% 的美国人口患有厌食症。厌食是一种相较于贪食症来说更危险的异常情况，因为厌食者拒绝吃东西或几乎不吃东西。在这个过程中他们的体重会减轻 20% 到 25%，一些人（大约 5%）逐渐使自己饥饿而死（American Psychiatric Association，2013b）。事实上，50 年的研究证实，厌食症的死亡率高于其他任何心理障碍，五分之一的厌食症死亡是由于自杀。厌食的学生脸色苍白、指甲硬脆、毛发细而发暗。他们很容易觉得冷，因为身体中脂肪很少而无法使身体保温。他们常常感到沮丧、不安全、不快和孤独。女孩可能会停经。（Arcelus，Mitchell，Wales，& Nielsen，2011；Downs & Blow，2013；Sutamijariya，Arseniev，& Moreno，2016）.

饮食失调变得越来越普遍，有时是因为受到"支持厌食症"（pro-anorexia nervosa）

---

①暴饮暴食——不受控制地吃大量食物，例如整块蛋糕或整罐花生酱。
②贪食症——饮食失调的特点是暴饮暴食后通过呕吐或服用泻药来排除多余热量。
③神经性厌食症——极少摄食的饮食障碍。

和"支持贪食症"(pro-bulimia)社交网络、博客、推特和网站的鼓励和支持。支持贪食症和支持厌食症的运动往往是激进的,他们支持那些选择厌食症或贪食症作为"生活方式"的人(Casilli,Tubaro,& Araya,2012)。相关的数字媒体通过各种方式来支持饮食失调,如提供非常瘦的模特照片或视频、快速减肥方式、掩盖方法、激励与社会支持、虚拟社区与在线讨论,还有你对这个理解你的特殊群体的一种归属感——唯一真实之处。(Peebles 等,2012;Rodgers, Skowron, & Chabrol, 2011)。许多国家都有"支持厌食症"网站,例如 2012 年在法国就有 300 多家网站(Casilli, Pailler, & Tubaro, 2013)。2012 年,Tumblr 和 Pinterest 这两个网站决定禁止所有关于不健康减肥这类敏感内容的图像和信息等。(Casilli 等,2013)

这些学生通常需要专业帮助。不要忽略危险的信号:只有不到三分之一的饮食失调患者接受治疗(Stice & Shaw, 2004)。教师可能是帮助学生解决这些问题的一系列人员中最开始的一环。参见"指南:支持青少年的正面身体形象"。

人们当然不仅仅有身体,本章下面是关于个性和道德发展,先从将发展置于环境之中的理论分析框架开始。

指南:支持青少年的正面身体形象

倾听青少年谈论他们的健康。举例:

1.如果他们提到想要减肥,抓住机会谈论健康的体重、身体形象以及文化对年轻人的影响。

2.如果他们提到了他们或者他们的朋友正在尝试节食,为他们提供有关迷信、错误信息和与时尚节食相关的危险的营养健康信息。

3.一般来说,要注意:青少年可能会做一个简短的评论,这可以作为一个很好的切入点来进行一场有价值的关于身体形象的对话。

提问。举例:

1.你是否担心自己的体重(或身材、体型)?你认为你的朋友关心他们的体重吗?你或你的朋友谈论你的体重吗?

2.你知道节食是最糟糕的减肥方法吗?你有没有节食?为什么?

3. 你知道低脂肪或零脂肪的食物不健康吗？你知道你的饮食中需要脂肪，没有它你会有各种各样的健康问题吗？

为有身体形象问题的青少年提供可用资源。举例：

1. 在互联网或图书馆中查找正确的、面向青少年的资源供其阅读。

2. 鼓励青少年与你、他们的父母、健康的专业人士、值得信赖的老师或关心他们的、知识渊博的成年人讨论这些问题。

3. 在课程的相关材料中处理其中一些问题。

有关青少年和身体形象的更多信息请参阅 epi. umn. edu/let/pubs/img/adol_ch13. pdf

资料来源：Based on Story, M., & Stang, J. (2005). Nutrition Needs of Adolescents. In J. S. M. Story (Ed.), Guidelines for Adolescent Nutritional Services (pp. 158 – 159). Minneapolis, MN: University of Minnesota.

布朗芬布伦纳：发展的社会环境

通过研究尤里·布朗芬布伦纳的成果，我们把发展中的人置于环境中。布朗芬布伦纳出生于俄罗斯莫斯科，6 岁时随家人搬到美国。1983 年布朗芬布伦纳在康奈尔大学完成了心理和音乐的双学位，1942 年在密歇根大学获得心理学博士学位。在长期的心理学职业生涯中，他曾在美国军队担任临床心理学家，并在密歇根大学和康奈尔大学担任教授。他还帮助创建了"领先"学前儿童教育计划(the Head Start early childhood Program)。

环境重要性与生物生态学模式

"学生通常不是独自学习，而是有老师携手、伙伴陪伴和家人鼓励。"(Durlak, Weissberg, Dymnicki, Taylor, & Schellinger, 2011, p. 405)。教师、家庭和同龄人都是学生环境的一部分。环境(context)①是围绕并与个人的思想、感受和行为相互作用以塑造

---

①环境——与个人的思想、感觉和行为相互作用以塑造发展和学习的内部和外部环境和情境。与事件相关的物理或情感背景。

发展和学习的总体情境。对发展中个体的环境影响既有内在的,也有外在的。例如,体内的激素水平是器官发育(包括大脑)的环境,也是青春期青少年形成自我概念的环境。但是,本书的重点是个体之外的环境。儿童在家庭中成长,是特定种族、语言、宗教和经济社区的成员,他们住在社区,去上学,是班级、团队、欢乐俱乐部甚至帮派的成员。社会和教育计划以及政府的政策会影响他们的生活,这些环境通过提供资源、支持、激励和惩罚、期望、教师、模范、工具——所有这些构成了学习和发展的基石——来影响行为、信念和知识的发展(Chiu & Chow,2015;Dodge,2011;Lerner,Theokas,& Bobek,2005)。

环境也会影响行为的解释方式。例如,如果一个陌生人接近一个7个月大的婴儿,如果所处的环境不熟悉,婴儿可能会哭,但如果陌生人在她家中,她可能不会哭。小城镇的、而不是大城市的成年人更有可能帮助陌生人(J. Kagan & Herschkowitz,2005)。假如你听到一个电话铃声,你会想这是下午3点还是凌晨3点?你是否打电话给某人并留言要求回电?手机是否响个不停?又或者是这是几天来的第一通电话?你刚坐下来吃饭吗?根据具体情况,铃声的含义和你的感受会有所不同。

尤里·布朗芬布伦纳的生物生态学模型(bioecological model)①(Bronfenbrenner,1989;Bronfenbrenner & Morris,2006)认识到我们发展中的自然和社会环境是生态系统,因为它们不断相互作用和相互影响。请看图3.2。每个人都生活在一个微系统(microsystem)内,微系统处于中间系统(mesosystem)里面,中间系统又嵌在一个外部系统(exosystem)之中,所有这些系统都是宏观系统(macrosystem)的一部分——就像俄罗斯彩绘套娃,一个套一个。此外,所有的发展都发生在某段时间里,并受到这段时间即时间系统(chronosystem)的影响。

这个微系统中包含了个体在面对面情境中所经历的活动、角色和关系。对于儿童来说,微系统可能是直系亲属、朋友或教师、游戏和学校的活动,以及他们作为家庭成

---

①生物生态学模型——布朗芬布伦纳的理论描述了塑造发展的嵌套社会和文化环境。每个人都在微系统内部,在一个系统内部,嵌入外部系统中发展,所有这些都是文化宏观系统的一部分。所有的发展都发生在时间周期中,并受时间周期的影响。

员和学生的角色。微系统中的关系是互惠的,它们是双向流动的。例如,孩子影响父母,父母影响孩子。中间系统是微系统所有元素之间的交互作用和关系——家庭成员之间互动或与教师互动。同样,所有关系都是相互的,老师会影响父母,父母会影响老师,这些互动会影响孩子。外部系统包括影响孩子的所有社会环境,即使孩子不是这个系统的直接组成部分。例如,教师与管理人员和学校董事会的关系,父母的工作,用于健康、就业、娱乐的社区资源,家庭的宗教信仰。宏观系统是更大的社会——其价值观、法律、政策、惯例和传统(P. H. Miller, 2016)。

尤里·布朗芬布伦纳的生物生态学发展模型

　　每个人都在一个微系统（家庭、朋友、学校老师等）内发展,在一个中间系统（所有微系统元素之间的相互作用）之中,再被嵌入一个外部系统（影响孩子的社会环境,即使孩子不是直接成员,如社区资源、父母的工作场所等）中, 所有这些都是宏观系统的一部分（更大的社会及其法律、习俗和价值观等）。所有的发展都发生在时间系统中,并受时间系统的影响。

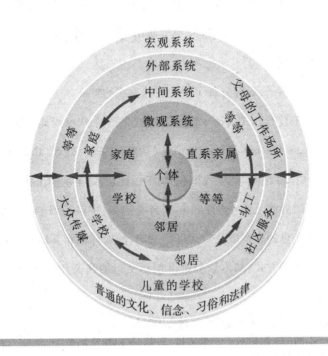

图 3.2　尤里·布朗芬布伦纳的人类发展的生物生态学模型

家庭

儿童发育的第一个环境是母亲的子宫。科学家正在更多地了解这个第一环境对婴儿的影响,如准妈妈的总体健康状况、压力水平、营养状况、运动习惯,以及是否接触风疹和寨卡等疾病,是否吸烟、酗酒或吸毒。显然,家庭的影响在出生前就开始了,但随之而来的是许多新的影响(Woolfolk & Perry,2015)。

家庭结构。在美国,自20世纪70年代以来,单亲家庭中成长的儿童比例翻了一番,从大约12%上升到超过26%。而与父母生活在一起的孩子的比例从大约85%下降到约为65%(Child Trends Databank,2015)。今天的儿童越来越多地成为混合家庭(blended families)①的一部分,在他们的生活中有同父异母或同母异父的兄弟姐妹的加入和离开。有些孩子与姨妈、祖父母、父母一方生活在一起,或在寄养家庭,或与兄长姐姐一起生活。在亚洲、拉丁美洲或非洲等一些文化中,儿童更有可能在大家庭(extended families)②中长大,祖父母、姑姑、叔叔和堂兄弟姐妹住在同一个家庭,或者至少每天都在接触。此外,多达6,000,000名美国儿童和成年人的父母是同性恋(Gates,2013)。最好的建议是,在与学生交谈时避免使用"你的父母"和"你的母亲和父亲"这些短语,而是用"你的家人"。

无论是谁在养育孩子,研究发现了一些教养方式的特征。

教养方式。关于教养方式(parenting styles)③的一个众所周知的描述是基于戴安娜·鲍姆林德(Diane Baumrind)的一项研究(1971,1996,2005,Baumrind,Larzelere,& Owens,2010)。在20世纪60年代末和70年代初期,她早期的工作重点是对来自加利福尼亚的100名学龄前儿童(主要是欧洲裔美国人,中产阶级)进行细致的纵向研究。通过对孩子和父母的观察以及对父母的采访,鲍姆林德和其他研究者基于她的研究结果确定了四种教养方式,基本划分维度包括父母的和蔼和控制程度、对孩子长大

---

①混合家庭——父母、子女和继子女通过再婚组合为家庭。

②大家庭——不同的家庭成员——祖父母、姑姑、叔伯和堂兄弟等——住在同一栋房子里或至少每天都能与孩子接触。

③教养方式——与儿童互动和管教他们的方式。

后的期望以及支持孩子独立的程度。

- 权威型的父母（Authoritative parents）（高和蔼、高控制、高期望、高自主）有明确的底线、执行规则、鼓励成熟的行为。但他们对孩子也很和蔼。他们会倾听孩子们的想法、给出设立规则的理由、原谅孩子们的错误，并允许更民主的决策。在家庭中没有严格的惩罚，而有更多的指导。父母帮助孩子思考他们行为的后果。

- 专断型的父母（Authoritarian parents）（低和蔼、高控制、高期望、低自主）看起来很冷漠，并控制着与子女的互动。他们认为孩子应该成熟并且服从父母的决定。关于情绪的讨论并不多。惩罚是严格的，但不会滥用惩罚。父母爱他们的孩子，但是他们不公开表现出来。

- 放任型的父母（Permissive parents）（高和蔼、低控制、低期望、高自主）是和蔼的，但他们对孩子没有什么原则和要求，对孩子成熟行为的期望很少，因为这类父母认为"他们还只是个孩子"。这类父母有时候被认为是"放纵的"，因为他们隐藏自己的挫败感。无论孩子们是多么不尊敬他们，他们都要听孩子们的，并做出牺牲。无论孩子们想要什么，都要买给孩子。

- 拒绝/忽视/不参与型的父母（Rejecting/Neglecting/Uninvolved parents）（低和蔼、低控制、对给孩子提期望和孩子的自主无动于衷）似乎根本不关心，也不会为控制、和孩子沟通或教导孩子而烦恼。

专制型、权威型、放任型的父母爱他们的孩子，并努力做到最好，但他们对养育的最佳方式有不同的看法。粗略来看，三种教养方式教导出来的孩子的行为和感受存在差异，至少在欧美裔美国人中产阶层家庭中，权威型父母的孩子更有可能在学校取得好的成绩，自信感较强，有良好的人际关系。专断型父母的孩子更容易感到不快乐、内疚或者沮丧，并且在青春期的时候容易叛逆。放任型或极端的忽视型父母的孩子可能很难和同龄人相处，因为他们习惯了自己的方式。最后，忽视型父母的孩子往往不成熟、忧愁、孤独，并有遭受虐待的风险。放纵和拒绝/忽视/不参与的教养方式都是有害的（Berger, 2015；Spera, 2005）。

文化与养育。在对老年人更加尊重的文化，以及更多以群体为中心而非个人主义的文化中,父母的行为可能会被误读,他们对服从的要求会被视为"专制"(Lamb & Lewis,2005;Nucci,2001)。赵茹思(Ruth Chao,2001;Chao & Tseng,2002)的研究对鲍姆林德的亚洲家庭结构提出了质疑。赵发现另一种教育方式——"教训"(赵将其译为"training")更能体现亚洲和亚裔美国家庭的教养方式。此外,将更加专制的教养方式——严格的、有目的的、具有明确规则的——和高水平的情感支持与亲情温暖相结合,有助于市中心儿童达到更高的学业成就和情感成熟度(P. W. Garner & Spears,2000;Jarrett,1995)。文化价值观的差异以及一些城市社区的危险程度,可能使父母对孩子的严密控制变得更加合理,甚至是必要的(Smetana,2000)。

对拉丁裔父母的研究也表明,鲍姆林德对于教养方式的分类不适用于拉丁裔家庭,其中一部分原因是尊重成人的权威与家庭中的冷漠亲子关系无关。相反,成人的权威和关怀同时存在(Berger,2015)。无论你的学生的家庭结构是什么,请参阅"指南:与家庭和社区形成合作伙伴关系——与家庭保持联系"。

指南:与家庭和社区形成合作伙伴关系——与家庭保持联系

1. 与家人一起共同创造家庭参与方法。提供一系列可能的参与方法。确保计划切合实际,符合学生目前的家庭生活。

2. 请记住,一些学生的家长可能在学校有负面经历或者可能会害怕、不信任学校和教师。那么需要寻找一些其他的地点来合作:在球赛之前或之后,或者在当地的教堂或者在娱乐中心。到学生家人会去的地方,不要总指望他们来学校。

3. 通过电话或笔记保持定期的家校联系。如果一个家庭没有电话,请确保有可以接收信息的联系人(亲属或朋友)。如果家长识字存在问题,请使用图片、符号和代码进行书面沟通。

4. 让所有沟通都积极一些,主要强调孩子的成长、进步和成就。

5. 与家人一起,为学生的努力和成功设计庆祝方式(电影、特殊的食物、逛公园或者图书馆、请客吃冰激凌或者比萨)。

6. 定期以文字或者图片的形式向家长报告学生的学习进度,让家长说明他们是如何鼓励孩子的,并记录下来。

7. 电话跟进,讨论孩子最近的发展、回答问题、征求家长的建议,并对家属的贡献表示感谢。

8. 确保家人在参观教室时能够宾至如归。

关于家校合作的更多信息，请参阅 http://www.hfrp.org/family-involvement

依恋。人与人之间形成的情感纽带称为依恋（attachment）①。不同文化中的儿童都与父母或看护人形成第一依恋，即使不同文化背景的人可能以不同的方式培养依恋。例如，乌干达国家的母亲抚摸婴儿，但不会亲吻他们。这和美国的文化大不相同，在脸书上流传的一张被口红印所覆盖的婴儿的照片——名为"奶奶来了"——体现了在美国亲吻婴儿的频率（Berger, 2015；R. A. Thompson & Raikes, 2003）。

这种依恋关系的质量似乎会对建立关系产生终生影响。与监护人形成所谓安全依恋（secure attachments）的孩子，在需要的时候会得到安慰，并且更有信心探索他们的世界，也许是因为他们知道他们可以依靠监护人。形成不安全—回避、抵抗或无组织的依恋（insecure-avoidant, resistant, or disorganized attachments）的儿童在与监护人互动时可能会感到恐惧、悲伤、焦虑、紧张、排斥、困惑或者生气。一些研究表明，专制型的教养方式与形成不安全的依恋有关，但正如我们前面所提到的，影响教养方式的因素有很多（Roeser, Peck, & Nasir, 2006）。

依恋的质量对教师也有影响。例如，在幼儿园，与父母/看护人形成安全依恋的儿童对教师的依赖程度较低，可以适当地与其他儿童互动。安全依恋与学业成绩、教师对其在校社交能力评价、甚至辍学率的降低都有正相关（Roeser et al. , 2006）。正如我们稍后将谈到的，研究者目前正在研究学生对教师和学校的依恋，认为这是他们生活中的积极力量。

离婚。美国是世界上离婚率最高的国家之一。一些分析者估计，20 世纪 90 年代首次婚姻的 40% 到 50% 将以离婚告终，第二次和第三次婚姻的离婚率甚至更高（P. R.

①依恋——与另一个人形成情感纽带，最初是父母或家庭其他成员。

Amato,2001；Schoen & Canudas-Romo,2006；Stanley,2015）。但是这些离婚率存在地点差异,如图3.3所示。你所在地区的离婚和再婚率是多少?

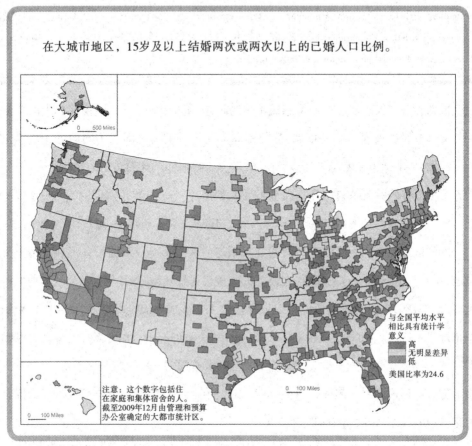

资料来源:From Lewis, J., M. & Kreider, R. M. (2015, March). Remarriage in the United States: America community Survey Reports. U.S.Census Bureau. Available at https://www.census.gov/content/dam/Census/library/publications/2015/acs/acs-30.pdf

图3.3 美国各州的离婚率与再婚率

我们很多人都能从自己家庭的经历中了解到,即使在最好的环境下,分居和离婚对所有的当事人来说也会带来压力。父母真正分开之前,要么矛盾冲突已持续了好多年,要么似乎突然发生,使所有人感到震惊,包括朋友和孩子。在离婚过程中,财产和监护权的抉择可能会使冲突加剧。离婚后,随着监护父母搬到别的地方或延长工作时间,更多的改变可能会扰乱孩子的生活。对孩子来说,这一切意味着当他们最需要支持的时候,却没有了在老邻居和学校中建立的重要友谊的支持。虽然有些离婚中没有冲突、资产充足,而且也能获得朋友和亲戚的继续支持,但离婚对任何人来说永远不会是件轻松的事情。但对于孩子来说,比起在充满冲突和不和谐的家庭中长大,这可能是一个更好的选择,"任何类型家庭的破坏性冲突都会损害父母和孩子的幸福"(Hetherington,2006,p.232)。

不管对男孩还是女孩来说,尤其是青少年(10—14 岁),父母离婚后的前两年可能都是最艰难的时期。对男孩来说可能比女孩更艰难,部分原因是母亲仍然监护孩子,这使得男孩在家里没有男性榜样(Fuller-Thomson & Dalton,2011)。儿童可能会在学校遇到很多问题——逃课、体重大幅度增加或者减少、出现睡眠困难等等。对离婚的适应是有个体差异的,一些孩子会变得责任感更强、更加成熟、处事能力更高(P. R. Amato, 2006;American Psychological Association, 2004;Arkes, 2015)。下面的指南是关于教师如何帮助离婚家庭中的学生的建议。

指南:帮助离婚家庭中的孩子

记录学生的任何行为突变,它们可能表明家庭问题的出现。举例:

1.关注学生的身体症状,如反复的头疼或胃疼、体重快速增加和减少、疲劳和精力过剩。

2.警觉学生不良情绪的信号,如喜怒无常、脾气暴躁、注意力集中困难。

3.让家长了解学生的紧张征兆。

与学生个别交谈,了解他们的态度或行为变化,从而有机会发现不寻常的压力事件,如离婚。举例:

1.做一名好的倾听者,可能没有其他成人愿意听学生讲心里话。

2.让学生了解你可以和他们交谈,让学生决定时机。

注意你的语言,确保避免形成有关"幸福"(完整)家庭的刻板印象。举例:

1.在班上讲话时,用"你的家庭",而不要说"你的母亲和父亲"

2.避免讲诸如"你爸爸会帮助你"这类话。

帮助学生保持自尊。举例:

1.对出色的工作给予认可。

2.确保学生能理解和完成作业,这个时期不是添加新任务和加大任务难度的时候。

3.学生可能对自己的父母不满,但却把火气撒向教师,不要以个人的角度来看待学生的发火。

发现学校可利用的资源。举例:

1.与学校心理学家、指导咨询者、社会工作者或校长谈论需要特别帮助的学生。

2.考虑建立一个讨论小组,由受过训练的成人主持,帮助学生度过父母离异的阶段。

注意父母双方的知情权。举例:

1.当父母双方加入监护的时候,他们都有权利了解孩子的情况和出席家长会。

2.没有监护权的家长仍然关心孩子在学校的进步,与校长一起核实本州关于非监护家长权利的法律。

注意学生在两个家庭之间移动的长期问题。举例:

1.当学生在父母一方中的家里时,书本、作业和校服可能会留在另一方的家里。

2.轮到父母中的一方来接送孩子或者开家长会时,可能会出现缺席的情况,因为通知可能并没有送达到这一方。

有关帮助孩子适应离婚的建议请参阅:http://extension. missouri. edu/p/GH6611

同伴

儿童也是在同龄人群体中发展。鲁宾(Rubin)和他的同事们将同龄人群体区分为两类:小圈子和群体(Rubin,Coplan,Chen,Buskirk,& Wojslawowicz,2005)。

小圈子。小圈子(cliques)是相对较小的、以友谊为基础的群体(通常在三到十几个成员之间);这种圈子在童年中期和青春期早期时十分常见。这种小圈子通常是一群有着共同兴趣并参加相同活动的同性和同龄人。这种小圈子通过提供稳定的社会环境来满足年轻人的情感和安全需求,在这种环境中,小组成员彼此了解,并形成亲密的友谊(B. B. Brown,2004;Henrich,Brookmeyer,Shrier,& Shahar,2006)。

设身处地想一想:回想一下高中——你是否有类似这些团体的朋友:笨蛋、受欢迎的人、智囊、体育生、派对爱好者、摇滚爱好者、吸毒者或者其他? 你们学校重要的"群体"是什么? 你的朋友是如何影响你的?

群体。群体(crowds)也是基于共同的兴趣、活动、态度和声誉的一群人,但相比于小圈子来说,没有那么亲密,组织也比较松散。虽然他们可能在不同的学校中使用不同的名字,但最常见的群体是体育生、智囊、书呆子、吸毒者、非主流、摇滚爱好者、当红者、正常人、无名小卒和独来独往者。学生并不主动加入群体,依据声誉和刻板印象,其他学生会将他们联系到或分配至某些群体 (J. L. Cook & Cook, 2014)。事实上,群体成员之间可能不会彼此互动。与群体的联系主要发生在青春期早期和中期(Rubin等, 2005)。安德烈·柯林斯(W. Andrew Collins)和劳伦斯·斯坦伯格(Laurence Steinberg)(2006, p. 1022)将群体视作从父母教育下发展个性到建立一致自我概念的过渡期,称为同一性的"驿站"或者"占位符"。

群体在青春期后期就变得不那么常见了。有趣的是,对自己身份相对更有信心的青少年往往不像那些仍在探索的人那样重视群体关系。而且到了高中,许多青少年认为与特定群体的联系会阻碍他们的自我认同和自我表现。(W. A. Collins & Steinberg, 2006)。

同伴文化。在任何年龄段,拥有一套"规则"——如何着装、说话、设计发型以及与他人互动——的学生被称为同伴文化(peer cultures)①。这种小组、群体或小圈子决定做哪些活动、听哪种音乐,或者其他学生是否能够加入等。例如,当一位颇有人气的高中生杰西卡被要求解释一下她所在群体要遵守的规则时,她马上就同意了:

第一,着装。不能在除了周五以外的任何一天穿牛仔裤;也不能每周经常扎马尾辫或穿运动鞋;周一是非常好的,你可以穿黑色裤子或者可以穿裙子;为了避免人们过了周末忘了你,你必须提醒他们你是多么可爱。第二,派对。当然,我们

①同伴文化——具有自己的规则和规范的儿童或青少年群体,尤其是关于衣着、外表、音乐、语言、社会价值观和行为。

要坐下来讨论我们要去哪些派对,因为没必要为了一个垃圾派对去打扮。(Talbot, 2002, p. 28)。

这些同伴文化要求遵守团体规则。当杰西卡所在群体的另一个女孩在周一穿了牛仔裤时,杰西卡质问她:"你为什么今天穿牛仔裤? 你忘记今天是周一了吗?"(Talbot, 2002, p. 28)。杰西卡解释说,好几次她所在的群体不得不处罚这种"反叛",不允许反叛者在午餐时与她们坐在一起。

为了研究同伴的影响力,我们分析了父母的价值观和兴趣与同伴相冲突的情景,然后研究谁的影响占主导。在对比中,同伴总是获胜。但父母和教师在道德、职业选择和宗教方面仍然具有影响力(J. R. Harris, 1998)。此外,并非同伴文化的所有方面都是坏的或残酷的。在学校还是有一些群体的规范是积极的,并能够支持学校的工作。

友谊。友谊是每个年龄段学生生活的核心。当发生吵架或争论,当流言开始传播而且大家合起来排斥某个人时(如本章开头的艾莉森和斯蒂芬妮或周一穿牛仔裤的"反叛者"),对被排斥的孩子来说结果可能是毁灭性的。除了造成"进入"或"离开"群体的直接创伤之外,同伴关系还会影响学生在学校的动机和成就(Chiu & Chow, 2015;A. Ryan, 2001)。在一项研究中,没有朋友的六年级学生学业成绩更低,社交行为更不积极,两年后比至少有一个朋友的学生有更多的情绪困扰(Wentzel, Barry, & Caldwell, 2004)。朋友的个性和友谊的质量也很关键。与具有社会能力的成熟的朋友形成有稳定和相互支持的关系将促进一个人社会性的发展,尤其在困难时期,如父母离婚或转学到新学校(W. A. Collins & Steinberg, 2006)。

但友谊的影响并不总是积极的。根据对威斯康星州和加利福尼亚州的 20,000 名高中生进行的一项为期 3 年的经典研究,斯坦伯格(1998)发现,每 5 名学生中就有 1 名说他们的朋友会取笑那些努力的人和 40% 就知道读书的人。这种投入的缺乏来自同龄人的压力,因为对许多青少年来说,"同龄人——不是父母,是他们在学校以及为了学习投入多少精力的主要决定因素"。

人气。人气是什么意思? 我们可以通过观察学生或者使用家长或老师的评分来回答这个问题。但评估人气最常见的方法是向学生问两个问题:这个孩子受到他人的喜欢吗? 这个孩子是什么样的? 根据这些问题的答案,我们可以区分四类儿童(见表3.1)

表3.1　人气需要什么?

有人气的儿童
有人气的亲社会儿童:这些儿童在学业和社交方面都很有能力。他们在学校表现良好,可以与同龄人轻松交流。当他们与其他孩子合不来时,他们会做出适当的反应并制定有效的解决策略 　　有人气的反社会儿童:这个儿童群体通常包括具有攻击性的男孩。他们可能是运动员,其他孩子往往认为他们欺负其他孩子并且无视成人权威的方式"很酷"
被排斥的儿童
被排斥的攻击型儿童:高冲突率和多动/冲动性是这类孩子行为的典型特征。这些孩子的换位思考和自我控制能力差。他们经常误解别人的意图,责备他人,并对别人的愤怒或受伤采取攻击行为 　　被排斥的孤僻型儿童:这些孩子胆小且孤僻,往往是恶霸的目标。他们不适应社交,并且为了避免被嘲笑或攻击,他们选择不进行社交
有争议的儿童
顾名思义,有争议的儿童兼具积极和消极的社会性特征。因此他们的社会地位可能会随着时间而改变。在某些情况下,他们会产生敌意和破坏性。在其他情况下又能积极地参与亲社会活动。这些孩子有朋友,并且通常对他们的同伴关系感到满意
被忽视的儿童
也许令人惊讶的是,大多数被忽视的孩子都有很好的适应能力,并且他们的社交能力也不低于其他孩子。同龄人认为他们不参与社交是因为害羞,但是他们并不觉得自己的生活很孤独或者不快乐。显然他们没有经历过孤僻型儿童产生的极端社交焦虑和警惕

资料来源:Woolfolk, A. & Perry, N. E. (2015). Child and Adolescent Development (2nd Ed.). Reprinted by permission of Pearson Education.

正如你在表3.1中所看到的,被评为有人气(高分)的儿童可能会以积极或消极的方式行事。被评为被排斥的儿童由于他们的攻击性、不成熟、无技巧的社交行为以及逃避而得到了较低的评分。被评为有争议的儿童由于他们的积极和消极社会行为而得到了不同的评价。最后,被忽视的儿童几乎是不可见的——因为他们的同伴根本就没有提到他们,但是没有一致的证据表明被忽视的儿童会感到焦虑或者内向孤僻。(Rubin 等,2015)。

排斥的原因和后果。儿童和青少年总是不能容忍差异。大约5%到10%的儿童是排斥、欺凌和其他问题的受害者(Boivin et al.,2013)。在本节中,我们讨论被排斥的孩子。我们将在第十三章中研究欺凌和网络欺凌的真实的危险问题。

在身体、智力、民族、种族、经济或语言方面与众不同的新同学,可能会在已形成的小圈子或群体的班级中被排斥。而那些具有攻击性、内向的、注意力不集中又过度活跃的学生更有可能被排斥。然而,课堂环境也很重要,特别是对于攻击型或内向型的学生。在总体攻击水平较高的教室中,攻击不会遭到排斥。在单独游戏和学习更常见的教室里,内向型儿童也不太会遭到排斥。因此,被排斥部分来说只是不合常态。此外,无论课堂环境如何,更具吸引力或参与亲社会行为(例如分享、合作和友好互动)都与同伴接纳相关联。

如果是遭到排斥,或是攻击行为的受害者,学生可能会出现情绪问题(如抑郁或自杀念头)、行为或身体健康问题、就读困难(Boivin et al., 2013)。被排斥的儿童参加课堂学习活动的可能性较小,因此他们的成绩受到影响;他们更有可能像青少年一样辍学,问题接连不断。帕特丽夏·麦克道格尔(Patricia McDougall)和特雷西·瓦兰库尔特(Tracy Vaillancourt)(2015)在对儿童进入成年期的17项研究的回顾中得出结论,"有证据表明,儿童期同伴欺凌与成年期不良结果之间有直接关系"(p. 304)。最有力的证据是女性和男性的大量吸烟和自杀。另外,被排斥的攻击型学生随着年龄的增长更容易犯罪(Buhs,Ladd,& Herald,2006)。教师应该关注每个学生与群体的相处情况,关注是否有被排斥者。细心的成人干预通常可以纠正这些问题,特别是在小学和初中阶段,我们将在下面看到(Pearl,Leung,Acker,Farmer,& Rodkin,2007)。

有时排斥会变成攻击。

攻击性。不应将攻击性与固执混淆,后者意味着坚持维护一种合法权利。与霸占者理论"你坐在我的椅子上了"是固执,将霸占者推出椅子则属于攻击。有几种攻击形式,最常见的是工具性攻击(instrumental aggression)①,意在获得一个物体或者一项特

---

①工具性攻击——目的在于强占物体、地点、特权,没有想要伤害别人的念头,但是可能会导致伤害的攻击行为。

权,例如抢夺椅子或其他学生的手机。目的是获得你想要的东西,而不是伤害其他学生,但是无论如何都会造成伤害。第二种是敌对的攻击(hostile aggression)①——造成故意伤害。敌对的攻击有的采取身体攻击(overt aggression)②,如威胁或身体攻击(如"我要打败你!");或关系攻击(relational aggression)③,威胁或破坏社会关系(如"我,永远不会再跟你说话了!")。男孩更有可能使用身体攻击,女孩更有可能使用关系攻击,特别是在中学以后,如开篇案例中的艾莉森(Ettekal & Ladd,2015;Ostrov & Godleski,2010)。同时使用关系攻击和公开身体攻击的学生最有可能遭受被排斥、压抑和学业失败等负面后果。但是,那些策略性地使用而不是经常使用攻击行为的学生会被群体认为很酷或者是强者(Ettekal & Ladd,2015)。

最后一种敌对的攻击行为是目前越来越令人担忧的——网络攻击(cyber aggression)④,即使用电子邮件、推特、照片墙、色拉布(snapchat)、脸书或其他社交媒体传播谣言、制造威胁,或以其他方式恐吓同龄人,正如本章开头艾莉森所做的那样。

在小学期间,常会发现有严重行为问题的儿童,通常这些问题并不是新的,它们已经存在多年(Petitclerc,Boivin,Dionne,Zoccolillo,& Tremblay,2009),所以坐等孩子们长大后就不做攻击行为是行不通的。例如,芬兰的一项研究要求教师通过学生面对"生气时伤害另一个孩子"这一陈述时给出的诸如"从不""有时"或"经常"的答案来评估学生的攻击性。教师在孩子8岁时给出的攻击性评价,可以预测到青春期早期出现学校适应问题以及成年期的长期失业问题(Kokko & Pulkkinen,2000)。在加拿大、新西兰和美国进行的一项研究中发现了类似的结果,在小学经常出现身体攻击行为的男孩(但不是女孩),在青春期处于继续暴力和非暴力形式犯罪的危险中(Broidy et al.,2003)。

很明显,帮助儿童处理攻击行为可以对他们的生活产生持久的影响。避免攻击行为留下后患的最佳方法之一是尽早介入。例如,一项研究发现,那些教师教过冲突协

---

①敌对的攻击——旨在伤害他人的莽撞的、直接的、无端的攻击行为。

②身体攻击——一种涉及身体攻击的敌对攻击行为。

③关系攻击——一种涉及口头攻击和或旨在伤害社会关系的敌对攻击行为。

④网络攻击——使用电子邮件、推特、脸书或其他社交媒体传播谣言、制造威胁,或以其他方式恐吓同龄人。

调策略的儿童并不会走上攻击和暴力的道路(Aber,Brown,& Jones,2003)。许多好斗的学生误解了他人的意图,以为在事故发生时,他们都是"故意的"。桑德拉·格雷厄姆(Sandra Graham,1996)完成了一项成功的研究,验证了帮助有攻击性的五、六年级的美国非洲裔男孩子学会更好地判断他人意图的方法。策略包括角色扮演、参加有关个人经历的小组讨论、理解照片中社会性的线索、表演哑剧游戏、制作视频,以及给未完成的故事写结尾。参加了12期训练的男孩在理解别人意图上表现出了明显进步,而且攻击性反应减少。

关系攻击。侮辱、绯闻、排斥、嘲讽都是关系攻击的形式,有时被称为社会攻击,因为这种行为的意图是伤害社会关系。在二年级或三年级之后,女孩往往比男孩更多地参与关系攻击,可能是因为当女孩意识到性别刻板印象时,她们将公开的身体攻击行为改为口头攻击。对于受害者和攻击者来说,关系攻击甚至可能比公开的身体攻击更具破坏性。经常有像本章开头案例中的斯蒂芬妮一样的受害者遭受摧残。教师和其他学生也认为关系攻击者比身体攻击者更有问题(Ostrov & Godleski,2010)。早在学前班,孩子们需要学习如何在不使用任何攻击行为的情况下协商解决社会关系问题。对青少年的访谈表明他们非常依赖学校老师和其他成年人的保护(Garbarino & deLara,2002)。我们将在第十三章《管理学习环境》中研究更具体的课堂策略,尤其是处理欺凌和网络欺凌的策略。

媒体、榜样和攻击。榜样在攻击性的表现方面扮演着重要角色(Bandura,Ross,& Ross,1963)。在美国,几乎每一个家庭中都能看得到攻击性榜样的一个真实来源——电视。2—17岁的儿童每周用来看电视的时间大约在20到24个小时,除睡觉外,多数孩子做其他任何事情的时间不及看电视的时间多。在美国,82%的电视节目有暴力画面,因此,这些画面会使得电视暴力可能产生的影响成为真实的问题。儿童节目的暴力内容比率尤其高——平均每小时32个暴力行为,其中卡通片最为严重。而且在70%以上的暴力场景中,暴力没有受到惩罚(Kirsh,2005)。儿童每小时会在电视上看到两起有关枪击的暴力事件(Common Sense Media,2013a)。观看暴力电视会增加攻击性吗?由美国外科医生组织的一个专家小组在研究媒体和暴力事件后得出了一个明确的结论:"对暴力电视、电影、电子游戏和音乐的研究提供了强有力的证据——无论在短期的还是长期的环境下,媒体暴力会增加攻击性和暴力行为的可能性"(C. A. Anderson et al. , 2003, p. 81)。

教师可以向学生强调三点,以减少电视暴力的负面影响:第一,大多数人不会表现出电视中的暴力行为;第二,电视中的暴力行为不是真的,而是通过特殊的效果和特技表演来完成的;第三,解决矛盾冲突还有更好的方法——这些方法才是现实中人们用来解决问题的途径(Huesmann et al. ,2003)。同时,避免用看电视作为奖励或惩罚的手段,因为那会使电视更加吸引孩子。但是电视并不是唯一的暴力榜样来源。在市中心长大的学生见过枪支和毒品交易。报纸、杂志和收音机也充满了谋杀、强奸和抢劫故事。许多流行的电影也充满了暴力的画面,而且经常是由"英雄"实施暴力。那电脑游戏有没有充满暴力的画面呢?

视频游戏和攻击行为。研究者审查了130篇研究报告,它们涉及来自西方国家(如美国、澳大利亚、德国、意大利、荷兰、葡萄牙和英国)以及日本的130,000多名参与者(C. A. Anderson et al. ,2010),他们发现,玩暴力电脑游戏是增加攻击性思想、情感和行为的影响因素,同时也会使人减少同情心。文化和性别对于这些易受游戏影响的玩家来说影响非常微小,但对年幼的孩子来说要更为明显一些。其他研究者质疑暴力电脑游戏与现实世界中的实际暴力行为之间的联系(Charles,Baker,Hartman,Easton,& Kreuzberger,2013;Ferguson,2015a;Ferguson,2015b;Ferguson et al. ,2015),他们认为,大学生参与者在实验室情况下测试的暴力行为并不能预测现实世界中儿童和青少年实际采取的暴力行为。

这个问题远未解决。即便如此,教师、家长和整个社会面临的一个重要问题仍是我们应该采取哪些措施来限制儿童面临的风险。参见"指南:控制攻击性和鼓励合作"(Anderman,Cupp,& Lane,2009;T. A. Murdock & Anderman,2006)。

指南:控制攻击性和鼓励合作

教师自己成为非攻击性的榜样。举例:

1.不以暴力威胁使学生服从。

2.出现问题时,示范用非攻击的策略解决冲突。

保证为教室里的每个孩子提供足够的空间和适当的资源。举例:

1.避免过分拥挤。

2.保证奖品充足。

3.拿走鼓励攻击性行为的物品,如玩具枪。

确保学生不从攻击性行为中获利。举例:

1.安慰受害者,忽视攻击者。

2.实施合理的惩罚,尤其对于较年长的学生。

直接指导积极的社会行为。举例:

1.将社会伦理和道德的内容融入阅读和讨论中。

2.讨论反社会行为的影响,如偷窃、以强凌弱和散布谣言。

提供学习宽容和合作的机会。举例:

1.强调人与人的相似性而不是差异性。

2.建立小组项目鼓励合作。

了解学生正在玩的电脑游戏。举例:

1.自己或与孩子一起玩游戏,看看实际发生了什么。

2.与学生讨论游戏中发生的事情与现实世界中发生的事情之间的差异。

3.阅读有关游戏的评论。

请参阅:https://www.commonsensemedia.org/violence-in-the-media#

想要了解更多详情,请参阅 the National Youth Violence Prevention Resource Center: safeyouth.gov/Resources/Prevention/Pages/PreventionHome.aspx and Common Sense Media https://www.commonsensemedia.org/violence-in-the-media#

惠及每一位学生:教师支持

教师是学生每周都会接触的主要成年人,所以教师有很多机会在学生的个性和社会性发展中发挥重要作用。有时教师是帮助学生面对感情或人际问题的最好人选。

当学生的家庭生活陷入混乱和发生难以预料的事件时,他们在学校则需要富有同情心和稳定的环境,他们需要那些规范明确的教师一如既往地、坚定地、但非依靠惩罚来执行规则,需要这些教师尊重学生和真诚地关心学生。老师的喜爱与尊重可以抵消同伴排斥所带来的负面影响,那些朋友很少但未被排斥的、只是被其他学生忽略的学生,在老师的支持和喜爱下可以在学业和社交方面有良好的发展(Bishop, Ladwig, & Berryman, 2014;McCormick & O'Connor, 2015)。

作为教师,如果学生想与你谈谈个人问题,你便给他们留出方便的时间,但不是强求学生交流。我教过的一位教师送给她班上一名男生一个日记本,日记本题名为"痛苦思绪",使他能够写下有关父母离婚的感受。有时他与老师交谈日记中的事件,而其他时间他只是记录下自己的感受。这位老师十分注意尊重男孩日记中的隐私。

学业和个人关怀。当研究者要求学生描述一位"好老师"时,三种品质始终是他们描述的中心。第一,优秀的老师有积极的人际关系——关心自己的学生。第二,优秀的教师能够保持课堂的有序性和维护权威,而不是死板或"刻薄"的。最后,优秀的教师是良好的激励者——他们可以通过创造力和变革使学习变得有趣,从而使学生学到一些东西。权威的教学策略,如权威教养方式一样,似乎可以带来积极的师生关系、增强学生学习的动力(Noguera,2005;Woolfolk Hoy & Weinstein,2006)。第十二章将论述动机,第十三章将详细论述管理,所以现在我们聚焦关怀和教学方面。

研究已经证明每个年级学生与教师的积极关系的价值和重要性(Allen 等, 2013;R. I. Chapman et al. , 2013;Crosnoe et al. , 2010;Hamre & Pianta, 2001;Shechtman & Yaman, 2012)。教师表达喜欢和尊重的行为,如目光接触、放松身体姿势和微笑,与学生是否喜欢教师、对课程是否有兴趣以及成就动机有关(Woolfolk & Perry, 2015)。例如,我的一位博士毕业生研究了中学数学课程,发现学生投入学习数学的努力与他们感受到教师支持和关怀有关(Sakiz,Pape, & Woolfolk Hoy, 2008)。塔梅拉·默多克和安吉拉·米勒(Tamera Murdock & Angela Miller,2003)发现,即使考虑到父母和同龄人在动机方面的影响,八年级学生的学业动机与学生感受到老师关心他们显著相关。在高中,教师对学生需求和观点的敏感度能够推测出学生在年终标准化考试中的表现

(Allen et al. ,2013)。

学生以两种方式定义关怀。一个是学业关怀——设定高的但合理的期望,并帮助学生实现这些目标。第二个是个人关怀——耐心、尊重、幽默、愿意倾听、对学生的话题和个人问题感兴趣。对于取得更高成就的学生而言,学业关怀尤为重要,但对于处于危险中且在学校经常与他人疏远的学生而言,个人关怀至关重要(Cothran & Ennis, 2000;Woolfolk Hoy & Weinstein,2006)。事实上,在一项关于得克萨斯州一所高中的研究中,墨西哥和墨西哥裔美国学生认为教师的关怀是他们关心学校的先决条件;换句话说,在他们关心学校之前需要先得到老师的关怀(Valenzuela, 1999)。不幸的是,在同一所学校,大多数非拉丁裔教师希望在他们对学生投入关怀之前,学生能够关心学校。对于许多老师来说,关心学校意味着行为更多体现"中产阶级"方式。

学生和教师观点的鲜明对比可能会导致不信任的恶性循环:学生不予合作,直到教师开始真诚的关怀;教师不予关怀,直到学生尊重权威和合作。边缘化的学生预料会受到不公平待遇,并在感受到任何不公平时采取防御行为。教师变得强硬并且给予惩罚,学生们则认为他们的怀疑得到了证实,变得更加戒备和反叛。教师认为怀疑是合理的,并且加强控制和惩罚,如此循环往复继续下去(Woolfolk Hoy & Weinstein,2006)。

在另一项关于三到五年级儿童的研究中,皮恩塔(Pianta)和他的同事发现,有两个因素帮助数学技能较低的儿童开始缩小成绩差距。这两个因素是高水平教学(不仅仅是基本技能)和学生与老师的良好关系(Crosnoe, Morrison, Burchinal, Pianta, Keating, Friedman, & Clarke-Stewart, 2010)。给教师的建议是什么?学生既需要有适当挑战的教学,也需要教师的关怀。没有关怀的高期望对学生来说似乎是毫无希望、惩罚和"刻薄"的,没有高期望的关怀可能会让"弱势"学生感到惭愧,同时为表现不佳找借口。这两种态度都没有益处(Katz,1999)。简而言之,除了在课堂上展示和教导善意以外,关心意味着不要放弃学生(H. A. Davis,2003;Milner,2015)。

教师与受虐待的儿童

当然,关心学生的一个重要方法是保护他们的幸福并干预虐待案件。在美国,虽然很难准确地了解受虐待儿童的数量,因为许多事件未被报道,但每年仍有大约

3,000,000起虐待和忽视的案件,确认的案件有90万件。这意味着每47秒就有一名儿童被虐待或被忽视(Children's Defense Fund,2014)。当然,父母并不是唯一虐待儿童的人,兄弟姐妹、其他亲属,甚至教师都对儿童的身体虐待和性虐待负有责任。

作为教师,如果你发现可疑的虐待情况,必须报告校长、学校心理学家或社工。在美国所有50个州和准州地区,法律都要求专业人士(通常包括教师)报告可疑的虐待儿童事件。在许多州,法律对虐待的定义已经扩展到包括忽视和没有提供恰当的照顾和监护,多数法律同样保护那些忠实报告可疑的忽视行为的教师(Beezer,1985)。请确信你理解所在州或省在这个重要问题上的法律规定和你的道德责任。在美国每天至少五个孩子死于被虐待或成人的忽视,很多情况是因为无人"干涉"(Children's Defense Fund,2014)。即使是在被虐待中幸存,孩子也要付出很大代价。仅在学校,遭到身体虐待的孩子更有可能在课堂上具有攻击性,并且难以理解社会环境和识别到他人的情绪;这些孩子会被留级,并且比未受虐待的孩子更多地被转送到特殊教育服务中(Luke & Banerjee,2013;Roeser et al.,2006)。你应该将什么作为被虐待的指标?表3.2列出了受虐待儿童可能出现的征兆指标。

表3.2 儿童受虐待的征兆

下面是儿童受到虐待的一些征兆。并不是每一位出现这些征兆的孩子都受到虐待,但应该对此进行调查。要了解谁必须报告虐待儿童,请参阅 baochildwelfare. gov/topics/systemwide/laws-policies/statutes/manda/

	身体征兆	行为征兆
身体虐待	• 无法解释的伤痕(包括不同愈合阶段的伤口)、皮带扣或电线的形状、鞭痕、咬痕、穿刺痕迹、秃斑,在缺勤或周末后经常出现 • 无法解释的伤痕,尤其是烟头烧伤、熨斗形状的烫伤、绳索摔伤、浸泡式灼伤(形似袜子或手套的) • 无法解释的不同愈合阶段的骨折、划伤、裂口或擦伤 • 自称是因为笨拙或意外事故造成的伤害	• 尴尬的动作,抱怨酸痛 • 自伤 • 极端的退缩和攻击行为 • 不喜欢身体接触 • 到校早或离校晚,好像有所畏惧 • 长期逃学(青少年) • 穿衣不合体,不适应天气变化 • 经常缺勤

照管疏忽	• 放任 • 无人注意其就医需要 • 持续疲劳,缺乏能量 • 总是缺乏监护 • 总是饥饿、衣着不当、卫生不良 • 长有虱子、腹部胀大、身体瘦弱	• 总显出疲劳或倦怠,在课堂上睡觉 • 偷食物,向同学讨要 • 说在家里无人照管 • 经常缺勤或迟到,或在学校尽可能长时间停留 • 自残 • 有法律方面的麻烦
性虐待	• 走路或坐有困难 • 阴部疼痒 • 内衣被撕、弄污或有血迹 • 在外阴部有瘀青或出血 • 性病,特别是青春期前 • 频繁的泌尿系统感染 • 怀孕	• 不想去健身房、体育课 • 退缩、长期消沉 • 角色颠倒,过分关心兄弟姐妹 • 滥交,过于招摇 • 同伴交往问题、缺乏参与 • 体重大幅度变化 • 有自杀企图(尤其是青少年) • 不恰当的性游戏或过早了解性,经常手淫,玩娃娃或毛绒玩具的性玩耍 • 突然的上学困难

社会与媒体

你将教授的所有学生都是在媒体、移动和机械的世界中成长起来。今天,75%的0到8岁儿童的家里至少有一部移动设备——智能手机、iPad、iPod或笔记本电脑——有许多孩子都有自己的移动设备(Common Sense Media,2013b)。2015年,88%的13至17岁青少年可以使用手机,而75%的青少年手机是智能手机。许多人从很早开始就拥有计算机。每年青少年对技术的使用都在增加(Common Sense Media,2013b;Lenhart,2015)。图3.4显示了13到17岁的人每天使用的不同技术。

一项研究项目发现,13岁儿童为了刷新社交媒体,平均每天查看手机100次(Walsh,2015)。他们何时有时间做其他事情?这些社交媒体帖子需要立即关注。一位高中二年级学生告诉雪莉·特克(Sherry Turkle,2011),在他的朋友圈内,回消息必须尽快,不能超过10分钟。正如他所说,"发短信是压力"(p. 266)。这种压力意味着同伴甚至父母总是在线——他们要求回信息，即使学生在课堂上，也必须秘密地在桌子下面或用双手放在背包里回消息。面对每天发送和接收超过100条短信的学生，面对 Pinterest 帖子跳出时不能专注于你的课堂的学生，教学会是怎样情形？这些是你迈进教室时必须回答的问题。

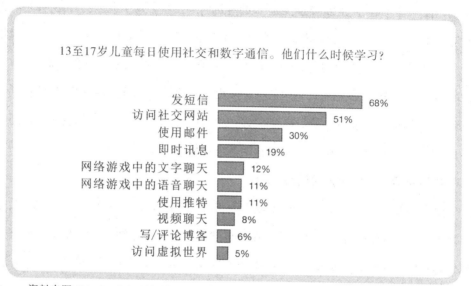

13至17岁儿童每日使用社交和数字通信。他们什么时候学习？

资料来源：Common Sense Media (2012). Social Media, Social Life: How Teens View Their Digital Lives. San Francisco: Common Sense Media, p. 9. Available at socialmediasociallife-final-061812.pdf

图3.4　技术与和朋友保持联系

身份同一性与自我概念

在本节中，我们将探讨身份同一性和自我意识的发展。你将会发现，这些方面与第二章的认知发展遵循相似的模式。孩子们对自己的了解起初是具体的，后来就变得更为抽象。有关自我和朋友的早期观念是基于直接的行为和外表之上，他们设想他人与自己有同样的感情和感觉，他们对于自己和他人的认识是简单的、分割的、教条的、不灵活的，或者不能被整合成为有组织的整体。但终有一天，他们能够抽象地思考内在过程——信念、目的、价值和动机，随着抽象思维的发展，对于自我、他人和情景的认识也呈现出更为抽象的特点（Harter，2003，2006；Woolfolk & Perry，2015）。

在本节中，你将遇到术语"身份同一性"以及一些有关自我的术语：自我概念，自尊和自我价值。这些术语之间的区别并不总是很明显,甚至心理学家也对每个术语的含义无法达成一致(Roeser 等,2006)。我们首先看身份同一性。一般而言,身份同一性是一个比自我更广泛的概念。身份同一性/身份认同/同一性(identity)①包括人们对自己的一般意识,如他们的信仰、情感、价值观、承诺和态度(Wigfield et al.,2006)。身份同一性回答的是"你是谁"的问题。你的身份同一性基于两个概念。首先,你与其他所有人不同——没有人与你相同,无论现在或将来。第二,你是同一个人,即使时过境迁——就算你改变自己的外表、信仰、知识、地点、朋友、事业——你明白这一点(Baumeister,2005)。就像第二章中的孩子使用同一性概念,知道即使把水从矮玻璃杯倒到高细玻璃杯中,水还是那么多,即使你在生活中经历了很多变化,你也知道你还是你自己。下面我们开始用埃里克森的框架考虑身份同一性。

埃里克森:心理社会发展的阶段

像皮亚杰一样,埃里克·埃里克森(Erik Erikson)最初也并不是一位心理学家,他没读大学,而是在欧洲各地旅行,最后在维也纳教书。在维也纳与西格蒙德·弗洛伊德(Sigmund Freud)的女儿安娜·弗洛伊德(Anna Freud)一起研究精神分析学说。完成学习后,他不得不逃避希特勒的威胁,他在丹麦被剥夺了公民身份,所以搬到了他的第二选择——纽约市。尽管从未上过大学,但凭借其开创性的工作,他成为哈佛大学杰出的大学教授。在他的职业生涯后期,他与第一位儿科医生本杰明·斯波克(Spock Benjamin)博士合作,斯波克的书籍引导了许多婴儿潮一代的父母,也包括我在内。(Green & Piel,2010;P. H. Miller,2016)。

埃里克森提供了一个基本的理论框架,用以解释年轻人的需要,这些需要与他们成长、学习和以后为之做贡献的社会相关联。埃里克森的心理社会(psychosocial)②理论强调自我的发展、对身份同一性的追求、个人与他人的关系以及文化在整个生命中的作用。

如同皮亚杰,埃里克森视发展为历经一系列阶段的过程,每个阶段都有它特定的

---

① 身份同一性/身份认同/同一性——对于"我是谁"这个问题的复杂答案。
② 心理社会——描述个体的情感需求与社会环境的关系。

目标、关注的焦点、取得的成就和面临的危机。如表3.3所示。埃里克森认为在每一个阶段，个体都面临着一个发展危机(developmental crisis)①。每个危机都涉及积极选择和潜在的消极选择之间的冲突。个体解决每一种危机的方式将影响未来后续危机的解决，并对其自我同一性和社会观念产生持久影响。我们将简要介绍埃里克森理论的八个阶段——或他称作的"人的八个时期"。

表3.3　埃里克森的心理社会发展的八个阶段

阶段	大体年龄	重要事件	描述
1.基本信任对基本不信任	出生至12—18个月	喂养	婴儿必须与养育者形成最初的爱和信任关系，否则就会形成不信任感
2.自主性对羞愧或怀疑	18个月至3岁	排泄训练	儿童的精力指向发展身体动作，包括行走、抓握、排便，儿童学会控制，但若处理不当，则可能产生羞愧或自我怀疑
3.主动性对内疚	3岁至6岁	独立性	儿童不断变得更自信和更主动，但过分执着于此可能导致内疚感
4.勤奋对自卑	6岁至12岁	学校	儿童必须符合学习新技能的要求，否则就可能形成自卑感、失败感和不胜任感
5.同一性对角色混乱	青少年	同伴关系	青少年必须在职业、性别角色、政治和宗教方面形成认同感
6.亲密对孤独	成年早期	恋爱	青年人必须形成亲密关系，否则就会遭受孤独
7.繁殖对停滞	中年	养育/指导子女	每个成年人必须发现满足和养育下一代的方法
8.完满感对绝望感	老年	反省和接纳自己的生活	顶峰体验是认同自我和自我实现的感受

资料来源：Lefton, Lester A., Psychology (5th Ed.). © 1994. Reprinted by permission of Pearson Education, Inc. Upper Saddle River, NJ.

---

①发展危机——一种特定的冲突，该冲突的解决为下一阶段做好准备。

学前阶段:信任、自主性与主动性。埃里克森认为"基本信任对基本不信任"是婴儿期最基本的冲突。根据埃里克森的观点,如果婴儿对于食物和照顾的需要得到有规律的满足和照料者的回应,他们将会发展起一种信任感。在出生后第一年,婴儿处于皮亚杰所说的感觉运动阶段,而且刚开始懂得将自己与周围世界区分开来,这种意识使得信任非常重要:婴儿必须信任他们无法控制的那些部分(P. H. Miller, 2016;Posada et al., 2002)。拥有一个安全的依恋(本章前面已有描述)可以帮助幼儿建立信任,并在适度的不信任时候学习——完全信任或不信任是功能失调。

埃里克森的第二个阶段,"自主性(autonomy)①对羞愧或怀疑"标志着自制和自信的开始。年幼的孩子开始承担起自己照顾自己(比如吃饭、如厕和穿衣)的重要责任。在这一阶段,父母必须小心处理把握好分寸:必须给予保护——但又不要过分保护。如果父母不强化孩子们掌握基本动作和认知技能的努力,孩子们可能开始感到羞愧,并且怀疑自己应对世界的能力。当然,如果任务太困难或者太危险的话,适度的疑虑是必要的——再次体现了把握平衡的重要性。

埃里克森指出,下一阶段"主动性(initiative)②对内疚"比自主发展了一步,主动性涉及为了积极推进活动而承担责任、进行计划和着手实施(Erickson, 1963, p. 255)。这个阶段的挑战是,既要维持行为的兴趣,又要明白并不是每一个突发奇想都能去做。这里再次强调,成人必须把握分寸,这一时期要提供监督,但不要干涉。如果不允许孩子独自做事,他们将会产生羞愧感,可能渐渐相信自己想做的事情总是"错"的。下面的"指南"提出了一些鼓励主动性和勤奋的方法。

指南:鼓励主动性和勤奋

鼓励孩子们做出选择并且付诸实践。举例:

1. 当孩子们能够选择一种活动或游戏时,给予他们自由选择的时间。

2. 尽可能避免打扰那些全神贯注做事情的孩子。

---

①自主性——独立。
②主动性——愿意开始新的活动和探索新的方向。

3. 当孩子们提议一种活动,要尝试去遵循他们的想法,或把他们的想法融入正在进行的活动中。

4. 提供肯定的选择:不要说"你现在不能吃饼干",而是问:"吃完午饭或睡完觉以后再吃饼干,好吗?"

确保每一个孩子都有体验成功的机会。举例:

1. 介绍一种新的游戏或技能时,采取小步子教学。

2. 班级中的能力水平差别很大时,避免进行竞争性的游戏。

鼓励扮演各种角色。举例:

1. 置备好孩子们喜欢的故事中的服装和道具,鼓励孩子们表演故事或为喜爱的人物编写新的冒险情节。

2. 监督孩子们的游戏,保证没有孩子独占扮演"教师"、"妈妈"、"爸爸"或其他英雄的角色。

容忍意外和失误,尤其是当孩子们正尝试独立做事的时候。举例:

1. 使用杯子和带柄及倾倒口的大水罐,这样倒水比较容易,而且不易外溢。

2. 对孩子的尝试给予称赞,即使结果并不如人意。

3. 如果出现失误,教孩子们如何清理干净、修正或重做。

4. 如果学生的行为方式一直非常不寻常或不可接受,请向学校辅导员或心理学家寻求指导。帮助儿童应对心理社会问题的最佳时机是在孩子很小的时候。

确保学生有机会确立现实的目标并为之努力。举例:

1. 先从短期的任务开始,然后再转向较长期的任务。通过任务进展检查来监控学生的进步。

2. 教学生树立合理目标。写下目标,让学生记录达成目标的过程。

给学生展示自己独立性和责任感的机会。举例:

1. 容忍诚实的失误。

2. 给学生布置任务,诸如浇灌班级植物、搜集和分发材料、管理计算机实验室、家庭作业评分、记录回收的表等等。

给那些看起来没有勇气的学生提供支持。举例:

1. 针对每个学生使用个别化的图表和契约展示其进步。

2. 保存以往的活动案例,学生由此可以看到自己的提高。

3. 对进步最大的、最乐于助人的、工作最勤奋的学生给予奖励。

小学和中学时期:勤奋对自卑。让我们接着来看下一阶段。在5到7岁之间,当大多数孩子开始上学时,认知发展迅速。儿童可以更快地处理更多信息,并且他们的记忆范围正在增加。他们正在从前运算阶段往具体运算阶段发展。随着这些内部变化的进展,孩子们每天都会在学校新的社会和物质环境中度过几个小时。他们现在必须在不熟悉的学校环境中重建埃里克森的心理社会发展阶段。他们必须学会信任新的成年人,并在这种更复杂的情况下自主行动,并以符合新规则的方式采取行动——他们已为下一阶段做好准备。

在学龄期的危机是勤奋(industry)①对自卑。他们开始明白毅力和完成工作带来的喜悦之间的关系。在现代社会中,儿童必须应对更有挑战性的学业和复杂的社会关系,一直被和其他人比较并冒着失败的风险。成功应对这些新挑战将产生越来越强的能力感。困难则会导致自卑感。由于学校倾向于反映中产阶级的价值观和规范,因此,对于经济或文化差异较大的儿童来说,向学校过渡可能特别困难。"指南:鼓励主动性和勤奋"提供了鼓励主动和勤奋的想法。

小学毕业后,在向中学过渡期间,学生们越来越关注成绩和表现,以及学业、社交和体育等各方面的竞争。当学生遇到更多的规则、必修课程和作业,他们会更加渴望做决定和独立。他们从全年与一位教师密切联系,变为全年与许多不同科目的众多教师保持更加事务性的关系。他们曾是小而熟悉的小学学校里最成熟和地位最高的学生,现在变为在一所大而人情味不足的中学里的"小娃娃"(T. B. Murdock, Hale, & Weber, 2001; Rudolph, Lambert, Clark, & Kurlakowsky, 2001)。在这种高要求的环境下,他们面临着下一个挑战——身份同一性。

青少年时期:探求同一性。随着学生进入青春期,他们正在发展抽象思维和理解

_____

①勤奋——渴望参与各种活动。

他人观点的能力。随着学生进入青春期,他们的身体正在发生更大变化。因此,随着思想和身体的发展,年轻的青少年必须面对构建身份同一性的核心问题,这个同一性将为成年提供坚实的基础。自从婴儿时,个体已经在发展自我意识,但直到青春期,他们才第一次有意识地要去回答这个迫在眉睫的问题——"我是谁"。在本阶段的冲突是"同一性对角色混乱"。同一性是指将个体动机、能力、信念和经历组成一个一致和谐的自我形象,它涉及深思熟虑的选择和决策,尤其是关于工作、价值观、意识形态、对人民和理想的奉献(P. H. Miller, 2016)。如果青少年时期没有整合好这些方面和选择,或是感到根本无法选择,他们也就面临角色混乱的威胁。

停下来想一想:你是否在职业选择上做过决定?你考虑过哪些替代方案?谁或什么事对你形成决定有影响?

詹姆斯·玛西亚(1967, 1994, 2007;Kroger & Marcia, 2013)扩展了埃里克森的同一性形成理论,她关注两个基本过程:探索和承诺。探索(exploration)①是指青少年考虑和尝试多种信仰、价值观和行为的过程。承诺(commitment)②是指个人对政治和宗教信仰的选择,例如,通常是探索各种选择后的结果。然后,玛西亚确定了四种类型或同一性状况,这些类别来自四种探索和承诺模式。

第一种是同一性获得(identity achievement)③。这意味在探索现实的可能选择之后,个体做出选择并为之不断努力。显然只有很少学生在高中毕业之前能达到这种状况。那些升入大学的学生可能需要较长时间做决定,但甚至在大学期间,还有大约80%的学生至少转过一次专业(问问我母亲,她非常确定在选择心理学之前我有五个不同的专业备选)。因此,对每一个人来说,已形成的同一性可能并不是一成不变的(Arnett, 2015;Kroger et al., 2010;Kroger & Marcia, 2013)。

---

①探索——在玛西亚的同一性状态理论中,青少年考虑和尝试其他信仰、价值观和行为的过程,以确定哪些会给他们最大的满足感。

②承诺——在玛西亚的同一性状态理论中,个人对政治和宗教信仰的选择,例如,通常是探索选择后的结果。

③同一性获得——在自由考虑各种选择后对生活选择的强烈认同感、责任感。

青少年在选择的互相争斗的过程中，经历着埃里克森所说的延迟（moratorium）①，埃里克森用延迟描述青少年时期涉及个人或职业选择的延迟。这种延迟对现在的青少年来说是很普遍的，而且可能是有益的。埃里克森认为处于复杂社会的青少年在延迟时期会有一个同一性危机，现在这一时期不再被认为是危险时期，因为对大部分人来说这种经历是渐变的探索过程，而不是带来心灵创伤的巨变（Kroger & Marcia, 2013；Wigfield, Byrnes, & Eccles, 2006）。同一性实现和延迟状态都被认为是健康的。

同一性早闭（Identity foreclosure）②是指未经过探索就已经做出承诺。描述了那些没有体验过不同的身份认同或未思考过各种选择的青少年的状况，他们只是使自己服从于他人的目标、价值和生活方式。所谓的他人通常就是他们的父母，有时是异教徒或极端主义者。这种青少年往往是呆板、偏执、教条和自我防御的。

当个人不去考虑任何选择或承诺任何行动时，就会发生同一性混乱（identity diffusion）③。他们不知道自己是谁，或不知道在有生之年如何作为。经受同一性混乱的青少年不能成功地做出选择，或者他们根本就避免认真考虑这个问题。他们可能成为无动于衷、退缩和对未来不抱希望的人，也可能公然叛逆。这些青少年经常随大流，因此，他们更有可能吸毒（Archer & Waterman, 1990；Kroger, 2000）。

身份同一性与科技。一些科技学者推测，对于今天的青少年来说，建立一个独立的同一性是很复杂的，因为他们经常与他人联系。7 到 10 岁之间，甚至更早时，父母通常会给孩子一个手机，特别要求孩子们一定要接听来自父母的电话。雪莉·特克（Sherry Turkle, 2011）称这些为收到新手机而开心的孩子为"被束缚的孩子"。但是，拥有手机所付出的代价是，这些被束缚的孩子从来没有完全独立地在社会和自然环境中成长，因为父母和朋友只需要一个拨号就能和他们一起。因此，他们丧失了单独解决问题和处理情况的机会——实现同一性和判断是否成熟的基础。我的一个朋友是大学保健中心的医生，她说，一位本科生患者对于她的问题"今天你的健康问题是什

---

① 延迟——同一性危机，由于矛盾斗争而选择推延。
② 同一性早闭——未经考虑而接受父母的生活选择。
③ 同一性混乱——无中心的，关于自己是谁和自己希望什么感到混乱。

么?"回答道"我的妈妈在电话里,她会告诉你",然后大学生将手机交给医生。不间断的联系使得获得独立的身份同一性和自主性变得复杂,更不用说医患保密了。

联系也"为尝试同一性提供了新的可能性,特别是在青春期。它提供了一种自由空间的感觉,埃里克森称之为延迟"(Turkle,2011,p. 152)。在第二人生(Second Life)、模拟人生在线(The Sims Online)、约会模拟或其他生活模拟网站上,青少年可以创造全新的身份并让多个人物"活着"。有些人甚至谈论他们的"混合式生活",这种生活混淆了他们在网上的生活和现实生活。对于一些青少年来说,边界可能是不清楚并且容易跨越的。青少年在 Facebook 上创造的是"真正的"自己吗? 或者正如一位高中生所描述的那样——它是你"塑造"出来向世界展示的身份吗? 对于今天联系密切又受到拘束的青少年,埃尔德金(1985)的假想观众(在第二章中讨论过)现在是一个真实的在线观众。后果并非都是积极的,因为另一位高中生痛苦地说:"你必须知道你所发布的一切都会被仔细阅读,这使你有必要惦记着你所做的事情以及你如何表现自己……"(Turkle,2011,p. 184)。

学校给青少年提供安全使用社会媒体、社区服务实践、现实活动、实习和辅导上的帮助,以促进他们身份同一性的形成。请参阅"指南:支持身份同一性形成"。

指南:支持身份同一性形成

为学生提供职业选择和其他成人角色的榜样。举例:

1. 指出文学作品和历史中的榜样。找出杰出的女性、少数民族领袖和对你所教学科做出鲜为人知贡献的人,按出生年月将他们排列,在他们生日那天简短地讨论他们取得的成就。

2. 邀请校外人士讲述他们选择自己专业的过程和原因,确保涵盖各类工作。

帮助学生寻找解决个人问题的资源。举例:

1. 鼓励他们与学校咨询者交谈。

2. 讨论可利用的校外服务机构。

只要孩子没有冒犯他人或干扰学习,宽容地对待少年的狂热。举例:

1. 描述早期的潮流(如霓虹灯式的发型、扑粉的假发、代表爱与和平的戴在身上的珠子)。

2. 对着装和发式不强加限制。

给学生提供关于进步的真实反馈,并为他们的进步提供支持,青少年可能需要很多再来一次的机会。举例:

1. 当学生行为不当或表现不良时,确保他们理解自己行为的后果——对自己和他人造成的影响。

2. 为学生提供标准的答案或其他学生完成的功课,使他们能将自己的工作与好的榜样相比较。

3. 永远不要把学生的作品作为反面例子。从多个渠道来创建反面例子,包括教师自己犯的错误。

4. 既然学生是在"扮演"角色,那么请将角色与学生本人区分开来。你可以批评行为,但不能批评学生。

警告学生关于创建网络虚拟身份存在的危险。举例:

1. 讨论大学和雇主如何检查申请者的 Facebook 简介。

2. 探索在网上维护个人安全的可能的办法。

毕业之后。在埃里克森理论中,成年时期的几个阶段的危机都涉及家庭亲情的状况。首先是亲密(intimacy)①对孤独的阶段。在这个意义上来说,亲密感是指希望与另一个人建立基于双方需求的深入的关系,那些没有获得充分同一性的人倾向于害怕被另一个人征服或压制,而退缩到孤独中去。繁殖(Generativity)②对停滞,繁殖意味着将关心特定个人的能力扩展到对下一代的照顾和指导以及对未来社会的关心。生产性和创造性是其基本特征。最后阶段是完满感(integrity)③对绝望感,实现完满感意味着巩固自我意识和完全接受自己的独特性和已无法改变的历史(Hearn et al. , 2012)。

埃里克森的工作帮助开启了终身发展的思考,他的理论在理解青春期和发展自我

---

①亲密感——与他人建立亲密、持久的关系。

②繁殖——关爱后代。

③完满感——自我接纳和自我实现的感受。

概念方面特别有用。但他的理论也受到了批评，因为他的描述非常笼统，而且没有办法检测他的原则。他描述了什么发生了变化，但没有解释它们如何变化的（P. H. Miller，2016）。女权主义者对他指出的同一性先于亲密感提出批评，因为他们的研究表明，对于女性来说，同一性获得与获得亲密关系相融合（Horst，2011）。而且，正如你将在下面看到的，最近的研究主要集中在埃里克森并未充分探索的同一性问题上——种族和民族认同。

种族与民族认同

早在 1903 年，杜波依斯（W. E. B. Du Bois）就非洲裔美国人的"双重意识"写了一篇文章。从本质上讲，非裔美国人和其他种族或种族群体一样，在谈到成为大文化的成员时，也意识到自己的种族或民族同一性。例如，来自少数族群的大学生必须发展双重文化同一性，既与自己的文化保持联系，也要形成大学生、化学专业的学生、艺术家或在其学习中所需的其他角色的同一性。在这个过程中，朋友和家庭成为"同一性代理人"，他们提供家庭文化的连接，并支持学生在白人主导的领域中实现他们的同一性身份（Rodgers，2016）。种族身份同一性被称为"主导身份"，在判断自我时胜过所有其他类型的身份（Charmaraman & Grossman，2010；M. Herman，2004）。

一些心理学家使用玛西亚的同一性状况来理解形成民族同一性的过程。儿童可能从未经考量的民族同一性开始，要么是因为他们根本没有探索过（同一性混乱），要么是因为他们接受了他人所鼓励的身份同一性（同一性早闭）。许多欧洲裔美国青少年属于这种未考量的类别，在民族同一性探索一段时期（同一性延迟）之后，冲突可能会得到解决（同一性获得）。

多面和灵活的民族身份。美国的民族同一性对我们所有人来说都是一个复杂的概念。对于许多西班牙语学生来说同一性是多方面的。例如，在皮尤研究中心 2012 年的一项调查中，相较于一般西班牙裔或者拉丁裔概念，51% 的西班牙裔成年人更认同其祖先的国家或地区（古巴、墨西哥、多米尼加共和国和加勒比地区等）。只有 24% 的人使用"西班牙裔"或"拉丁裔"这两个词来形容自己，21% 的人使用"美国人"作为他们的身份。在本次调查中，超过三分之二的受访者认为美国的西班牙裔美国人有许多不同的文化,其余大部分人都认为西班牙裔有着共同的文化。尽管存在这些差异,但调查中的大多数受访者认为学习英语很重要,但对后代来说保留西班牙语也很重要。其他皮尤调查(2015,López,& Gonzalez-Barrera,2016)发现,超过三分之二的受访者将其西班牙裔背景描述为其种族同一性的一个方面;许多加勒比人都认为自己的祖先是非裔拉丁人或非裔加勒比人。

其他民族和文化群体以类似的方式做出回应。移民家庭中的青少年根据情况找到新颖灵活的方式来描述他们的身份。例如,有时他们对中国人、日本人、菲律宾人、越南人或摩洛哥人的传统更加认同,但在某些情况下,他们认同他们的新国家。因此,这些学生可能正在驾驭多种文化和身份同一性(Fuligni & Tsai,2015)。也许我能提供的最好建议是试着理解许多学生将构建复杂的身份同一性,允许他们选择几种文化和语言,了解每个学生并尊重他们不断成长的身份同一性。

黑人种族同一性:结果和过程。威廉·克罗斯(William Cross,1991;Cross & Cross,2007;Cross, Grant, & Ana, 2012)设计了一个框架以专门说明非裔美国人的种族同一性和意识,即成为黑人的过程,他称之为黑化(nigrescence)①。该过程有五个阶段:

● **冲突前**:克罗斯认为,非洲裔美国人在这个阶段的态度可能从忽视种族到对种族保持中立,再到反对黑人。在这个阶段,非裔美国人可能会采用美国白人的某些信仰,包括倾向于将"白人"视为优越者,这可能会导致某种程度的自我憎恨。在前冲突阶段,人们重视其同一性的其他方面,例如宗教、职业或社会地位。

● **冲突**:这个阶段通常是由于遭遇公开、隐蔽或制度性种族主义而引发的。例如,当一个非洲裔美国人在高档商店中被跟踪,被警察殴打,或者看到有关此类攻击性的新闻报道时,那么他们就会真实地看到种族在社会中很重要的现实。非裔美国人开始适应他或她的黑色皮肤。

● **浸入/浮现**:克罗斯认为这是一种过渡——中间状态,可能会让人们渴望"成为'恰当'的黑人"(Cross,1991,p. 202)。作为遭遇歧视的回应,个体用黑人的标志充实

---

①黑化(nigrescence)——发展黑人同一性的过程。

他们的生活。例如,他们购买有关黑人经历的书籍,主要与其他非洲裔美国人交往,渴望更深入地了解他们的种族传统。

• 内化:个人与种族同一性的关系紧密地联系在一起,并确保其稳定,他们不担心朋友或外人的想法——他们对自己作为黑人的身份充满信心。

• 内化—承诺:此阶段与内化密切相关。主要区别在于一个人对黑人事务的持续兴趣和承诺。这些人将他们的生活与他们的黑人种族身份联系起来。例如,一位画家将自己的一生奉献给画黑人形象,或者研究者将自己的一生都奉献给非裔美国人教育经历的研究。

上面的黑化模式不一定适合美国的每个黑人。例如,这些阶段可能不适合第一代美国出生的非洲学生的同一性发展,也可能不适合有拉美裔和黑人传统的学生,如多米尼加裔美国人(DeWalt,2013)。对于混血儿或多种族的青少年来说,确定种族同一性可能会更加复杂。与他们一起生活的父母、邻居的装扮、外表以及受到歧视或支持的经历,都会影响这些青少年种族同一性的形成。一些心理学家认为,这些挑战有助于多种族青年发展更强大、更复杂的同一性,但其他研究者认为,挑战给已经很艰难的过程中带来了额外的负担(M. Herman,2004;Ritchey,2015)。也许结果部分取决于青少年在面对挑战时所获得的支持。

种族和民族自豪感。无论你的同一性结果是什么,对你自己的种族群体有强烈的积极情感似乎对良好的心理健康以及在学校的参与和成功都很重要(J. L. Cook & Cook,2014;Steinberg,2005)。事实上,艾米·马克(Amy Marks)和她的同事(Marks, Patton, & Coll,2011)确定,形成强烈、积极的多种族同一性的双文化青少年,比具有单一种族同一性或未发展出多种族同一性的同龄人,具有更高的自尊、更少的心理健康问题和更高的学业成就。对所有的学生来说,在家庭和团体中的种族和民族自豪感(racial and ethnic pride)[①]是形成稳定同一性和集体自尊的一部分。在一项研究中,研究者发现,家庭富有非洲裔美国人的传统的非裔美国学前儿童,比那些家庭缺乏丰富

---

①民族自豪感——对自己的种族或民族传统的积极的自我概念。

文化资源的学生有更多的事实知识和更好的解决问题能力。与不鼓励民族自豪感的父母相比,鼓励孩子为自己的传统感到骄傲的父母报告说,他们孩子的行为问题更少(Caughy,OCampo,Randolph,& Nickerson,2002)。其他研究发现,无论是非裔美国人还是白人青少年,积极的种族同一性与更高自尊、更少情感问题有关(DuBois,Burk-Braxton,Swenson,Tevendale,& Hardesty,2002)。

我们每个人都有民族传统。珍妮特·赫尔姆斯(Janet Helms,1995,2014)撰写过有关白人同一性发展的各个阶段的文章。李察·米尔纳(H. Richard Milner,2003,2015)指出了种族同一性发展和种族意识的重要性,特别是在教学方面。当大多数青少年了解自己的传统并保护它时,他们也更尊重他人的传统。因此,探索所有学生的种族和民族根源,应该能够培养个体的自豪感和对他人的接纳(Rotherham-Borus,1994)。

在接下来的部分中,我们将从对身份同一性的总体考虑转向更具体的自我概念。在教育心理学中,许多研究都集中在自我概念和自尊上。

自我概念

我们在日常交流中常常使用"自我概念"这个词,我们谈论一些人自我概念"低"或者自我概念不"强",就好像"自我概念"是汽车里的油量或是可以锻炼的肌肉,这实际上是误用了这个概念。在心理学中,自我概念(self-concept)①通常是指我们是谁的心理图景,我们尝试向自己解释自己,以此来建构一个关于自己的印象、感情和态度的图式(皮亚杰的术语),但是这种模式或图式并不是永久的、统一的或一成不变的,我们的自我知觉随着情景的改变和生活阶段的变迁而发生变化。

自我概念的结构。自我概念是多维的,如图3.5所示。结构的顶部是一般自我概念,一般自我概念在结构中也被称为整体自尊,可以被定义为个体"对自己的自我知觉,即把自己看作自信自尊并且对自己现状感到自豪和满意的有效率、有能力的个体"(Marsh,Trautwein,Luüdtke,Köller,& Baumert,2006,p. 455)。在下一个层级上是更具体的自我概念,包括学业和非学业活动中的自我概念,这些自我概念由更具体的概

---

①自我概念——一般是指个体对自身的知识和信念,包括他们的认识、感受和期望。

念组成,例如数学学习和语言学习中的自我概念、外表和人气的关系。赫伯特·马什(Herbert Marsh)及其同事在学业和非学业活动中确定了多达16种不同的自我概念,如图3.5所示。这些具体的自我概念并不高度相关。例如,尽管语言和数学科目的学习成绩始终相关,但语言和数学的自我概念没有相关性(Marsh, Xu, and Martin, 2012)。

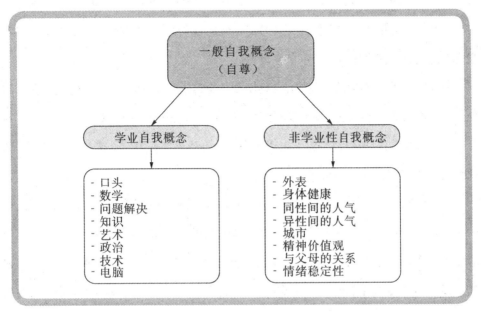

资料来源: Based on ideas from Marsh, H, W. (1990). The structure of academic self-concept: The Marsh/Shavelson Model. Journal of Educational Psychology 82, 623–636. Marsh, H. W., Xu, M., & Martin, A. J. (2012). Self-concept: A synergy of theory, method, and application. In K. R. Harris, S. Graham, & T. C. Urdan (Eds.) APA educational psychology handbook, Vol. 1: Theories, constructs, and critical issues (pp. 427–458). Washington, DC: American Psychological Association. Brunner, M., Keller, U., Dierendonck, C., Reichert, M., Ugen, S., Fischbach, A., & Martin, R. (2010). The Structure of academic self-concepts revisited: The nested Marsh/Shavelson Model. Journal of Educational Psychology, 102, 964–981.

图3.5　自我概念的结构

学业领域的自我概念既包括对能力的看法(我擅长科学),也包括对情感或态度的看法(我喜欢科学)(Arens, Yeung, Crave, & Hasselhorn, 2011)。对于青少年来说,他们的整体学业活动的自我概念(他们学习的速度有多快或他们在学校的表现如何),以及他们特定学科的自我概念(他们认为自己在数学方面有多好,他们对数学的态度),可能会影响他们的决定和动力。例如,你的教育愿望和目标(例如,决定上大学)是由你整体的学业活动的自我概念驱动的,但是你在大学选择的专业是受你的特定学科的自我概念影响的(Brunner et al. ,2010)。

自我概念是怎样形成的。自我概念是通过在不同情境中不断地自我评价而形成的。实际上,儿童和青少年总是在不断地问自己"我现在做得如何?",他们通过评价关键人物对自己的反应(言语或非言语),以做出判断。在童年早期,重要人物是父母和其他家庭成员,以后是朋友、同学、教师(Harter, 2006;Marsh, Xu, & Martin, 2012)。这些自我评价有助于形成个体在任何特定领域的自我概念,也有助于形成一般的自我概念/整体自尊,这将在后面的章节中讨论。

年幼的孩子往往有积极乐观的自我概念。他们还没有与同龄人比较,他们只是将他们目前的技能水平与他们在生命早期可以做的事情进行比较,并看到进步。在某些方面,这种信心可以保护他们免于失望并维持他们的不懈努力——这对于培养孩子来说是一件好事(Harter,2006)。

对于年龄较大的学生,与自己比、与他人比、与参照群体比都会塑造自我概念,至少在西方文化中如此。学生的数学自我概念是通过内部比较来塑造的——例如,他们的数学表现与历史表现相比如何,他们也与其他学生数学表现进行外部比较。一般来说,在普通学校中数学强的学生,比那些在高水平学校中同等能力的学生,对自己的数学能力感觉更好。马什和他的同事将此称为"池小鱼大效应"(BFLPE, Big-Fish-Little-Pond-Effect 的缩写)(Marsh, Abduljabbar, et al., 2015;Marsh, Kuyper, et al., 2014;Salchegger, 2016)。例如,马什和他的同事(2014 年)研究了荷兰 95 所学校的 651 个班级的 15,000 名九年级学生。研究者发现了强有力的证据,证明了学生的学业自我概念在很大程度上取决于他们在课堂上与其他学生的比较,而不是与其他班级或其他学校的学生进行比较。参与天才儿童培养项目的儿童似乎有"池大鱼小效应":与仍留在常规班级中的天才儿童相比,他们倾向于降低学业的自我概念,但非学业的自我概念没有变化(Marsh, Chessor, Craven, & Roche, 1995)。

在我们继续研究自我概念和成就之前,需要注意一个重要问题。自我概念的发展在每种文化中并不遵循同样的道路。大多数西方和欧洲父母希望自己的孩子培养强烈的自我意识和独立精神,但许多亚洲父母希望自己的孩子与家庭、社区和文化建立强烈的相互依赖感(Peterson,Cobas, Bush,Supple,& Wilson,2004)。并非西方社会的所有亚文化都强调同等程度的独立性。例如,许多拉丁裔儿童被教导他们的个人同一性与家庭成员的同一性不可分割和相互依存(Parke & Buriel,2006)。

自我概念与学业成就。许多心理学家认为自我概念是社会性和情感发展的基础。研究将自我概念与多方面的成就联系起来——从竞技体育中的表现到工作满意度,再到学校成就(Byrne,2002;Goetz,Cronjaeger,Frenzel,Ludtke,& Hall,2010;Marsh & O'Mara,2008 Möller & Pohlmann,2010)。关于自我概念与学业成就之间联系的一些证据表明,学业科目的表现与这些领域的特定自我概念相关,而与社会或身体的自我概念无关。例如,在一项研究中,数学自我概念与数学考试成绩呈 0.77 相关,与评级呈 0.59 相关,与课程选择呈 0.51 相关(Marsh et al.,2006;O'Mara,Marsh,Craven,& Debus,2006)。最后一项数学自我概念与课程选择的关联指出,学校中自我概念影响学习的一个重要途径是课程选择。追溯到高中,当你有机会选择课程的时候,你会选择那些让你感到无能为力的课程吗?大概不会。高中时选择的课程将把学生带往通向未来的道路。因此,关于特定学业课程的自我概念会成为改变生活的影响因素。

不幸的是,一些大学入学的平均成绩(GPA)也会影响课程选择,特别是如果学生为了保持平均成绩,而不选择他们觉得自己不太行的学科,例如数学、科学、世界语言或者其他挑战性的课程。当然,我们从第一章知道,相关性不是原因。更高的自我概念可能会鼓励更高的成就,但高成就可能也会导致更高的自我概念,因此原因可能是双向的(Marsh,Xu,& Martin,2012)。

学业能力自我概念的性别差异

女孩和男孩的自我概念有所不同吗?一项研究跟踪了 761 名中产阶级学生,主要是从一年级到高中的欧洲裔美国学生(Jacobs,Lanza,Osgood,Eccles,& Wigfield,2002)。获取纵向数据很困难,所以这是一项很有价值的研究。一年级女孩和男孩对自己的语言艺术能力有相似的看法,但男孩在数学和体育方面感觉更有能力;高中时,男生和女生的数学能力大致相同。在体育方面,男孩和女孩的能力评级都有所下降,但是在整个 12 年中,男孩在体育能力方面明显比女孩更有信心。

其他研究还发现,女孩在阅读和亲密友谊方面往往认为自己比男孩更有能力,男生对数学和田径运动更有信心。当然,这些自信的一些差异可能反映了成就的实际差异。例如,女孩的阅读往往比男孩更好。正如我们所看到的,许多自我信念与成就相互关联——一个影响另一个(Eccles, Wigfield, & Schiefele, 1998; Marsh, Xu, & Martin, 2012)。对于大多数种族群体(非洲裔美国人除外),男孩在数学和科学的能力上比女孩更自信。不幸的是,没有其他民族的长期研究,所以这些模式可能仅限于欧洲裔美国人。

因为特定科目中的自我概念会影响课程选择,教师必须注意他们的学生会不会因为不自信而避开某些课程和科目。如果学生避开通往这些道路的课程,那么后来这些职业道路可能会关闭。因为自我概念和成就可能相互影响,所以关注自我概念和成绩提高两个方面是有意义的:

> 总之,在短期内改善自我概念的最佳方法,是将干预措施直接集中在自我概念提升上,以及当其与成就提升相结合,并伴以适当反馈和表扬,这可能对于达成既提高自我概念又促进成就提升的目标是有效的(Marsh, et al., 2006, p.198)。

自尊

停下来想一想:你对以下陈述在多大程度上同意或不同意?

总的来说,我对自己很满意。

我觉得我有很多好的品质。

我希望自己能够更加尊重自己。

有时,我认为我一点都不好。

我当然觉得自己很无用。

我对自己持积极态度。

这些问题来自一套被广泛采用的自尊量表(Hagborg, 1993; Rosenberg, 1979)。

整体自尊在自我概念等级模型的顶端,是对自我价值的总体判断,包括对自己作为一个人感到自豪或感到羞耻。因此,自尊(self-esteem)①是自我概念的评价维度。如

①自尊——基于自己的特征、能力和行为评价自己的地位和处境。

果人们积极地判断自己——如果他们"喜欢他们所看到的自己"——我们就说他们有很高的自尊(Schunk et al. ,2014)。你能在"停下来想一想"问题中看到自我价值的判断吗？这些问题非常笼统,没有针对学业或外表等特定领域。你周围的文化是否重视你独特的性格和能力会影响自尊(Bandura,1997;Schunk et al. ,2014)。大约130年前,威廉·詹姆斯(William James,1890)认为,自尊取决于我们在完成任务或达到我们重视的目标方面有多成功。如果某个技能或成就不重要,那么该领域的无能就不会威胁到自尊。

学校是否会影响自尊:学校是否重要？从"观点与争论"可以看出,学校在学生自尊中的作用一直备受争议。

观点与争论:学校应该做什么来鼓励学生的自尊?

提高学生自尊的尝试主要有三种形式:个性发展活动,如敏感性训练;自尊项目,即课程直接聚焦于改善自尊;改革学校的结构,使其更加强调合作、学生参与、社区参与和民族自豪感。这些努力有价值吗？

观点: 鼓励自尊运动存在很大问题。

有些人指责学校制定项目的主要目标是"无论实际成效如何,都要大声赞美"(Slater, 2002, p. 45)。弗兰克·帕贾瑞斯和戴尔·申克(Frank Pajares & Dale Schunk, 2002)指出了另一个问题:"孩子们从小就被告诉,没有什么比他们的感受或者他们应该自信重要。人们大可放心,因为世界迟早会教导他们要谦卑,尽管这也许不容易学习。自我意识的迷恋会导致抑郁症和其他精神疾病惊人地增加。"(p.16)此外,敏感性训练和自尊课程假设我们可以通过改变个人的信念来鼓励自尊,使年轻人更加努力地克服困难。但是,如果学生的环境真的不安全,他们真的处于弱势且得不到支持呢？有些人能够克服巨大的问题,但是期望每个人都能做到就会变成"谴责那些无法克服的受害者"——因为你自尊很低,所以你的问题是你自己的错(Beane, 1991)。

更糟糕的是,现在一些心理学家认为低自尊不是问题,高自尊反而可能是。例如,自尊心强的人更愿意对他人施加痛苦和惩罚(Baumeister, Campbell, Krueger, & Vohs, 2003;Slater,2002)。此外,研究一致表明,提高自尊与学校成绩没有影响(Baumeister,

2005)。例如,在一项针对青少年的大型研究中,整体自尊与所测量的 9 项学业成就中的任何一项均无关(Marsh et al.,2006)。当人们将自尊视为主要目标时,他们可能会以长期来看有害的方式追求这一目标,他们可能会避免建设性的批评或挑战性的任务(Crocker & Park,2004)。心理学家劳伦·斯莱特(Lauren Slater,2002)在她的文章《自尊心的麻烦》中提议,我们要重新思考自尊,诚实地自我评价,以发展自制。她建议,"也许自我控制应该取代自尊作为首要目标"。

对立的观点: 鼓励自尊运动是有希望的。

除了自尊心运动某些方面的"感觉良好的心理学"之外,还有一个基本事实:自尊是所有人的基本权利,当自尊心增强时,我们通常会感到更快乐,而自尊心的降低会使我们感到不快乐。更高的自尊与增加主动性、更好应对压力和创伤以及保持稳定情绪的能力相关(Baumeister,2005)。我们应该尊重自己,社会和学校都不应该破坏这种尊重。记住前面提到的女孩调查项目,它提醒年轻女孩,她们的价值和自尊应该基于她们的性格、能力和特点——而不是外表。如果我们将自尊视为我们思考和行动的产物——我们的价值观、理想和信仰以及我们与他人的互动——那么我们就会看到学校的重要作用。允许真实参与、合作、解决问题的实践应该取代损害自尊的政策,例如根据学生能力的竞争性的分级制。

埃里克·埃里克森(1980)多年前警告说:"儿童不能被空洞的赞美和屈尊俯就的鼓励愚弄。他们可能不得不接受对他们自尊的虚伪支持,而不是更好的东西。"埃里克森解释说,强烈和积极的自我意识只来自"对真正成就的真挚的、持续的认可,也就是在个体所处的文化中有意义的成就"。

小心"非此即彼"。教师的反馈、实践评分、评估以及关心学生的沟通可以改变学生对特定科目的能力的感受。但是,当学生在他们重视的领域——包括那些在青春期变得非常重要的社会领域——变得更有能力时,自尊可以获得最大的提高。因此,教师面临的最大挑战是帮助学生获得重要的理解和技能(Osborne & Jones,2011)。另一种挑战可能是将焦点从自尊转变为更具体的自我概念,因为特定领域的自我概念与学习有关,如数学自我概念与数学学习有关(Marsh et al.,2015)。

理解他人与道德发展

当我们寻求自己的身份同一性并形成自我印象时,我们也在学习是非。道德发展的一个方面是理解其他人,我们如何学习解释别人的想法和感情呢?

心理理论和意图

2 岁或 3 岁时,孩子们开始发展一种心理理论(theory of mind)①,理解其他人也是人,也有自己的见解、思想、情感、信仰、欲望和感知(Berger,2015;Carlson, Koenig, & Harms,2013;SA Miller,2009)。儿童需要一种心理理论来理解其他人的行为。莎拉为什么哭? 她是因为没有人会和她一起玩才难过吗? 孩子们也需要一种心理理论来理解理想可能与现实不同、与人们的观点不同。他们需要一种心理理论来设计合理的谎言,他们必须了解其他人可能相信的东西。正如你将在第四章中看到的,自闭症的一个解释是,患有这种疾病的儿童缺乏心理理论来帮助他们理解自己或他人的情绪和行为。

2 岁左右,孩子们会发展出一种对意图的感知,至少感受到他们自己的意图。他们会说:"我想要花生酱三明治。"随着孩子发展出一种心理理论,他们也能理解其他人有他们自己的意图。再大一些时,与伙伴相处很好的学龄前儿童可以将有意和无意的行为分开,并做出相应的反应。例如,当另一个孩子不小心碰到他们的玩具塔时,他们不会生气。但是有攻击性的孩子在评估意图方面有更多问题,他们很可能会攻击任何碰翻玩具塔的人,即使对方是无意的(Dodge & Pettit,2003)。随着孩子的成熟,他们更能够评估和考虑他人的意图。

随着心理理论的发展,儿童越来越能够理解其他人有不同的感受和经历,因此可能会有不同的观点和想法。这种观点采择能力(perspective-taking ability)②随着时间的推移而发展,直到成年后变得相当复杂。能够理解他人的思考和感受对于促进合作和

---

①心理理论——理解其他人也是人,他们也开始有自己的见解、思想、情感、信仰、欲望和感知。

②观点采择能力——理解别人有不同的感受和经历。

道德发展、减少偏见、解决冲突以及鼓励积极的社会行为至关重要(Gehlbach,2004)。如果孩子虐待同伴并且这种虐待并不是由于更深层次的情感或行为障碍的话,教师在理解他人的观点方面进行一些训练("你觉得如果……怎么样?""你为什么会觉得夏瑞丝……?")可能会对这些学生有所帮助(Woolfolk & Perry,2015)。

道德发展

随着心理理论和对意图理解的提高,孩子们也在发展一种正确与错误的感知。以前,关于道德发展的理论和研究都集中于儿童的道德推理(moral reasoning)[①],即他们对于正确与错误的思考。最近,一些基于社会和进化心理学与神经科学的新洞见表明道德比思考更重要(Haidt,2013;Messina & Surprenant,2015),正如你将在本节后面看到的那样。首先,让我们看看最著名的基于推理的道德发展理论——科尔伯格的理论。

科尔伯格的道德发展理论。多年来,劳伦斯·科尔伯格(Lawrence Kohlberg,1963,1975,1981)的道德发展理论在心理学和教育学中占据了主导地位,其理论部分是以皮亚杰的思想为基础。

设身处地想一想:一个男人的妻子快要死了。现在有一种药可以救她,但是这种药很昂贵,而发明该药的药剂师却不愿意以这个男人能够承受的较低价格卖给他。最后,这个男人感到非常绝望,他准备为妻子去偷药。他该怎么做? 为什么?

科尔伯格分析评价儿童和成人的道德推理水平的方法是,呈现道德两难问题(moral dilemmas)[②],或假设的情境,如"设身处地想一想"中的情景,人们必须做出困难的决定并给出他们的理由。

根据他们的理由,科尔伯格提出了一个道德推理或者判断是非的六个详细发展阶段:

水平1　前习俗水平:道德判断只是基于个人的需要和感知。

阶段1:服从倾向——服从的原则是避免惩罚和坏结果。

阶段2:报酬和交换倾向——个人的需要和想法决定错或对。"如果我想要,就是对的。"

---

①道德推理——判断对错的思维过程。
②道德两难问题——很难做出明确和绝对正确抉择的问题情境。

水平2　习俗水平:考虑社会和法律的期望。

阶段3:好人/关系倾向——好就意味着为善和取悦他人。

阶段4:法律和秩序倾向——必须服从法律和权威,必须维护社会秩序。

水平3　后习俗(原则)水平:道德判断建立在抽象的、更个人化的伦理的原则之上,它们不必然由社会法律明确界定。

阶段5:社会契约倾向——决定好坏是根据社会认可的标准——"确保最大多数人的最大幸福"。

阶段6:普遍的伦理道德原则倾向——无论法律如何,无论其他人说什么,个人都应该维护人类尊严和社会正义的普遍原则。

道德推理与认知和情感发展有关。抽象思维在道德发展的较高阶段变得更加重要,因为儿童的抉择从依据绝对规则转向了依据抽象原则,如公正和仁慈。理解别人观点、判断行为意图以及运用形式运算思维设想法律和规则的不同价值基础的能力,都将融入较高阶段的道德判断。

对科尔伯格理论的批评。首先,因为在现实中这些阶段似乎不是独立、依次出现和一致的。人们经常做出同时反映几个不同阶段的道德选择推理,或者一个人在某个场合下的选择可能符合一个阶段,而在其他情境下的决定可能反映了另一个阶段。因此,道德推理通常是基于情境,而不是基于特定层面的推理——原因在事后得出。对科尔伯格阶段理论最激烈的一项批评是,道德推理阶段是偏向西方和男性的强调个人主义的价值观。依据性别来看科尔伯格的道德发展阶段是有偏差的,它们没有呈现出女性道德推理发展的过程,因为阶段理论只是基于对男性的纵向研究(Gilligan, 1982; Gilligan & Attanucci, 1988; Messina & Surprenant, 2015)。

卡罗尔·吉利根(Carol Gilligan,1982)已经提出了一个不同的道德发展系列——"关爱伦理"。吉利根认为个体是从关注自我利益发展,到对特定个体和特定关系负责的道德推理,然后发展到道德的最高水平,即基于对所有人负责和关心的原则。对113项研究结果的元分析发现,男女之间的道德推理水平差异很小(Jaffee & Hyde, 2000)。男性和女性都需要关爱和公平去推理人际困境和社会困境。看来,道德推理受困境背景和内容的影响要大于推理者的性别。

关爱学生和帮助学生学会关爱,已经成为很多教育家关注的主题。例如,内尔·诺丁斯(Nel Nodding,1995)强烈呼吁把"关爱的主题"用到课程的编制中。可能的主题包括"关爱自我"、"关爱家庭和朋友"和"关爱陌生人和世界"。例如,"关爱陌生人和世界"可用于有关犯罪、战争、贫穷、宽容、生态和科学技术的这些单元。美国发生的大规模破坏性龙卷风和飓风,或中东内战造成成千上万的无家可归者或难民之后发生的事件可以作为这些单元的起点。

对科尔伯格理论的另一项批评是,他将道德判断与社会习俗混为一谈,同时也忽略了下面描述的个人选择。

道德判断、社会习俗和个人选择

停下来想一想:

1. 如果没有法律限制,可以弄瞎某人吗?

2. 如果没有规则限制,可以在课堂上嚼口香糖吗?

3. 谁应该决定你最喜欢的蔬菜或发型?

我们可能都会认为导致某人失明是错误的,打破课堂规则是错误的,为其他人决定食物偏好或发型也是错误的,但是每个例子是不同类型的错误。第一个问题是关于本质上不道德的行为,这个问题的答案涉及正义、公平、人权和人类幸福等概念,即使是年幼的孩子也知道伤害他人或偷窃是不行的——无论法律怎么规定。但是有些规则,如问题2中不允许在课堂上嚼口香糖,是社会习俗(social conventions)①——商定在特定情况下的规则和做事方式。当课堂规则(习俗)不允许时,学生(多数情况下)不会嚼口香糖。嚼口香糖本身并不是不道德的,只是在课堂上嚼就违反了规则。例如,一些课堂——比如大学课堂——采用不同的规则也能顺利进行。不喜欢利马豆(lima bean)或者作为一个男性留长头发这些都不是不道德(我希望不是这样),这些是个人选择,是个人偏好和私人问题。

---

①社会习俗——商定在特定情况下的规则和做事的方式。

拉里·努奇(Larry Nucci)(2001,2009；Lagattuta, Nucci, & Bosacki, 2010)提供了道德发展的解释,涵盖了全部三个主要范畴或领域:道德判断、社会习俗和个人选择。儿童的思维和推理在所有范畴都有所发展,但每个范畴的发展速度可能并不相同。甚至道德和传统习俗领域中判断的认知(神经学)过程也不同(Lahat, Helwig, & Zelazo, 2013)。大约4岁时,世界各地的儿童在道德和习俗问题上可以做出相当明确的区分(Nucci, 2009)。对于教师来说,最常见的"对与错"情境就包含道德和传统习俗范畴。

道德问题与社会习俗。在道德范畴,两个基本问题是正义和福利/同情(Nucci, 2009)。课堂上最早的一些道德问题涉及划分和分享资源或分配公正(distributive justice)①(Damon, 1994)。对于幼儿(5至6岁),公平分配是基于平等。因此,老师经常听到,"科晓恩比我得到的更多,这不公平!"在接下来的几年里,孩子们开始意识到有些人应该根据优点获得更多,例如他们更努力工作或表现得更好。在8岁左右,儿童能把需要考虑进去,并可以基于善良来推理;他们可以理解,有些学生可能会从老师那里获得更多时间或资源,因为这些学生有特殊需求。因此,儿童在道德问题的推理中经历了以下阶段:

- 感受到正义意味着所有人享有平等待遇;

- 对公平和特殊需要的理解;

- 怀着对社会关系的关怀感,对公平与平等进行更抽象的整合;

- 作为成年人,意识到道德包含善良和公平,道德原则独立于任何特定群体的规则。(Nucci, 2001, 2009)。

在传统习俗范畴,最初儿童相信规则是简单存在的。如果你与年幼的孩子相处一段时间,便会知道有一个阶段,在这个阶段中你对他们讲"不允许边看电视边吃东西!"是可以奏效的。皮亚杰(1965)称其为道德现实主义(moral realism)②的阶段。在这个阶段,五六岁的孩子相信行为规则和做游戏的规则是绝对的、不能改变的。如果规则

---

①分配公正——关于如何在群体成员之间公平分配物质或特权的信念;遵循从平等、公正到善良的一系列发展过程。

②道德现实主义——儿童视规则为绝对的道德发展阶段。

被打破,孩子们相信惩罚的程度将取决于破坏的程度,而不是依据孩子们的意图或其他条件。因此,不小心打碎三个杯子比故意打碎一个杯子更糟糕,而且在孩子们的眼里,打碎三个杯子的惩罚应该更重一些。

随着与他人的相互交往,孩子们发展了理解他人观点的能力,明白了不同人有不同的规则,他们逐渐转向合作道德(morality of cooperation)①。孩子们开始逐渐理解规则是人们制定的,并且人们能够改变它们。当规则被打破时,要考虑造成的损失和触犯者的动机两个方面。

随着他们的成熟,孩子们理解即使规则是独断的,它们也是为了维持秩序,并且是由负责人制定规则。然后,进入青春期时,他们从认为习俗是社会制度运作的适当方式转变到只把习俗看成是社会的一系列标准,它们之所以成立是因为它们被广泛应用并且很少受到挑战。最后,成年人意识到虽然习俗在协调社会生活方面很有用,但也是可以改变的。因此,与年幼孩子相比,年龄较大的青少年和成年人通常更能接受那些对习俗和传统有不同看法的人。

对教师的意义。拉里·努奇(2009)在其著作《"好"远远不够》(Nice Is Not Enough)中描述了许多特定的 K-12 课程,这些课程将学业内容与道德判断、社会习俗和个人选择三个范畴的发展整合起来。表3.4 中显示了代数课程提供的一个示例。

努奇还提供了一些在课堂上营造道德气氛的建议。首先,重要的是以公平和一致地遵循规则的方式来建立一个相互尊重和温暖的环境,没有这种环境,你营造道德气氛的所有努力都将受阻。其次,教师对学生的反应应该符合行为范畴——道德或习俗。例如,以下是对道德问题的一些反应(Nucci,2001,p.146):

1. 当一种行为本身就是伤害或不公正时,强调对他人造成的伤害:"约翰,这真的伤害了贾马尔。"

2. 鼓励观点采择:"克里斯,如果有人偷走了你的东西,你会有什么感受?"

相比之下,这里有两个对规则或习俗问题的回应:

①合作道德——儿童认识到规则是由人制定的并且人们可以改变规则的道德发展阶段。

3. 重申规则:"丽莎,你不能在公告期间离开座位。"

4. 命令:"豪伊,别说脏话!"

在所有四个案例中,教师的反应适合该范畴。只需将反应 1 或 2 切换为 3 或 4 的反应,就是不合适的反应了。例如,"丽莎,如果其他人在公告期间离开座位你会有什么感受?"丽莎可能感觉很好。再比如,你说:"约翰,你违反了规则。"这种对违背道德的反应是软弱无力的,因为它不仅仅违反规则,更伤害了别人,而且还是错误的。

在第三个范畴——个人——儿童必须厘清哪些决定和行为是他们的个人选择而哪些不是,这个过程是发展与个人权利、公平和民主相关的道德观念的基础。在这里,不同文化可能对个人选择、隐私以及个体在更大社会中的角色有着截然不同的理解。

表 3.4　一堂鼓励做出道德判断的代数课

提供这个场景让学生成对讨论:

四个孩子(约翰、马克、莎莉和玛丽)都是邻居,他们决定合作发传单赚钱。约翰和玛丽都是 15 岁,在上高中,而马克和莎莉都是 12 岁的七年级学生。在他们的第一周结束时,他们赚了 48 美元。但现在他们遇到了问题,他们没有提前决定如何分配他们赚来的钱。

A. 莎莉认为,最公平的方法是平均分配资金。

B. 玛丽认为莎莉是懒惰的,只发了玛丽一半多一点的传单,所以莎莉应该得到玛丽和其他孩子的一半。

C. 马克认为他和约翰比玛丽和莎莉都强,她们是女孩,并且他们总共比女孩多完成了 25%。因此,男孩每人的钱应该比每个女孩多 25%。

D. 约翰同意莎莉很懒并且分发的传单少于玛丽。他还认为,即使玛丽没有男孩那么强壮,她仍做得很努力。然而,他还认为,年龄较大的孩子(他和玛丽)应该比年幼的孩子多 25%,因为年龄较大的孩子比年轻孩子的开支更多。因此,在他看来,他和玛丽应该得到相同数量,比马克多 25%,但莎莉应该得到马克的一半,因为她很懒。

分配:

1. 请创建代数方程式来表达每种解决方案,以便选出分配 48 美元的最佳方式。

2. 选择你和你的合作伙伴认为最公平的解决方案并提供书面答复。

3. 解释为什么你认为这是最公平的解决方案,并提供为什么其他解决方案不公平的论据。

资料来源:Nucci, L. (2009). Nice Is Not Enough: Facilitating Moral Development (pp. 156 –157). Upper Saddle River, NJ: Pearson.

推理之外：海特道德心理学的社会直觉主义模型

在日常生活中,道德选择不仅仅涉及推理,情绪、本能、竞争目标、关系和现实考虑因素都会影响选择。乔纳森·海特(Jonathan Haidt,2012,2013)认为,科尔伯格过分强调了道德的认知推理。海特的社会直觉主义模型(Social Intuitionist Model)是基于社会和进化心理学以及神经科学的研究。有三个关键原则:

1. 直觉先行,推理随后。道德推理发生在自动情绪反应(称之为直觉)推动我们走向正确或错误的道德判断之后。我们本能地对情境或困境感受到同情—厌恶、喜欢—不喜欢、吸引—反感等等。然后当我们准备面对他人维护自己的选择时,我们给出理由说明为什么我们的反应是正确的,因此推理扮演着维护我们在团队中地位和获得尊重的社会作用。正如我们将在本文中多次看到的那样,目前关于基于神经科学的认知决策的观点包括双过程模型,其中一个系统快速自动,且受到情绪的强烈影响,另一个系统更慢,更具分析性,并且能反省。这些双重处理系统适用于所有人类决策和选择——包括道德判断。

2. 道德不仅仅是公平和伤害。大多数道德推理理论都建立在正义(公平/欺骗)和幸福(关爱/伤害)的道德价值观之上。海特认为,只关注这些价值观反映了 WEIRD 道德框架——西方、受过教育、工业化、富有和民主,(Western,educated,industrialized, rich and democratic)。在 WEIRD 文化中,正义和人类福利是道德的核心。但海特研究中的参与者来自世界各地,研究已经确定了其他四个重要的道德价值观或道德基础:

• 忠诚/背叛是为集体利益而自我牺牲、爱国主义以及诸如"不让一个海军陆战队队员掉队"等思想的基础。

• 权威/颠覆是领导和追随行为的基础——尊重合法权威。

• 神圣/堕落是努力过上更高尚、更纯洁的生活并避免污染的基础。神圣性决定哪些对象或想法是令人崇敬的、哪些是令人反感的。

• 道德基础的另一个候选是自由/压迫,是怨恨和对统治抵制的基础,例如对恶霸和独裁者的仇恨。

这些道德基础存在于所有文化中,因为它们在人类的群体生活中和寻求生存的过程中进化了数千年。然而,文化可能用不同的方式来规定这些道德基础。例如,印度许多人认为牛是神圣的,对于美国的许多人来说国旗是神圣的。因此,许多印度人对伤害牛感到厌恶,许多美国人在看到美国国旗被烧毁时感到厌恶。有关道德基础的描述,请参阅 moralfoundations. org。

3. 道德束缚和盲目。当一个群体中的个体拥有相同的信仰、英雄、领袖、有关正确和错误的信念时——简言之,当他们拥有相同的道德信念时——那么这个群体就会连在一起。他们彼此忠诚——"我为人人,人人为我",他们尊重领导者和彼此。但是,连在一起(因此更有可能存活下来)时,他们对其他似乎"错误"群体的道德信念等视而不见。

社会直觉主义模式很新,所以很少应用到教育领域。该模型的优势在于它符合神经科学、社会心理学和社会生物学的见解。该模型提醒我们,道德不仅仅是推理,我们对正确与错误有直接的本能反应,然后我们才通过推理去证明我们的选择是正确的。为我们的选择辩护保证了我们在群体中的地位,这帮助人类生存了千百年。道德教育可能需要承认道德基础不仅仅只是正义和福利,并且要理解不同文化和群体制定道德信仰的方式。当前的社交情绪学习方法强调感受以及价值和关系(Shechtman & Yaman,2012)。此外,教师和家长不是直接传授或教导道德推理,而是通过让孩子体验和理解低劣的并且有害的选择所带来的自然的、逻辑的后果来支持道德发展(Messina & Surprenant, 2015)——我们将在第十三章讨论。

道德行为与欺骗行为举例

道德行为的三个重要影响因素是榜样、内化和自我概念。首先,那些经常看到有同情心的、慷慨的成年榜样的孩子们,更倾向于关心别人的权利和情感(Eisenberg & Fabes,1998;Woolfolk & Perry,2015)。大多数道德行为理论提出假设,年幼儿童的道德行为首先是通过直接指导、监督、奖励惩罚和矫正来控制的。渐渐地,儿童内化(internalize)①了那些指导他们的权威人物提出的道德规则和原则,就是说,儿童将外

---

①内化——儿童采用外界标准作为自己的标准的转化过程。

界标准作为了自己的标准。当告诫孩子时,如果给予他们可以理解的理由,尤其突出他们的行为对他人的影响,那么他们更可能内化道德规则,学会即使在无人监督的情况下也能做出道德的行为举止(Hoffman,2000)。

最后,我们必须将道德信仰和价值观融入我们对自己的整体意识中,即自我概念之中。

> 一个人在行为上的道德倾向在很大程度上取决于道德信念和价值观在个性以及一个人的自我意识中的整合程度。因此,我们的道德信念对我们生活的影响取决于我们个人对它们的重视——我们自己必须认同并尊重它们是我们的一部分。(Arnold,2000,p. 372)

谁在作弊。大约 75% 至 98% 的大学生报告说他们在高中作弊。事实上,过去 30 年来学生作弊率一直在上升,这可能是增加的压力和高风险测试的后果(Anderman,2015;T. A. Murdock & Anderman,2006)。

在作弊问题上,存在某些个体差异。多数针对年龄较大学生和大学生的研究发现,男性比女性更可能作弊,低学业成就的学生要比高学业成就的学生更容易作弊,那些关注成绩表现目标(获得好分数,看起来聪明)而不是学习本身,自我效能感较低(认为他们在学校做得不好)且冲动的学生容易作弊。最后,责任心较强、较亲和的学生不太可能作弊(Giluk & Postlethwaite,2015)。

但作弊并不只与个体差异有关——特定情境也起作用。在一项研究中,当学生从强调竞争和成绩的数学课程转向强调理解和掌握的课程时,作弊率下降(Anderman & Midgley,2004)。当学生认为老师可以信任时,他们不太可能作弊。如果学生相信老师是一个可靠的学习渠道,他们更有可能重视所教的内容,且因此想要真正学习它(Anderman,Cupp,& Lane,2009)。此外,学生在落后、"为了考试临时突击"、认为他们的老师不关心他们时,也特别容易作弊。例如,艾丽卡有这样的观点:

我是一名高中荣誉学生,我认为存在不同程度的作弊行为。我是一名勤奋的学生,但是当我的历史老师明天要用50个问题"轰炸"我时,或者当我有游泳练习、教堂礼拜、健美操和其他家庭作业时,或者当老师给了我一个要填写的工作表时,我就打算抄我朋友的!……因为我只在需要时才这样做,所以这不是习惯。当他们处于紧急关头时,每个孩子都会这样做(L. A. Jensen, Arnett, Feldman, & Cauffman, 2002, p. 210)

塔梅拉·默多克和埃里克·安德尔曼(Tamera Murdock & Eric Anderman, 2006)提出了一个模型,用于整合我们对作弊的了解。他们认为学生在决定作弊时会提三个问题:我的目的是什么? 我可以这样做吗? 代价是多少? 请参阅表3.5,它提供了一些可能与是否决定作弊的相关问题的答案以及一些支持不作弊的示例策略。

表3.5　什么时候学生会作弊?

塔梅拉·默多克和埃里克·安德尔曼根据三个问题的答案建立了学业作弊模型。

问题	不太可能作弊:回答举例	很有可能作弊:回答举例	老师能做什么? 策略举例
我的目标是什么	我们的目标是学习、变得更聪明,并且做到最好 这是我的目标	目标是看起来很好、比其他人好 目标是强加给我的	沟通课程的重点是学习——每个人都可以变得更好
我可以这样做吗	我可以用合理的努力去做	我怀疑自己是否有能力做到这一点	通过帮助他们采取小但成功的步骤来培养学生的自信心 指出学生过去的成就
代价是多少	如果我作弊,我会被抓住并受到惩罚 如果我作弊,我会觉得我道德上犯错并感到羞耻	如果我作弊,我可能不会被抓住和受到惩罚 每个人都这样做,所以这不是错的 压力太大了——我不能考试失败。我不得不作弊	让错误成为学习的机会 给予修改机会,消除作业压力 避免高风险测试和任务 私下告知成绩 监控以防止作弊,并进行合理的处罚

资料来源:Adapted from Murdock and Anderman (2006).

处理作弊。给予教师的建议很明确。要避免作弊,尽量避免把学生置于高压力的环境。确保他们对考试、活动和作业有充分准备,让他们不用作弊就能理所当然地做得很好。关注学习本身而不是分数。当学生需要时,给予额外帮助。明确你对作弊的态度,并且不断强化。在考试过程中认真监督,帮助学生抗拒诱惑。

给教师的建议:个性/社会性发展

埃里克森和布朗芬布伦纳都强调个人受到社会和文化环境的影响。例如,以下是一些重要的观点:

1.父母离婚的学生可以从权威型的教师那里获益,这些老师既热情又有明确的要求。

2.对于所有学生来说,自我概念随着时间的推移越来越不同——他们可能在一个学科中感到能胜任,但在其他学科中却没有;或者作为朋友或家庭成员非常有能力,但对学校的工作不能胜任。

3.对于所有学生来说,建立一个有意义的身份同一性是一项挑战,这种同一性将他们关于职业、宗教、种族、性别角色和与社会联系的抉择整合在一起,教师能够支持这一探索。

4.被同龄人拒绝会对所有学生造成伤害。许多学生需要在发展社交技能、更准确地理解他人的意图、解决冲突和应对攻击方面得到指导。教师能够提供指导。

5.在高压下学习、承受不合理负荷、被抓到作弊的机会很小等情况下,很多学生会作弊,教师和学校需要避免这些情况。

总结

生理发育

描述学前、小学和中学的儿童身体发育的变化。在学前阶段,儿童的大运动和精细运动技能迅速发展。在整个小学阶段,身体发育仍在继续,女孩的体型往往超过男孩。伴随着青春期的到来,还有青少年为应对所有相关变化的情绪挣扎。

男孩和女孩早熟和晚熟的后果有哪些？ 女性比男性早熟约2年。早熟男孩更有可能享有很高的社会地位，他们往往很受欢迎，成为领导者。但他们也倾向于犯下更多违法行为——这对白人、非洲裔美国人和墨西哥裔美国男孩来说都是如此。早熟通常对女孩不利。

休息和身体活动在发展中的作用是什么？ 不同文化的游戏形式各不相同，但游戏能够促进大脑发展、语言和社会发展。儿童能在游戏中缓解紧张、学会解决问题、适应新情况、合作及谈判。肥胖儿童的增加与缺乏运动、观看电视以及玩电脑游戏和网络游戏等所花费的时间增加有关。现今存在的其他危险包括接触性运动中的脑震荡风险。

饮食失调有哪些迹象？ 厌食的学生脸色苍白、指甲硬脆、毛发细而发暗。他们很容易觉得冷，因为身体中脂肪很少而无法使身体保温。他们常常感到沮丧、不安全、不快和孤独。女孩可能会停经。

布朗芬布伦纳：发展的社会环境

描述布朗芬布伦纳的生物生态学发展模型。 布朗芬布伦纳的模型考虑了个体内部的生物学方面以及塑造发展的社会和文化环境。每个人都在微系统（直接关系和活动）内发展，微系统在中间系统（微系统之间的关系）之中，它们都嵌入外部系统（更大的社会环境，如社区），所有这些都是宏观系统（文化）的一部分。此外，所有的发展都发生在一段时间内——受到时间系统影响。

影响学生的家庭因素有哪些？ 学生可能经历过不同的教养方式，这些方式会影响他们的社会适应。至少在欧洲裔美国人的中产阶级家庭中，权威型父母的孩子更有可能对自己感到满意并且与他人很好地相处，专制型父母的孩子更容易感到内疚或抑郁，放任型父母的孩子可能与同伴互动比较困难。但是文化对教养方式也有影响，不同的文化有不同的育儿方式。研究表明，高控制教养风格下长大的亚裔和非裔美国学生的成绩更好。尽管不同文化中的父母可能以不同的方式培养依恋，但每种文化中的儿童都会形成依恋。这些依恋关系的质量对于其形成终生关系具有重要意义。

离婚如何影响学生？ 在离婚期间，由于财产和监护权的纠纷，冲突可能会增加。离婚后，可能会出现监护方不得不搬到较便宜的房子、第一次去上班、或者长时间工作等情况。对孩子来说,这一切意味着当他们最需要支持的时候,却没有了重要的支持,例如只有父母一方陪伴并且与自己在一起的时间比以前更少,或者在父母再婚时需要适应新的家庭结构时。

为什么同伴关系很重要? 同伴关系在健康的个性和社会性发展中发挥着重要作用。有力的证据表明,在童年有亲密朋友的成年人具有较高的自尊,更能维持亲密的关系。在童年被排斥的成年人往往会有更多问题,例如辍学或犯罪。

什么是同伴文化? 学生群体制定了自己的外表和社交行为规范。团体忠诚可能导致一些学生被排斥,让他们感到不安和不快乐。

攻击的不同类型有哪些? 同伴攻击可以是工具性的(意在获得某个东西或特权),或者是敌对的(意在造成伤害)。敌对的攻击既可以是外显的威胁或是身体攻击,或者是涉及威胁或破坏社会关系的关系攻击。男孩更有可能使用外显攻击,女孩更有可能使用关系攻击。今天,许多社交媒体应用程序和网站为关系攻击提供了途径。

随处存在的媒体如何影响攻击和同理心? 世界和媒体提供了许多负面的行为模式。随着时间的推移,儿童将引导他们的权威人物的道德规则和原则内化。如果给孩子一些理由,特别是强调行为对他人影响的理由,那么当他们被纠正时,他们能够表示理解,并且更有可能将道德原则内化。一些学校已经采取了一些计划来提高学生关心他人的能力。

教师的学业关怀和个人关怀如何影响学生? 学生重视教师的关怀。关怀可以表达为对学业学习的支持和对个人问题的关注。对于成绩较好且社会地位较高的学生而言,学业关怀可能很重要,但对于与学校疏远的学生而言,个人关怀可能至关重要。

虐待儿童的迹象有哪些? 虐待或忽视的迹象包括不明原因的瘀伤、烧伤、咬伤或其他损伤;疲劳;压抑;经常缺席;卫生条件差;不合适的衣服;与同龄人的矛盾等等。教师必须报告疑似虐待儿童的案例,并帮助学生应对其他风险。

身份同一性与自我概念

埃里克森的心理社会发展阶段是什么? 埃里克森强调社会与个人的关系,因此他的观点是一种关于发展的心理社会观点——即将个体发展(心理的)和社会环境(社会的)联系在一起的理论。埃里克森认为,从婴儿到老年,人要经历八个生命阶段,每一个阶段都涉及一个核心的危机。每一个危机的充分解决将带来个性和社会能力的提高,以及为解决未来危机奠定比较稳固的基础。在前两个阶段中,婴儿必须形成信任感,克服不信任感;形成自主感,克服羞愧和怀疑。在儿童早期,第三个阶段的焦点是主动性的发展和避免内疚感。在小学时期,第四个阶段涉及获得勤奋感和避免自卑感。第五个阶段是同一性对角色混乱,青少年不断努力去巩固他们的身份同一性。根据玛西娅所说,这些努力可能导致同一性获得、排斥、混乱或者延迟。埃里克森成人的三阶段涉及争取获得亲密感、繁殖感和完满感。

描述种族和民族同一性的形成。种族和少数民族学生面临着生活在两个世界中如何形成同一性的挑战——他们同时面对自己所属的少数族群的和大文化圈的价值观、信仰和行为。对同一性发展的大多数解释描述了从不了解少数群体和大众文化之间的差异,到能够以不同的方式来调节差异,最后到文化的整合阶段。对于许多学生来说,同一性可以是多维的——他们会认同不同的种族背景、国家或文化。

随着孩子的发展,自我概念如何变化? 自我概念(自我的定义)和自尊(自我的价值判断)随着我们的成熟变得更加复杂、多元和抽象。自我概念是通过自我反省、社会交往和校内外经验而形成的。学生们通过将自己与个人的(内部)标准和社会的(外部)标准相比较来发展自我概念。特定学业领域(数学、语言、科学等)的自我概念与这些领域的表现有关。性别和种族固有观念也是重要因素。

什么是自尊? 在自我概念的等级模型中,自尊是最重要的。自尊是对自我价值的总体判断,包括为自己感到自豪或感到羞耻。因此,自尊是自我概念的评价维度。自我概念和自尊通常可以互换使用,即使它们具有不同的含义。自我概念是一种认知结构,自尊是自我概念的评价性的组成部分。

女孩和男孩的自我概念存在差异吗? 从一年级到十二年级,男生和女生在数学、语言艺术和体育方面的能力信念都在下降。从高中开始,男孩和女孩在数学方面表现出相同的能力,女孩在语言艺术方面的表现更好,男孩在体育方面的表现更好。在一般自尊方面,男孩和女孩都表示在向中学过渡期间自尊心有所下降,但男孩的自尊心在高中阶段上升,而女孩的自尊心却在高中继续下降。

理解他人与道德发展

什么是心理理论,为什么它很重要? 心理理论是一种理解,即其他人也是人,具有自己的思想、情感、信仰、欲望和感知。儿童需要一种心理理论来理解他人的行为。当孩子们形成一种心理理论时,他们也可以理解其他人有自己的意图。

随着学生成熟,他们的观点采择能力怎样变化? 随着孩子的成熟,对意图的理解也会发展,但是攻击型的学生对他人意图的理解上还存在困难。随着成熟,他们的社会观察能力也会发生变化。年幼的儿童认为每一个人的想法和感情都与自己相同。后来他们了解到,其他人有不同的身份,因此也就有着不同的感情和看待事件的观点。

道德推理的前习俗、习俗和后习俗水平之间的关键区别是什么? 科尔伯格的道德发展理论包括三个水平:(1)前习俗水平,道德判断是建立在个人利益的基础上;(2)习俗水平,道德判断依据传统的家庭价值观和社会期望;(3)后习俗水平,道德判断建立在更加抽象和更加个人化的原则之上。科尔伯格通过呈现道德两难情境或难以抉择的假设情境来评价儿童和成人的道德推理。批评者认为,科尔伯格的理论不能解释在道德推理上可能存在的性别差异以及道德推理和道德行为之间的差异。

描述吉利根的道德推理水平理论。 吉利根曾经提出,科尔伯格的阶段理论只是基于对男性纵向的研究,它很可能并未充分表明女性的道德推理及其发展阶段。她提出了一个不同的道德发展顺序,一种"关爱伦理"。吉利根认为,个体从关注自我利益发展,到对特定个体和关系负责的道德推理,然后发展到道德的最高水平,即基于对所有人负责和关心的原则。

道德和习俗领域的思维如何随着时间的推移而改变? 关于道德的信念从幼儿的一种感觉,即正义意味着对所有人的平等待遇,发展到成人的理解,即认为道德包含善行和公平,以及道德原则是独立于任何特定群体的规则之外的。在社会习俗的思维阶段时,孩子们起初相信他们看到的规则是真实和正确的。经过几个阶段后,成年人意识到社会习俗在协调社会生活方面很有用,但习俗也是可以改变的。

海特使我们对道德行为的理解增加了什么? 在日常生活中,做出道德选择涉及情感、本能、竞争目标、关系和现实考虑。海德特认为，与公平、忠诚、权威、神圣感和自由感相关的本能会引发对道德情境的更自动的情感反应，然后我们再为我们的反应建构理由。不同文化的道德价值观各不相同。这些价值观将群体联系在一起，但也使他们对其他群体的道德信仰视而不见。

什么影响道德行为？ 年幼孩子的道德行为起初是通过成人的直接指导、监督、奖励惩罚和矫正来控制。影响道德行为发展的另一个重要的方面是榜样。那些经常接触有同情心的、慷慨的成年榜样的孩子们，更倾向于关心别人的权利和情感。

为什么学生会作弊？ 在学校，作弊是一个涉及道德的常见行为问题。作弊的决定基于三个问题：我的目标是什么？我可以这样做吗？代价是什么？作弊受个人和情境因素影响，如果压力确实大并且被抓的概率很小，很多学生就会作弊。

关键术语

Anorexia nervosa	神经性厌食症
Attachment	依恋
Autonomy	自主性
Binge eating	暴饮暴食
Bioecological model	生物生态学模型
Blended families	混合家庭
Bulimia	贪食症
Commitment	承诺
Context	环境
Cyber aggression	网络攻击
Developmental crisis	发展危机
Distributive justice	分配公正
Exploration	探索
Extended families	大家庭
Generativity	繁殖
Hostile aggression	敌对攻击

Identity	身份同一性/身份认同/同一性
Identity achievement	同一性获得
Identity diffusion	同一性混乱
Identity foreclosure	同一性排斥
Industry	勤奋
Initiative	主动性
Instrumental aggression	工具性攻击
Integrity	完满感
Internalize	内化
Intimacy	亲密感
Menarche	月经初潮
Moral dilemmas	道德两难问题
Moral realism	现实道德
Moral reasoning	道德推理
Morality of cooperation	合作道德
Moratorium	延迟
Nigrescence	黑化
Overt aggression	身体攻击
Parenting styles	养育方式
Peer cultures	同伴文化
Perspective-taking ability	观点采择能力
Psychosocial	心理社会
Puberty	青春期
Racial and ethnic pride	民族和种族自豪感
Relational aggression	关系攻击
Self-concept	自我概念
Self-esteem	自尊
Social conventions	社会习俗
Spermarche	初精
Theory of mind	心理理论

教师案例簿

刻薄的女孩们——她们会做什么?

以下是几位专家老师对解决艾莉森和"刻薄女孩"团体的看法。

THOMAS NAISMITH 七至十二年级科学教师

Slocum Independent School District, Elkhart, TX

为了让课堂恢复秩序,我会分两个阶段来解决这个问题。首先,我会与参与最近事件的两名女孩单独会面。我要向艾莉森说明她的行为是完全不恰当的,并且这种行为有失她水准。我会告诉她我确信她只是暂时失去了良好的判断力,而且这样的事件不会再发生。我还会要求她帮助我阻止我课堂上发生的一些其他的不当行为。

我会向斯蒂芬妮解释她不需要感到尴尬,因为她的同学会欣赏她恢复旧的友谊的努力。我会表扬她的积极品质,解释她应该对自己自信一些,并建议她去寻找愿意和她交朋友的学生交朋友。

第二步是对整个班级讲话。我在话语里不会特指谁,但我会非常明确地说,八卦和其他丑陋的行为需要停止。我会解释说,我们的课堂是一种小型社会,每个成员都有责任适当地对待他人。我会进一步解释,他们不必与所有人成为朋友,但应该尊重每个人、有尊严地对待每个人。

JACALYN D. WALKER 八年级科学教师

Treasure Mountain Middle School, Park City, UT

永远不要单打独斗,这在初中和高中尤其重要,与你学校辅导员以及其他年级的教师和家长一起努力。如果你这样做,你将有几个选项来处理此问题。你不能假装关心12、13和14岁的孩子,他们会看穿你的假装,你必须因为你真的喜欢这个年龄段的孩子,才和他们一起工作。你欣赏他们的幽默和能力。基于关怀、信任和尊重,学生将向你寻求帮助和指导。在这些年级,家长往往没有参与课堂,但有很多很好的项目可以使父母参与进来。

NANCY SCHAEFER 九至十二年级

Cincinnati Hills Christian Academy High School, Cincinnati, OH

　　我会先给斯蒂芬妮家里打电话,借由她缺席错过了很多作业的幌子,与她的父母或监护人交谈。我的第一个目标是找出父母是否了解情况。有时像斯蒂芬妮这样的女孩会因太尴尬而不告诉父母整个事情甚至任何真实的部分。如果父母不知道整个事情,我可能会尝试让斯蒂芬妮接电话并帮助她告诉她的父母。让周围的成年人知道发生的事情,从而可以减轻她感受到的一些羞辱。

　　然后我会和斯蒂芬妮以及她父母中的一方一起计划让斯蒂芬妮回到学校。学校辅导员也可能参与这个对话。我们成年人会帮助斯蒂芬妮制定一个如何应对可能的困难情况的计划。一些可能会发生的情况:与艾莉森面对面交谈、与其他老朋友相遇、在上学期间可能会收到的刻薄消息、其他学生对她的评论。我们会帮助她思考这些情况并练习如何应对。我可以和斯蒂芬妮的老师谈谈重新安排小组或座位,让女孩们远离彼此,或者为斯蒂芬妮培养其他友谊。因为几乎每个人都有关于不忠朋友的故事,所以斯蒂芬妮可能会因为与新生或二年级学生交谈这段的经历以及谈论他们是如何结交新朋友而受益。最后,我会尝试在斯蒂芬妮和艾莉森之间安排一次简短而有监督的会面。允许在受控的环境中发生冲突,这会为斯蒂芬妮提供一个表达她所受伤害的出路,但不让她采取不恰当的行动。

　　在所有这些过程中,我想确保有人也在与艾莉森合作,以防止事件升级。如果行为已经违反学校规则,学校管理员、学校辅导员,或 一位与艾莉森关系良好的老师会出面。我会鼓励艾莉森的父母参与进来,特别是如果这不是她的第一次恶性事件。

第四章　学习者差异和学习需要

概览

教师案例簿:全纳每个学生——你会做什么?

概述与目标

智力

　　语言和标签

　　智力的含义是什么?

　　另一种观点:加德纳的多元智能理论

　　给教师的建议:多元智能理论

　　另一种观点:斯腾伯格的成功智能理论

　　神经科学和智力

　　智力的测量

　　智力和成就的性别差异

　　学会聪明:针对 IQ 的敏锐

创造力:它是什么以及为何重要

　　评估创造力

　　为什么创造力很重要?

　　什么是创造力的来源?

　　教室中的创造力

学习风格

　　学习风格/偏好

　　超越"非此即彼"

教师案例簿

全纳每个学生——你会做什么?

新的学年,你所在地区的政策发生了变化。"特殊教育"项目停止了,所有学生现在都将在通识教育课堂上进行全日制学习。你知道你的课堂中会有在能力、社会技能和学习动机等方面存在诸多差异的学生,但是现在你还会有一个患有严重哮喘的学生、一个患有阿斯伯格综合征的聪明学生、一个患有严重学习障碍的学生和两个患有注意力缺陷多动障碍(ADHD)的学生。目前还不清楚有哪些资源可以提供给你,但即便如此,你还是要带着教授所有学生的信心和效能感去应对这个挑战。

批判性思维

● 你会如何设计一个基于标准的课程,使所有学生都能充分发挥学习潜能,并熟练掌握标准要求的内容?

● 你能做些什么来解决已经确定有特殊需求的学生的特殊问题?

● 你将如何在新情况下保持信心?

概述与目标

为了回答批判性思维中的问题,你需要理解个人差异。到目前为止,我们还没怎么谈到个人。我们已经讨论了适用于每个人的阶段、过程、冲突和任务的发展原则。作为人类,我们的发展在很多方面是相似的,但并不是完全相同。即使是同一个家庭的成员,在外表、兴趣、能力和气质上也存在显著差异,这些差异对教学有着重要影响。我们将花费一些时间来分析智力、创造力和学习风格的概念,因为这些术语经常被误解。不论你教几年级,你班上很可能至少有一个有特殊需求的学生,所以在这一章中,我们也会探讨常见或不那么常见的学习问题。当我们讨论每一种情况时,我们都将会考虑教师如何发现问题、寻求帮助并计划指导,包括使用干预反应法。当你完成这一章的时候,你应该能够:

目标4.1　描述现有的智力理论,包括标签的优劣势、智力的等级和多元智能理论、智力是如何测量的以及这些测量方法告诉了教师什么。

目标4.2　解释在课堂上如何定义、评估和培养创造力。

目标4.3　讨论教学中考虑学生学习风格的价值和限制。

目标4.4　讨论 IDEA 的含义和"504 条款"对当代教育的保护。

目标4.5　理解并解决学习有困难的学生的特殊教育需求。

目标4.6　认识并回应天资天分超常学生的特殊教育需求。

智力

因为智力的概念十分重要、十分有争议且在教育中经常被误解,所以我们将用相当多的篇幅来讨论它。但在开始之前,让我们先来看看根据差异,如智力或残疾,来给人贴标签的做法。

语言和标签

每个孩子都有自己独一无二的才华、能力和特定的局限。有些学生有学习障碍、情绪或行为障碍、智力障碍、物理障碍、自闭症谱系障碍、非凡的天赋和才能,或者兼而有之。尽管我们会在整个章节中使用类似的术语,但需要注意的是:给学生贴标签是一个有争议的问题。

标签并不能告诉我们对学生个人应该使用哪种方法。例如,几乎没有特定的治疗方法可以自动从行为障碍的诊断中得出;许多不同的教学策略和教材都是合适的。此外,这些标签可能会成为自我实现的预言。每个人——老师、家长、同学,甚至学生自己都可能把标签看作是无法改变的耻辱。例如有证据表明,高中教师和指导员会指导那些被贴上学习障碍标签的学生去学习比他们的实际能力要求更低的课程。标签本身似乎影响了指导。高中学习的课程是通往大学和高等教育的大门,因此对学生较低的期望值会导致他们修读较低要求的课程,从而对学生产生终生影响。(D. Rice & Muller,2013)最后,标签会被错认作解释。比如:"圣地亚哥打架,因为他有行为障碍。""你怎么知道他有行为障碍?""因为他打架。"(Friend,2014)

另一方面,一些教育工作者认为,至少对于较小的学生来说,被贴上"特殊需求"所谓标签可以保护孩子。例如,如果同学们知道一个学生有智力障碍(曾经被称为智力迟钝),他们会更愿意接受他或她的行为并给予支持。当然,诊断性标签仍然为一些项目、有用的信息、适应性技术设备或财政援助打开了大门。标签可能既给学生以耻辱,又给学生以帮助(Scruggs & Mastropieri,2013)。

残疾和障碍。残疾(disability)①这个词的含义从这个词形本身就可以看出,是指不具备做特定事情的能力,比如发音、看见东西或走路。障碍(handicap)②是指在某些情况下的不利条件。有些残疾会导致障碍,但并非所有情况下都会如此。例如,失明(一种视觉残疾)在想要开车时是一种障碍,但在作曲或打电话时不是。当今最伟大的物理学家——斯蒂芬·霍金患有葛雷克氏症,再也不能动弹或说话了。他曾说自己很

---

①残疾——没有能力做某些特定事情,如走路或听。
②障碍——在某些情况下由残疾引起的障碍。

庆幸,成为一名理论物理学家,"因为一切都在脑海里,所以我的残疾没有成为严重的障碍。"重要的是,我们不能通过我们对人们残疾的反应来为他们制造障碍。有些教育工作者建议我们完全放弃使用障碍这个词语,因为这个词的来源有贬低之义。障碍 handicap 一词来源于短语"cap-in-hand"(手中拿着帽子的人),用来描述那些曾经为了生存而被迫祈祷的残疾人(Hardman,Drew & Egan,2014)。我们可以把人类的特征看作一个坐标轴,例如从听力敏锐到完全失聪,我们都在这个坐标轴中的某个位置,我们在坐标轴上的位置在一生中也在不断变化,就像我丈夫会时刻准备着跟你抱怨我的听力!

当提到一个残疾人时,避免使用同情的语言很重要,比如"困在轮椅里"或"艾滋病受害者"。轮椅不会造成限制,它使人们可以四处走动。使用"受害者"或者"遭受"使人们显得无力。美国脊柱协会的资源网站上提供了一个关于残疾的免费 PDF 小册子。教师应该人手一册。访问 http://unitedspinal.org,在他们的阅览室里搜索"残疾礼仪"(Disability Etiquette)就可以找到。例子如图 4.1。

资料来源: Reprinted from "Disability Etiquette" ©Permission granted by United Spinal Association. Go to www.unitedspinal.org for a free download of the full publication. Illustrations by Yvette Silver.

图 4.1　残疾礼仪

另一种对残疾人表示尊重的方式是使用"人物先行"(person-first)的语言。

人物先行语言(person-first language)。你可能听过,甚至说过"情绪障碍学生"或"危险倾向学生"这样的词语。事实上,一个人有很多特征和能力,而只关注残疾是对个人的曲解。我们可选择的是"人物先行"语言,如"这个学生有行为障碍"或"这个学生面临危险",这样说的话,强调的重点则首先是学生。

学生有学习障碍	而不是	有学习障碍的学生
学生接受特殊教育	而不是	接受特殊教育的学生
某个人患有癫痫	而不是	一个癫痫病人
某个人有身体残疾	而不是	一个残疾人
孩子有自闭症	而不是	自闭症儿童或自闭症患者

但是要注意的是,有些残疾人倾向选择身份先行提及(identity-first reference)[1]。他们认为残疾是自己身份的一部分,他们声称残疾是属于自己的,并且将其视为认识自己是谁时不可缺少的一部分。成为这种文化的一部分对他们是一种骄傲。就像一位心理学家同事所说的那样:"我绝不是'一个患有自闭症的人',而是'自闭症'与我不可分离。"(Dunn & Andrews,2015,p. 257)正如你在本章后面会看到的那样,许多听力受损的人更喜欢被称为聋子,他们很自豪能成为聋文化的一部分。对教师来说最好的建议可能是在书写中使用人物先行的语言,但要与本人交流以确认他们自己更喜欢别人如何称呼他们(Dunn & Andrews,2015)。

标签使用中可能存在的偏见。很多好的评估方法和仔细详实的程序都可以用来识别有残疾的学生并有助于正确使用标签,但是这些评估方法和程序对少数种族、少数民族和少数语言学生也适用吗?多年来,研究者和政策制定者始终相信受种族或民族偏见的影响,残疾类别中少数种族、少数民族和少数语言学生所占比例过高。(Friend,2014;U. S. Department of Education,2015)一项对两万多名从幼儿园到八年级

---

[1]身份先行提及——用"自闭症"或"聋子"这样的词语来描述一个人。有些人喜欢这种称呼,因为他们声称残疾是属于他们自己的,并将其视为自身的一部分。成为这种文化的一部分是一种骄傲。

的学生进行的大型研究得到了恰恰相反的结果——所占比例不足。"相反,我们一致发现,在美国,种族、民族和语言上属于少数的学生相对较少被认定为残疾,因此在特殊教育中,他们上小学、中学的比例也较低。"(Morgan et al.,2015,p.288)这些研究人员指出,这些白人学生和少数族裔学生在比例上的差异,可能意味着白人学生实际上过分认同了特殊服务。是否白人家长更有可能寻求帮助? 是否儿科医生或学校心理学家等专业人士更倾向于对说英语的白人儿童提供并推荐服务? 是否少数种族、少数民族和少数语言学生的家长不愿意给孩子贴上标签,因为他们觉得这会让孩子蒙羞?他们不相信学校吗?

无论情况如何,无论是过分认同还是认同不足,都存在着两个问题。学校是否为少数种族、少数民族和少数语言学生提供了良好的服务? 白人学生和少数族裔学生之间的服务差异是偏见的结果吗? 在正式下结论之前,一定要收集学生的一系列信息,比如学生的英语熟练水平和学生反常的压力,如无家可归等。对学生以及学生校外情况有更多的了解有利于帮助教师判断哪些项目是最为适用的(Gonzalez,Brusca-Vega,& Yawkey,1997;National Alliance of Black School Educators,2002)。

智力(intelligence)①被广泛用于人员安置决策,总体上说是生活中常用的一个标签。

让我们从一个基本问题开始……

智力的含义是什么?

停下来想一想:谁是你高中最聪明的人? 写下他的名字和当你看到那个人时脑海中最先浮现的四五个词。是什么让你选择了这个人?

长期以来,人们认识到智力在个体间存在差异。大多数关于智力本质的早期理论都涉及以下三个主题的一个或多个方面:(1)学习能力;(2)所学的全部知识;(3)适应新情况和一般性环境的能力。需要注意的是,即使是这些早期的定义也表明智力是可以提高的,因为它包含了你所获得的全部知识。一种涵盖这些元素并强调高阶思维的

---

①智力——获得和运用知识以解决问题和适应世界的能力。

定义指出,智力是"演绎推理或归纳推理、抽象思考、运用类比、综合信息并将其应用于新领域的能力"(Kanazawa,2010,p. 281)。

智力:一种能力还是多种能力? 在所有认知测试中,智力与成绩都呈现中到高的相关性。因为这些持续存在的相互关系,一些心理学家认为智力是一种基本能力,会影响所有以认知为导向的任务的表现,从解决数学问题到分析诗歌,再到参加历史论文。如何解释这些结果?查尔斯·斯皮尔曼(Charles Spearman,1927)建议人们使用精神能量(mental energy,被他称为 g)来进行认知测试。斯皮尔曼补充说,除此之外,每次测试还都需要一些特定的能力,所以做任何精神工作都是以精神能量和特定任务的特定能力为基础。我们可以在认知测试中用数学方法计算出一个公因子(g),但这个计算出来的因子只是一般智力(general intelligence)①的一个指标或衡量标准,而不是一般智力本身。所以 g 的概念并没有告诉我们智力是什么或智力从何而来(Blair,2006;Kanazawa,2010)。

雷蒙德·卡特尔(Raymond Cattell)和约翰·霍恩(John Horn)关于流体智力和晶体智力的理论更有助于解释什么是智力(Cattell,1963;Horn,1998;Kanazawa,2010)。流体智力(fluid intelligence)②包含神经效率以及刚刚提到的金泽(Kanazawa)定义中所包含的推理能力。流体智力的神经生理学基础可能与脑容量变化、髓鞘化(神经纤维图层使信息处理更快)、多巴胺受体的密度或人脑前额叶处理信息的能力有关,如前额叶的选择性注意和工作记忆,尤其是后者。这个区域的脑功能我们将在第八章进行探索(Tourva,Spanoudis,& Demetriou,2016;Waterhouse,2006)。因为流体智力是基于大脑发展而增加,直到青春期后期(大约 22 岁)达到顶峰,然后随着年龄的增长而逐渐减少。流体智力对大脑和神经系统的损伤和疾病很敏感。

相比之下,晶体智力(crystallized intelligence)③是一种在特定文化情境中应用恰当的解决问题方法的能力,即金泽的定义中"应用于新领域"的部分。晶体智力在一生中

---

① 一般智力(g)——认知能力的一般因素,在不同程度上与智力测试的表现有关。
② 流体智力——基于大脑发育的非语言能力和思维能力。
③ 晶体智力——运用文化环境提高解决问题方法的能力。

会持续增长,因为它包含了已学习的技能和知识,比如阅读、记忆以及了解如何使用Uber——解决技术问题,制作一床被子或者设计诗歌中的象征单元。通过在解决问题中使用流体智力,我们随之发展晶体智力,但生活中许多任务,比如处理数理科学逻辑,都需要流体智力和晶体智力共同工作(Ferrer & McArdle, 2004；Finkel, Reynolds, McArdle, Gatz, & Pedersen, 2003；Hunt, 2000)。

基于大量精神能力的测试,当今最被广泛接受的观点认为:智力就像自我认知一样,有许多方面,是一个能力的分层体系。较高层次的是一般能力,而特殊能力处于较低层次(Schalke et al, 2013；Tucker-Drob, 2009)。约翰·卡罗尔提出了一个通用能力,几种广泛能力(比如流体和晶体能力、学习和记忆、视听知觉和速度处理)和至少70种特殊能力,比如语言发展、记忆广度和简单反应时间。一般能力可能与大脑前额叶的成熟和功能有关,而特殊能力则可能和大脑其他部分相关(Byrnes & Fox, 1998)。

另一种观点:加德纳的多元智能理论

霍华德·加德纳是一名发展心理学家,他研究了两个不同的小组——拥有艺术天赋的哈佛大学"零计划"学生和波士顿退伍军人管理局(VA)医疗中心的脑损伤病人。他开始设想一种新的智力理论。在波士顿退伍军人管理局(VA)医疗中心,加德纳研究了失去空间感却能做各种口头任务的病人和有相反问题与能力的病人。他也同时研究"零计划"中可以熟练作画却不能说一个好句子的年轻学生,反之亦然。加德纳得出结论:有几种不同的精神能力存在,并基于此发展了现在著名的多元智能理论(Thoery of Multiple Intelligence)①(MI),描述了至少八种不同的智能(1983, 2003, 2009, 2011)。

正如你将在本章后面看到的,尽管研究并没有支持八种独立能力的存在,加德纳的观点仍旧很有影响力。让我们先来看一下这些想法,然后讨论一下研究结果和批评,最后指出一些对教师的启示。

这些智能是什么? MI理论中的八种智能是语言的(言语的)、音乐的、空间的、逻

---

①多元智能理论——在加德纳的理论中,人有八种独立的能力:逻辑—数学、语言、音乐、空间、身体—动觉、人际关系和自然。

辑—数学的、肢体—动觉的(移动)、人际的(理解他人的)、内省的(理解自我的)和自然的(观察和理解自然和人造的模式和系统)。加德纳强调可能存在更多种的智能——8 不是一个很确定的数字。他推测可能存在一种灵性智能和一种存在智能——思考有关生命意义的重大问题的能力(Gardner,2009,2011)。正如加德纳在他早期与退伍军人和学生的研究中亲眼看到的那样,个人可能在这八个领域中的某一个很出色,但是在其他七个智能领域都没什么显著特长,甚至还存在问题。另外,不同的文化和历史时期也会为这八种智能赋予不同的价值。自然能力在农耕文明中无比重要,而在科技文明中语言和数学智能很重要。

表 4.1 总结了这八种(或九种)智能。

对多元智能理论的批评。尽管得到了许多教育工作者的支持,加德纳的多元智能理论并没有在科学界得到广泛认可。事实上几乎没有已发表的研究证实多元智能理论(Waterhouse,2006)。八种智能并不是独立的,这些能力之间都存在着相关性。事实上,逻辑—数学能力和空间智能是高度相关的。纯粹的认知技能如逻辑数理、语言能力和空间智能与一般智力是密切相关的(Castejon,Perez & Gilar,2010;Sattler,2008;Visser,Ashton & Vernoon,2006)。音乐和空间智能之间联系的证据促使加德纳考虑智能之间可能存在联系(Gardner,1998,2003)。所以,这些"独立能力"可能根本没有那么独立。另外,一些批评者认为一些智能实际上是天赋(肢体—动觉智能,音乐智能)或是个人特质(人际交往能力)。而其他所谓"智能"也一点不新鲜。许多研究者都曾经将语言和空间能力看作为智力的因素。威灵厄姆(Daniel Willingham,2004)则更为直率。"总之,加德纳的理论并没有那么有用。对科学家来说,这个理论几乎是不正确的;对教育工作者来说,其他以加德纳的名义提出的大胆建议(加德纳并不赞同)不可能帮助到学生。"(p. 24)

加德纳的回应。加德纳的支持者认为他的理论建立在包含了心理学、人类学和生物学等多个研究领域的广泛基础上。(Castejon et al. ,2010)此外,加德纳(2003,2009)也曾经通过厘清一系列和多元智能理论与学校教育有关的许多神话、误解和误用来回应批评者。例如,他强调智力不同于感官系统,不存在"听觉智能"或"视觉智能"。智能和学习风格是不一样的。(加德纳不相信人们真的有长期持续一致的学习风格。)另一个误解是多元智能理论推翻了一般智力的概念。加德纳并不否认一般智力的存在,但他确实对把一般智力作为人类成就的解释的有用程度提出了质疑。加德纳的理论仍有待进一步发展。

表4.1 八种(或九种)智能

加德纳的多元智能理论认为存在八种或九种智能,个体可能在一种或几种能力上面有强有弱。

智能	例子/职业道路	能力
逻辑—数学	科学家、数学家、工程师	灵敏的辨别力;逻辑或者数学模式的能力;连锁推理的能力
语言智能	诗人、记者、小说家	对声音、韵律、词义的敏感;对语言不同功能的敏感
音乐智能	作曲家、钢琴家、鼓手	欣赏和创作旋律、语调、音高、音质的能力,能欣赏不同表达形式的音乐
空间智能	雕刻家、航海家、建筑家	准确的空间认知,并能将其转化的能力
人际智能	精神治疗师、商人、中介	对他人的情绪、脾气、动机以及需要做出正确的反应
内省智能	对自己有准确、细节认知的个体	了解自己的优缺点和能力以及依据这些情感来指导自己的行为的能力;对自己感受的认知
自然	农民、园艺家、动物驯养师	辨别植物和动物的能力;在自然界进行区别判断的能力;理解和分类的能力
肢体—动觉	舞蹈家、运动员、变戏法的人	控制身体的能力;熟练地操作物体的能力
存在	哲学家、神职人员、人生导师	能够思考和研究关于人类存在和生命意义的更深层、更宏大的问题,理解宗教和精神思想的能力

资料来源: Based on "Multiple Intelligences Go to School," by H. Gardner and T. Hatch (1989), Educational Researcher, 18(8), and "Are There Additional Intelligences? The Case for the Naturalist, Spiritual, and Existential Intelligences," by H. Gardner (1999) in J. Kane (Ed.), Educational Information and Transformation, Upper Saddle River, NJ: Prentice-Hall.

多元智能理论在学校中的应用。首先让我们来看一些学校教育中多元智能理论的误用。加德纳对澳大利亚的一个教育项目尤其不满,这个项目宣称不同的种族群体有不同的特定智能,但是缺乏其他的智能。在澳大利亚的电视节目中,加德纳说这个项目的实质是"伪科学"和"隐藏的种族主义"(Gardner,2009,p.7)。这个项目后来被取消了。另一个误用是一些老师们接受了加德纳理论的简化版本,在每一节课中都包含了每一种智能,不论多么不恰当、不适用。

运用这一理论的更好方法是关注设计课程时的六个切入点——叙述性的、逻辑—量化的、审美的、经验主义的、人际关系的存在主义的或基础的(Gardner,2006;Wares,2013)。例如,关于进化论的教学,教师可以使用以下的切入点(Kornhaber,Fierros,&Veenema,2004):

叙述性的:提供达尔文去加拉帕戈斯群岛旅行的丰富故事,或关于不同植物动物的民间故事。

逻辑—量化的:考察达尔文绘制物种分布的尝试,或者提出一个逻辑问题:如果一个物种消失了,生态系统会发生什么样的变化?

审美的:仔细研究达尔文在加拉帕戈斯群岛上研究物种的图画。

经验主义的:进行实验活动,如培育果蝇或完成进化过程的模拟测试。

人际关系的:组成研究小组,为质疑进化论的观点提供说服性证据。

存在主义的或基础的:考虑有关为什么物种会灭绝或物种变化的目的是什么的问题。

给教师的建议:多元智能理论

经过多年对多元智能理论的研究,加德纳认为有两个方面是最重要的(2009)。第一,教师应该考虑学生之间的个体差异,制定差异化的教学指导以连接每个学生。这本书的大部分内容都会教你做到这些。第二,任何纪律、技能或概念都应该以几种适当的方式被教授(而不是每次都是八种方式)。任何有价值的事物都有不同的表现形式,也可以用不同的思维方式思考它。并且,可以用文字、图像、动作、表格、图标、数字、等式、诗歌等等来表达。多元智能理论拓宽了我们对智能和教学途径的思考,但即使有多种途径可以获取知识,学习也仍是一项艰苦的工作。

另一种观点：斯腾伯格的成功智能理论

罗伯特·斯腾伯格的成功智力三元理论（Triarchic theory of successful intelligence）①是一种理解智力的认知加工方法，它关注的是成功所需的技能（Sternberg，1985，2004；Sternberg et al，2014）。斯腾伯格用成功智力这个词来强调智力不仅仅是通过认知能力测试来衡量的，智力是基于你在特定文化背景下对成功的定义来设定和实现个人目标的能力。你必须通过选择可以使自己成功的任务和情境（环境），充分利用自己的优势并补偿劣势，然后根据需要适应或重塑环境。

成功智力需要三种思考的技能或思维方式：分析能力、创造能力和实践能力。分析能力包括评价、分析、判断、比较和综合处理相对熟悉的问题。这是在学校教学和传统智力测试中最常见的思维方式。创造能力对于成功应对新的经历是必要的，主要通过两种方式：（1）运用洞察力（Insight）②，或者叫有效处理新情况并找到新解决方法的能力，（2）使用自动性（automaticity）③，即在思考和解决问题上自动化的能力，也就是让新的解决方案迅速成为你自己认知工具包中的一部分。实践能力专注于选择一个你可以成功的环境，适应那个环境，并在必要时重塑它。第三种意义上的智力包括一些实用问题，如职业选择或社会技能。

教师如何运用斯腾伯格的理论来指导教学和评估？斯腾伯格在博客中给出了这些例子（Sternberg，2014）。

有关第二次世界大战的教学

分析能力：分析和解释第二次世界大战的原因。

创造：想象并描述如果德国赢得了战争，今天世界会有什么不同。

实践：确定第二次世界大战的教训告诉我们应该如何处理当今世界的危机，特别是种族灭绝。

———————————

①成功智力三元理论——认为智力由三个部分（思维过程、新经验的处理、适应情景）构成，它们可引起智力行为的增加或减少。

②洞察力——成功智力三元理论中有效处理新情境的能力。

③自动性——不需要大量努力就可以顺利进行完全掌握的任务，是学习某种行为或思维过程彻底的结果，以至于自动化进行而不需要努力。

语言文学课程中的评估

分析能力:比较和对比海明威和菲茨杰拉德的写作风格。

创造:为《汤姆·索亚》写一个不同的结局。

实践:基于汤姆说服他的朋友们粉刷他的篱笆的片段,思考你可以从汤姆索亚那里学到什么关于说服的知识。

神经科学和智力

如你所见,斯皮尔曼、卡特尔和霍恩、卡罗尔、加德纳和斯腾伯格的理论倾向于描述个体在智力内容上的差异——不同的能力。相比之下,认知心理学的工作则强调了所有人都熟悉的信息处理。人类是如何收集和使用信息来解决问题并理智地行动?在这项作品中出现了关于智力的新观点。2006年《行为与脑科学》杂志上关于智力的辩论强调了工作记忆能力、集中注意力和抑制冲动的能力,以及作为流体知觉能力一部分的情绪自我调节的能力。在一项调查工作记忆、注意力和信息处理速度的研究中,通过对成人智力的常规调查显示,只有工作记忆能显著预测流体、晶体和一般智力。(Tourva,Spanoudis,& Demetriou,2016)。我们将在第八章中探讨这些以及信息处理的其他方面,请持续关注。

正如你记得的那样,人类大脑的一个主要特征就是可塑性,神经连接的变化是与环境相互作用的结果。一些神经科学研究者认为一般智力的个体差异是由神经可塑性的个体差异造成的——一些大脑比另一些大脑更善于根据经验形成联系。神经连接在儿童时期就开始发展,以使我们更好地处理越来越复杂的信息。这些神经连接的发展使流体智力在16岁左右达到顶峰。所以学生时代是智力发展的关键期(Garlick,2002)。学习和晶体智力的发展贯穿一生,但是学校对于流体智力的发展尤为重要。作为一名教师,你需要利用学生大脑的可塑性——他们的智力每一天都在发展。

尽管智力理论有很多,老师、学生和家长们最熟悉的智力仍旧是智力测试(IQ)测试中的一个数字或分数。

智力的测量

设身处地想一想:你是一个正在被学校心理学家评估的九岁学生。他问你:"一英寸和一英里有什么相似之处?""单词 obstreperous 是什么意思?""把 8、5、7、3、0、2、1、9、7 这些数字倒着重复一遍。""这里有一个完整的拼图,这些可能的碎片中哪三块是这个拼图的一部分?"

这些问题类似于针对儿童的普通个人智力测验,即 WISC-V(Wechsler,2014)。测试的另一部分要求孩子用积木复制设计、心算数学题(不使用纸和笔)或者在几张图片中选择之前显示的三张,并按序排列。尽管心理学家对智力是什么存在争议,但他们一致同意通过标准化测量的智力与学校学习有关。为什么会这样?这在一定程度上与智力测试最初在巴黎发展的方式有关。

比奈的困境。1904 年,艾尔弗雷德·比奈(Alfred Binet)碰到了教育部部长给他出的难题:那些需要特殊教育和额外帮助的学生,如何在入学初期以及他们在常规的班级里失败之前鉴定出来?比奈还认为,对学习能力进行客观的衡量可以保护来自低收入家庭的学生,使他们不会因为受到歧视而被迫辍学,因为他们被认为是学习能力较低的人。

比奈和他的合作者西奥多·西蒙(Theodore Simon)最终确定了 58 项测试,其中有几项是用于测量年龄在 3 岁到 13 岁之间的孩子在学校获得成功所需的基本能力。比奈的测试使考官可以确定孩子的心理年龄(Mental age)①。例如,一个孩子通过了大多数 6 岁儿童能通过的测验项目,那么不管这个孩子实际是 4 岁、6 岁、7 岁还是 8 岁,他(她)的心理年龄都被认定为 6 岁。比奈测验提交美国政府并在斯坦福大学得到修正之后,即斯坦福—比奈测验,他提出了智商(Intelligence Quotient)②或 IQ 的概念。IQ 的分数是心理年龄和实际生理年龄的比值,公式如下:

智商(IQ)= 心理年龄/实际年龄 × 100

早期的斯坦福—比奈测试已经被修改了五次,最近一次是在 2003 年(Roid,2003)。今天我们不再使用心理年龄,而是计算离差智商(Deviation IQ)③,它可以确切说明一个人的成绩是高于还是低于他所在年龄组平均分数。

---

①心理年龄——智力测验中,根据所在年龄组的平均能力水平得到的一个数字。
②智商(IQ)——心理年龄和实际生理年龄的比值得到的分数。
③离差智商——根据个体的成绩与所在年龄组其他人的成绩统计比较得出的分数。

智商分数意味着什么？ 大部分智力测验,如斯坦福—比奈测试或韦氏儿童智力量表,(WISC—V)设计得都有一定的统计特征。例如,平均分数是100;参加测验的50%的人的平均分等于或低于这个分数,另外50%高于100分。一般人群体中68%的人的IQ分数在85和115分之间,只有16%的人得分会低于85,16%的人高于115分。注意,这些数字针对的是那些母语是标准英语的土著美国白人,对于是否能将IQ测验应用于少数种族的学生还有很大的争论。

小组和个人智商测试。 斯坦福—比奈测试或WISC—V测试都属于个人智商测试。这些测试必须由训练有素的心理学家一次给一个学生使用,大约需要1到2个小时。大多数问题都是以口头方式提出的,而且不需要阅读或写作。一个学生通常会在和大人一起工作时注意力更集中,并更有动力做好。

心理学家还开发了小组测试的形式,它可以对整个班级或学校进行测试。与个体测试相比,群体测试结果准确描述个人能力的可能性要小得多。当学生在一个小组里进行考试时,他们可能会因为很多原因做得不好:他们不理解要求,他们有阅读困难,他们的铅笔断了或者答题纸上没有多余位置了,其他学生分散了他们的注意力,答题形式让他们感到困惑(Sattler,2018)。作为一名教师,你应该谨慎对待小组测试的智商测试分数。"指南:IQ分数的解释"会帮你实际地解释智商分数。

弗林效应:我们变聪明了吗？ 自从智商测试在20世纪初被引入以来,20个不同工业化国家和一些更传统的文化中的测试成绩都不断提高。事实上,每隔十年,智力测试平均分数在标准化智商测试中提高约3分,这被称为弗林效应(Flymn effect)①,以发现了这种现象的政治科学家詹姆斯·弗林(James Flynn)命名(Daley,Whaley,Sigman,Espinosa,& Neumann,2003;Folger,2012)。那么你比你父母更聪明吗？詹姆斯·弗林(2012)这样回答:

如果你指的是:"我们的大脑比我们的祖先更有潜力了吗？"答案是否定的。

---

① 弗林效应——由于更好的健康水平、更小的家庭、环境不断增长的复杂性和更多更好的教育,智力测试的成绩稳定升高。

如果你的意思是:"我们正在发展心智能力,以使我们更好应对经济发展问题等现代世界的复杂问题吗?"那么答案是肯定的。(p.1)

一些对弗林效应的解释包括:孩子和父母得到了更好的营养和医疗保健情况,刺激抽象思维的环境变得越来越复杂,更小更集中的家庭给了孩子更多的关注,父母文化的提高(尤其是受过良好教育的母亲),更多更好的教育和对考试更好的准备。

指南:IQ 分数的解释

核实 IQ 分数是个体测验还是团体测验的分数,谨慎对待团体测验分数。举例:

1. 个体测验包括韦氏智力量表(WPPSI,WISC-V,WAIS-IV)、斯坦福—比奈量表、伍德科克·约翰逊(Woodcock-Johnson)的心理教育测验系列、达斯纳利里(Das Naglieri)的非语言能力测试、考夫曼(Kaufman)儿童评估系列、考夫曼儿童智力测验(第二版)。

2. 团体测验包括奥蒂斯—伦农(Otis-Lennon)的学校能力测验(第八版),斯洛森(Slosson)的智力检验(R3),雷文(Raven)推理测验,纳格利里(Naglieri)的非语言能力测试(第二版,在线),差异能力量表二和广泛的智力测试。

记住,IQ 分数只是对一般的学习倾向的评估。举例:

1. 忽略学生分数之间的细小差别。

2. 在头脑里树立这样一种观念:学生的分数可能因许多原因发生变化,包括新能力的发展和测量失误。

3. 注意整体分数通常是几类问题的平均分数。在中间或者平均水平的分数可能表示学生在各类问题的回答上都是一般水平,或者是某些方面的问题(如口头任务)回答得好,其他问题(如空间任务)表现得差点。

记住,IQ 分数反映的是学生过去的经验和学习。举例:

1. 把这些分数当作对学生学习能力的预测,而不是对先天智力能力的测量。

2. 如果你的班级里有个学生表现不错,不要只是因为一个分数比较低就改变你对他(她)的看法,或者降低对学生的期望水平。

3. 留意少数族群学生或者那些第一语言不是英语的学生的 IQ 分数,即使是那些文化自由开放的测验,处于不利环境下的学生得分也比较低。

智力和成就。对于不同族群的孩子,更高的智商测试成绩都与学业成绩有关(Cucina,Peyton,Su,& Byle,2016)。事实上,研究者在"埃文亲子纵向研究"中对1.4万名英国儿童进行了跟踪调查,结果发现,8岁时被测的智商与14岁时数学、英语和科学的标准化测试成绩之间存在明显的关系($r = 0.64$)。但要注意不能过度解读这种关系,从统计学上看,这种相关性意味着智商解释的成绩差异不足41%,近60%与其他因素有关(Bornstein,Hahn,& Wolke,2013)。

智商测试成绩和学校表现之间的关系很有趣,但是标准化智商测试仅仅关注分析技能,而不在乎实用性或创造性思维能力或者动机。科沃斯(Angela Duckworth)和她的同事们(2012)发现智商分数是标准化的考试成绩,但是这种自我调节的方法(见第十一章)更能预测学校的成绩。因此,智商测试的成绩与有些学业成就有关,但如果将自我调节学习技能、实践智力和创造力纳入衡量标准,我们就能对学业的成功与否做出更好的预测(Grigorenko,2009)。

但是放学后的生活呢? 在智商测试中得分高的人在生活中成就也更多吗? 这里的答案不太清楚,因为人生成功和教育是交织在一起的。

高中毕业生每周收入约为678美元,失业率为5.4%。大学毕业生每周收入约1,137美元,失业率为2.8%,拥有法律或医学等专业学位的人每周收入约为1,730美元,失业率为1.5%(劳工统计局,2016)。智力测试成绩较高的人往往会进行更长学年的学习。然而,当教育年数保持不变时,智商分数和以后生活中的收入、成功之间的相关性会降低。另外,如自我调节、动机、创造力、常识、社交技巧和运气等其他因素可能会改变人生成就(Alarcon & Edwards,2013;Neisser et al. ,1996)。

智力和成就的性别差异

从婴儿期到学前阶段,大多数研究发现,整体上男孩和女孩在心理和运动发育以及特定能力方面几乎没有差异。但是,在上学及以后的阶段内,某些特定能力测试的分数确实表现出性别差异。另外,男性的得分离散程度更大,所以在非常高和非常低的测试分数的分布上,男性比女性的人数都要多。(Baye & Monseur, 2016;Lindberg, Hyde, Peterson, & Linn, 2010)此外,更多的男孩被诊断患有学习障碍、多动症和自闭症。黛安·哈尔彭(Diane Halpern)和她的同事(2007)总结了研究：

> 在小学及以后的学习结束之前,当进行语言能力评估,并且该评估与写作密切相关,语言用法项目涵盖女性熟悉的主题时,女性会表现得更好;相较于不包括写作的语言能力的评估,女性在有写作任务的测验中的性别优势更明显。相比之下,男性在某些视觉空间能力测量方面表现优异。(p.40)

但是,有两个注意事项。第一,这些性别差异通常很小。此外,在大多数研究中,种族和民族是不被考虑在内的。

最近的一些国际评估发现学业成绩(不是特定的智力能力)存在一些性别差异。例如,2012年对15岁儿童的PISA测试结果显示,在阅读识字率方面,在参与测试的65个国家中,女孩都胜过男孩。在美国,女孩比男孩高出31分,这样的差距似乎很大,但在芬兰,女孩要比男孩高出62分(Loveless,2015)。但在2009年至2015年期间,在所有参与评估的国家中,男女生之间的差距平均缩小了12分(经合组织,2016年)。其他国际研究发现,男孩和女孩的数学成绩差异不大。例如,对包括100多万中小学生在内的242项研究的数据进行的分析发现,在包括美国在内的一些国家,女孩和男孩在数学方面的表现相当。但在一些国家,如俄罗斯、巴林和墨西哥,女孩的得分高于男孩。而在另外一些国家,如瑞士、荷兰和非洲国家等,男生的得分较高(Else-Quest,Hyde,&Linn,2010;Lindberg et al.,2010)。

最近,国家教育进步评估(NAEP)在其一系列测试中增加了对技术和工程素养的评估。在第一届测试中,美国八年级女生的表现优于男生(NAEP,2016)。有了NAEP评估和国际测试结果的信息,家长、教师、辅导员和学生可以挑战关于女性在数学和技术方面有劣势的刻板印象。

遗传还是环境? 在智力领域,先天遗传与后天培育的争论一如既往地激烈。智力应该被视为潜在的,受我们的基因构成所限制的吗? 或者智力仅指的是受经验和教育影响的个人目前的智力水平吗?

　　谨防非此即彼:将基因影响的智力与经验影响的智力分开是不可能。今天,大多数心理学家认为,智力的差异是遗传和环境的共同结果,对儿童来说,这两者的比例可能大致相同(Petrill & Wilkerson,2000)。从怀孕期间的母亲的健康,到儿童家中的铅含量,再到儿童接受的教学质量等等,环境影响包括所有因素。例如,当德国中学生参加学术课程(处于高质量和高要求的学习环境)而不是学校的职业课程时,他们的一般认知能力(智力)会得到提高(Becker,Lüdtke,Trautwein,Köller,& Baumert,2012)。

学会聪明: 针对 IQ 的敏锐

　　我们看到,智力测验最初被开发的一部分原因是为了保护低收入家庭的孩子,这些孩子可能被剥夺接受教育的权利,仅仅是因为他们无法学习这样的错误理由。即便如此,这些测试不会没有文化内容,所以它们总会有一些内在的偏见。当你在任何测试中看到学生的分数时,请记住这一点。最后,请记住,每个学生的每项评估结果都应该用于支持学生的学习和发展,并确定有效的实践,而不是拒绝给学生提供资源或适当的教学。对于所有照料孩子的成年人——父母、教师、行政人员、辅导员、医务工作者——非常重要的是要认识到,和任何其他技能一样,认知技能也总是能得到改善的。智力是当前的状况,它受到过去经验的影响,且在未来是可变的。请记住,童年期和青春期的大脑可塑性使得学校生涯在培养智力技能方面尤为重要(Garlick,2002)。

　　以上是对包括创造力在内的智力的一些解释 ——接下来让我们更深入地了解一下。

创造力:它是什么以及为何重要

　　设身处地想一想:想一下这样一个学生:他患有严重的阅读障碍,这样一种学习障碍使得他在阅读和写作上非常困难。他形容自己是一个"失败者"。他知道,在学校,如果别人用一个小时能完成一项阅读任务,他必须得花费 2 或 3 个小时。他也知道,他必须拿着一份他所有最常拼写错误的单词列表才能写出来。他独自在自己的房间待了几个小时。你认为他的写作有创意吗? 为什么? 或者为什么不呢?

　　"设身处地想一想"中所描述的人是约翰·欧文(John Irving),他是一位著名作家,著有《盖普眼中的世界》、《苹果酒屋的规则》和《为欧文·梅尼祈祷》,一位评论家称他的小说是"极具创造性的"(Amabile,2001)。那我们该如何解释他惊人的创造力？什么是创造力呢？

通常,创造力(Creativity)①的定义包括两个要素:新颖性/原创性和高质量/有效性/有用性(Henriksen & Mishra,2015; Plucker,Beghetto,& Dow,2004)。大多数心理学家都认为没有"万能创造力"这样的东西;正如约翰·欧文写小说一样,人们在某一特定领域具有创造性。要在特定领域发挥创造力,需要对主题有深刻的理解,因此我们可以将创造力视为使用现有知识的过程,也是即兴创作和创造新事物的过程(Sawyer,2015)。一位年度教师这样说:"创造力意味着使用你的背景知识……利用已经存在的东西并自己动手"(Henriksen & Mishra,p.10)。此外,为了具有创造性,必须有"发明"。除非艺术家认识到"意外"的潜在可能性,或者故意使用溢出的技巧来创造新作品,否则产生新颖设计的油漆的意外溢出并不算具有创造性(Weisberg,1993)。尽管我们经常将艺术与创造力联系起来,但任何主题都可以以创造性的方式进行。亨里克森和米什拉(Henriksen & Mishra,2015)采访的年度教师强调创造力是可以被学习的。这是一种思维习惯,包括培养热情和对新想法持开放态度。

评估创造力

停下来想一想:你可以列出砖的多少用途？花一点时间进行头脑风暴——尽可能多地写下来。

与作家约翰·欧文一样,保罗·托兰斯也有学习障碍。当他还是一名高中英语教师时,他对教育心理学产生了兴趣(Neumeister & Cramond,2004)。托兰斯被称为"创造之父"。他开发了两种类型的创造力测试:口头和图形(Torrance,1972,2008; Torrance & Safter,1986)。在口头测试中,你可能会被要求为砖块考虑尽可能多的用途(如上所述),或被询问如何改变一个特定的玩具以使其更有趣。在图形测试中,你可能会获得30个圆圈并被要求创建30个不同的图形,每个图形至少包含一个圆形。图4.2显示了

---

①创造力——富有想象力的、原创的思维或问题解决方法。

一名 8 岁女孩完成这项任务的创造力。

她从左到右给出的图画标题如下："德古拉"、"独眼怪物"、"南瓜"、"呼拉圈"、"海报"、"轮椅"、"地球"、"月亮"、"星球"、"电影摄像机"、"悲伤的脸"、"图片"、"红绿灯"、"沙滩球"、"字母"、"汽车"、"眼镜"。

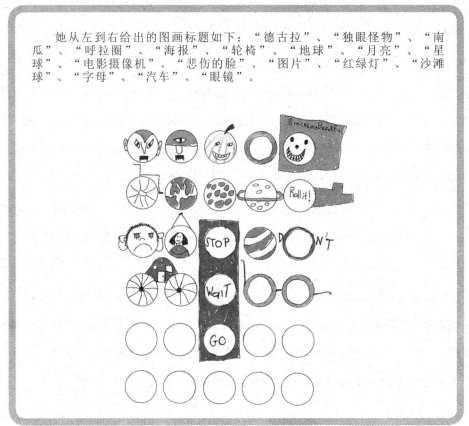

资料来源："A Graphic Assessment of the Creativity of an Eight-Year-Old," from The Torrance Test of Creative Thinking by E. P. Torrance,1986, 2000. Reprinted with permission of Scholastic Testing Service, Inc., Bensonville, IL 60106 USA.

图 4.2　八岁儿童的创造力的图形评估

这些创造力测试需要发散思维,这是许多创造力概念的重要组成部分。发散思维 (divergent thinking)① 是提出许多不同想法或答案的能力。聚合思维 (convergent thinking)② 是仅识别一个答案的更普通的能力。发散思维有三个属性:独创性、流畅性和灵活性。独创性通常经过统计确定。独创性是指每 100 名参加测试的人中必须少于

---

①发散思维——提出多种可能的解决方案。
②聚合思维——缩小答案的可能性,使答案单一。

5 人或 10 人做出的反应。流畅性是不同反应的绝对数量。灵活性一般通过反应的不同类型的数目来测量。例如,如果你列出了砖块的 20 种用途,但每一个都是用来建构某些东西,那么你的流畅性得分可能很高(使用的数量很多),但你的灵活性得分会很低(只有一种使用类别)。在这三个指标中,流畅性——反应的绝对数量——是发散思维最好的预测值,但现实生活中的创造力比发散思维要有更多的内容(Plucker et al.,2004)。对学生来说,一些创造力的指标有可能是好奇心、专注力、适应能力、精力充沛、幽默(有时古怪)、独立、好玩、爱冒险、对复杂和神秘的东西感兴趣、能看到不同的观点、不一致性、喜好幻想和白日梦、不能忍受无趣的事物、有独创性(Sattler & Hoge,2006;Swayer,2015)。

为什么创造力很重要?

这些天,当我看新闻时,我无法不对世界面临的问题感到沮丧。经济问题、健康问题、能源问题、政治问题、暴力、贫困、内战和宗教战争等等。当然,现在和未来的复杂问题需要创造性的解决方案。"创造力是 21 世纪所需的最重要的技能之一"(Sawyer,2015,p.2)。而且,创造力对一个人的心理、生理、社交和事业上的成功非常重要(Henriksen & Mishra,2015)。此外,有证据表明,我们需要创造力和批判性思维,以防止人们和社会被意识形态和教条主义所限制(Ambrose & Sternberg,2012;Plucker et al.,2004)。阿伦·斯塔科(Alene Starko,2014)描述了她在中国的访问,她说那个国家的教育工作者一直在问她如何帮助他们的学生变成更有创造力、更灵活的思想家。这些中国学生在国际考试中脱颖而出,但他们专注于掌握学业知识,随着而来的代价是他们的创造力和批判性思维受限。事实上,许多教师会告诉你,问责制以及让学生为高风险测试做准备的压力,会迫使创造性教学和为学生创造性而教淡出课堂(Noddings,2013)。

但我们不必在理解和创造力之间做出选择。在学校的科目中,对创造力有帮助的策略也对深度理解有帮助,因为深刻的理解来自以多种方式使用相同的内容,并看到知识的不同含义——"用你自己的方式"。创造力也支持学习的内在动机、参与度和持久性,因为创造力会产生新奇感并激发兴趣(Starko,2014)。

什么是创造力的来源?

研究人员研究认知过程、个性因素、动机模式和背景经验来解释创造力(Simonton, 2000)。特雷莎·阿马比尔(Teresa Amabile,1996,2001)提出了一个由三部分组成的创造力模型,个人或团体必须具备:

1. 领域相关的技能:包括对于在该领域工作有价值的才气和能力,例如米开朗基罗在小时候住在石匠的家庭时发展起来的雕塑石头的技能

2. 创造力相关的过程:包括工作习惯和个性特征,例如约翰·欧文习惯于每天工作10小时,用来写作并不断修改,直到故事完善。

3. 内在动机或对任务的深深的好奇与迷恋。支持自主性、激发好奇心、鼓励幻想和提供挑战的教师对创造力的这一方面有着极大影响。

创造力和认知。在一个领域拥有丰富的知识储备是创造力的基础,但还需要更多的东西。对于解决许多问题来说,那种"更多的东西"是指以新方式看待事物的能力——即重组(restructuring)①问题,这会导致意想不到的洞察力。这种情况通常发生在某个人遇到一个问题或项目时,将其暂时搁置一段时间。一些心理学家认为,时间允许孵化(incubation),这是一种无意识地加工和解决问题的过程。实际上的情况比这更复杂。当个人将问题置于一个较长的准备阶段之前,孵化更有帮助(Sio & Ormerod, 2009)。将问题暂时搁置可能会中断僵化的思维方式,这样你就可以重新调整对局势的看法,并更加分散地思考(Gleitman, Fridlund, & Reisberg, 1999)。创造力需要广泛的知识、灵活性、不断重组思想以及动力和持久性。

创造力和多样性。正如西蒙顿院长所说,即使经过多年的关于创造力的研究,"心理学家对于接近并了解女性和少数民族的创造力方面还有很长的路要走"(Dean Simonto,2000,p.156)。到目前为止,白人男性多年来一直是创造力研究和写作的焦点。然而,其他群体的创造力模式是复杂的——有时与传统研究中发现的模式相匹配,有时则不同。

———————

①重组——以新的或不同的方式构思问题。

在创造力与文化之间的另一种联系中,研究表明,在主流社会之外,处于双语地区或能接触不同文化的地区可能会促进创造力的发展(Simonton,2000)。事实上,真正的创新者经常违反规则。"创造者有动摇事物的欲望"(Winner,2000,p.167)。即使对于那些处在主流社会之内的人来说,参与多元文化显然也会对创造力有影响,这样的参与对于从记忆里、从有创造性的表现中检索出新颖或非传统的想法有帮助,例如为问题创造出有见地的解决方案。当人们向不同的观点敞开心扉,当并不强调迅速找到严格的答案时,这些影响尤其强烈。多元文化的人特别愿意考虑并建立不熟悉的想法,接受相互矛盾的选择,并在想法之间建立不可能的联系(Leung & Chiu,2010；Maddux & Galinsky,2009)。因此,即使你的学生可能无法前往西藏或汤加,如果他们了解不同的文化,他们仍然可以成为更具创造性的问题解决者。

教室中的创造力

停下来想一想:思考一下阿兰·斯塔科所描述的这两位学生。

一年级时,米歇尔拿到一张学习单,上面有一个巨大的鲨鱼嘴的轮廓,问题是:"我们的鱼朋友接下来会吃什么?"她尽心尽力地画出一些鱼和船,然后写下以下解释:曾经有一个叫作 Peppy 的鲨鱼。有一天,他吃了三条鱼、一只水母和两条船。在他吃水母之前,他做了一份花生酱和一个水母三明治。

19 岁时的胡安是个无家可归高中生。在一个寒冷的夜晚,他认为,学校里的一个温暖的空间将是他所看到的最有吸引力的睡眠场所。进入大楼是没有问题的,但一进入运动探测区,他会被楼下的警卫立即发现。胡安走进一个储藏室,小心翼翼地移走了一堆棒球棒。在随后的骚动中,他找到了一个舒适的睡眠场所。警卫把动作探测器的触发归咎于坠落的棒球棒,胡安一觉睡到天亮(Alane Starko,2014,p.3)。

这些学生有创造力吗?教师可以做什么来培养或抑制创造性思维?在日常的课堂生活中,老师经常扼杀创造性思想,但却没有意识到自己在做什么。教师对寻常和富有想象力的事物的接受或者拒绝,对鼓励或打击创造力起着非常重要的作用。

头脑风暴的方法。头脑风暴(brainstorming)①的基本原则是把形成各种想法的过

---

①头脑风暴——不断地产生各种各样的想法,不去停下来判定想法的好坏。

程和对这些想法评价的过程分离,因为评价常常抑制创造性(Osborn,1963)。评价、讨论、批评都延到所有可能的建议提出来之后。如此一来,一个想法引起一系列其他的想法,大家都不会因为害怕受到批评而压抑自己可能想到的创造性的解决方法。阿兰·斯塔科(Alene Starko,2014)针对头脑风暴给出了以下规则:

1. 在将所有想法公开之前,不要批评任何想法,包括口头和非口头的批评。所以请不要翻白眼或大笑。

2. 尽可能多地寻求不同的想法。就像一个想法可以启发另一个想法,数量也可能引发质量的变化。

3. 可以灵活借用别人的观点,就像“搭便车”。这里的意思是可以利用已经提出的想法,从中借用某些部分,或者直接在上面做些小的调整。

4. 鼓励胡乱的、古怪的想法。那些不可能的、完全没有用处的想法可能让人想起其他更可行的、更有效的想法。想出一个富有想象力的、不怎么可行的想法,然后调整这些想象以使其满足现实中的种种限制,要比把一个令人厌倦的想法变得有趣更值得思考、也更容易。

个体和团体都会从头脑风暴中获益,就像写这本书,有时候我发觉以下方法就很有帮助。把一章里需要涉及的不同论题列出来,然后把它们放在一边,以后再回过头来进行评价。

下面的“指南:运用和鼓励创造力”描述了鼓励创造力的其他可能性,改编自弗莱特(Fleith,2000)、索耶(Sawyer,2015)和萨特勒和霍格(Sattler and Hoge,2006)的成果。

在应用这些指南时,请记住,学生需要扎实的知识基础来支持创作过程。创造力是结构和即兴创作之间的平衡。

指南:运用和鼓励创造力

肯定和鼓励发散思维。举例:

1. 课堂讨论中,问学生:“谁能用另外一种不同的方式来看这个问题?”

2. 强化学生寻求新异的解决问题的方法,即使最终结果不是很完善。

3. 在项目主题或演示模式上提供选择(书面、口头、视觉或图形、技术辅助)。

允许有分歧,允许质疑假设。举例:

1. 让学生维护自己对立面的观点。

2. 保证观点不一致的学生得到相同的课堂权利和奖励——允许学生变得古怪。

3. 确定并检查未阐明的假设——我们从哪里开始? 真正的问题是什么?

鼓励学生承担合理的风险并相信自己的判断。举例:

1. 学生问到你认为他们自己能回答的问题时,把问题换个说法或更清晰地再阐述一遍,再让学生回答。

2. 不时给予学生非等级性的评价。

3. 将错误视为可以深入挖掘和学习的机会。

4. 在自己的教学中冒险。示范如何从冒险的成功或失败中吸取经验与教训。

强调每个人都具备某方面的创新能力。举例:

1. 不要把哪个伟大的艺术家或发明家的功绩描述成是只有超人才能做到的。

2. 肯定每个学生作业中的创造性的努力。在某些作业中为原创性思维单独评分。

提供时间、空间、合作伙伴和材料来支持创意项目。举例:

1. 收集拼贴画和创作物的"发现式"材料——按钮、石头、贝壳、纸张、织物、珠子、种子、绘图工具、黏土——尝试跳蚤市场和朋友捐款。准备镜子和图片来绘制面孔。

2. 将学习与现实问题联系起来。例如,让学生团体创建非营利组织以解决真实的社区问题,编写一份为解决方案提供资金的计划书,然后将他们的想法交给社区成员小组,小组将选择最具说服力的项目(亨里克森和米什拉,2015)。

3. 持续利用难忘的场合(实地考察、新闻事件、假期),提供可以就这些回忆画画、写作或创作音乐的机会。

4. 鼓励学生解决小组问题。

慢慢来,玩一下。举例:

1. 鼓励和表扬幻想、幽默、荒谬和古怪。

2. 各种想法、假设、材料、旋律、文字、动作、谜题——只要适合你的主题,都可以拿来玩。

教师成为创造性思维的一种刺激因素。举例：

1.只要有可能,就在班里采用头脑风暴式的讨论。对于解决问题的特定建议,鼓励学生延迟判断,直到考虑到所有可能性。

2.教师通过对课堂问题提出新异的解决方法,给学生示范创造性解决问题。

3.教师在教学中分享自己在音乐、艺术、电影、地质、历史、工艺、烹饪、体育、旅游、考古、语言、小说、戏剧等方面的兴趣和激情。

利用技术(Starko ,2014)。举例：

1.让学生使用 Spider Scribe(spiderscribe. net)等免费应用程序来创建思维导图,并与他人分享想法。

2.在午餐前或课堂结束时,创造性地花费五分钟,让学生在 iPhone、iPod 或 iPad 上使用 Genius on the Go 练习发散思维。

3.鼓励学生使用 Classtools. net 的 Fakebook 为文学或历史人物创建一个 Facebook 页面。转到 classtools. net/FB/home-page。

4.使用 Wordle(wordle. net)、WordCloud(wordcloud. com)或 tagxedo(tagxedo. com)创建单词云,显示特定文本或学生写作中使用的单词的频率。有关使用 WordCloud 制作的本章单词云,请参见图4.3。

有关更多想法,请参阅 ecap. crc. illinois. edu 并搜索"创意"(Creativity)。

在这个单词云中，本章中单词的频率由单词的大小表示，因此你可以看到"可能"（may）、"学生"（student）、"孩子"（children）和"可以"（can）最常出现。

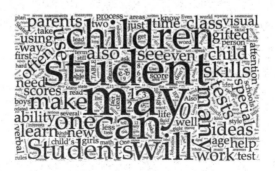

图4.3 本章单词云

创意学校。基思·索耶(Keith Sawyer,2015)通过描述有创造力的学校,总结了如何教授创造力和创造性地教学。在这些学校中,学生们并不是通过缺乏深度的简单的记忆方式来学习知识,而是通过深刻的理解,让自己为不断超越、即兴创作与发明等做好准备。学生也可以通过协作学习,促进自己进行表达、阐释,检测他们发展中的理解力,这样他们就可以学习如何认知自己的认知过程——元认知(metacognition),正如第九章将要展示的那样。结果发现,学生们:

> 学习着去参与基于他们发展中的知识而进行的创造性活动——如何识别好问题,如何提出好问题,如何收集相关信息,如何提出新的解决方案和假设,以及如何使用特定领域的技能来表达想法,并使想法成为现实。未来学校的学习环境将充满创造性,从而使学生更深入地掌握知识,并具有使用这些知识以进行创造性思考和行动的能力。(Sawyer,2015,p. 18)

我们现在转向真正有争议的有关个体差异的主张——学习风格。

学习风格

多年来,研究者一直在分析"风格"方面的个体差异——认知风格、学习风格、解决问题的风格、思维方式、决策风格……作为老师,你最常听到的是学习风格——谨慎对待!

学习风格/偏好

你认为你有特定的学习风格吗? 学习风格(Learning style)①通常被定义为一个人学习的方式。但要注意——一些学习风格的概念几乎没有研究支持,另外一些却基于扎实的研究。首先来看注意事项。

关于学习风格的注意事项。即使你会经常听到"学习风格"这个术语,我相信学习偏好(learning preferences)②是一个更准确的标签,因为大多数研究都描述了对特定学

———————————

①学习风格——学习的独特方法。

②学习偏好——学习的首选方式。例如用图片代替文本,与其他人一起工作而不是单独工作,在结构化或非结构化的环境中学习,等等。

习环境的偏好。例如,在哪里、什么时候、和谁在一起、用什么材料、照明、食物或音乐等。有许多工具用来评估学生的学习偏好,包括《学习风格问卷》(Dunn,Dunn,& Price,1989)、《学习风格问卷》(修订版)(McLeod,2010)和《学习风格简介》(Keefe & Monk,1986)。

这些是有用的工具吗? 学习风格的测试受到强烈批评(Pashler, McDaniel, Rohrer, & Bjork, 2009)。事实上,在对学习风格测试工具的广泛调查中,英国学习技能研究中心的研究人员得出结论,"我们对邓恩和邓恩(Dunn & Dunn)、格雷戈尔(Gregorc)和雷丁(Riding)的学习风格工具的可靠性和有效性进行了检查,结果强烈表明它们不该用于教育和商业"(Coffield et al.,2004,p. 127),其中部分原因是将教学方法与学习风格相匹配并没有对学习起到作用(Stahl,2002)。

两项实验研究指明了针对特定学习方式而教学的问题。首先,大学生对自己的学习风格进行自我评估,并划分成听觉、视觉或动觉型等,然后让老师根据他们自称的风格进行相应的教学。将学习方式与教学方法相匹配并没有改善学习(Kratzig & Arbuthnott,2006)。当研究人员研究人们如何识别自己的学习风格时,他们得出结论,人们的判断代表了自己的偏好,而不是使用听觉、视觉或动觉模式的高级技能。如果大学生难以确定自己的学习方式,那就想想四年级或九年级的学生吧! 在第二项研究(Rogowsky,Calhoun,& Tallal,2015)中,大学生完成了适合 17 岁及以上的"打造优秀在线学习风格评估量表"(Rundle & Dunn,2010),以确定他们是否具有听觉或视觉单词学习风格。然后,参与者被随机分配使用有声读物版本或电子文本的非小说类书籍的任务指令。研究再一次发现,将学习风格与教学模式相匹配对理解力没有影响。总之,喜欢一种特殊的学习方法并不能带来更好的学习。当你"开阔视野,利用起你所有的才能和智慧时,相比于把指导或经验限制在你所认为最合适的风格上,你会学得更好"(Brown,Roediger,& McDaniel,2014,p. 4)。

那么为什么这些想法如此受欢迎? 一方面是因为,许多蓬勃发展的商业公司基于"夸大的主张和武断的结论"就学习方式向教师、导师和管理人员提供建议,从而获得巨额利润(Coffield 等,2004,p. 127)。所谓有钱能使鬼推磨。另外,多模式学习的想法很受欢迎。人们喜欢视觉材料和动画演示,但是这些动画可能会导致一种称为理解错觉的现象。学生认为他们理解,因为内容似乎不那么困难;他们变得过于乐观,从而不会对学习进行自我监督,也不会使用其他元认知技能来深入理解。能力较差的学习者尤其容易受到动画演示的理解错觉的影响(Paik & Schraw,2013)。

考虑学习风格的价值。有一种学习风格的差异确实得到了研究支持。理查德·梅耶(Richard Mayer)(e. g., Mayer,2009;Mayer & Massa,2003)一直在研究视觉学习者和语言学习者之间基于计算机的多媒体学习的区别。他的研究对学习风格的评估更加认真,比许多商业性质的评估更有效。梅耶发现了一个视觉型—语言型维度,它包括三个方面:空间认知能力(低或高)、认知风格(形象化与言语化)和学习偏好(视觉学习者与语言学习者),如表4.2所示。因此,相比于仅仅是视觉或口头学习者,这一理论更为复杂。学生可能偏好用图片来学习,但空间能力弱可能会使用图片学习的效果降低。更复杂的是,空间能力对于从静态图片中学习非常重要,但对于从动画中学习来说,空间能力又不那么重要,所以学习材料的类型也很重要(Hoeffler & Leutner, 2011)。我们可以确切地测量这些差异,但研究尚未确定教学对这些风格的影响。当然,以多种形式呈现信息可能会有用。

表4.2　理查德·梅耶的视觉型—语言型维度的三个方面

视觉与语言学习有三个方面:能力,风格和偏好。每个人在这三个方面会有高低之别。

方面	学习者的类型	定义
认知能力	空间能力高	良好的创建、记忆和操纵图像和空间信息的能力
	空间能力低	较差的创建、记忆和操纵图像和空间信息的能力
认知风格	形象化	用图像和视觉信息思考
	语言化	用单词和言语信息思考
学习偏好	视觉学习者	喜欢用图片指导
	语言学习者	喜欢用单词指导

因此,在你尝试适应所有学生的学习方式之前,请记住,学生们可能不是他们应该

如何学习的最佳评判者,尤其是年轻学生。对某种特定风格的偏好并不保证使用该风格是有效的。有时学生更喜欢简单和舒适的东西(例如,用动画来解释复杂的材料),特别是那些学习有困难的学生。真正的学习可能很辛苦,而且并不舒坦。在某些情况下,学生喜欢按照某种方式学习,是因为他们没有其他选择;这是他们所知道处理任务的唯一方式。这些学生可能会受益于新开发的、或许更有效的学习方法。

超越"非此即彼"

尽管将学习风格和偏好与教学相匹配的大部分研究采用不可靠的措施和夸张的说法,从而被人们质疑,但这些关于教学与学习风格的思考仍具有一定的价值。首先,通过帮助学生思考如何学习,教师可以培养合理的自我监控和自我意识。其次,观察个别学生的学习方法可能有助于教师意识到学生的差异,并接受和适应差异,从而进行个性化教学(Coffield et al., 2004;Rosenfeld & Rosenfeld, 2004)。

学校可以提供更多的学习选择,例如安静的私人角落和大型工作桌、舒适的靠垫和直椅、明亮的桌子和较暗的区域、用于听音乐的耳机和耳塞、结构化和开放式的任务,以及从视觉资料、播客、网站、DVD 以及书籍中获得的信息。做出这些改良,是否会让学习变得更多更好呢?我们并不清楚答案。非常聪明的学生似乎并不需要很多精心安排,他们更喜欢安静的、一个人的学习(Torrance,1986),梅耶的视觉—语言区别似乎是有效的,但使用起来很复杂。如果不出意外,学生偏好的一些调整可能会使你的课堂更具吸引力,对学生更友好,你也可以从个人角度关心学生、与学生沟通。

到目前为止,我们主要关注的是学生的不同能力和风格。在本章的其余部分,我们将研究可能干扰学习的因素。对所有教师来说,意识到这些问题很重要,因为在 20 世纪 70 年代中期开始的法律和政策变化正要求教师面对所有学生时承担更多责任。

个体差异和法律

设身处地想一想:你是否有过成为团队中唯一一个无法做某件事的人的经历?如果你在学校和别人面对同样的困难,但他们似乎总是比你更容易解决问题,你会感觉怎样?你需要什么样的支持和指导才能继续尝试而不是就此放弃?

IDEA——残疾人教育法

美国自 1975 年以来,由 PL94 - 142(现称"残疾人教育法案",Individuals with Disabilities Education Act,IDEA①)起步,一系列法律已促使残疾儿童教育发生革命性的变化。IDEA 最后一次修订于 2004 年。在最基础的层面上,法律现在要求各州为所有参加特殊教育的残疾学生提供免费且适当的公立教育(free appropriate public education,FAPE)②。没有例外的州——法律要求零拒绝(zero reject)③。该政策也适用于患有艾滋病等传染病的学生。满足这些学生的特殊需求的费用被视为公共责任。美国的每个州都有一个儿童搜寻系统,以提醒和教育公众有关残疾儿童的服务,并发布有用的信息。在我写这一部分时,我意识到现任政府可能会对这些法律进行重大修改。请继续关注并紧跟你所在州的要求。

IDEA 非常具体地规定了残疾的定义,表 4.3 列出了它所涵盖的 13 类残疾,以及每个类别的学生人数。2013 年,这些学生中有超过 80% 在普通教育环境中接受了至少 40% 的教学(公共教育中心,2014 年)。你可以看到,无论你教什么年级或科目,你都将与有特殊需要的学生一起工作。在我们查看不同的类别之前,让我们来看看 IDEA 中的要求。父母和教师都对三个要点很感兴趣:"限制性最小的环境"的概念、个性化的教育计划以及保护残疾学生及其父母的权利。

限制性最小的环境。 IDEA 要求各州制定程序,以便在最少限制环境(least restrictive environment)(LRE)④中教育每个孩子,这种环境尽可能接近普通教育班级。多年来,为实现这一目标,所推荐的方法多次更改,已经从主流化(mainstreaming)⑤(在方便时让有特殊需要的儿童进入少数常规班级)、到整合(integration)⑥(使儿童适应现有的班

---

①残疾人教育法案(IDEA)——PL 94 - 142 的最新修订。无论儿童是否残疾,保证所有儿童免费接受公共教育。

②免费且适当的公共教育(FAPE)——无论学生有什么特殊需求,公共资金都要支持所有学生接受适当的教育。

③零拒绝——"残疾人教育法"的基本原则规定,任何残疾学生,无论何种类型或有多严重,都不能被拒绝接受免费的公共教育的权利。

④最少限制环境(LRE)——尽可能在普通教育课堂上教育每个孩子。

⑤主流化——将残疾儿童纳入普通学校的部分或全部学校日。

⑥整合——将孩子的特殊需要融入现有的课堂结构中。

级结构），到全纳（inclusion）①（重组教育环境以促进所有学生的归属感）（Avramidis, Bayliss, & Burden, 2000; Scruggs & Mastropieri, 2013）。尽管 IDEA 立法没有使用"全纳"这个词，但今天 LRE 被认为就是尽可能全纳。然而，强调标准化测试可能会干扰被纳入的残疾学生的良好教学（Friend & Bursuck, 2019; Idol, 2006; Kemp & Carter, 2006）。

个性化教育计划。法律起草者意识到每个学生都是独一无二的，可能需要一个特制的计划来取得进步。个性化教育计划（Individualized Education Program, IEP）②是家长和学校之间关于将为学生提供服务的协议。

表 4.3　IDEA 服务的 3 至 21 岁学生

IDEA 为 13 类学生提供服务。该表显示了 2014 年秋季学期每个类别的学生人数。（nces. ed. gov）

残疾类型	学生人数
特殊学习障碍	2,278,000
言语/语言障碍	1,332,000
其他健康障碍（非肢体障碍）	862,000
自闭症谱系障碍	576,000
智力障碍	423,000
发育迟缓	419,000
情绪障碍	349,000
多重障碍	132,000
听力障碍	76,000
肢体障碍	52,000
视力障碍	28,000
创伤性脑损伤	26,000
失聪失明	1,000
总计	6,555,000

①全纳——将所有学生包括严重残疾者，纳入正规班。
②个性化教育计划（IEP）——每年修订一名特殊学生的课程，详细说明当前的成绩水平、目标和策略，由教师、家长、专家和学生（如果可能的话）制定。

个性化教育计划是由学生父母或监护人、与普通学生打交道的教师、从事特殊教育的教师、一名学区代表(通常是校长)、一位能够正确评价学生的人(通常是学校心理学教师)和(如果合适的话)学生本人所组成的群体所撰写的。对于 16 岁以上的学生,这个团队可能包括来自外部机构的代表,他们将会提供帮助学生适应生活的服务和放学后的帮助服务。如果学校和父母或监护人同意,团队可以增派其他对孩子有特别了解的人(例如治疗师)。这个项目通常每年更新一次。

个性化教育计划必须以书面形式声明:

1. 学生目前的学习成绩和功能性表现水平(有时被称为 PLAAFP 或者现阶段表现水平)这包括社交技巧、平时表现、沟通技巧和其他任何领域。

2. 年度目标——根据学生的强项和弱项、在学业和/或非学业领域问题可衡量的年度绩效目标。有重要需求或多重残疾的学生可能也有短期目标或基本目标,以确保保持持续的进步。这些目标应该使学生能够使用通识教育课程。

3. 这个项目必须说明这些目标的进度和如何衡量这些目标。家长得到进度报告的时间应至少和学生的成绩单保持同步。

4. 要向学生提供特定特殊教育和相关服务说明,以及这些服务将在何时何地开展以及何时结束的细节。这个说明可以包括辅助和辅助技术的描述(例如使用语音识别软件 Dragon 来口述答案或写文章,或用电脑写作)。服务必须基于可靠的研究结果。

5. 说明有多少计划将不在普通教育课堂和学校环境中进行。

6. 一份关于学生将如何参与州和地区评估的声明,特别是联邦问责程序要求的评估,学生将采用什么替代性的评估(如果有的话),以及这些决定的理由。

7. 如果学生有明显的行为问题,那么个性化教育计划必须有一个基于学生行为功能评估的行为干预计划。(我们将在第 7 章进一步探讨功能评估)

8. 对 14—16 岁的学生,还需要提供过渡性服务的说明,以使学生在成年后继续深造或工作(Friend & Bursuck,2019;D. C. Smith,Tyler,& Smith,2014)

要查看中小学生的个性化教育计划,只需在网上搜索"个性化教育计划实例"(example IEPS)即可。

学生和家庭的权利。《残疾人教育法》的若干规定保护了家长和学生的权利。学校必须有维护学生记录机密性的程序,考试实施时不能歧视来自不同文化背景的学生。家长有权查看与孩子的测试、安置和教学相关内容的所有记录。如果他们愿意,父母可以对他们的孩子进行独立的评估。家长可聘请律师或代表参加制定个性化教育计划的会议。家长缺席的学生必须指定一个代理家长参加计划。父母必须收到用他们母语写的书面通知,之后校方才可做出任何评估或改变。最后,父母有权质疑为他们孩子制定的计划。他们受到正当法律程序的保护,由于教师经常与这些家庭举行会议,因此"指南:与家庭和社区形成合作伙伴关系——富有成效的会议"将有助于提高会议进行的效率。请注意,这些指导原则适用于与你所有的学生和其父母的会面。

并不是所有在学校需要特殊住宿的学生都享受《残疾人教育法》,或者有资格享受法律提供的服务。但这些学生的教育需求可能会被其他立法机构接受。

指南:与家庭和社区形成合作伙伴关系——富有成效的会议

计划和准备一个富有成效的会议。举例:

1. 有一个明确的目标,收集需要的信息。如果你想要讨论学生的进步,那就准备一些学生的作业。

2. 给家里发一份问题清单,让家人把这些信息带到会议上。弗伦德和伯斯特(Friend & Bursuck,2012,p.89)的问题示例如下:

(1)您今年对孩子教育的重点是什么?

(2)您希望我知道哪些让我可以更好地理解和指导您的孩子的信息?

您孩子的学习优势是什么? 他(她)有什么特殊的需要吗?

(3)和您交流最好的方式是什么?

电话、语音信箱、电子邮件、短信? 面对面? 书面笔记?

(4)您对您孩子所接受的教育有什么问题吗?

(5)在学校里,我们要怎样才能帮助您的孩子度过最成功的一年呢?

(6)您有什么要在会议上讨论的话题需要我准备吗? 如果有,请您提前告诉我。

(7)您想让其他人参加这个会议吗? 如果是的话,请给我一份他们的名单,这样我就可以邀请他们了。

(8)您想让我提供学校的具体信息吗? 如果是的话,请告诉我。

在会议期间,营造并保持合作和尊重的气氛。举例:

1. 安排房间进行私人谈话,在门上挂个牌子,以免被打扰。为了更好地合作,在会议桌旁开会。提供纸巾。

2. 对家长的称呼为"先生"和"女士",而不是"妈妈"、"爸爸"或"奶奶"。交谈时使用学生的名字。

3. 听取家人的意见,并考虑他们对孩子的建议。

4. 避免使用教育术语和缩写,例如 PLAAFP、PLOP、ADHD、IEP、FAPE、IDEA。

会议结束后,保持持续的记录和跟踪调查。举例:

1. 做有条理的笔记记录。

2. 以书面形式总结任何行动或决策,并将副本寄给家庭成员和其他相关教师或专业人员。

3. 多与家长交流,特别是有好消息要分享的时候。

获取更多信息,请参阅 scholastic. com/(搜索"parent teacher conference.")

"504 条款" 保护

由于 20 世纪六七十年代的民权运动,联邦政府通过了 1973 年的《职业康复法》。该法"504 条款"(Section 504)规定,任何接受联邦资金的项目,如公立学校,都严禁歧视残疾人。"504 条款"确保了所有学龄儿童有平等的机会参加学校活动。"504 条款"对残疾的定义很广泛。"504 条款"主要考虑两个群体:有医疗或健康需要的学生(如糖尿病、毒瘾或酗酒、严重过敏、传染性疾病或事故导致的暂时性残疾),以及患有注意力缺陷多动症的学生,如果他们还没有被《残疾人教育法》涵盖的话。

如果一个学生遭遇像上面所列的那样严重限制其参加学校和与学校相关活动(比如实地考察)的情况,那么学校必须制订一个计划,即使学校没有得到额外的补助,也要让学生能够接受教育。然而,与《残疾人教育法》不同的是,关于实施的硬性规则更少,因此各个学校可设计自己的程序(Friend & Bursuck,2019)。请参阅表4.4,以查看可能为学生提供的住宿类型实例。这些想法中有很多似乎是"很好的教学方法"。但我惊讶地发现,仍有许多老师不让学生使用计算器或录音机,因为"他们不应搞特殊化!"

表4.4 第504条款下住宿举例

可以写进"504条款"的住宿类型几乎是没有限制的。一些住宿可能与学习环境中的物理变化有关(例如,安装空气过滤器以去除过敏源)。然而,许多受"504条款"保护的学生有与他们的学习或行为相关的功能障碍,他们的需求与残疾学生的需求有些相似。一些可以被纳入"504条款"中的教学设施:
- 把学生安排在最靠近老师、方便其引导的地方。
- 提供开始时间和结束时间等线索。
- 建立家庭—学校沟通系统,以监控学生行为。
- 减轻作业量,这样学生就不会被作业压得喘不过气来。
- 简单明了的讲授和指令。
- 记录课程以便学生能再听一遍。
- 使用多感官的演示技巧,包括同伴导师,实验,游戏和合作小组。
- 强调正确答案而不是错误答案。
- 放一套教科书放在家里,这样学生就不用忘带书而往返学校了。
- 提供有声读物,让学生可以听作业而不是阅读作业。

资料来源:From Friend, M. & Bursuck, W. D. (2019) Including Students with Special Needs：A Practical Guide for Classroom Teachers (8th Ed.). Reprinted and electronically reproduced by permission of Pearson Education, Inc. , Upper Saddle River, New Jersey.

《1990年美国残疾人法》(Americans with Disabilities Act of 1990, ADA)①禁止在就业、交通、公共通道、地方政府和电信方面歧视残疾人。这项综合性立法将"504条款"的保护范围从学校和工作场所扩大到图书馆、地方和州政府、城市居民旅馆、剧院、商店、公共交通和许多其他场所。

面临学习挑战的学生

在我们讨论孩子们面临的学习挑战之前,让我们先回顾一下最近关于学习困难的神经科学方面的工作。随着新技术的应用,对大脑和学习障碍的研究数量呈指数级增长。

---

①1990年美国残疾人法(ADA)——联邦立法禁止在就业、交通、地方政府和电信领域歧视残疾人。

神经科学和学习挑战

我们现在得知,许多因素会影响儿童的学习障碍。当然,大脑和中枢神经系统的损伤、功能障碍或疾病,可导致语言、数学、注意力或行为障碍。对有学习障碍和注意力缺陷障碍的学生的大脑研究显示,与没有问题的学生相比,他们的大脑结构和活动有一些差异。例如,患有诵读困难症(一种语言和阅读障碍)的学生大脑左颞叶的结构和/或功能存在差异(Hallahan, Kauffman, & Pullen,2015)。患有注意力障碍的人,大脑的某些区域可能会更小。与没有注意缺陷的人相比,有该缺陷的个体大脑小脑和额叶的血流量似乎低于正常水平,某些神经递质化学物质和电活动水平在某些大脑区域有所不同(Barkley,2006)。有特定语言障碍的小学生似乎听觉系统不成熟,他们的大脑在处理基本的听觉信息时,类似于3—4岁儿童的大脑(Goswami,2004)。这些大脑差异对教学的影响仍在研究中。很难确定到底是学习问题和大脑差异出现的先后顺序(Friend, 2014)。

很多关于学习问题的研究都集中在工作记忆(在第八章中讨论),部分原因是工作记忆能力是一种很好的预测能力,可以预测一系列认知技能,包括语言理解、阅读和数学能力,以及流动智力(Bayliss, Jarrold, Baddeley, Gunn, & Leigh, 2005;Tourva et al., 2016)。此外,一些研究表明,在阅读和数学问题解决方面有学习障碍的儿童在工作记忆方面存在相当大的困难(Melby-Lervag & Hulme,2013;H. L. Swanson & Jerman, 2006;H. L. Swanson, Zheng, & Jerman, 2009)。具体来说,有学习障碍的儿童在使用工作记忆系统时存在问题,而工作记忆系统在学习的过程中会保存口头和听觉信息。因为有学习障碍的孩子很难把握字词和声音,所以他们很难把单词放在一起去理解一个句子的意思,或弄清楚数学故事的问题是什么。

一个更严重的问题可能是这些孩子很难从长期记忆中检索所需的信息,所以他们很难及时掌握信息。(例如,代数问题中两个数得出的结果相乘),他们必须转变新进入的信息,比如下几个数字的加法。重要的信息不断丢失。最后,在算术和问题解决方面学习能力不强的儿童,似乎在工作记忆中保持诸如数轴或数量比较等视觉空间信息方面也存在问题,因此对他们来说理解"小于"和"大于"是有挑战性的(D'Amico & Guarnera, 2005)。

如表4.3所示,在公立学校接受某种特殊教育服务的学生中,约有35%被诊断为有学习障碍,这是迄今为止最大的残疾学生类别。

有学习障碍的学生

如果一个学生没有智力缺陷、情感问题或教育缺陷,且有正常的视力、听力和语言能力,如何解释他在阅读、写作、拼写或学习数学方面的困难?学生可能有学习障碍(learning disability)①,但这个术语尚没有公认的定义。一个关于学习障碍的文本将其描述成11种定义(Hallahan et al.,2015),包括IDEA中使用的说法:"关于理解和使用语言(口头或书面)的一个或多个基本心理过程存在障碍,可能体现在不完美的听、思考、说话、读、写、拼写、做数学计算的能力"(p.117)。大多数的定义都同意学习障碍学生的表现远低于预期,且这预期是基于他们其他的能力。另一个广泛使用的定义来自国家学习障碍联合委员会,请访问www.ldonline.org并搜索"定义"(definition)。

大多数教育心理学家认为,学习障碍既有生理原因又有环境原因,比如神经功能障碍,出生前因母亲在怀孕期间抽烟或喝酒而接触毒素,早产,营养不良,家中使用了含铅油漆,或供应水中含铅(试想未来几年,密歇根州弗林特镇有学习障碍的儿童数量可能增加)。遗传可能也起了一定作用。如果父母有学习障碍,他们的孩子有30%到50%的概率有学习障碍(Friend,2014;Hallahan et al.,2015)。

学生特征。有学习障碍的学生并不都是一样的。最常见的特征有:一个或多个学业领域内的特殊困难;缺乏协调性;很难集中注意力;多动和冲动;组织和解释视觉和听觉信息的问题;看起来缺乏动力;交朋友和维持朋友关系的困难(Hallahan et al.,2015)。你可以看出,许多有其他残疾的学生(如多动症)和许多正常发育的学生可能有一些相同的特点。但更复杂的是,并不是所有有学习障碍的学生都会有这些问题,只有很少学生具有所有这些特征。一个学生可能在阅读上落后3年,但是数学成绩在平均分以上,而另一个学生可能有相反的优势和缺点,而第三个学生可能有组织和学习的困难,而这会影响几乎所有学科的学习。

---

①学习障碍——语言的获取和使用的学习障碍问题;可能会出现写作、推理或数学、阅读方面的困难。

大多数有学习障碍的学生都有阅读困难。表4.5列出了一些最常见的问题,尽管这些问题并不一定标志着学习障碍。对于说英语的学生来说,这些困难似乎是音位意识方面的问题——即难以把声音和构成单词的字母联系起来,这使拼写就变得困难(Lyon,Shaywitz,& Shaywitz, 2003;Willcutt 等,2001)。对于说中文的人来说,阅读障碍似乎与语素意识有关,也就是把语素组合成词的能力有关。语素是有意义的最小独立单位。例如,books 有两个语素:"book"和"s"——"s"有意义,因为它使"book"成为复数。识别汉字字符的意义单位有助于学习语言(Shu, McBride-Chang, Wu,& Liu, 2006)。

数学,包括计算和解决问题,是学习障碍学生的第二大常见问题。有英语阅读障碍的学生很难把声音和字母联系起来,而数学学习阅读障碍的学生有一些很难自动将数字(1、2、3 等)与正确的数量联系起来,例如,28 是多少。因此,在年轻的学生学习数学计算之前,有些学生可能需要额外的练习来自动将数字与它们所代表的数量联系起来(Rubinsten & Henik,2006)。

表4.5 学习障碍学生的阅读问题

你的学生有表现出这些迹象吗? 它们可能是学习障碍的迹象。

阅读焦虑
• 对阅读表现出不情愿 • 通过哭或其他行为避免阅读 • 阅读时很紧张
难以辨认单词或字母
• 插入不正确的单词、替换词或跳过词 • 倒转字母或数字——例如,48 写成 84 • 拼错单词——将"cope"拼成"cape" • 弄混单词组合成句子的顺序:把"我可以骑自行车"写成"我可以自行车骑" • 阅读速度非常慢,不流畅——经常停顿
词汇能力不高
• 不会读生词 • 词汇量匮乏
理解或记住所读内容很困难
• 不能从阅读材料中回忆起事实 • 不能推断或确定主旨

一些有学习障碍的学生的字迹几乎是不可读的,他们的口语可能是断断续续的,而且没有条理,如图4.4所示。有学习障碍的学生通常缺乏处理学业任务的有效方法。他们不知道如何专注于相关的信息、如何组织、如何运用学习策略和学习技巧、如何在使用的策略不奏效时改变策略、如何评估他们的学习。他们往往是被动的学习者,部分原因是他们不知道如何学习——他们经常失败。独立学习尤其困难,所以他们经常写不完家庭作业和课堂作业(Hallahan et al.,2015)。

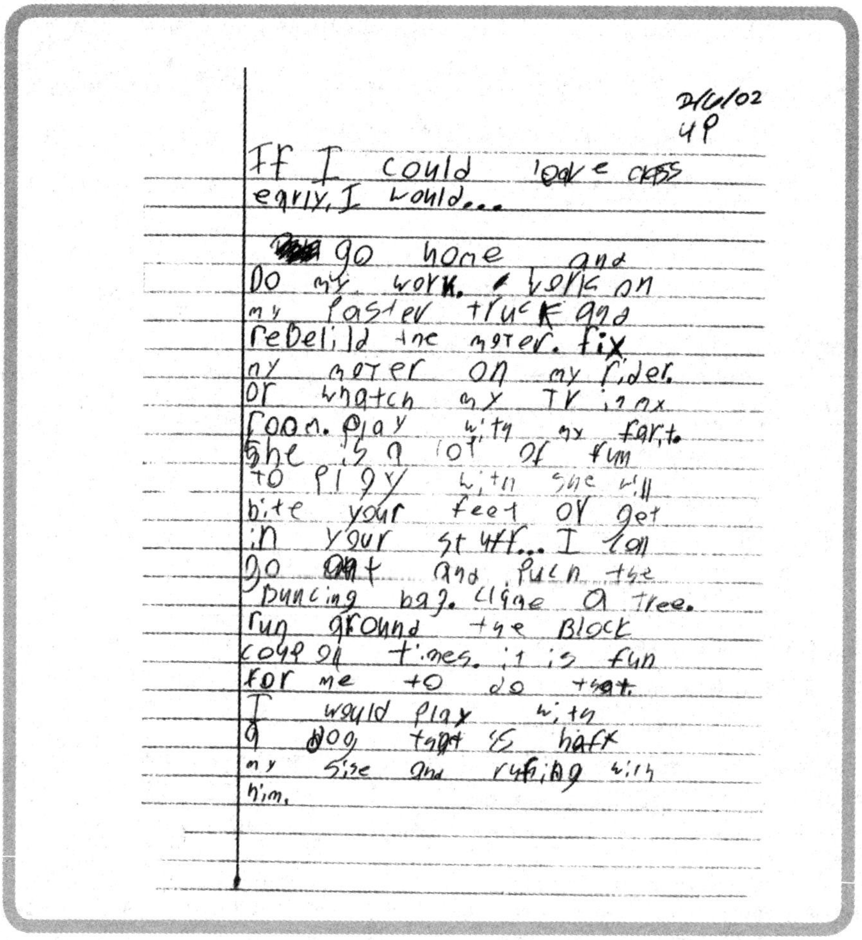

资料来源: Friend, M. & Bursuck, W. D. (2019) Including Students with Special Needs: A Practical Guide for Classroom Teachers (8th Ed.).Reprinted by permission of Pearson Education, Inc.

图4.4　一名有学习障碍的14岁学生的字迹示例

教有学习障碍的学生。早期诊断是很重要的,这样有学习障碍的学生就不会变得非常沮丧和气馁。学生们自己也不明白他们为什么会遇到这样的困难,他们可能成为习得性无助(learned helplessness)的受害者。这种情况最早是在动物学习实验中发现的。这些动物被放置在它们无法控制的环境中接受惩罚(电击)。后来,当它们本可以避开电击或者关掉电击时,动物们却懒得去尝试了(Seligman, 1975)。他们成为习得性无助的受害者。有学习障碍的学生也可能会认为他们无法控制或改善自己的学习。这是一个严重的误解,这些学生从来没有努力去发现他们可以在自己的学习上有所作为,所以他们仍然被动和无助。

有学习障碍的学生也可能试图弥补他们的问题,并在这个过程中养成不良的学习习惯,或者他们可能因为害怕无法处理开始回避某些科目。为了防止这些事情的发生,老师应该尽早把学生推荐给学校里负责的专业人员。

有三种通用方法对于学习障碍的学生是非常有效的,最好一起使用(Friend, 2014;Hallahan et al., 2015)。第一个是直接教学,会在第十四章中进行描述。这种方法的基本原理是对新材料进行清晰的解释和演示,一步一步地教学,一步一步地练习,并进行即时的反馈,辅以老师的指导和支持。第二种方法是同伴辅导。这可以由教师在课堂培训时完成,监督学生扮演同伴的导师。我们将在第十章探讨这种方法的可行性。第三种方法是策略指导,将在第九章中进行描述。策略是集中注意力和完成任务的具体规则,例如支持小学生议论文写作的 TREE 策略。

主题句(Topic sentence):说出主旨。

理由(Reasons):说出三个或三个以上的理由来说明你为什么相信这一点。你的读者会相信吗?

结尾(Ending):总结!

检查(Examine):检查以上三个部分。

所有策略的教学都必须采用良好的直接教学——解释、举例和反馈练习。更多细节见第九章和第十四章。

还有一些其他的帮助学习障碍学生的一般性策略。在学前班和小学阶段,语言指导要简短;让学生向你复述以确保他们理解;举多个例子,多次重复要点;允许比平常更多的练习,特别是当接触新材料时。这些策略在中学阶段也很有用。另外,教给高年级学生自我监控等策略,如向学生们暗示:"我集中注意力了吗?"教学生使用外部记忆策略,如记笔记和设备,如作业本、待办事项列表、电子日历(Hardman et al., 2015)。在每个年级,教师都要将新学知识和已学知识进行衔接联系。你可能认为,这些策略对那些需要更多支持和直接教授学习技能的学生同样有帮助。你是对的。

患有多动症和注意力障碍的学生

设身处地想一想:如果一个学生在时间管理和组织方面遇到困难,你会提供什么样的帮助?

你可能听说过、甚至用过"多动症"这个词。这个概念是现代的,50到60年前还没有"多动症儿童"这样的词。像马克·吐温的《哈克贝利·费恩历险记》里这样的孩子被视为叛逆、懒惰或"烦躁不要的"(Nylund,2000)。如今,多动症却很普遍。在美国,大约有11%的儿童在一生中的某个时候被诊断出患有注意力缺陷多动症,世界各地也有5%到7%的儿童受到这种疾病的影响(DuPaul & Jimerson, 2014)。在我接触的人中,项目中的许多老师都有5到6个学生被诊断为多动症,有一个班级,10个学生被诊断为多动症。与我更近的是,我的几个直系亲属患有多动症。

定义。多动症并不是一种特定的疾病,而是两种可能同时出现或不同时出现的问题:注意力障碍和冲动—多动症。在美国,大约一半的确诊儿童同时患有这两种疾病。美国精神病学协会将注意力缺陷多动障碍(attention-deficit hyperactivity disorder, ADHD)①定义为影响儿童和成人的神经发育障碍,这是一种持续的注意力不集中和/或过度活跃 – 冲动,阻碍着个人的日常生活或典型发展(美国精神病学协会,DSM – 5,2013b)。一些症状为:

• 注意力不集中:不关注课堂活动、学习细节、老师的指令或课堂讨论;不能静下心整理学习、笔记本、书桌或作业;容易分心和健忘;经常掉东西;拖延长时间的任务;

---

①注意力缺陷多动障碍(ADHD)——以过度活跃、难以维持注意力或冲动为特征的破坏性行为障碍。

没有为考试有效地学习;在考试或作业中作弊。

● 多动/冲动:烦躁不安;在座位上不能安静坐着;移动时很快——似乎是由马达驱动的快速移动;过度健谈;说话不过脑子;不耐烦;喜欢打断别人;半途而废;插队。

如今,大多数心理学家都认为,对于那些被贴上"多动症"标签的儿童来说,主要问题在于引导和保持注意力,而不仅仅是控制他们的身体活动。患有多动症的学生在任务转换上也有困难———旦他们开始一项活动,就很难停下来开始一项新的活动(Hallahan et al.,2015)。所有的孩子都会有做出这些行为的时候,但患有注意力缺陷多动症的孩子可能在 7 岁之前就出现这些症状,这些症状会在很多环境中出现(不仅仅是学校),导致学习和与他人相处的问题。患有注意力缺陷多动症的学生,尤其是青少年,在计划、管理时间和完成学业方面有困难。他们更容易在学校不及格、留级、被停学或开除、换学校、接受特殊教育、经历焦虑和抑郁(Martin,2014;Sibley,Altszuler,Morrow,& Merrill,2014)。

多动症通常在小学被诊断出来,但是研究表明注意力和多动症的问题可能在 3 岁的时候就开始显现(Friedman-Weieneth,Harvey,Youngswirth,& Goldstein,2007)。尽管男孩诊断为 ADHD 的数量比女孩多 2 到 5 倍,但这个差距似乎正在缩小。女孩与男孩有相同的症状,但往往以不太明显的方式表现出来,因此她们可能很难被发现,因此可能会错过获得适当的支持(Friend,2014)。

就在几年前,大多数心理学家还认为注意力缺陷多动症在儿童进入青春期时就会消失,但现在有证据表明,至少有一半被诊断出患有注意力缺陷多动症的人,其问题会持续到成年(Hirvikoski 等,2011)。青春期——压力增加,过渡到初中或高中,学业工作的要求越来越高,更多复杂的社会关系——对于患有多动症的学生来说尤其难熬(E. Taylor,1998)。当被诊断出患有注意力缺陷多动症的儿童成年后,大约25%的儿童没有出现更多的症状,50%的儿童有足够的症状被诊断出患有注意力缺陷多动症,大约25%的儿童有残留的症状,这些症状仍然可以干扰他们的生活,因此注意力缺陷多动症无疑也是成年人的问题(Hallahan et al.,2015;Rosenberg et al.,2011)。事实上,最近的一些研究指出注意力缺陷多动症可能在成年期发作,甚至在儿童时期没有症状

(Reddy,2016)。

用药物治疗多动症。如今,针对多动症的药物治疗在增加,但是这种方法是有争议的,正如你在"观点与争论"中看到的。

药物治疗的替代品/辅助。格雷戈里·法比亚诺(Gregory A. Fabiano)和他的同事(2009)分析了 1967 年至 2006 年间进行的 174 项研究,其中包括近 3000 名注意力缺陷多动症行为治疗参与者,所有的研究都符合严格的质性研究标准。研究中使用的行为治疗包括应用行为主义学习理论衍生的方法,如应急管理、冷处理、塑造、自我调节和建模(见第七章和第十一章)。然后,研究者比较未治疗组和治疗组,或比较个人在一种或多种不同的治疗前后的状态。他们的结论是什么呢? 研究结果清晰而令人印象深刻。"基于这些结果,有强有力且一致的证据表明行为治疗对注意力缺陷多动症有效"(Fabiano et al. , 2009,p.129)。因为这些方法似乎有效,作为教师,我们需要学习何时以及如何使用它们(Hirvikoski et al.,2011)。与瑞典成年患者合作的研究者还发现,强调接受和改变注意力缺陷多动症症状和行为之间的平衡的行为方法被证明是有效的。

观点与争议:多动症儿童采用药物治疗还是保守治疗?

在美国,大约 3% 的学龄儿童(6 到 18 岁)服用某种治疗多动症的药物。患有多动症的儿童应该服用药物吗?

观点:是的,药物对多动症有帮助。

在服用利他林(最常用的注意力缺陷多动症药物)的人中,约有 30% 反应良好(Hallahan et al. 等, 2015)。利他林和其他处方药如阿德里尔、福卡林、右旋糖苷、维旺斯和匹莫林属于兴奋剂。在特定的,它们似乎会影响神经素的释放,帮助大脑的执行功能更正常地运作(Hallahan et al.,2015)。短期效果包括行为的可能改善,如增加合作、注意力、任务转换和遵从性。研究表明,大约 70% 到 80% 的多动症儿童在服药期间更容易控制,更能从教育和社会干预中获益(Hutchinson, 2009)。事实上,阿德里尔和利他林等兴奋剂和托莫西汀等非兴奋剂治疗似乎对许多患有多动症的儿童和青少年都有帮助(Kratchovil, 2009)。丁螺环酮这种通常用于治疗焦虑的药物,甚至碧萝芷等保(Trebaticka et al., 2009)。有证据表明,托莫西汀可能有助改善工作记忆、计划和抑制等功能——至少对被研究的中国儿童来说是这样(Yang et al., 2009)。

对立观点:不,药物不应该是治疗多动症的首选。

许多儿童都对药物副作用有反应,如心率升高、血压升高、生长速度受到干扰、失眠、体重减轻和恶心(D. C. Smith et al.,2014)。对于大多数儿童,这些副作用是轻微的,可以通过调整药物的剂量和服用时间来控制。然而,人们对药物治疗的长期效果知之甚少。药物托莫西汀不是一种兴奋剂,但可能导致自杀念头的增加。作为父母或老师,你需要跟上注意力缺陷多动症治疗的研究。许多研究得出结论,由于使用药物而改善的行为对学业或同伴关系的作用很小,而多动症的孩子这两个领域有很大的问题。因为孩子们在行为上有显著的改善,家长和老师看到变化如释重负,以为问题已经解决。但事实并非如此。孩子们在学习上仍然需要特别的帮助,特别是专注于任务转换和如何在阅读或演讲中的要素之间建立联系,以建立连贯的、准确的信息表达的教学干预(Bailey et al., 2009;Doggett, 2004;Purdie, Hattie, & Carroll, 2002)。

小心非此即彼。最重要的是,即使你班上的学生都在服药,他们也要学习他们成功所需要的学业和社交技能——这不会自动发生。学生需要学习如何以及何时应用学习策略和学习技巧。同时,他们需要被鼓励在面临困难任务时坚持不懈,并认为自己能够控制自己的学习和行为。单靠药物是无法做到这一点的,但它可能会有所帮助。我们需要从几个方面解决这个问题,包括有效教学、咨询、支持积极的行为。

给教师的建议:学习障碍和多动症

长时间的作业可能会让有学习障碍和注意力缺陷的学生不堪重负,所以一次只给他们布置几个问题或段落,并清楚地说明完成作业的结果。如果学生的注意力高度分散,可以考虑建立一个学习空间,将视线和声音隔在外面。发布一个课堂时间表,在转换任务时给出明确的信号。帮助学生整理课桌、材料、笔记本、书包、作业纸或电子日历。另一个有保障的方法是将学习和记忆策略的指导与动机训练相结合。目标是帮助学生发展"技能和意志"来提高他们的成就。还要教导他们监控自己的行为,鼓励自己坚持不懈,并把自己看作是"控制者"(Pfiffner, Barkley & DuPaul, 2006)。

控制的概念是治疗多动症的一种治疗策略,它强调个人能动性。大卫·尼伦德(David Nylund,2000)的方法并不是治疗问题儿童,而是列出了孩子的优势,以克服他或她的问题——让孩子掌握控制权。尼伦德对此有一个比喻。他没有把问题看成是孩子内心的问题,而是帮助每个人看到外在于孩子的多动症、烦恼、无聊和学习的其他敌人,就像孩子们想要征服的恶魔或任性的妖精一样,以此来帮助孩子们完成他们的目标。

作为一名教师,你可以统计学生专注的次数——即便专注的时间都很短。这些有什么作用呢? 它们能让你发现学生的长处,并为之惊讶。在你的教学中做出改变,来支持学生想要做出的改变。参阅尼兰德(Nylund,2000,pp. 202 - 203)对患有多动症的学生的一些建议。

表4.6 患有 ADHD 的学生给老师的一些建议

患有 ADHD 的学生为他们的老师提出了这些建议(Nylund,2000)

- 使用大量的图片(视觉线索)来帮助我学习。
- 注意文化和种族认同。
- 知道什么时候该规则调整。
- 注意我做得好的时候。
- 不要告诉其他孩子我正在服用利他林。
- 让我们可以自己做选择。
- 不要只是说教,太无聊了!。
- 意识到我是聪明的。
- 让我在教室里可以走来走去。
- 不要布置大量的家庭作业。
- 多一些休息时间!
- 要有耐心。

有沟通障碍的学生

6 至 21 岁的患有沟通障碍的学生,是特殊教育学生中第二大类别。这些学生有语言障碍或言语障碍,或者两个都有。他们占特殊教育学生总体的 20% 。导致沟通障碍的源头有许多,因为学习使用语言和说话涉及一个人的多方面。一个听力受损的儿童并不能正常地学会说话。那些被忽视的儿童,或者世界观被情绪问题扭曲的儿童,在语言发展上存在相应的问题。由于说话包含了动作,任何与言语相关的动作性功能的损伤都会导致语言障碍。而且由于语言发展和思维是相互联系的,任何有关认知功能的问题也会影响使用语言的能力。

言语障碍。那些并不能准确发出声音的学生被认为是有言语障碍(speech disorders)①。约5%的学龄儿童有各种形式的言语功能受损。发音问题和流利障碍(fluency disorders)②(口吃)是两个最重要的普遍性问题。

发音障碍(articulation disorders)③包括扭曲发音,如口齿不清("sometimes"发音成"thumtimes")、替换声音("chair"变成"shairp")、增加声音("chair"变成"chuch air")或者忽略声音("chair"变成"chai")(Rosenberg等,2011)。然而,要记住,大多数孩子都是在6—8岁的时候才能够发出日常对话中所有的发音,l、r、y、s、v、z这些辅音和辅音的混合音 sh、ch、ng、zh、th 是最后被掌握的(Friend,2014)。此外,基于地理位置的关系,不同地域的发音也不一致。你班上一个来自新英格兰的孩子可能会用"ideer"来表示"idea",但是他并没有言语障碍。

口吃(流利障碍)通常出现在3到4岁之间。口吃的原因尚不清楚,但可能涉及情绪或神经问题习得行为。如果口吃持续超过一年左右,孩子就应该向语言治疗师求助。早期干预可以产生很大的影响(Hallahan et al., 2015;Hardman et al., 2014)。当你面对一个结巴的学生时,要经常和他们私下交流,不要着急,不要打断或结束孩子的词语和句子。经常停顿,特别是在孩子讲完之后。可以在说话之前花点时间思考。注意,当孩子过于结巴的时候,不要强迫孩子说得太快。在课堂讨论中,让学生早点发言,以免他紧张,并且问一个可以用简洁语言回答的问题。坦率地说出自己的口吃并不可耻,许多成功人士,包括国王,他们也有口吃问题,但通过学习取得了进步。(Friend, 2014;Rosenberg et al., 2011)。

---

①言语障碍——说话时不能有效地发音。
②流利障碍——一种体现为发音不连贯的语言障碍,通常被称为口吃。
③发音障碍——任何形式的发音困难,比如语音的替换、扭曲、省略。

声音障碍(voicing disorder)①,第三种语言障碍,包括说话的音调、音质、响度不适当,或只有一种语调。有这些问题的学生应该向语言治疗师求助。认识到问题是第一步。如果学生的发音、音量、音质、说话流畅度、表达范围或语速与同龄人有很大不同,请提高警惕。还要注意那些很少说话的学生,他们只是害羞,还是在言语方面有困难?

语言障碍。语言差异不一定是语言障碍。与其他同龄学生和文化学生相比,语言障碍的学生在理解或表达语言的能力上有着明显不足(Owens,2012)。一个很少说话,使用很少单词或非常短的句子,或仅依靠手势交流的学生应该接受来自一个合格的学校专业人员的观察或测试。表4.7给出了促进所有学生语言发展的建议。

表4.7　促进语言发展

- 讨论孩子们感兴趣的话题。
- 跟随孩子们的脚步。回应他们的提问和评论,分享他们的兴奋。
- 不要问太多问题。如果你必须问问题,问怎么做/为什么做/发生了什么……这样的问题,这样学生会给出更长的解释性答案。
- 鼓励孩子们提问,并积极和诚实地回答他们的问题。如果你不想回答一个问题,就直说,并说明原因(如:我不想回答这个问题,因为它太私人了)。
- 使用愉快的语调,你不用做到喜剧演员的程度,但你可以说得轻松并幽默。孩子们喜欢傻傻的大人。
- 不要妄加评判或取笑孩子的语言,如果你对孩子的语言过于苛刻,或者试图纠正所有的错误,他们就会拒绝和你说话。
- 允许给孩子足够的时间做出回应。
- 礼貌地对待孩子,不要打断他们的话。
- 鼓励孩子们参与家庭和课堂讨论,并倾听他们的想法。
- 接受孩子和他们的语言,拥抱和接纳益处多多。
- 为儿童提供使用语言的机会,并让他们用语言来实现自己的目标。

资料来源: Owens, Robert E., Language Disorders: A Functional Approach to Assessment and Intervention, 5th Ed. © 2010 Reprinted and electronically reproduced by permission of Pearson Education, Inc., Upper Saddle River, New Jersey.

---

①声音障碍——不适当的音高、音质、响度或语调。

有情绪或行为困难的学生

患有情绪和行为障碍(emotional and behavioral disorders)①的学生可能是普通教学班级中最难教授的学生之一,他们是许多准教师关注的问题(Avramidis,Bayliss & Burden,2000)。对于那些没有得到适当帮助的患有情绪和行为障碍的学生来说,未来并不光明,这些学生中约有三分之一在上学期间被捕。高中毕业后,他们比没有该障碍的同龄人更不可能保住工作,更有可能被逮捕(Harrison,Bunford,Evans,& Owens,2013)。所以早期干预是非常重要的。

教育专业人士将行为障碍定义为行为偏离常模,以至于影响孩子自身的成长和发展以及/或其他人的生活。IDEA 描述了情绪障碍——包括不恰当的行为、不快乐或抑郁、恐惧和焦虑以及人际关系的麻烦。表4.8 显示了 IDEA 的定义。

不管他们的定义如何,作为一名教师,你所观察到的是那些好斗、焦虑、孤僻或沮丧的学生,他们往往难以遵守规则、集中注意力、坐在自己的座位上、与他人互动。他们经常被送到校长办公室或被排除在课堂之外。在美国,将近35 万学生有情绪障碍,这使他们成为接受特殊服务的第五大群体。自1991 至1992 年以来,这一数字增加了约20%。与学习障碍和多动症一样,诊断出这些障碍的男孩多于女孩,至少是女孩的三倍。一个令人不安的事实是,非裔美国学生在这一类别中所占比例过高。他们约占总人口的13%,但在被认为有情绪和行为障碍的学生中约占26%。

很多学生可能会患上情绪和行为障碍。其他残疾学生——例如学习障碍、智力残疾或多动症——在与学校抗争时也可能有情绪或行为问题。应用行为分析(第七章)和直接教学自我调节技能(第十一章)是两种有用的方法。另一种对这些学生有帮助的可能是提供结构、有组织的工具、选择。以下是特丽·斯旺森(Terri Swanson,2005)的一些想法:

● 通过最小化视觉和听觉刺激来实现环境的结构化,在期望不同行为的区域之间建立清晰的视觉边界,或将所需材料整理置于易取用的容器中。

---

①情绪和行为障碍——这些行为或情绪偏离了常态,影响了孩子自身的成长和发展以及/或他人的生活——不适当的行为、不快乐或沮丧、恐惧和焦虑,以及人际关系上的麻烦。

- 通过张贴每月和每天的时间表、明确的开始和结束的信号以及明确的交作业程序来实现日程的结构化。

- 通过颜色编码主题文件夹(蓝色表示数学等),张贴带有视觉提示的口语指令,或将活动所需的所有材料放在"科学盒子"中实现活动的结构化。

- 规则和例程的结构化。例如,给学生一个脚本,用于请其他学生一起玩游戏;以积极的方式编写规则;帮助学生应对日常安排的变化,比如通过展示一些图片帮助学生了解复活节假期会发生什么。

- 提供可供选择的选项,为完成任务或项目提供一个简短的备选方案列表。

表4.8 情绪障碍的 IDEA 定义

情绪障碍是指在一段长时间内表现出下列一项或多项特征的情况,并在显著程度上对儿童的教育表现产生不利影响:

1. 智力、感官或健康因素无法解释的学习无能。
2. 无法与同龄人和教师建立或保持令人满意的人际关系。
3. 正常情况下不适当的行为或感觉。
4. 普遍存在的不快乐或抑郁的情绪。
5. 与个人或学校问题相关的身体症状或恐惧的倾向。
6. 情绪障碍包括精神分裂症。这一术语不适用于社会适应不良的儿童,除非确定他们有情绪障碍。

Source:IDEA Regulations, Sec. 300. 8 c 4, Child with a disability. Retrieved from http://idea. ed. gov/explore/home U. D. Department of Education.

因为有情绪和行为障碍的学生经常不遵守规则,不断地突破底线,老师们常常发现自己在惩罚他们。值得注意的是,已经有关于惩罚有严重情绪问题学生的法院裁决(Yell,1990)。"指南:管教有情绪问题的学生"或许能帮助你处理这些情况。

让我们考虑一个教师可能会发现问题、并产生影响的领域——自杀。

指南:管教有情绪问题的学生

注意不要侵犯学生的正当权利。学生和家长必须知道对行为的期望和不当行为的后果。举例:

1. 用清晰的书面方式表达期望。

2. 请家长和学生签署一份教室规则副本。

3. 在教室和课堂网页上张贴规则和后果,并放在班级的主页上。

使学生长时间离开课堂这类严厉的惩罚手段需小心使用。这些制定都改变了儿童的简易教育方案,需要适当的步骤。举例:

1. 停课超过 10 天,需要遵循正当程序。

2. 注意可能的要求长时间停课的正当程序(在校停学)。

确保对有严重情绪问题的学生的惩罚具有明确的教育目的。举例:

1. 把学生的行为与他的学习或课堂上其他人的学习联系起来,给出惩罚或纠正的理由。

2. 使用包含基本规则的书面行为契约。

确保规则和惩罚是合理的。举例:

1. 考虑学生的年龄和身体状况。

2. 针对学生的过错,所采取的惩罚合理吗? 是否与对待其他学生的方式一致?

3. 其他教师是否以同样的方式处理类似的情况?

4. 先尝试低强制性惩罚。耐心点。只有在较轻的惩罚失败时才采取更严厉的行动。

保持良好的记录,并协同工作,以便所有参与的人都能被通知。举例:

1. 在日志或日志中记录对所有学生的惩罚。列出什么导致了惩罚,使用了什么方法,惩罚持续了多长时间,结果,对惩罚的更改,以及新的结果。

2. 记录与家庭、特殊教育教师和校长举行的会议。

3. 与家庭和其他教师一起修改管理计划。

始终把积极的结果和消极的结果结合起来使用。举例:

1. 如果学生因为违反规则而失去分数,给他们通过积极的行为来重新获得分数的方法。

2. 承认真正的成就和小进步——不要说"好吧,是时候你要……"

想要了解有关惩戒残疾学生的更多信息,请访问 www. wright slaw. com,并搜索"disciplining students with disabilities"。

自杀。当然,并不是每个有情绪或行为问题的学生都会自杀,但是抑郁往往与自杀有关。多达10%的青少年曾试图自杀,但更多的青少年曾考虑过自杀。居住在农村社区的土著美国人和学生更有可能自杀。有几个普遍的危险因素,这些因素似乎都适用于非裔美国人、拉美裔和白人青少年:抑郁症和药物滥用、家庭自杀史、压力、冲动或完美主义倾向、相信死后去一个更好的地方、家庭排斥或冲突。有一个以上的风险因素尤为危险(Arnett,2013;Friend,2014;Steinberg,2005)。此外,一些针对抑郁症或多动症的药物可能会增加青少年自杀的风险。

自杀往往是对生活问题的回应——父母和老师有时会忽略这些问题。有许多警告迹象表明,麻烦正在酝酿。注意孩子们饮食或睡眠习惯、体重、成绩、性格、活动水平、吸毒或酗酒方面的变化,或对朋友或曾经有趣的活动的兴趣下降。处于自杀危险中的学生有时会突然放弃宝贵的财产,如iPad、游戏、衣服或宠物。他们可能看起来抑郁或过度活跃,可能会说:"不再重要了","我不应该在这里","如果我死了,人们也许会爱我","你再也不用为我操心了",或者"我想知道死了是怎么样的"。他们可能会开始逃学或放弃工作。如果学生不仅谈论自杀,而且有实施自杀的计划,这是特别危险的。有时候,随着抑郁的减少,自杀的风险也会增加,因为极度沮丧的年轻人被困住了,没有精力去计划或尝试自杀。如果一个抑郁的学生突然看起来好多了,那可能是他或她坚定地决定用自杀来结束痛苦,所以要保持警惕,并与学生沟通(Arnett,2013)。表4.9提供了一些关于自杀的误区和事实。

如果你怀疑有问题,直接与学生交谈,并询问他或她的关切。许多企图自杀的人有一种共同的感觉,那就是没有人会在意去问。询问细节,认真对待学生。您可能需要成为学生的拥护者,管理者,家长,或其他成年人谁搁置了警告信号。另外,要注意,青少年自杀事件经常成群结队地发生。在一次学生自杀行为或媒体报道有关自杀的故事之后,其他青少年更有可能复制自杀(Lewinsohn,Rohde,& Seeley,1994;F. P. Rice & Dolgin,2002)。

表 4.9　关于自杀的误区和事实

误区	谈论自杀的人不会自杀,他们只是想引起人们的注意
事实	自杀死亡的人通常会在死前谈论自杀。他们很痛苦,经常求助,因为他们不知道该怎么办,他们失去了希望。一定要认真对待有关自杀的谈论。一直都是
误区	只有某些类型的人自杀
事实	所有类型的人都会自杀——男性和女性、年轻人和老年人、富人和穷人、乡村人和城市人。这种情况发生在每个种族、民族和宗教群体中
误区	你不应该问那些有自杀倾向的人、他们是否在考虑自杀,或他们是否想到了某种方法,因为仅仅谈论这些就会让他们产生自杀的想法
事实	询问人们是否在考虑自杀并不能给他们自杀的想法。和那些有自杀倾向的人谈论自杀是很重要的,因为你会更多地了解他们的观念和意图,并让他们消除一些导致他们自杀情绪的压力
误区	大多数自杀的人真的想死
事实	绝大多数有自杀倾向的人都不想死。他们在痛苦中,他们想要停止痛苦。自杀通常是为了求救
误区	年轻人从来没有想过自杀,他们的一生都在向前看
事实	自杀是 15 至 24 岁年轻人的第三大死因。甚至 10 岁以下的儿童也会自杀

资料来源: Based on Caruso, K. , Suicide Myths. Retrieved from http://www. suicide. org/suicide-myths. html. See also http://suicideprevention. nv. gov/ for a very comprehensive list of myths and facts.

滥用药物。现代社会都会使成长成为一个非常混乱的过程。留意来自电影和广告牌的信息,你会发现那些"美丽"、受欢迎、快乐的人喝酒和吸烟,很少关心他们的健康。男性被鼓励"像男人一样喝酒!"我们有针对几乎每一种常见疾病的非处方药,制药公司不断用广告宣传新处方药的好处。咖啡或"能量饮料"把我们叫醒,一片药丸帮我们入睡,然后我们却告诉学生对毒品说"不!"。

由于许多原因,不仅仅是这些相互矛盾的信息,吸毒已经成为学生的一个重要问题。准确的统计数据很难找到,但是密歇根大学(Johnston, Miech, O'Malley, Bachman,

& Schulenberg,2016）的研究人员从"监测未来"的调查中估计,6.9%的八年级学生、15.9%的十年级学生和24.4%的十二年级学生承认在过去的30天里使用了非法药物,包括吸入剂和大麻;大麻在年轻学生中最受欢迎,十二年级学生最喜欢喝酒（更多信息见表4.10,来自"监控未来"）。事实上,从2008年到2016年,年龄较大的青少年吸食大麻的人数有所增加——这是我撰写本章时最新可用数据——大约1%的八年级学生、3%的十年级学生和6%的十二年级学生承认,他们每天都吸食大麻。青少年更可能使用吸入剂（胶水、油漆稀释剂、洗甲水、喷雾剂等）。这些东西很便宜,而且可以买到。学生们没有意识到,当他们使用吸入剂时,他们会有受伤或死亡的危险。滥用毒品对非裔美国男性来说尤其危险。在一项对19岁至27岁青少年进行的抽样研究中,大约33%的滥用药物的非裔美国人在27岁时死亡,而白人男性则为3%。滥用药物的非裔美国人和白人女性的死亡率为1%（D. B. Clark,Martin,& Cornelius,2008）。

尽管吸毒对一些学生来说仍然是个问题,但从20世纪90年代开始,除大麻外,所有十二年级学生使用毒品的情况都有了明显的减少（Johnson et al. ,2016）。

预防。我们应该区分试验和滥用。许多学生在聚会上尝试一些东西,但没有成为常用者。提供信息或"恐吓"策略似乎没有什么积极的效果,如"DARE 药物预防计划",甚至可能激发学生的好奇心和尝试行为（Dusenbury & Falco, 1995; Tobler & Stratton, 1997）。

表 4.10　美国 8 至 12 年级学生在过去 30 天报告使用这些药物的百分比

毒品	八年级	十年级	十二年级
任何非法药物	6.9	15.9	24.2
大麻	5.4	14.0	22.5
吸入剂	1.8	1.0	0.8
迷幻药	0.3	0.5	0.9
可卡因	0.3	0.4	0.9
海洛因	0.2	0.2	0.2
安非他明	1.7	2.7	3.0
酗酒	1.8	9.0	20.4

香烟	2.6	6.3	10.5
碎烟末	2.5	3.5	6.6
电子烟	6.2	11.0	12.5

那么,什么策略才是更有效的? 亚当·弗莱彻(Adam Fletcher)和他的同事分析了世界各国关于学校计划的研究。其中一个令人震惊的、不断重复的发现是,控制了学生先前的药物使用经历和个性特征后,"与学校的脱离以及不良好的师生关系都与持续的药物滥用以及其他危险的健康行为相关"(Fletcher, Bonell, & Hargreaves, 2008, p.217)。例如,研究者描述了一个研究中的发现,与学校脱离预示了青少年在接下来二到四年会滥用药物。因此,让青少年参与学校生活,建立积极的人际关系,以及让学生与成人和同伴产生联系,都是防治药物滥用的关键措施。

有智力障碍的学生

一个关于术语的词。智力障碍(intellectual disability)①是心智发育迟滞症(mental retardation)目前更为流行的名称。你可能还听说过认知受损、一般学习障碍、发育障碍或认知障碍等术语。智力障碍是首选的名称,因为"心智发育迟滞"一词被认为是冒犯和污名化的,但在 IDEA 定义和许多学校中仍然使用这一名称。2007 年,美国心智发育迟滞协会更名为美国智力发育障碍协会(the American Association on Intellectual and Developmental Disabilities, AAIDD),以反映对"心智发育迟滞"一词的拒绝。AAAIDD 对智力障碍的定义是"一种障碍,其特点是智力功能和适应性行为都受到严重限制,这体现在概念、社会和实践方面的适应技能上。这种障碍发生于 18 岁之前"(AAIDD.org)。

智力功能通常是通过智商测试来衡量的,得分低于 70 分是智力障碍的其中一项指标。但智商低于 70 分并不足以诊断出儿童有智力,还必须在适应行为、日常独立生活和社会功能方面也存在问题。在解读来自不同文化的学生的分数时,这种谨慎尤为重要。仅根据考试成绩来诊断智力障碍,可能会导致学生在学校被视为残疾,但在家中或社区被视为无残疾。

---

①智力障碍/精神发育迟滞症——明显低于平均水平的智力和社会适应行为,18 岁前尤为显著。

只有不到1%的人口在智力功能和适应性行为方面符合 AAIDD 对残疾的定义。根据一个人在其最高表现水平所需的支持量,这一群体被 AAIDD 进一步划分。支持从间歇性的(例如,在紧张时期需要)、到有限的(持续的支持,但时间有限,如就业培训)、到大量的(日常护理,例如住在集体之家)、到全面的(对生活的各个方面进行持续、高强度的护理)(Hallahan et al. , 2015)。

作为一名普通教育教师,你可能没有接触到需要大量或全面支持的孩子,除非你的学校参与了一个全纳项目,但是你可能会和需要间歇性或有限支持的孩子一起工作。在低年级,这些学生的学习速度可能比同龄人慢。他们需要更多的时间和更多的实践来学习,他们可能很难把学习从一种环境转移到另一种环境,或者把小技能放在一起来完成一项更复杂的任务。他们往往难以掌握规划、监控和调整注意力与学习策略所需的技能(T. Simon,2010),因此高度结构化和完整的教学和指导是有意义的。"指南:教授有智力障碍的学生"列出了更多建议。

指南:教授有智力障碍的学生

1.在分析每个学生的学习优势和弱点的基础上,制定具体的学习目标。不管学生此前知道什么,确保他或她都准备好了学习下一步。

2.根据成人生活的需要,学习实用技能和概念。

3.分析学生将要学习的任务:确定成功完成任务所涉及的具体步骤,不要忽视计划中的任何步骤。

4.简单地说明和呈现目标。

5.以准确的、合乎逻辑的步骤呈现材料。在进入下一步之前,进行大量的练习。在课堂上使用电脑练习等资源,或者让志愿者和家庭成员继续指导课外练习。

6.不要跳过步骤。智力平均的学生可以从一步到另一步形成概念桥梁,并对自己的表现做出元认知判断,但智力低于平均水平的儿童需要明确每一步和每一步之间的联系。为学生建立联系。不要指望他或她"看到"这些联系。

7.准备好用不同的表达方式(口头、视觉、手等)以多种不同的方式表达相同的观点。

8.如果你看到学生没有跟上,回到一个简单一点的水平。

9.特别要注意激发学生的积极性并保持他们注意力。允许和鼓励用不同方式表达理解——书写、绘画、口头反应、手势等等。

10.寻找一些不侮辱学生的材料。一个中学生可能需要《警犬追杀令》中的简单词汇,但会觉得人物的年龄和故事内容对他是一种侮辱。

11.专注于一些目标行为或技能,这样你和学生就有机会体验成功。每个人都需要积极的强化。

12.要意识到,智力低于平均水平的学生必须比智力一般的孩子更多地学习、重复和练习。必须教他们如何学习,他们必须经常在不同的环境中复习和练习新学到的技能。

13.密切关注社会关系。简单地将智力低于平均水平的学生纳入普通教学班级,并不能保证他们会被接纳,也不能保证他们会结交朋友和维持友谊。

14.建立同伴辅导计划,培训全班的所有学生如何辅导他人和如何接受辅导——详情见第十章。

更多信息,详见 aaidd. org/

智力障碍学生的学习目标取决于所需支持的多少——需要的支持越少,障碍程度越轻,就越能专注于学习技能。障碍程度越大,教学就越应该强调学习当地环境、社会行为、个人兴趣、职业和家庭技能、生活语言技能(阅读标志、标签和报纸广告;完成求职申请)以及与工作有关的行为,如礼貌和守时、健康自理以及公民技能。教给学生他们已经准备好学习的东西,但始终要涵盖适当水平的学业技能和生活技能(Hallahan等,2015)。如今,人们越来越重视过渡项目(transition programming)①——让学生做好在社区生活和工作的准备。正如你在本章前面所看到的,法律要求学校为每一个残疾儿童设计一个个别化教育方案(IEP)。ITP(个性化过渡计划)可能是智力障碍学生IEP 的一部分(Friend,2014)。

有健康和感知缺陷的学生

你可能会遇到一些有健康缺陷的学生,包括脑瘫、发作性疾病、哮喘、镰状细胞病、糖尿病、视力障碍和听力障碍。

脑瘫和多发性残疾。在出生前、出生时或婴儿期对大脑的损害可能导致儿童难以

---

①过渡项目——帮助有特殊需要的学生逐渐准备从高中到进一步教育、培训、就业或参与社区活动。

协调其身体活动。这个问题可能不严重,孩子只是看起来有点笨拙,也可能十分严重,以至于自主运动几乎是不可能的。脑瘫(cerebral palsy)①最常见的形式是痉挛(spasticity)②(肌肉过紧或紧张)。许多脑瘫儿童伴有继发性障碍。在教室里,这些伴随性障碍是最令人关注的问题——通常也是普通教育教师能提供最大帮助的。例如,许多患有脑瘫的儿童也有视力障碍或言语问题,50%至60%的儿童有轻度至重度智力障碍。但是,许多患有脑瘫的学生在智力测量方面的平均水平甚至远远高于平均水平(Pellegrino,2002)。

癫痫(发作性疾病)。癫痫(seizure)③是大脑中异常的神经化学活动导致的一系列行为(Hardman et al. , 2014)。事实上,癫痫是一系列的脑部异常活动,所以有时你会看到这个词以复数形式出现。癫痫患者反复发作,但并不是所有发作都是癫痫的结果;高烧、感染或戒断药物等暂时性状态也可以触发发作。发作有多种形式,它们在长度、频率和所涉及的运动方面也各不相同,但其两种主要类型是局灶性和概括性的。

局灶性癫痫(focal seizures)。④ 只发生在大脑的一个区域。可能有意识,并突然感到高兴、悲伤、愤怒或恶心,或突然感觉尝到、闻到什么东西,或身体某一部位突然抽搐。在其他局灶性癫痫发作中,个体可能处于梦一般的状态,并表现出反复的运动,如抽搐、眨眼或绕圈行走。这些癫痫发作时间很短,只持续一到两分钟(国家神经疾病和中风研究所,2016)。

全身性强直阵挛性发作(generalized tonic-clonic seizures)⑤(曾经被称为"大发作")涉及大脑的两侧。大多数伴有不受控制的抽搐运动,通常持续2到5分钟,可能会失去对肠道或膀胱的控制,呼吸不规律,然后是深度睡眠或昏迷。在恢复意识后,学生可能会非常疲倦、困惑,需要额外的睡眠。大多数癫痫可以通过药物控制。

---

①脑瘫——由于脑损伤引起的一系列运动或协调障碍的脑性瘫痪。
②痉挛——肌肉过紧或紧张,是某些形式的脑瘫的特征。
③癫痫——以发作为特征并由大脑中的异常放电引起的癫痫。
④局灶性癫痫——一种仅发生在大脑某一区域的发作,只持续一到两分钟。人可能会突然感到高兴、悲伤、愤怒、恶心,或突然觉得闻到、尝到什么味道,或身体某一部位突然抽搐。
⑤全身性强直阵挛性发作——涉及大脑多数部位的发作。

如果一个学生在课堂上出现癫痫并伴有抽搐,主要的危险是在剧烈的抽搐中撞到坚硬的物体表面而受伤。立即轻轻地把学生放到地板上,远离家具或墙壁。保持冷静,让全班其他同学放心,让他们留在座位上。不要试图抑制孩子的运动,一旦癫痫发作,你就不可能使它停止。松开围巾、领带或任何可能使呼吸困难的东西,轻轻地把孩子的头转向一边,在他或她的头下放一件柔软的外套或毯子。不要把任何东西放进学生的嘴里,癫痫发作的人会吞咽舌头这种说法是不对的。除非学生在癫痫停止后不再呼吸,否则不要尝试人工呼吸或心肺复苏。与学生待在一起,直到他或她恢复正常——大约5到20分钟。在学生完全清醒之前,不要给他们水、药片或食物。从学生的父母那里了解他们如何处理癫痫发作。癫痫连续发作,学生没有恢复意识;该学生怀孕,或有一份没有注明"癫痫、癫痫发作障碍"的医学证明;有受伤的迹象;癫痫持续超过5分钟,以上情况都需要立即就医。(Friend & Bursuck,2019)。(请参阅 http:/www.epepsy.com/并搜索"急救"以获得更多指导。)

并不是所有的癫痫都是剧烈的。有时学生只是短暂地失去意识。学生可能会盯着一个地方看,回答不了问题、扔东西、对1到30秒前发生的事情无意识。这些曾经被称为"小发作",但现在被称为失神性发作(absence seizures)①——一种涉及大脑两侧的全身性癫痫。这样的癫痫发作很容易被发现。如果你班上的一个孩子经常处于梦幻状态,有时似乎不知道发生了什么,或者当你问的时候不记得发生了什么,你应该咨询学校的心理学家或护士。对于失神发作的学生来说,主要的问题是他们错过了课堂互动的连续性,因为这些癫痫发作可能每天发生100次。如果癫痫发作频繁,学生会对课程感到很困惑。与这些学生交谈,以确保他们能够跟上和理解这门课,准备好不时重复讲过的东西。

其他严重的健康问题:哮喘、镰状细胞病和糖尿病。许多其他的健康问题会影响学生的学习,很大程度上是缺课导致浪费教学时间和失去与同学相处和发展友谊的机会。哮喘是一种影响美国700万儿童的慢性肺部疾病,对贫困学生来说更为常见。大

---

①失神性发作——一种只涉及大脑一小部分的癫痫,导致儿童与正在发生的事件短暂失去联系——意识的短暂缺失。

约25%的健康缺陷学生患有哮喘或过敏,所以每堂课你可能会有一两名哮喘学生。镰状细胞病是一种遗传性疾病,最常见于非裔美国学生,但也发生在有希腊或意大利血统的人们身上。患有镰状细胞病的学生可能会感到疲倦,有轻微至严重的疼痛,反复感染,有时还会出现肾衰竭(Friend & Bursuck, 2019)。(欲了解更多信息,请访问www.nhlbi.nih.gov,并搜索具体的健康问题。)

Ⅱ型糖尿病是一种慢性疾病,它影响人体代谢糖(葡萄糖)的方式,如果不加以治疗,几乎会损害人体的每一个主要器官,包括心脏、血管、神经、眼睛和肾脏(Mayo Clinic, 2009)。对于大多数儿童来说,Ⅱ型糖尿病可以通过吃健康的食物、锻炼身体和保持健康的体重来控制或预防。当饮食和运动改变还不够时,儿童将需要胰岛素等药物来控制血糖(Rosenberg et al,2011;Werts,Culatta,& Tompkins,2007)。

不管是什么健康问题,教师需要与家长交谈,了解问题是如何处理的、危险情况正在发展有什么迹象以及可供学生使用的有哪些资源。保存任何相关事件的记录,它们可能对学生的医疗诊断和治疗有用。

有视力障碍的学生。在美国每2500名6至17岁的儿童和青少年中就有1名(0.04%)视力受损严重,需要特殊服务。这个群体的大多数成员被归类为视力低下(low vision),[1]他们可以借助放大镜、大字书籍或其他辅助工具阅读,有些人可能从使用盲文中受益。法定失明(legally blind)[2]的学生矫正后的视力不超过20/200(他们可以在20英尺处看到一个视力正常的人在200英尺处能看到的东西)和/或严重限制周围视力(Erickson, Lee, & von Schrader, 2013;Hallahan et al,2015)。

视力有困难的学生经常把书举得离他们的眼睛很近或很远。他们可能会斜视、经常擦眼睛、闭上一只眼睛、经常眨眼,或者说他们的眼睛感到灼热或发痒。在近距离用眼后,他们可能会抱怨头晕、头痛或胃不适。他们的眼睛可能是肿胀的、红色的或者是包扎着的。有视力问题的学生可能会误读白板或黑板上的材料,说他们视力模糊,对

---

①视力低下——视觉仅限于近处事物。

②法定失明——在20英尺处看到视力正常者200英尺处看到的东西,或有严重受限的周边视力。

光线非常敏感或将头部姿势呈现出奇怪的角度。当他们不得不做作业，他们可能变得易怒（Hallahan et al；N. Hunt & Marshall，2002）；当他们不得不跟上教室里的活动时，他们可能会失去兴趣。这些信号出现任何一个，都应向合格的学校专业人员报告。

帮助这些学生正常学习的特殊材料和设备包括：大字印刷书籍；将印刷材料转换成语言或盲文的软件；带有记事簿等的个人管理工具；特殊计算器；算盘；三维地图、图表和模型；特殊的测量设备。对于有视觉问题的学生来说，印刷品的质量往往比大小更重要，所以要小心那些难以阅读的讲义和模糊的复印件。另外，当你在黑板上写或投影一些东西时，一定要大声读出来。

教室的布置也很重要。有视觉问题的学生需要知道东西放在哪里，所以保持布置的一致性很重要——每个东西都有固定存放的地方，且所有东西都在它该在的地方。在教室留出足够的空间以方便走动，并确保随时留意可能的障碍和安全隐患，比如走道上的垃圾桶和打开的橱柜门。如果你重新布置了教室，给有视觉问题的学生一个了解新布局的机会。此外，进行消防演习或其他紧急情况时，确保这些学生有一个同伴（Friend & Bursuck，2019）。

耳聋的学生。你会听到用来描述这些学生的"听力受损"（hearing impaired）这个术语，但是聋人群体和研究人员反对这个标签，所以我会用他们喜欢的术语：耳聋（deaf）和耳背（hard of hearing）。在过去的三十年里，耳聋的学生的数量一直在下降（现在每1000名6到17岁的学生中有1名耳聋），其中超过三分之一的学生来自讲西班牙语的家庭。听力障碍对学习的影响是严重的，特别是学习第二语言时。

顺便说一句，本节第一段中聋人群体（the Deaf Community）的大写字母"D"是指希望被承认拥有自己的文化和语言的人们，就像其他语言少数群体一样。这是本章开头所描述的身份先行语言的一个例子，在这里它是尊重该群体愿景的表现（Hallahan et al.，2015）。从这个角度来看，聋人是不同文化的一部分，有着不同的语言、价值观、社会制度和文学。亨特和马歇尔（N. Hunt & Marshall，2002）引用了一位聋人专业人士的话：女性喜欢被称为"男性受损者"，还是白人喜欢被称为"黑人受损者"？"我没有受损，我是耳聋！"（p.348）。从这个角度来看，耳聋儿童教育的一个目标是帮助他们学会双语和双文化,使他们能够在这两种文化中适应良好。技术革新和通过因特网进行交流的许多途径扩大了所有人的交流机会包括耳聋的人。

出现听力问题的迹象包括把一只耳朵转向说话者,在谈话中喜欢用一只耳朵,或者当看不见说话者的脸时误解谈话。其他的迹象有:没有遵循指示,似乎心不在焉或者感到困惑,经常要求人们重复他们说过的话,新单词或名字发音错误,并且不愿意参加课堂讨论。尤其要注意那些经常耳鸣、鼻窦感染或过敏的学生。

在过去,教育工作者一直在争论口头或手头的方法是否更适合失聪或耳背的儿童。口头方式包括看话(也称为唇读)和训练学生使用他们有限的听力。手头方法包括手语和手指拼写。像美国手语(ASL)这样的手语是真实、完整和语法上复杂的语言。研究表明,学习口头和手头交流方法的孩子在学业科目中表现得更好,比那些只接触口头方法的学生在社会上更成熟。今天的趋势是将这两种方法结合起来。然而,聋人团体的一些成员倾向强调 ASL 是他们的第一语言(Hallahan et al. , 2015)。

自闭症谱系障碍与阿斯伯格综合征

你可能熟悉自闭症这个术语。1990 年,自闭症(autism)①被列入有资格获得特殊服务的残疾清单。它被定义为"发育障碍严重影响语言和非语言交流及社会交往,通常在三岁之前就已很明显,对儿童的教育表现产生不利影响"(34 联邦法规法典第300.7 节)。我将使用这个领域专业人士喜欢的术语——自闭症谱系障碍(autism spectrum disorders),来强调自闭症包括从轻度到严重的一系列障碍。你也可能会听到广泛性发育障碍(pervasive developmental disorder,PDD)②这个词,尤其是当你和医学专家交谈的时候。对自闭症儿童人数的估计有很大差异,但人数正在急剧增加却是不容争论的。根据对父母的调查和访谈,疾病控制中心发现,每45 名 3 至 17 岁的儿童中就有 1 名被诊断患有自闭症——大约75% 是男孩(CDC,2015)。

患有自闭症谱系障碍的学生可能有许多影响课堂学习的特征。他们可能难以与

---

①自闭症/自闭症谱系障碍——发育障碍对语言和非语言交流及社会交往有严重影响,一般在 3 岁之前就已经很明显,从轻度到严重。

②广泛性发育障碍(PDD)——一个被医学界喜欢用来描述自闭症谱系障碍的术语。

他人建立联系,可能会避免目光接触,或无法分享诸如享受或对他人感兴趣的感情。他们的沟通受损。这些学生中大约有一半是不善于运用语言的,他们没有或有很少语言技能,其他人则编造出自己的语言。他们可能执迷不悟地坚持环境的规律性和同一性,并且难以动用想象力来思考;变化是非常令他们不安的。他们可能重复某些行为或姿势,只对很少的东西感兴趣,看同样的DVD一遍又一遍,或只想了解恐龙、火车、飓风。他们可能对光、声音、触觉或其他感官信息非常敏感。例如,声音可能是令人痛苦的,或者荧光灯的轻微闪烁看起来像是持续的爆炸,会导致严重的头疼。他们可能能够记住解决问题的单词或步骤,但不能恰当地使用它们,或者在情况发生变化或以不同方式提出问题时感到非常困惑(Franklin,2007;Friend,2014;Gunn & Delafield-Butt,2015)。

阿斯伯格综合征是自闭症谱系中的障碍之一。阿斯伯格综合征儿童有许多刚刚描述的特征,特别是固定和有限的兴趣,但他们最大的麻烦在社会关系方面。语言受影响较小,他们说话可能是流利但不正常的,例如混淆了代词"我"和"你"。许多患有自闭症的学生也有中度至严重的智力障碍,但通常患有阿斯伯格综合征的学生智力平均高于平均水平。2013年,美国精神病学协会不再使用阿斯伯格综合征一词,取而代之的是"高功能自闭症谱系障碍",所以你也可能听到这个词(Friend,2014;Gunn & Delafield-Butt,2015)。

干预措施。早期的、密集的、针对沟通和社会关系的干预措施,对自闭症谱系障碍的儿童尤为重要。如果没有干预措施,回避眼神交流和看似古怪的习惯等行为往往会随着时间的推移而增加(Matson et al.,2007)。随着他们进入小学,其中一些学生将在全纳环境中,其他将接受专门的特殊教育,许多将是在这两者的某种结合。教师和家庭之间的合作尤为重要。例如规模更小的班级、结构化的环境、找到一个课堂"伙伴"来提供支持、在有压力的时期保持一个安全的"家庭基础"、确保授课和过渡规划的一致性、辅助技术以及可视化,这些都可能是辅助计划的一部分。

由于许多患有自闭症谱系障碍的学生有特定的强烈的兴趣,这些兴趣可以纳入课堂活动。例如,在一堂关于写完整句子的课中,对火车着迷的学生可以写关于火车的句子,喜欢上网的学生可以对指定的主题进行研究,并为课堂学习做出贡献。也许学生的兴趣还可以融入跨学科的项目中。如果真的很难将学生的兴趣纳入课程,那么专注于兴趣可能是完成其他主题的作业的一种奖励———一种"如果—然后"的协议。事实上,所有这些都是适合每个学生的好的教学策略(Friend, 2014；Gunn & Delafield-Butt, 2015；Harrower & Dunlap, 2001)。对于年龄较大的学生,基于视频教学,例如向学生展示某人展示目标技能或行为的视频,然后鼓励学生模仿和练习该技能,已经证明是有效的。从青春期到成年,在生活、工作和社交技能方面的指导是重要的教育目标(de Bruin et al. ,2013)。

干预反应法

对于有严重学习问题的学生来说,问题之一是他们必须在学校苦苦挣扎,过程中往往越来越落后于同伴,直到他们被发现、评估、归为 IDEA 的一个类别、得到一个 IEP,并最终得到适当的帮助。这被称为"等待失败"模式。2004 年对 IDEA 的修订为教育工作者提供了一个新的选择,用于评估和教育可能存在严重学习问题的学生。这一过程称为干预反应法(response to intervention,RtI)①。RtI 的主要目标是确保学生获得适当的研究性教学。RtI 的主要目标是确保学生在有需要的情况下,甚至是在幼儿园阶段,尽快得到适当的基于研究的指导和支持,在他们落后得太远之前。第二个目标是确保教师系统地记录他们对这些学生尝试过的干预措施,并描述每一次干预的效果如何。此外,教育工作者现在可以使用 RtI 标准来确定谁需要更多的强化学习支持,而不是利用 IQ 分数与学生成绩之间的差异来识别有学习障碍的学生(Klinger & Orosco, 2010；Sruggs & Masterpieri,2013)。然而,最近一次 RtI 被批评不是评估学习障碍学生的有效或可靠方法,是因为它没有全面彻底地描述学生的长处和弱点,包括记录可能存在的其他问题(Reynolds & Shaywitz,2009)。

实现这些 RtI 目标的一个常见方法是三层系统(a three-tiered system.)。第一层是使用一种强有力的、经过充分研究的方法来教所有的学生(我们将在第十三章和第十四章中讨论这类方法),确保学生尽快得到基于研究的适当的教学的过程,并确保教师

①干预反应法(RtI)——确保学生尽快得到适当的基于研究的指导和支持的过程,并确保教师系统地记录他们对这些学生的干预措施,以便他们在计划教学中使用这些信息。

系统地记录他们对这些学生尝试过的干预措施,以便他们可以在计划教学中使用这些信息。例如,教师可能会设计出将每个学生的个人兴趣纳入课堂作业的方法,从而更有效地让所有学生参与进来,包括自闭症谱系障碍和多动症患者。关心一个或几个学生行为的教师可以与学校心理学家合作开发一个全班行为管理程序,然后记录哪些学生对新项目做出了反应,哪些学生没有反应。

那些在第一层课程中落后的学生,通过持续的课堂质量评估,被转移到了第二层,并得到了额外的帮助。大约15%的学生将需要被转移到二层在专家的陪同下独立或小组式学习,或接受社会技能指导、进行咨询等等。为了在这个层次上有效,教学必须是密集的,并且集中在学生的需要上。如果有些学生仍然进步有限,通常约占学生总数的5%,他们会移动到第三层去寻求额外的一对一的密集帮助,也许还会进行特殊需求评估(Denton et al., 2013; Lonigan & Phillips, 2016; Sullivan, & Castro-Villarreal, 2013)。图4.5总结了这些层级。

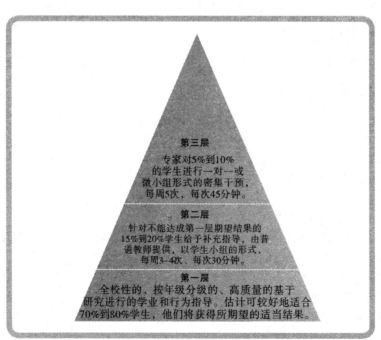

资料来源: Based on Friend, M. P., & Bursuck, W. D. (2019). Including Students with Special Needs: A Practical Guide for Classroom Teachers (8th ed.). Boston, MA: Pearson Education.

图4.5　干预响应的服务和支持的三层系统

RtI 方法至少有两个优点。首先,学生们能及时得到额外的帮助。第二,如果学生达到 RtI 的第三阶段,学生对第一级和第二级不同干预措施的反应所获得的信息可用于 IEP 规划。为了实现这些优势,通识教育必须能够使用高质量、基于研究的方法进行教学和评估,尤其是在低年级阶段。

即使有密集的高质量的第三层干预,一些学生可能会仍然举步维艰,并需要进一步的支持、指导和实践(Denton et al.,2013)。到目前为止,RtI 是针对年轻学生的最成功的方法,能使学生在学习阅读方面取得一些基础进步,比如联系字母 – 声音。我们不太了解面对学习挑战的学生如何应对更复杂的学习任务,而且,不同学校在界定基于证据实践、对教学缺乏反应以及进度监控方面存在相当大的差异(Scruggs & Mastropieri,2013;Sullivan, & Castro-Villarreal,2013)。有关 RtI 的更多信息,请访问国家干预反应中心(rti4success. org/)的网站。

这是对儿童需求的一个简短的、有选择性的介绍。如果你认为你班上的学生可能会从任何形式的特殊专业服务中获益,第一步是建立一个转送安排,如何开始? 表4.11 将指导你完成安排过程。在第十四章,当我们讨论差异化教学时,我们会看到更多的方法去接触所有你的学生。

表4.11 转送安排

1. 和学生家长取得联系。在转送学生之前、和家长讨论学生的问题非常重要。
2. 在做安排之前,检查学生的在校记录,学生是否曾经:
- 做过心理评估?
- 满足接受特殊服务的条件?
- 接受过其他特殊的教育方案(例如,给缺陷儿童设计的计划、言语或语言疗法)?
- 在标准测验上的得分远远低于平均水平?
- 留过级?

档案记录是否表明:
- 有些地方表现还是不错的,但其他方面就差了些?
- 一些生理或疾病方面的问题?
- 学生是不是正在服药?

3. 和学生的其他老师和专业帮助人员谈谈学生的一些问题,其他老师处理学生问题的时候是否也感到困难? 他们找到成功解决问题的方法了吗? 记录你在班级里使用的策略并形成文件,来满足学生的教育需要。你的文件将作为一种根据,将对评价学生的专家委员有所帮助,或者他们可能会向你要求提供这样的文件。通过保持书面记录,列出你关心的问题,你的记录笔记应该包含以下这样的项目:

- 你十分关心的问题。
- 你非常关心那些问题的原因。
- 你观察到那些问题时的日期、地点、时间。
- 详细描述你做过什么来尝试解决问题。
- 如果有的话,是谁帮助你设计使用的计划或者策略?
- 策略成功与否的根据。

记住只有当你有一个令人信服的案例时,你才能判断该学生可能有障碍,才能判断可能没有特殊教育他就不能得到适当的教育服务。申请特殊教育是一个费时间、代价高和有压力的过程,对学生存在潜在的伤害,并且有许多法律后果。

我们以另一组有特殊需要的学生来结束这一章,《残疾儿童教育法案》(IDEA)或者"504 条款"不涉及他们——他们都是非常聪明或有天赋的学生。

天才学生

想想这个情况,一个真实的故事。

当拉塔亚进入一个大型城市学区的一年级时,她已经是一名高水平读者了。她的老师注意到拉塔亚带来的那些具有挑战性的分章节的书,并毫不费力地阅读。在进行了阅读评估后,学校的阅读顾问确认,拉塔亚的阅读水平为五年级。拉塔亚的父母自豪地说,她在三岁大的时候就开始独立阅读,而且她"读过她能够找到的每一本书"(Reis et al. ,2002,p. 32)。

在她那所苦苦挣扎的城市学校里,拉塔亚没有得到任何特殊的照顾,到五年级时她仍在略高于五年级的水平上阅读。她五年级的老师不知道拉塔亚曾经是一个高水平的读者。

下面是另一个真实的故事:

亚历克斯·韦德研究语言学。在他寻找完美语言的过程中——"这很烦人",他用世界语说道。他创造了10种语言和30或40个字母,包括一种没有动词的语言,仅仅是为了挑战本身。他在内华达大学里诺分校(the University of Nevada, Reno)修巴斯克语、语言学和微生物学(因为他在科学方面也有天赋)。亚历克斯是13岁(Kronholz,2011,p. 1)。

拉塔亚和亚历克斯并不是个案,他们是学校经常忽视的特殊需求的群体中的一员:天才(gifted and talented)①学生。人们越来越认识到那些有天赋的学生在大多数公立学校得不到很好的服务。此外,成绩不佳已成为一个严重的问题(Callahan et al., 2015;Snyder, Malin, Dent, & Linnenbrink-Garcia, 2014)。例如,杰克·肯特·库克基金会(Jack Kent Cooke Foundation)的一项研究发现有20个州不允许学生提前上幼儿园,即使他们的阅读水平很高——这是一种无聊的做法,而且最终会导致成绩不佳。许多州没有相关政策,也没有把决定权留给当地,只有11个州明确允许提前录取(Plucker, Gianola, Healey, Arndt, & Wang, 2015)。对于像拉塔亚和亚历克斯这样的学生来说,这意味着什么呢(Kronholz,2011)?

这些学生是谁?

天才的定义有很多,因为一个人可以有很多不同的天赋。回想一下,加德纳(Gardner,2003)确定了九个独立的"智能",斯腾伯格(Sternberg,1997)提出了一个智力三元理论。伦祖利(Renzulli,2011; Reis & Renzulli,2009,2010)对天赋的概念涉及三部分:超出平均水平的能力、高水平的创造力以及高水平的任务承诺或成就动机。NAGC(全国天才儿童协会)将天才定义为:

那些在一个或多个领域中表现出杰出天资(被定义为推理和学习的非凡能力)或能力(在前10名或更少人中有记录的技能或成就)的人。这些领域包括任

①天才学生——在一个领域或多个领域中表现出杰出才能的学生。

何有自己的符号系统(例如,数学、音乐、语言)和/或一套感觉运动的集合的结构化活动领域(如绘画、舞蹈、运动)。(NAGC,2016)

更复杂的是,美国几乎每个州都有自己的定义——通过访问 http://www.nagc.org/ 和搜索"天才的定义"("definitions of giftedness")来检查你所在州关于天才的定义。

真正的天才孩子做的不仅仅是快速学习。天才学生的作品是原创的,相对于他们的年龄来说是非常超前的,而且可能具有持久的重要性。这些孩子可能在3或4岁时就可以流利地阅读,虽然很少有人指导他们。他们可能会像一个熟练的成年人一样演奏一种乐器,把去杂货店的参观变成一个数学难题,并当他们的朋友还在简单的加法上遇到困难时,就对代数着迷(Winner,2000)。最近的概念拓宽了对天赋的看法,包括关注孩子的文化、语言,以及特殊需求(NAGC,2013)。这些更新的概念更有容易识别像拉塔亚这样的孩子。

这些天赋的来源是什么? 在许多领域对神童和天才的研究表明,要达到最高水平,必须进行深入和长期的实践。例如,牛顿花了20年的时间把他最初的想法转变为最终贡献(Howe, Davidson, & Sloboda,1998;Winner,2000)。我记得曾听过布鲁姆研究世界一流的音乐会钢琴家、雕塑家、奥林匹克游泳运动员、神经学家、数学家和网球冠军(B. S. Bloom,1982)的早期报告。为了研究网球人才,布鲁姆的研究团队采访了世界上顶尖的网球选手以及他们的教练、父母、兄弟姐妹和朋友。一个教练说只要他提出一个建议,几天后,这位年轻的运动员就会掌握这一动作。然后,运动员的父母告诉我,在得到教练的建议后,孩子们连续练习了好几个小时。所以,专注、激烈的练习起了一定的作用。而且,神童的家庭倾向于以儿童为中心,并投入时间来支持他们孩子天赋的发展。布鲁姆的研究团队描述了家庭做出的巨大牺牲:黎明前起床,开车把孩子送到在另一个城市的游泳教练或钢琴老师那里,做两份工作,甚至是全家搬到另一个地方去寻找最好的老师或教练。孩子们为了回应家庭的牺牲而更努力地学习,而家庭为了回报孩子的辛勤学习牺牲更多的东西——这是一种投资和成就的螺旋式上升。

但是仅靠努力学习永远不会让我成为世界级的网球运动员或牛顿。先天因素也起着作用。布鲁姆研究的孩子们在他们后来开发的领域表现出了较早和明显的天赋。伟大的雕刻家不停地画画,伟大的数学家们对表盘、齿轮和仪表着迷,他们从孩提时便已如此。父母对孩子的投资是在孩子表现出早期的高水平成就之后(Winner,2000,2003)。最新的研究表明,有天赋的孩子,至少是那些在数学、音乐和视觉艺术方面有非凡能力的孩子,可能有不同寻常的大脑组织——这既有优点也有缺点。数学、音乐和视觉艺术上的天赋似乎与卓越的视觉空间能力和右脑发育的增强有关。天才儿童更有可能惯用左手,但也有语言相关的问题。

天才学生面临的是什么问题? 尽管对有学术天赋的学生进行的纵向研究(longitudinal studies)表明,他们的成功程度和平均适应能力在成年后要高于那些没有天赋的同龄人(Holahan & Sears,1995;Jolly,2008;Terman, Baldwin, & Bronson, 1925;Terman & Oden,1947,1959),但说每一个有天赋的学生在适应和情绪健康方面都是优越的,却是不正确的。事实上,天才学生,尤其是女孩,更容易抑郁,而且不伦男女,天才学生都可能感到无聊、沮丧和孤独。同学们可能会沉迷于棒球或者担心数学不及格,而天才儿童却痴迷于莫扎特,关注某个社会问题,或者沉迷于电脑、戏剧和地质学中。天才儿童可能对与他们兴趣或能力不同的朋友、父母,甚至是老师感到不耐烦(Woolfolk & Perry,2015)。一位研究者要求来自 7 个州的 13,000 名天才学生用一个词来描述他们的经历。最常用的词是"等待"。"等待老师往下教,等待同学们赶上进度,等待学习新东西——总是等待着"(Kronholz,2011,p.3)。

因为他们的语言发展得很好,有天赋的学生表达自己的时候可能被看作是在炫耀。他们对他人的期望和感受很敏感,所以这些学生可能很容易因批评和嘲笑而受伤。他们敏锐的幽默感和语言能力可以作为武器对付老师和其他学生,或者作为一种防御来减轻被欺负的痛苦(Hardman et al., 2014)。因为他们是目标导向的,并且很专注,所以他们可能看起来很固执和不合作。例如,玛丽莲·弗伦德和威廉·博斯普(Marilyn Friend & William Bursuck,2015)描述了埃斯特(Esteban)班一个八年级的学生,他对每个人——同伴、父母还有老师们的反应都是一样的——"我已经知道了",这通常是真的,而且常常令人恼火。越有天赋的、学业能力越高的学生(例如,IQ 分数

180 分以上)面临的适应性问题越大。在整整 40 年的职业生涯中,任何老师遇到这样高智商的学生的概率只有 1/80 左右——但是如果这样的学生走进你的班级,你怎么办呢?(Kronholz,2011)

识别有天才的学生

确定一个天才儿童并不总是那么容易。许多父母给他们的孩子进行早期教育。在初中和高中,一些非常有能力的学生故意获得较低的分数,使他们的能力更难被识别。女孩尤其可能会隐藏自己的能力(Woolfolk & Perry,2015)。

识别天赋和才能。一般来说,老师是对学生学业成绩做出的预测是合理但不完美的(Sudkamp,Kaiser,& Moller,2012)。表 4.12 列出了更好地识别天才学生要注意的特征。

表 4.12 识别有天才学生时应观察的特征

阅读行为
• 很早就掌握了字母表 • 经常提前阅读或超前阅读,有时会有自己的特色阅读方式 • 阅读并且表达 • 对阅读有浓厚兴趣;酷爱读书
写作行为
• 能够较早地完成书面声音—符号对应 • 故事写得流畅而有细节 • 使用高级句子结构和句型 • 可能对成人写作主题感兴趣,比如环境状况、死亡、战争,等等 • 在较长一段时间内写一个主题或故事 • 产生许多写作想法,往往是发散性的 • 使用精确、描述性的语言来唤起人们的印象
说话行为

- 学说话早

- 使用高难度词汇

- 使用高级句型

- 在日常对话中使用明喻、暗喻和类比

- 在说话中表现出密集的言语行为(例如说得多、说得快、说得清楚)

- 喜欢表演故事情节和情景

数学行为

- 对事物的数量方面很早就有好奇心和理解

- 能够逻辑地和象征地思考数量和空间关系

- 理解和概括数学模式、结构、关系和运算

- 原因分析、演绎和归纳

- 简化数学推理以找到合理、经济的解决方案

- 在数学活动中显示出心理过程的灵活性和可逆性

- 记得数学符号、关系、证明、解决方法等等

- 将学过的东西转化成新情况和解决方案

- 在解决数学问题上表现出活力和毅力

- 以一个数学的方式看世界

资料来源: Friend, Marilyn, Special Education: Contemporary Perspectives For School Professionals Loose Leaf Version, 4Th Ed., © 2014. Reprinted And Electronically Reproduced By Permission Of Pearson Education, Inc., Upper Saddle River New Jersey

当然,在这一节的开头所描述的学生——拉塔亚很早就开始阅读,而亚历克斯在发明语言方面有着强烈的兴趣和创造力,他们都有这些特点。此外,天才学生可能更喜欢独自工作,有强烈的正义感和公平感,精力充沛,充满热情,对朋友——通常是年纪较大的学生——信守承诺,与完美主义做斗争。

群体成就和智力测试往往低估了聪明孩子的智商。群体测试可能适合用来筛选,但是它们不适合人员安置的决策。一些证据表明,单独的 IQ 测试是天才学生阅读和数学成绩的最佳预测指标,如韦氏儿童智力量表(WISC-V, Wechsler,2004),其中包括对语言理解和工作记忆的评估(E. W. Rowe,Kingsley, & Thompson,2010)。许多心理学家建议采用个案研究方法。这意味着在不同的背景下收集关于学生的各种信息:考试成绩、作业样本、项目和档案、来自社区和教会成员的信件或评价、自我评价、来自教师

或同龄人的提名等等(Renzulli & Reis,2003)。特别是在识别艺术天赋的时候,可以召集这个领域的专家来判断一个孩子作品的优点。科学项目、展览、表演、试镜、面试都是可能的。创造力测试和自我调节技能测试可能会识别出一些没有被其他测试检测到的孩子,特别是少数种族的学生,他们可能在其他类型的测试中处于劣势(Grigorenko et al.,2009)。考虑到对天才学生的不同定义和各异的测试程序,估计在美国每个州有1%到25%的学生参加了为天才学生提供的项目,总数大约有300万的学生(Friend,2014)。

记住,在一个领域拥有非凡能力的学生,在其他领域的能力可能就没有那么令人印象深刻。在美国的学校里有多达18万的学生同时有天赋和学习障碍。此外,还有另外两个群体在天才学生教育项目中的比率不足:女孩和贫困学生(Stormont,Stebbins, & Holliday,2001)。关于识别和帮助这些学生的想法请参见表4.13。

表4.13　识别并帮助所有天才学生——尤其是女孩和生活在贫困中的学生

找出有天赋和有学习障碍的学生
以下是一些关于帮助有天赋和有学习障碍的学生的建议(McCoach,Kehle,Bray,& Siegle,2001):   ● 通过纵向观察成绩来识别这些学生   ● 弥补技能缺陷,但也要识别和发展天赋和优势   ● 提供情感支持;这对所有的学生都很重要,尤其是对这个群体   ● 帮助学生学习如何直接弥补他们的学习问题,并帮助他们学习如何发现他们自己的优势和困难
识别女孩的天赋
当年轻女孩在青春期形成自己的个性时,她们常常拒绝被贴上"天才"的标签——被接受、受欢迎、"合群"可能比成就更重要(Basow & Rubin, 1999; Stormont et al. , 2001)。教师如何才能接触到天才女孩?   ● 在初中或高中,注意女生的考试成绩似乎在下降时   ● 鼓励所有学生自信、有为、高目标和高要求工作   ● 通过演讲、实习或阅读来提供成功的榜样   ● 在学业以外的领域寻找女孩们的天赋并给予支持

> 识别那些生活在贫困中的天才学生
>
> 　　健康问题、缺乏资源、无家可归、对安全与生存的担忧、频繁的搬家以及照顾其他家庭成员的责任都使得他们在学校里取得更大的成就变得困难。为了识别天才学生：
> - 使用其他评估方法、教师提名和创造力测试
> - 对不同文化中关于集体或个人成就的价值观差异保持敏感(Ford,2000)
> - 运用多元文化策略来鼓励成就和种族认同的发展

面向天才学生的教学

　　一些教育工作者认为,天才学生应该加快学习速度——跳级或加速学习某个科目。还有一些教育工作者更倾向于丰富教学内容——给这些学生额外的、更复杂的、更刺激学生思考的作业题目,而进度方面和他们的同龄人保持一致。实际上,这两种方式都可以(Torrance,1986)。其中一种方法是浓缩课程——评估学生在教学单元中对材料的知识,然后只针对尚未达到的目标进行教学(Reis & Renzulli, 2004)。使用浓缩课程,教师可能省去日常课程一半左右的内容,而不会对这些学生的学习有任何损害。节省的时间可以用于学习丰富、复杂和新奇的东西(Werts et al. ,2007)。

　　加速。许多人反对加速教学,但一些更为细致的研究表明,提前进入小学、初中、高中、大学,甚至研究学院的真正天才学生,常常比那些按正规步骤来的非天才学生做得好。你们可能还记得第一章的内容,那些在数学上有天赋的且在小学或中学跳级过的学生更有可能获得高等学位,并在科学期刊上发表被广泛引用的文章(Park,Lubinski & Benbow,2013)。他们的社交和情感适应似乎也没有受到损害。天才学生更倾向于喜欢和年龄稍长的人搭档(G. A. Davis,Rimm,& Siegle,2011;Kronholz et al. ,2015)。

　　跳级的另一种替代性方法是针对某一两个特定的科目加速学生的学习,或者允许他们同时参加大学预科或大学课程,但让他们在其他的时间里和同龄人在一起。对于智力水平极高的学生(例如,在个人智力测试中得分为160或更高的人),唯一可行的解决办法可能是加快他们的教育进度(Davis et al. ,2011;Kronholz,2011)。

　　方法和策略。针对天才学生的教学方法应该鼓励抽象思维(形式-运算思维)、创造力、阅读高水平和原创性的课文、独立性,而不只是学习一堆事实性的知识。CLEAR模型在教授天才学生方面取得了成功,因为它体现了这些品质(Callahan et al. , 2015)。

CLEAR 代表持续形成的评估(Continual Formative Assessment)(第十五章)、明确的学习目标(Clear Learning Goals)(第十四章)、数据驱动的学习经验(Data-Driven Learning Experience)(第十章)、真实的结果(Authentic Products)(第十章)和丰富的课程(Rich Curriculum)。学生通过使用该领域专业人员的方法和工具,在个人选择的主题上开发和实施个人项目,以追求重要的目标。在这个过程中,他们超越了事实知识,掌握了一个学科的重要思想、技能、高级词汇、伦理问题,以及学科中的基本知识。要了解更多信息,请参见 http://nrcgtuva.org/CLEARcurriculum.html。

与那些天才学生相处,教师必须想象力丰富、灵活、宽容,不要被这些学生的能力吓倒。教师必须要自问:这些学生最需要的是什么? 他们愿意学什么? 谁能帮助我对付他们? 挑战和支持对所有学生都是至关重要的。但是挑战知道比学校里任何人都多的历史、音乐、科学或数学的学生,这本身就是一个挑战! 答案可能来自附近大学里一些有才能的人、退休的老教授、参考书、图书馆或者年龄大点的学生。策略可能很简单,就像让孩子做下一年级的数学题一样。其他的选择包括参加一些暑期学会;附近大学里的课程;当地一些艺术家、音乐家或舞蹈家的课;独立的研究方案;给年幼的学生选一些初中的课;荣誉课;组建一些专门的兴趣俱乐部等(Rosenberg, Westling, & McLeskey,2011)。

在提供挑战的过程中,不要忘记支持。我们都见过那种不堪的景象:父母、教练或老师不顾孩子兴趣,一味强求练习和完美,剥夺了孩子的快乐。就像我们应该不要强迫孩子们发展他们的天赋("哦,米开朗基罗,别再玩那些草图了,到外面去玩"),我们也应该避免让巨大的压力和外部的奖励破坏了儿童的内在动机。

总结

智力

贴标签的好处和问题是什么? 特殊学生的标签和诊断性分类都很容易成为一种耻辱和自我实现的预言,但是它们也能打开特殊教育方案之门,帮助教师建立恰当的教学策略。

何谓人物先行语言？人物先行语言("学生有行为障碍"或"学生面临危险"等等)不同于标签,后者是用一个或几个简单的词来概括一个复杂的人,意味着被标记的那个方面应该是这个人最重要的方面。有一些人倾向使用身份先行的语言,包括一些聋人群体。

区别残疾和障碍。残疾是做某种具体事情的能力缺失,比如不能看东西、不能走路。障碍是在某个情景下才表现出来的缺陷。一些残疾能造成某些障碍,但并不是在所有的情景中都如此。教师必须避免把障碍这个词强加到残疾学生身上。

g 是什么？斯皮尔曼认为有一种心智特质,他称之为 g 或一般智力,一般在智力测验中都会用到,但是每个测验另外也还需要一些特殊智力。一般智力加特殊智力理论的最近观点是卡罗尔(Carroll)的著作中确定的,他提出了少数几个宽泛的能力(比如,学习和记忆,视觉理解,言语表达流利)和至少 70 种特殊能力。流体和晶体智力是大多数研究中发现的两种广泛的能力。

加德纳对智力的看法以及他在一般智力上的立场是什么？加德纳认为有几种不同的智力成分:语言、音乐、空间、逻辑—数理、肢体—动觉、人际关系、自我认知(最后两个类似于情感智力)、自然能力或可能称为生存能力。加德纳并不否认一般智力 g 的存在,但对一般智力之于人类取得成就的贡献有多大表示怀疑。

斯腾伯格智力理论的要点是什么？成功的智力需要三种技能或思维方式:分析、创造和实践。分析技能包括通过评估、分析、判断、比较和对比来处理相对熟悉的问题。创造/经验智力通过洞察力和自动化来应对新情境。实践/环境智力包括选择在更容易成功、更适合自己的环境中生活和工作,如若需要就重新塑造环境。实践智力大部分是由一些指向行为的日常生活中的常识性知识组成的。

智力是如何衡量的,IQ 分数意味着什么？智力是通过个体测验(斯坦福－比奈量表、韦克斯勒量表等)和团体测验(奥蒂斯－伦农学校能力测试,斯洛森智力测试,瑞文推理,Naglieri 非语言能力测试——多形式,差异能力量表,宽范围智力测验,等等)来衡量的。与个体测验相比,团队测验不大可能准确地描绘出一个人的能力。平均分数是 100;参加测验的 50% 的人的平均分高于这个分数,另外 50% 低于 100 分。一般人群体中 68% 的人的 IQ 分数在 85 和 115 分之间,只有 16% 的人得分会低于 85,另外 16% 的人高于 115 分。这些数字针对的是那些母语是标准英语的土著美国白人。智力测试用于预测学业时能成功,但如果考虑到教育水平,预测却不那么准确。

弗林效应是什么,它的含义是什么? 从 20 世纪初开始,IQ 得分一直在上升。一些解释包括:父母为儿童提供更好的营养和医疗服务,刺激抽象思维的环境越来越复杂,更小的家庭更关注他们的孩子,父母读写能力(特别是受过良好教育的母亲)的提高,更多更好的学校教育以及更好的考试准备。

在认知能力方面是否存在性别差异? 女孩们似乎在语言测试中表现得更好,尤其是在写作的时候。男性似乎在需要在脑中对物体进行心理旋转的任务上表现得更好。一般来说,男性的得分往往是多变的,所以在测试中得分非常高和非常低的男性比女性多。然而,有两个值得注意的地方,这些性别差异通常很小,而且,在大多数研究中,种族和民族没有被考虑在内。

创造力:它是什么以及为何重要

什么是创造力,它是如何评估的? 创造力是一个过程,它需要独立地重组问题,以新的、富有想象力的方式看待事物。创造力是很难衡量的,但是对发散性思维的测试可以评估原创性、流畅性和灵活性。流利(绝对数量的答案)是发散思维的最佳衡量标准。

教师能做些什么来支持课堂上的创造力? 多元文化的经历似乎可以帮助学生灵活地和创造性地思考。教师可以通过接受不同寻常的富有想象力的提问、质疑假设、发散思维、运用头脑风暴、鼓励和庆祝幻想和怪癖、容忍异议等方式在与学生的互动中鼓励创造力。

学习风格

区别认知风格和学习偏好。 学习风格是一个人在学习方法和研究上采取的特定方式。学习偏好是个体对特定学习方式和学习环境的个人偏爱。

老师应该把教学与个人学习风格相匹配吗? 研究结果表明,学生在他们偏爱的环境和方式下学习的时候并没有学到更多的东西。许多学生将会做得更好,以开发新的——或许更有效的——学习方法。

什么学习风格的区别是最受研究支持的? 在研究中反复发现的一个区别是,迈耶的视觉型——语言型的维度有三个方面:认知空间能力(低或高)、认知风格(视觉型或语言型)以及学习偏好(语言型学习者或视觉型学习者)。这些差异对教学的启示还不清楚。

个体差异和法律

描述与残疾学生有关的主要法律要求。 从公共法 94—142 条(1975)开始,到包括 IDEA(《残疾人教育法》)(2004)在内的许多修订,已经阐明了对残疾学生的教学要求。每一个有特殊需求(零拒绝)的学习者或学生应该按照个别化教育方案(IEP)在最少限制的环境(LRE)中接受教育。法律还保护有特殊需要的学生和他们的父母的权利。此外,1973 年的职业康复法"504 条款"禁止在任何接受联邦资金的项目中对残疾人进行歧视,比如公立学校。通过"504 条款",所有学龄儿童都有平等的机会参加学校活动。残疾的定义在"504 条款"和美国残疾人法案是很宽泛的。

面临学习挑战的学生

神经科学的研究告诉我们关于学习障碍的哪些信息? 对有学习障碍和注意力缺陷障碍的学生的大脑的研究显示,与没有问题的学生相比,他们的大脑在结构和活动上有一些差异。有学习障碍的学生在使用工作记忆系统时遇到了问题,工作记忆系统可以在你工作时存储语言和听觉信息。因为有学习障碍的孩子很难掌握单词和声音,他们很难把这些词放在一起以理解句子的意思,或者弄清楚一个数学故事的问题是什么。有学习障碍的学生在转换新输入信息的同时,也可能难以从长期记忆中检索所需的信息,比如要添加下一个数字。重要的信息片段不断丢失。

什么是学习障碍? 特定的学习障碍是一种或多种基本心理过程中的障碍,涉及理解或使用口语或书面语言。听、说、读、写、推理或数学能力可能会受到影响。这些各种紊乱是个体内在的,推测是由于中枢神经系统功能失调,可能困扰人的一生。那些有学习障碍的学生,当他们开始相信他们不能控制和提高自己的学习、不会取得成功时,就可能会成为习得性无助的牺牲品。注重学习策略的通常会帮助有学习障碍的学生。

什么是注意力缺陷多动障碍(ADHD)？ 以及在学校是如何处理？注意力缺陷多动症是用来描述任何年龄阶段有多动症和注意力困难问题的人的术语。关于 ADHD 引入药物治疗仍有争议，但这种做法有增加的趋势。对许多学生来说，这种药物有副作用。此外，关于药物治疗的长期效果我们知之甚少。同时，没有证据表明药物能促进学习能力的提高和同伴关系的改善。行为矫正以及学习辅导和有关动机训练的记忆策略相结合的技巧是两种不错的方法。

什么是最常见的沟通障碍？ 常见的沟通障碍包括语言障碍(发音障碍、口吃和声音障碍)以及口语障碍。如果这些问题及早得到解决，就有可能取得巨大进展。

对于有情感和行为障碍的学生来说，最好的方法是什么？应用行为分析和社会技能直接教学是两种有用的方法。对环境、日程安排、活动和规则进行结构化和组织也会起作用。

什么是自杀的预警信号？ 有自杀风险的学生可能会在饮食或睡眠习惯、体重、成绩、性格、活动水平或对朋友的兴趣方面表现出变化。他们有时会突然赠送一些珍贵的东西，比如 ipad、游戏、衣服或宠物。他们可能看起来很沮丧或过度活跃，可能会开始逃学或不做作业。如果学生不仅谈论自杀，而且有实施自杀的计划，那就尤其危险。

智力障碍的定义是什么？ 在 18 岁之前，标准的智力水平上得分低于 70 分，并且在适应行为、日常独立生活和社会功能方面存在问题。AAIDD(美国智能与发展障碍协会)建议采用一种新的分类方式，这种分类是建立在一个人水平最高的时候所需的支持度。支持从间断性的(在有压力的时候需要)、到限制性的(持续的但有时间限制的支持，如就业培训)、到大量的(日常的护理，例如住在团体之家)，再到全面的(对生活的各个方面持续的、高强度的护理)。

你在课堂上如何处理癫痫发作？ 不要限制孩子的动作。把孩子轻轻放低到地面，远离家具或墙壁。把硬物移开。轻轻把他(她)的头转向一边，解开他的衣服，拿一件柔软的外套或者毯子垫在他的头下。不要把任何东西放到孩子的嘴里，问问他的父母一般发作的时候都是怎么处理的。如果一个接一个抽搐连续发作，中间学生没有恢复意识或者该学生怀孕了,或者抽搐持续了5分钟以上,立刻寻求医疗帮助。

视觉和听觉障碍有什么症状? 把书放在非常近或远的地方,眯着眼睛,揉眼睛,误读黑板,头摆成奇怪的角度,这些可能是视觉问题的征兆。听力问题的迹象是把一只耳朵转向说话人,在谈话中倾向于用一只耳朵,或者当说话者的脸无法看到时,就会对谈话产生误解。其他的迹象包括不遵循指示,有时看起来心不在焉或困惑,经常要求人们重复他们说过的话,读错了新单词或名字,不愿意参加课堂讨论。

自闭症与阿斯伯格综合征有什么不同? 阿斯伯格综合征是一种自闭症谱系障碍。许多患有自闭症的学生也有中度至重度的智力障碍,但患有阿斯伯格综合征的孩子通常比自闭症儿童拥有平均或高于平均水平的智力和更好的语言能力。目前的一个相关事件是用高功能自闭症谱系障碍的诊断来取代阿斯伯格综合征这一名称。

什么是干预反应法(RtI)? 干预反应法是一种尽可能早地帮助学生学习问题的方法,而不是等待数年时间来评估、识别和计划一个项目。干预反应法过程是一个三层系统。第一层是采用一种强有力的、经过充分研究的方法来教授所有的学生。那些表现欠佳的学生被转移到第二层,并获得额外的支持和额外的小组指导。如果一些学生的进步仍然有限,他们会被转移到第三层进行一对一的强化帮助,也许还会有一个特殊需求评估。

天才学生

天才学生的特征是什么? 真正有天赋的孩子做的不仅仅是快速学习。有天赋的学生的作品是原创的,相对于他们的年龄来说是非常超前的,而且可能具有持久的重要性。这些孩子可能在3或4岁时就可以流利地阅读,虽然很少有人指导他们。他们可能会就像一个熟练的成年人一样演奏一种乐器,并当他们的朋友还在简单的加法上遇到困难时,就对代数着迷。教师应该做一些特殊的努力去支持那些被忽略的天才学生——女孩,有学习障碍的学生,以及生活在贫困中的儿童。

对于有天赋的学生来说,加速是一种有用的方法吗? 许多人反对加速教学,但一些更为细致的研究表明,真正的天才学生加速学习后常常比那些按正规步骤来的非天才学生做得好。天才学生倾向于喜欢和年龄稍长的人搭档,和他们的同龄人待在一起会使他们感到非常无聊。跳级可能不是最佳的办法,但对于智力水平极高的学生(例如,在个人智力测试中得分为 160 或更高的人),唯一可行的解决办法可能就是加快他们的教育进度。

关键术语

Absence seizure	失神性发作
Americans with Disabilities Act of 1990(ADA)	1990 年美国残疾人法案
Articulation disorders	发音障碍
Attention-deficit hyperactivity disorder(ADHD)	注意力缺陷多动障碍
Autism/Autism spectrum disorders	自闭症/自闭症谱系障碍
Automaticity	自动性
Brainstorming	头脑风暴
Cerebral palsy	脑瘫
Convergent thinking	聚合思维
Creativity	创造力
Crystallized intelligence	晶体智力
Deviation IQ	离差智商
Disability	残疾
Divergent thinking	发散思维
Emotional and behavioral disorders	情绪和行为障碍
Epilepsy	癫痫
Fluency disorder	流利障碍
Fluid intelligence	流体智力
Flynn effect	弗林效应
Focal seizure	局灶性癫痫
Free, appropriate public education(FAPE)	免费和适当的公共教育
General intelligence	一般智力
Generalized tonic-clonic seizure	全身性强直阵挛性发作
Gifted and talented	天才的

Handicap	障碍
Identity-first reference	身份先行提及
Inclusion	全纳
Individualized Education Program（IEP）	个性化教育计划
Individuals with Disabilities Education Act（IDEA）	残疾人教育法案
Insight	洞察力
Integration	整合
Intellectual disabilities/Mental retardation	智力障碍/精神发育迟滞症
Intelligence	智力
Intelligence quotient（IQ）	智商
Learning disability	学习障碍
Learning preferences	学习偏好
Learning styles	学习风格
Least restrictive environment（LRE）	最少限制环境
Legally blind	法定失明
Low vision	视力低下
Mainstreaming	主流化
Mental age	心理年龄
Pervasive developmental disorder（PDD）	广泛性发育障碍
Response to intervention（RtI）	干预反应法
Restructuring	重组
Section 504	504 条款
Spasticity	痉挛
Speech disorder	语言障碍
Theory of multiple intelligences（MI）	多元智能理论
Transition programming	过渡项目
Triarchic theory of successful intelligence	成功智力三元理论
Voicing disorder	发音障碍
Zero reject	零拒绝

教师案例簿

全纳每个学生——他们会做什么？

以下是几位专家教师谈论他们如何将与能力各异的学生合作。

LAUREN ROLLINS 一年级

Boulevard Elementary School, Shaker Heights, OH

满足所有学生的个人需求是教学中一个具有挑战性但又必不可少的部分！在这种情况下，我将创建差异化学习中心，让学生在以技能为基础的小组中学习课程内容。和能力相似的小组学生一起工作的机会，将使我能够区分课程以最好地满足他们的学业需求。分组必须是流动的和灵活的，以确保学生不断面临课程的挑战。在每个学习中心，我将提供与主题相关的各种材料和文献，为满足学生所呈现的广泛的学习风格而设计的实物。此外，我还允许在中心工作的学生选择他们想要用来支持他们学习所使用的材料。让学生选择将有助于学生的积极性。我甚至会考虑听取他们的意见，看看他们在每个中心会想要什么材料。最后，我将招募有意愿和有能力的家长或社区志愿者来帮助我管理学习中心的学生。小型的以技能为基础的小组、学习材料和选择的结合将使学生能够充分发挥他们的潜能。

LINDA SPARKS 一年级教师

John F. Kennedy School, Billerica, MA

我们的大多数课程都是全纳的，用于额外帮助的资源有限。在年初的时候，我浏览了所有的记录、IEP 和 504 条款，并写下我的问题、关注、具体信息来帮助学生。接下来，我们将作为一个团队与去年的老师和与学生一起工作的专家见面。我发现这对为我班上的学生制定计划很有帮助。然后，我不会花时间重新评估学生，因为团队成员已经知道学生如何能取得最大成功的。我得到了开始这一年所需的资源，随着我们需要更多的资源，我们将在全年继续开会。我们也很幸运，有一个涵盖高级中心、家长社区和当地企业的人的志愿者项目。这些成年志愿者承诺每周在特定的工作时间，接受学校工作人员进行的培训，学习他们帮助学生需要的特殊技能，并开始与学生一起实践这些技能。

PAUL DRAGIN　九至十二年级 ESL 教师

Columbus East High School, Columbus OH

这种情况已经成为常态——至少在大城市的公立学校里是这样。被确认有特殊需要的学生应该每人都有一个个别化教育方案（IEP）来说明与他们的认知或行为问题的细节。

这将指导我调整教学，以帮助确保我提供的课程形式更容易被那些可能面临比主流学生更大挑战的人所理解。关于哮喘学生的医学问题需要我更加敏感，以确保我对任何可能发生在教室里的医疗紧急情况保持警惕。对这种情况的信心来自与学生们尝试各种各样的策略，并通过尝试和错误发现哪些方法在满足他们不同的教育需求方面是最有效的。

PAULA COLEMERE　特殊教育教师——英语、历史

McClintock High School, Tempe, AZ

每个老师的梦想都是拥有一屋子在年级水平线上的渴望学习的学生。以我的经验来看，这永远不会发生！在任何课堂上，都有能力低于、高于以及正在年级水平线上的学生。首先，教师需要知道公平并不意味着平等。如果我给班上布置了一篇五段的文章，但是一个有学习障碍的学生很难写那么多，我可以把截止日期延长，或者只让他写三段。如果学生的能力很差，我可能只布置一个完整的段落。同样，我也会挑战最聪明的学生，让他们更深入地学习。我要确保我的学生知道我相信他们，并且会建立他们对自己能力的信心。在课堂管理中，亲近学生是非常重要的。通过不断地在教室里走动，我可以促使我的学生们继续学习，或者提醒他们做适当的课堂行为。这一过程是很安静和私密的。当我四处走动时，我还会给大家带来很多积极的强化，指出学生们做得对的所有地方。我传达的积极的信息必须多于消极的信息。

第五章　语言发展、语言差异和移民教育

概览

教师案例簿

教室中的文化碰撞——你会做什么?

今年你所在的高中班级分成了三个圈子——非裔美国人,亚洲人,拉丁裔人。这三个圈子的学生似乎都只和自己圈子的同伴待在一起,而很少和其他圈子的人交朋友。当你要求学生选择项目的合作伙伴时,他们的选择通常是基于相同的种族或语言。有时这几个圈子的成员会相互辱骂,课堂气氛就会变得很紧张。亚洲和拉丁裔的学生经常用他们的母语交流——而你不懂这种语言——你觉得这些笑话是针对你的,因为他们的表情和笑声会引导你这么认为。你意识到你很难与这些语言、文化、背景与你截然不同的学生建立积极的关系,其他的学生也意识到你的这种不适,但也回避建立这种关系。

批判性思维

- 这里的本质问题是什么?

- 你会怎么帮助这些学生(以及自己)来改善目前的状况?

- 你解决这个问题的首要目标是什么?

● 这些问题将会怎么影响你的教学水平？

概述与目标

几乎所有的发达国家和许多发展中国家都正在变得更加多样化。许多课堂都运用到多种语言。由于一系列的原因，包括全球范围内的动荡，许多家庭为了寻找更好、更安全的生活环境而移民——因此他们的孩子就可能会出现在你的课堂中。在这一章，我们来看看世界上超过6900种自然语言是如何发展的、文化的作用、语言发展的阶段以及读写能力的出现。接下来我们将讨论语言发展中的多样性和双语发展。而语言的多样性不仅仅是双语。因为我们都至少会说一种方言，所以我们会研究教师需要了解的方言和性别化语言——这对我是个新术语——以及学校在学生第二（或第三）语言学习中的角色。这些学生的情绪和关注点是否影响他们的学习？最后，我们转向关键问题——如何成为一名有能力、有信心教好移民学生和第二语言学习者的教师，双语教育、英语浸入式教育和掩蔽教学的作用是什么？你如何识别那些具有特殊才能或特殊需要的英语学习者？当你完成这一章学习的时候，你应该能够：

目标5.1　了解语言是如何发展的，并知道如何提升萌芽期的读写能力。

目的5.2　讨论儿童同时发展两种语言的过程。

目的5.3　解决语言差异是否会影响学习的问题，并讨论教师可以做些什么。

目的5.4　对比移民、难民和第1.5代学生，包括他们的学习特点和需求。

目的5.5　探讨英语浸入式教学、双语教学、掩蔽教学等英语教学方法。

目的5.6　探讨教师在学生不讲母语的情况下，如何识别出学生的特殊学习需求和才能。

语言的发展

除非有严重的缺陷或身体条件影响，否则在每种文化中，儿童都能掌握复杂的母语系统。这种知识是惊人的。为了进行对话，孩子们必须协调声音、词意、单词和词序、音量、声调、音调、音调变化和轮流讲话的规则，然后将他们的言辞与对话的另一方所说的内容联系起来。4 岁左右,大多数孩子都已经掌握了成千上万的单词和基本会话的语法和规则(Berk & Meyers, 2016; Colledge et al., 2002)。

什么是发展? 语言与文化差异

目前全世界有超过 6900 种自然语言,但随着许多语言消失,这个数字正在下降。例如,在欧洲人和亚洲人到达之前,北美地区土著居民使用 300 多种语言。现在,这些语言中只有 8 种保留下来,每一种至少有 1 万名使用者。这种情况无处不在,世界上大约 25% 的语言只剩下不到 1000 名使用者(Anderson, 2010)。

一般而言,每种文化发展出的词汇都是用来表示对人们重要的概念。例如,你能说出多少种不同的绿色? 薄荷绿、橄榄绿、翡翠绿、蓝绿色、海波绿、铬绿、绿松石绿、黄绿色、青柠色、苹果色……视觉艺术家可以添加钛酸钴绿、朱砂绿、酞黄绿、翠绿等。英语表达中有超过 3000 个单词来表示颜色。相比之下,纳米比亚的辛巴族人和巴布亚新几内亚的一个狩猎采集者部落说贝林莫语的人,尽管他们能识别许多不同的颜色,但他们仅有五个词来表示颜色。但无论颜色的术语是多是少,孩子们都逐渐掌握了适合他们文化的颜色类别(Roberson, Davidoff, Davies, & Shapiro, 2004)。

语言会随时间而变化,以反映不断变化的文化需求和价值观。美国原住民肖肖尼族用一个词表达"在沙滩上发出嘎吱嘎嘎的声音"。在过去,这个词在与狩猎相关的交流中很有价值,可以传达关于狩猎的信息。但如今随着这个群体的生活逐渐远离游牧狩猎,描述技术工具的新词被添加到肖肖尼语言中。要想听到数百个 21 世纪的表示工具的词,可以去听听技术人员谈论电脑或电子游戏(W. F. Price & Crapo, 2002)。

语言的谜题。世界各地的婴儿如何掌握这么多不同的语言? 人类是否有生物的、天生的学习语言的能力? 正如你在第二章看到的,新生儿对声音非常敏感,语言在某些敏感时期发展得最好。世界各地的儿童都在大约相同的年龄达到不同语言的里程碑阶段,甚至没有接触过手语系统的聋儿也发明了自己的语言。研究表明大脑某些区域的损伤会影响语言的发展。所有这些因素表明,人类可能天生就具有诺姆·乔姆斯基(Noam Chomsky)所说的语言习得机制和适用于所有语言的通用语法或规则(Berk & Meyers, 2016)。

今天,大多数心理学家都同意,在发展语言的过程中,人类固有的偏见、规则、语法和语言限制,限制了我们能想到的可能性。例如,幼儿似乎有一个限制性的默认,即指定一个新标签指的是整个对象,而不仅仅是一部分。另一个内在的偏见导致孩子们认为标签指的是一类相似的对象。因此,了解兔子的孩子自然会认为"兔子"指的是整个动物(不仅仅是耳朵),其他长相类似兔子的动物也是兔子(Jaswal & Markman, 2001;Markman, 1992)。但没有人能确定所有的普遍规则。除了天生的规则之外,语言的发展还有其他方面吗?

一种完全相反的观点认为,人类是通过模仿、练习和奖励来学习语言。孩子说"饼干",就得到了一块饼干。这是 B·F·斯金纳(B. F. Skinner)(见第七章)等行为学家所倡导的过程。但孩子是如何创造出他从未听到过的新组合和单词序列呢?

当心"非此即彼"。 可能有许多因素——生物的、行为的、认知的和文化的——在语言的发展中起作用。人类生来就是学习语言的,但是模仿、经验、练习和奖励在帮助孩子学习正确的语言使用方面也起着作用。这就是我说英语而不是乌尔都语的原因。来自环境的指导和孩子的思维能力共同组装了这个复杂的语言拼图(Waxman & Lidz, 2006)。

语言是何时和如何发展的?

表 5.1 显示了西方文化中 2 至 6 岁儿童语言发展的标志性事件,以及促进发展的观念。

表 5.1 儿童早期语言阶段和促进发展的策略

年龄范围	标志性事件	促进发展的策略
2—3 岁	识别身体部位;用"我"而不是名字称呼自己;将名词和动词结合;拥有 450 个单词的词汇量;使用短句子;能匹配 3~4 种颜色;能辨认大小;喜欢重复听同样的故事;形成复数概念;能回答"在哪里"这样的问题	• 通过简单的游戏帮助孩子听和遵循指示 • 不断重复新单词 • 描述你在做什么、计划什么、想什么 • 让孩子为你传递简单的信息 • 通过回答、微笑和点头告诉孩子你理解他或她说的话 • 扩展孩子说的话。孩子:"更多的果汁。"你说:"你想要更多的果汁吗?"

3—4 岁	能讲故事;句子长度为 4~5 个单词;词汇量约 1000 词;知道姓、街名、几首童谣	• 谈论对象是如何相同或不同的 • 通过书本和图片帮助孩子讲故事 • 鼓励和其他孩子一起玩 • 谈论你去过或将要去的地方
4—5 岁	能说长度为 4~5 个单词的句子;使用过去时态;词汇量约 1500 词;识别颜色、形状;问很多问题,比如"为什么?"和"谁?"	• 帮助孩子整理物品(例如,吃的东西、动物) • 让孩子帮助你计划活动 • 继续谈论孩子的兴趣爱好 • 让孩子讲故事、编故事
5—6 岁	5~6 个单词长度的句子;6 岁的平均词汇量约为 1 万词;通过对象的用途来定义对象;了解空间关系(如"上"和"远")和对立;知道地址;理解相同与不同;使用所有类型的句子	• 当孩子们谈论情感、思想、希望和恐惧时,要表扬他们 • 唱歌,读押韵的文字 • 像成年人一样和他们交谈
任何年龄		• 当孩子和你说话时,倾听并表现出你的快乐 • 与孩子对话 • 问问题让孩子思考和表达 • 每天给孩子读书,随着孩子的成长增加读书量

资料来源: Reprinted from LDOnLine. org with thanks to the Learning Disabilities Association of America.

声音和发音。大约 5 岁的时候,大多数孩子已经掌握了他们母语的发音,但一些发音可能仍然无法掌握。你在第四章中看到了辅音 l、r、y、s、v、z 和双辅音了 sh、ch、ng、zh、和 th 是最后掌握的(Friend,2014)。幼儿可能理解并能使用许多单词,但更喜欢使用他们能轻易发音的单词。当孩子们学会听出声音的区别时,他们喜欢押韵、歌曲和常见的关于语音的笑话。他们喜欢苏斯博士写的故事,部分原因是书中的声音,正如书名所示——《*All Aboard the Circus McGurkus*》或《*Wet Pet, Dry Pet, Your Pet, My Pet*》。我一个朋友的小儿子想给他刚出生的小妹妹取名为 Brontosaurus,"只是因为发音很有趣而已"。

词汇和意义。从表 5.1 可以看到,2 到 3 岁的儿童可以使用大约 450 个单词(表达性词汇)(expressive vocabulary)①,尽管他们可以理解更多的词(接受性词汇)(receptive vocabulary)②。到 6 岁时,儿童的表达词汇量将增加到 2600 个左右,他们的接受性词汇量将达到 2 万多个,真是十分惊人的数字(Otto,2010)。一些研究人员估计,处于低年级的学生一天能学会 20 个单词(P. Bloom,2002)。在小学早期,一些孩子可能会对理解一些抽象的词有困难,比如"正义"或"经济"。他们也可能不理解虚拟语气("如果我是一只蝴蝶"),因为他们缺乏对不真实的事情进行推理的认知能力("但你不是一只蝴蝶")。他们可能会逐字逐句地解释所有的陈述,从而误解讽刺或隐喻。例如,寓言被简单地理解为故事,而不是道德课程。许多孩子在青春期不能分辨被取笑还是开玩笑,或者还不知道一句讽刺的话不应该被当真。但是到了青春期,学生们就可以利用他们不断发展的认知能力去学习抽象的词意和使用诗意的、比喻性的语言(Owens,2016)。

幼儿开始丰富他们简单的语言,如添加复数,在动词后加上 - ed、- ing;使用像 and、but、in 这样的小词,使用冠词(a、the)和所有格('s)。琼·伯科(Jean Berko,1958)的一项经典研究表明,孩子们甚至可以用这些规则把无意义的单词变成复数、所有格或过去时态。例如,当给学龄前儿童看一张"wug"的图片时,当研究人员说"现在又有一个,总共有两个。这里有两个——"时,他们就能正确地回答"wugs"。在理解这些语言规则的过程中,孩子们会犯一些非常有趣的错误。

语法和句法。在短时间内,孩子们可以正确地使用特定单词的不规则形式,就好像他们在说他们听到的一样。然后,随着他们开始学习规则,他们将规则应用于所有事情上,也就是过度规则化(overregularize)③。曾经说过"我们的车坏了"的孩子们开始坚持说"我们的车被弄坏了"。一个曾经称她的脚为 feet 的孩子可能会发现 - s 是复

---

①表达性词汇——一个人在说或写时使用的所有不同的词。

②接受性词汇——一个人能听懂的口语或书面语。

③过度规则化——在规则不适用的情况下应用语法规则或句法规则,例如,"the bike was broked."

数,并改说 feets 或 foots,然后又学到 - es 是复数(horses,kisses),于是她又说 feetes 或 footes,最终,她会回到谈论 feet(Flavell et al.,2002)。父母们常常想知道为什么他们的孩子似乎在倒退。实际上,这些"错误"表明,孩子们在试图将新词融入现有的词汇体系时,是多么地理性和合乎逻辑。显然,这些过度规则在所有语言中都存在,包括美国手语。

早期,孩子们掌握了母语的基本句法(syntax)①,但过度规则化也影响句法的学习。例如,因为英语中通常的顺序是主语—动词—宾语,所以仅仅掌握语言规则的学龄前儿童在其他任何顺序的句子中都会遇到困难。如果4岁的贾斯廷听到一个被动语态,比如"卡车被小轿车撞了",他可能会认为是卡车撞的小轿车,因为句子中"卡车"排在第一位。然而,有趣的是,在那些被动语态更为重要的语言中,比如南非语 Sesotho,孩子们更早地使用了这种结构,年仅3或4岁(Demuth,1990)。因此,在与幼儿交谈时,至少在英语中,使用主动语态通常更好。在小学早期阶段,很多孩子都能理解被动句的意思,但他们在日常对话中不会使用这种结构,除非被动句在他们的文化中很常见。

语用学:在社交场合中使用语言。语用学(pragmatics)②涉及在社交场合中如何恰当地使用语言进行交流——如何进入对话,如何讲笑话,如何插话,如何让对话继续进行,如何为听者调整语言。当孩子们用更简单的句子跟年幼的孩子说话,或用更响亮、更低沉的声音命令他们的宠物"过来!",或在向没有参加活动的父母描述事件时提供更多细节时,他们已经理解了语用学(Flavell et al.,2002)。所以,即使是小孩子也能很好地调整语言以适应环境,至少和熟悉的人在一起交流时是这样。

不同的文化有不同的语言使用规则。例如,几年前雪利·布赖斯·希思(Shirley Brice Heath,1989)花了很多时间观察白人中产阶级家庭和非裔美国人贫穷的家庭。她发现,成年人会问不同类型的问题,并鼓励不同类型的"谈话"。中产阶级成年白人会问一些有正确答案的类似考试的问题,比如"有多少辆车?"或者"哪辆车更大?"这些问

---

①句法——词组或句子中单词的顺序。
②语用学——关于在一种特定的文化中何时以及如何使用语言以成为有效沟通者的规则。

题对非裔美国儿童来说似乎很奇怪,他们的家庭不会问他们已经知道的东西。非裔美国孩子可能会想:"为什么我的阿姨会问我有多少辆车?她明明可以看到有3辆。"相反,非裔美国家庭鼓励孩子们讲丰富的故事,还会戏弄他们的孩子,以此磨炼他们的机敏和自信。

元语言意识。在5岁左右,学生开始发展元语言意识(metalinguistic awareness)①。这意味着他们对语言及其工作原理的理解变得清晰。他们了解语言本身。他们准备好学习和扩展他们的词汇、语法和其他已经被理解但没有被有意识地表达的规则。随着他们能更好地使用语言,这一过程将贯穿一生。学习阅读和写作,能促进元语言意识,而这二者是读写能力的萌芽。

早期读写能力

今天,在大多数语言中,阅读是学习的基石,而阅读的基础建立于幼儿时期。与阅读相关的早期知识和技能通常被称为早期读写能力(emergent literacy)②。看看下一页的图5.1,其中显示了一个6岁孩子写的故事和购物清单,从中可以看出一些早期的读写技能。

帮助读写能力形成的最重要的技能是什么?研究已经确定了两大类对以后阅读很重要的技能(Connor et al., 2014;Douglas & Albro, 2014;Florit & Cain, 2011)。第一类技能包括理解声音和代码,比如知道字母有名字、发音与字母相关以及单词由发音组成。例如,在美国的许多州和项目中,说出10个字母的能力是一个普通学龄前/幼儿园孩子的基准目标。这是一个很好的英语阅读准备的指标吗?一项研究跟踪了从学前班到一年级结束的371名儿童,他们发现是否能够说出18个大写字母和15个小写字母是一个更好的指标。说出字母名不是最重要的技能,但很容易评估(Piasta et al., 2012)。

---

①元语言意识——对自己使用语言的理解。
②早期读写能力——这些技能和知识通常是在幼儿时期发展起来的,是阅读和写作发展的基础。

一个故事和一张购物清单

这个孩子对阅读和写作有相当多的了解——字母组成的单词传达了意思,书写从左到右,列表从上向下,故事和购物清单形式不一样。

这个例子出自卡拉·特彭宁,他刚满6岁。

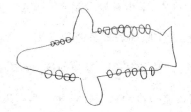

Me and Mommy went
on the arplane. I saw the
Librty BeL.

KACLA·S LiST UVe FRooTe
Tom maooo Se.
AVooWCAdooeS.
OriNis.
APPLS.
PAWS·

资料来源: Woolfolk, A., & Perry, N.E. (2015). Child and Adolescent Development. Reprinted and Electronically Reproduced by Permission of Pearson Education, Inc., Upper Saddle River, New Jersey.

图5.1　一个故事和一张购物清单

第二类技能是口语能力,如表达和接受词汇量多少的能力、语法知识,以及理解和讲故事的能力。一项有1000多名从3岁到3年级的儿童参与的研究发现,"学龄前儿童的口头语言技能(如词汇量、语法运用能力、理解和讲故事的能力)和编码技能一样,对预测学龄初期儿童的阅读能力发挥着重要的作用"(NICHD, 2005b, p. 439)。因此,要注意在解码或口头语言之间的非此即彼的观点——两者都很重要,但有时也会强调其中一种。在早期的英语阅读过程中,解码技能更为重要,因为学生需要快速而自动地处理字母和单词,这样他们就有更多的心理资源来理解他们所读的内容。用你所有的心智能力去识别字母和声音,只留下很少的空间去创造意义。随着解码变得自动化,重点应该转向语言理解技能(Florit & Cain, 2011)。

由内而外和由外而内的能力。理解早期读写能力并将解码和口语技能都考虑到的一种方法是由内而外的能力(inside-out skills)①和由外而内的能力(outside-in skills)②这一概念(Whitehurst & Christopher Lonigan, 1998),见表5.2。

表5.2 早期读写能力的组成部分

组成部分	简要定义	例子
由外而内的过程 了解特定印刷文字之外的信息——也就是关于语言、单词含义、概念和写作的知识		
语言	语义、句法和概念知识	孩子读到"蝙蝠"这个词,就会联想到棒球或会飞的哺乳动物的知识
叙述	理解和产生叙述	孩子会讲故事,知道书里有故事
印刷规则	熟悉标准印刷格式	孩子知道英文的打印字是从左到右,从前到后;了解书的封面与内页的图文的区别
早期阅读	假装阅读	孩子们拿着最喜欢的书,通过图片来复述故事,过程中常借助图片作为提示
由内而外的过程 字母、声音和语法的知识——将书面符号翻译成口语的规则。		
组成部分	简要定义	例子
字母知识	字母名称知识	孩子能辨认字母和其名字
语音意识	押韵的识别;音节的处理;对单个音素的处理	一个孩子能告诉你和"帽子"(hat)押韵的单词 一个孩子可以边说边有节奏地拍手:/k//a//t/
句法意识	修正语法错误	一个孩子说:"不! 你应该说'I went to the zoo',而不是'I goed to the zoo'"

---

①由内而外的能力——字母知识、语音意识、句法意识、音素—字母对应及出现书写的萌芽性早期读写技巧。

②由外而内的能力——语言、叙述、印刷规则和阅读方面的早期续写能力。

音素—字母对应	字母—声音知识	孩子可以回答这个问题,"这些字母发出什么声音?"
早期写作	语音拼写法	孩子写"eenuf"或"hambrgr"
其他因素	早期读写能力还取决于其他因素,比如对声音和序列的短期记忆,识别和说出字母的能力、动机和兴趣	

资料来源:Reprinted from LDOnLine. org with thanks to the Learning Disabilities Association of America.

例如,当读一个故事的时候,读者必须知道字母、声音、语法和标点符号,哪怕是理解一个简单的句子,比如"她从亚马孙订购了一本电子书?"。读到最后一个单词时,读者还必须记得第一个单词。但这些由内而外的技巧是不够的。为了理解,读者需要由外而内的技能和知识,例如:什么是电子书? 订购意味着什么? 这是亚马孙河还是亚马孙网站? 为什么是问号? 谁在问? 这个句子和故事的上下文如何联系的?

建立基础。是什么建立了这种早期读写技能的基础? 儿童的家庭经验是语言和读写能力发展的核心,特别是在早期。在提倡读写的家庭中,父母和其他成年人把阅读视为一种快乐的源泉,书籍和其他印刷品随处可见。父母给孩子读书,带他们去书店和图书馆,限制每个人看电视的时间,鼓励玩读写相关的游戏,比如假装上学或写"信"(Lonigan, Farver, Nakamoto, & Eppe, 2013;Pressley, 1996;Sénéchal & LeFevre, 2002)。不幸的是,在贫困中长大的儿童不太可能得到这种支持。例如,低收入家庭的孩子所有学龄前的总阅读时间约为 25 小时,而高收入家庭的孩子则是 1000 小时(Berk & Meyers, 2016)。

育儿工作者和老师可以提供帮助。研究人员在一项近 3000 名从幼儿园到五年级的低收入儿童参与的研究中发现,参与越多学校活动的家庭,孩子的读写能力发展就越好。当母亲受教育的程度较低时,参与学校活动就显得尤为重要(Dearing, Kreider, Simpkins, & Weiss, 2006)。以下五个相关的策略或活动对年幼学生至关重要:

1. 教学有助于学生"解码",即"口头语音"和"书面语言"之间的相互转化。

2. 与学员共同阅读,谈论关于声音、文字、图片和概念时使用书籍作为支持。

3. 与成年人的对话和活动可发展儿童的语言知识、扩大词汇和语法知识量。

4. 所有儿童的学前教育项目。

5. 教育父母与他们的孩子交谈和阅读，使用语言进行教学和学习，而不仅仅是控制孩子的行为(Berk & Meyers，2016)。

对年纪较大的学生来说，读写能力教学强调阅读和写作的理解。随着阅读材料变得越来越复杂(想想小说、诗歌和许多学术科目)和多样化(想想网络搜索、维基百科、视觉信息以及传统文本)，理解的阅读变得越来越困难。学生必须将他们所读的内容与现有的知识联系起来，建立词汇表，得出结论，做出推论和预测，检测模式和主题，写出他们所理解的内容，发表声明，提供证据……这样的例子不胜枚举。全国各地的研究团队还在继续为年长学生发展复杂读写技能的模型(Connor et al.，2014；Douglas & Albro，2014；Fogarty et al.，2014)。

当问题持续存在时。并非所有的孩子一年级入学时都有扎实的读写基础。在幼儿园和一年级，直接教授由内而外和由外而内的技能可以帮助许多学生"解码"并继续前进。对于那些有困难的学生来说，直接而密集的教学计划，如"阅读恢复计划"，可以提高许多学生的阅读技能(May et al.，2015)。但是对于一些学生来说，阅读问题会持续到初中和高中(Wanzek et al.，2013)。例如，国家教育进步评估的结果显示，三分之一的四年级学生和四分之一的八年级学生他们无法理解他们所在年级水平的阅读材料(Dougals & Alba，2014)。

进行密集的直接教学和阅读练习的早期干预可以对存在阅读问题的学生起到作用，但还有一个重要的额外考虑——需要持续的支持。即使是持续数月的有效干预，也不是灵丹妙药，不能让不会读书的学生余生都爱读书。例如，布拉赫曼(Blachman)和她的同事(2014)跟踪了58名在二年级或三年级参加了强化阅读干预项目的学生。学生们每天进行50分钟的个别辅导，每周5天，连续8个月。十多年后，当这些学生年龄在18到22岁之间时，研究人员发现，与没有参加强化阅读干预的类似学生相比，这组学生在阅读和拼写技能方面只有小到中等的差异。对于有阅读障碍的学生来说，我们应该把干预治疗看成是"胰岛素疗法，而不是预防阅读问题的疫苗"(Blachman et al.，2014，p. 10)就像人们需要持续的胰岛素来保持健康一样，苦苦挣扎的读者需要持续的教学和阅读支持——你不能"修复它后就忘记它"。

早期读写能力和语言多样性

由内而外(字母—发音)和由外而内(语言理解/意义)的早期读写技能对于入学的准备是至关重要的,无论孩子是使用一种还是几种语言(Hammer, Farkas, & Maczuga, 2010)。但是,除了英语——大部分研究都是在英语中进行的——在其他语言中早期读写技能是否也以同样的方式发展呢? 其实是不一样的——请接着往下读!

语言和早期读写能力。 英语不是一门容易学的语言。同一个字母可以有不同的发音(你可以用多少种方式发"c"? 想想"cook"和"city"的开头音吧)。此外,同样的发音可以用不同的方式书写,不规则的拼写也很多。孩子们在把他们的智力资源投入理解这个复杂的英语系统之前,必须迅速而自动地解码这个复杂的系统,这是有意义的。但是,当语言具有更明显的字母—声音系统(如西班牙语、德语、意大利语和芬兰语)时——当字母和声音具有一致的、可预测的联系,很少有例外或不规则的拼写时,解码技能就会更容易发展,因此早期教育可以较少地强调解码,而更多地关注理解(Florit & Cain, 2011; Goldenberg, Tolar, Reese, Francis, Bazán, Mejia-Arauz, 2014)。

设身处地想一想: 想象一下,你是一个年轻的墨西哥裔美国孩子,你叫约书亚·冈萨雷斯(Josué González, 2011)。你最美好的记忆之一就是你的祖母每天晚上都用西班牙语给你朗读——这是一本非常精彩浪漫的书,讲的是生活在神话般的王国中的年轻美女吉热诺瓦的故事。这是一个激动人心的故事,充满了爱、欺骗、邪恶的色狼、被遗弃在森林里等死的吉热诺瓦以及最后的幸福团聚。在学校里,为了学习用英语阅读,你会读基础读物《迪克和简》,书中你会读一些引人入胜的对话,比如"看! 看简! 看到了吗? 看斯波特在跑,斯波特到这来了。"到了三年级,书里仍然没有情节,当然也没有吉热诺瓦。那你还会有多少热情进行英语阅读呢?

双语早期读写能力。 在美国,大多数学校课程都希望所有的孩子能学会用英语阅读,即使必须读《迪克和简》这样的读物。卡罗尔·哈默(Carol Hammer)和她的同事们进行的一项研究表明,这种只强调英语阅读的做法可能没有必要。事实上,有一个关键因素可以促进读写能力的发展,即接受性语言的增长。回想一下,接受性词汇包括你所理解的词汇和语言结构,也包括你在说话时实际使用的词汇和结构,即使你在表达性词汇中没有用到它们。

在一项研究中,哈默在起跑线计划(Head Start)中跟踪了 88 名儿童长达两年(Hammer, Lawrence, & Miccio, 2007)。所有孩子的母亲都说西班牙语的波多黎各方言。有两组学生,一组从出生起就要说英语和西班牙语,另一组在 3 岁时开始学英语。哈默和她的同事得出结论:"在起跑线计划期间,与他们在计划结束时所达到的英语水平相反,孩子们的英语接受性语言能力的增长,准确预测了孩子们的英语阅读能力以及孩子们用英语识别字母和单词的能力"(p. 243)。学生们是否从出生起就会说英语和西班牙语,或者他们是否上学校才开始说英语,这些都无关紧要。此外,西班牙语能力的提高预示着西班牙语和英语阅读能力的提高。同样的结果也适用于学习德语的母语为俄语或土耳其语的高中生。第一语言中更好的听力理解预示着德语第二语言的阅读理解能力更好,甚至对于母语与德语差异很大的土耳其学生也是如此(Edele & Stanat, 2016)。

这对老师的一个启示,老师和家长应该把重点放在持续的语言发展上,而不是担心让孩子只说英语。正如哈默和她的同事们所指出的,"如果双语儿童在学前阶段的西班牙语或英语学习进展良好,那么早期英语和西班牙语阅读在幼儿园时期也会产生积极的效果"(2007, p. 244)。这些发现符合儿童发展研究协会的建议(SRCD):"投资于双语而不是只准讲英语的课程和鼓励参加学前班可以为拉美裔孩子提高学习机会和增加成功的概率"(SRCD, 2009, p. 1)。"指南:支持和促进语言发展与读写能力"提供了一些建议。

指南:支持和促进语言发展与读写能力

给老师

用故事作为交流的跳板。举例:

1. 与你的学生一起复述你读过的故事。

2. 谈论书中的单词、活动和对象。询问学生们,他们在家里或教室里有类似的东西吗?

找到和利用家庭已经拥有的优势(Delpit, 2003)。举例:

1.家庭成员的历史、故事和技能是什么? 学生可以画或写出来。

2.用学生语言中祝贺的诗歌或歌曲来表达对学生语言的尊重。

提供与家庭成员可一起参加的家庭活动。举例:

1.鼓励家庭成员和孩子一起阅读简单的食谱并照着烹饪、玩语言游戏、为家人写日记或日志,去图书馆。从家庭或学生那里得到关于活动的反馈。

2.给家长们反馈,让他们帮助评估孩子的学业。

3.提供当地可用的优秀儿童读物清单,可以与图书馆、俱乐部和教堂合作,以确定资料来源。

给学校辅导员和管理者

与家长沟通你的计划的目标和活动。举例:

1.让来自学区、社区的人,甚至是年龄较大的学生把你打算寄回家的任何材料翻译成孩子家庭的语言。

2.在刚开始上学的时候,给家里寄一份你要完成的目标的描述——确保它是清晰易读的格式。

3.当你开始每一个单元时,给家里寄一份简报,描述学生将要学习的内容——给家庭活动提些辅助学习的建议。

让家长参与课程的决定。举例:

1.组织家长可以参加的团体任务——照顾弟弟妹妹,但让孩子和家长一起完成。

2.邀请家长到课堂上为学生朗读、听写故事、讲故事、录有声书或装订书籍、示范技能。

方便家长来学校。举例:

1.在家长与老师见面时,为年幼的孩子提供托儿服务。

2.考虑到家长的交通需求——他们能到学校吗?

有关家庭扫盲合作伙伴关系的更多信息,请参阅网址:http://www. familieslearning.org/interactive_tools/what_works

For more information on Family Literacy Partnerships, see http://www. familieslearning.org/interactive_tools/what_worksSource:Hulit, Lloyd M. , & Howard, Merle R. , Born to

Talk：AnIntroduction to Speech and Language Development（4th ed.）. © 2006and Hulit, Lloyd M., Fahey, Kathleen R., & Howard, Merle R., Bornto Talk：An Introduction to Speech and Language Development, 6th edition, © 2015. Reprinted by permission of Pearson Education, Inc., Upper Saddle River, NJ.

语言发展的多样性

许多孩子在成长过程中同时学习两种或两种以上的语言。这意味着什么？

双语发展

如果他们一出生就接触到两种语言,双语（bilingual）[①]儿童（会说两种语言的儿童）与单语（monolingual）[②]儿童（只学习一种语言的儿童）达到两种语言标志性阶段的时间是一样的。一开始,会讲两种语言的孩子可能会从与他们相处时间最多或关系最密切的人那里学到更多的词汇,所以整天和说汉语的父母待在家里的孩子可能会使用更多的汉语词汇。但随着时间的推移,如果双语接触,（1）在生命早期（5岁之前）就开始;（2）发生在广泛而丰富的语境中;（3）在家庭和社区中是系统的、一致的和持续的,那这些双语儿童就能充分且同等地使用双语（Petitto, 2009; Rojas & Iglesias, 2013）。另一个要求是,第二语言必须占孩子语言输入的25%以上,接触第二语言较少的儿童不太可能学会第二语言（Pearson, Fernandez, Lewedeg, & Oller, 1997; Topping, Dekhinet, & Zeedyk, 2011）。双语儿童在说话时可能会混合两种语言的词汇,但这并不一定是他们混淆了两种语言的标志,因为他们的双语父母经常故意混合词汇,以选择最能表达他们意图的词（Creese, 2009）。因此,通过坚持不懈地使用两种语言,孩子们可以完全掌握两种语言。

对大脑和双语能力的研究表明,在5岁之前学习两种语言的人处理两种语言的方式和那些只学习一种语言并且使用大脑相同部位的人是一样的,通常都在左半球

———————————

①双语——能讲两种语言,并能与两种不同的文化打交道。
②单语——只讲一种语言。

(Klein，Mok，Chen，& Watkins，2014)。相比之下,学习第二语言的人后来不得不使用大脑的两个半球以及额叶和工作记忆他们需要付出更多的认知努力。正如派蒂托(2009)所指出的,"后期的双语开发确实改变了大脑用于语言处理的神经组织的典型模式,但早期的双语开发却没有"(p.191)。

第二语言的学习。如果你在成长过程中没有学习两种语言呢? 你应该什么时候、怎样学习第二语言? 要回答这个问题,你必须记住学习的关键期(critical periods)[1](如果此时学习行为没有发生,那么它将永远不会发生)和敏感期(sensitive periods)[2](我们能对学习反应特别强烈的时期)。没有一个关键时期会限制成年人学习语言的可能性(Marinova-Todd，Marshall，& Snow，2000)。事实上,大一点的孩子比小孩子学习语言的速度更快。成年人在掌握第二语言的过程中会有更多的学习策略和更多的语言知识(Diaz-Rico，2014)。但对大脑和双语能力的研究表明,"肯定有一个'敏感期'是最佳的双语语言和阅读开发和掌握的时期。第一次接触双语的年龄预示着双语儿童是否可能、将会成为两种语言的熟练阅读者"(Petitto，2009，p. 192)。

即使没有学习语言的关键期,也有学习准确语言发音的关键期。人们越早学会第二语言,他们的发音就越接近母语者。研究人员发现,婴儿从出生到大约4个月,可以分辨出世界上6900种左右的语言中的任何一种。但大约14个月后,他们就失去了这种能力,只对他们正在学习的语言的发音有了进一步的了解。然而,对于同时学习两种语言的儿童来说,这种发展窗口期似乎持续时间更长,因此这些儿童14个月后可以继续区分不同的声音(Petitto，2009)。

过了青春期去学一门新语言,几乎不可能不带口音。即使孩子无意中听到了一种语言,但实际上并没有正式学习,这也能提高以后的学习能力。"虽然等到成年后才学习一门语言几乎肯定会有很糟糕的口音,但在童年时无意中听到目标语言似乎大大减轻了这种困境"(T. K. Au，Knightly，Jun，& Oh，2002，p. 242)。因此,通过接触掌握两种语言(以及学习两种语言的母语发音)的最佳时间是幼儿时期(Berger，2018)。

---

[1]关键期——如果学习不能在这段时间发生,它就永远不会发生。
[2]敏感期——当一个人学习某些东西或对某些经验更易有反应的时候。

双语的好处。学习第二或第三种语言不会给孩子带来认知上的损失。事实上,这是有好处的。更高程度的双语能力与认知能力的提高有关,如概念形成、创造力、心理理论、认知灵活性、注意力和执行功能,以及理解印刷文字是语言的符号(Bialystok, Craik, & Luk, 2012;Kempert, Saalbach, & Hardy, 2011)。此外,双语儿童对语言的作用有更高级的元语言理解;例如,他们更容易注意到语法错误。更令人印象深刻的是,家庭语言为英语但学校是双语学校、且学习西班牙语的孩子,他们的音素意识和阅读理解能力比那些只会说英语的同龄人要好。

纵观所有这些研究,派蒂托(Detitto, 2009)得出结论:"早期双语能力的获得不会给个体带来任何劣势;相反,年轻的双语者可以获得语言和阅读上的优势……此外,学习两种语言的阅读可能为来自单语家庭的孩子提供一个有利条件,即使他们掌握阅读成功的关键音素意识技能"(p. 193)。此外,当毕业生进入商界时,会说两种语言也会是一项资本。一些研究人员认为,会说两种语言甚至可以预防老年痴呆症(Berger, 2015)。也许人类会进化到会说多种语言,因为这将具有生存价值,所以也许"现代文明中使用一种语言的区域是反常的偏差;换句话说,也许我们的大脑在神经学上被设定为多语言"(Petitto & Kovelman, 2003, p. 14)。

语言的缺失。如果你掌握了自己的第一语言,然后添加了第二或第三语言,你就是一个附加双语(additive bilingualism)的例子——在你添加了另一种语言时保留了你的第一语言。但是,如果你对自己的母语存在歧视,那么当你掌握了一门新语言后,你可能就会把这门语言抛在脑后——这就是减法双语(Subtractive bilingualism)的一个例子(Hamers & Blanc, 2000;Montrul, 2010;Norbert, 2005)。移民更容易遭受歧视,因此他们会减去"母语"。但是,如果家庭成员和社区重视并使用孩子的第一语言,那么当孩子学会第二语言时,他们更有可能保留下第一语言。

尽管前面描述的双语的优势似乎很明显,但许多儿童和成人都是减法双语的例子——即他们正在失去他们的传统语言(Montrul, 2010)。传统语言(heritage language)①是一种学生在家里或长辈亲戚那里使用的语言,而在家庭以外的大社会环境中使用另一种语言(在美国就是英语)。失去传统语言的学生通常是在他们的父母

---

①传统语言——学生在家里或家庭成员所说的语言。

或祖父母移民到一个新的国家后出生,所以这些学生从来没有生活在一个周围人都说他原本的传统语言的国家。K. F. 王和肖(K. F. Wong & Xiao, 2010)采访的两名华裔美国大学生表达了这样的担忧:

> 我最担心的问题之一是,当我有了孩子后,他们就不会说中文了,因为我的中文水平和我父母的水平不一样,所以我害怕他们会不再使用中文。(p. 161)

> 我的母语确实是粤语,但即便如此,我的父母也说得并不流利,所以……我知道在将来的某个时候,我可能是最后一个说这句话的人……我觉得这已经不是我的传统语言了。(p. 165)

与其为了另一种语言而失去一种语言,不如以平衡双语(balanced bilingualism)[①]为目标——两种语言的流利程度相等(V. Gonzalez, 1999)。第一语言可能是孩子与父母、祖父母和其他家庭成员交流的唯一方式。这种语言是传播家庭价值观、历史和传统的主要渠道,因此它是身份认同和自尊的基础(Peregoy & Boyle, 2017)。但在他们的家庭之外,英语又将这些学生和学业、社交和经济机会联系起来了,因此这两种语言都是非常宝贵的(Borrero & Yeh, 2010)。

在许多国家,有些特殊学校专注于传统语言和文化的教学。除了普通公立学校之外,这些学生会在下午、周末或夏季参加这些特殊学校教学。在英国,这些教学机构被称为补救或补充学校。在澳大利亚,这些学校被称为社区语言或民族学校。在美国和加拿大,这些学校通常被称为传统语言学校(Creese, 2009)。以下是了解你所在地区传统学校的一些建议,由英国伯明翰大学教育语言学教授安吉拉·克里斯(Angela Creese, 2009)提出:

- 找出你所在地区的补充/传统学校,并与他们取得联系。

- 参加一些进入补充或传统学校的学生的颁奖仪式或展示活动。表明你对双语

---

①平衡双语——添加第二语言能力而不丢失传统语言。

和多元文化项目的支持。

● 弄清是否有在补充/传统学校和主流学校部门工作的教师。请他们为学校的其他老师举办关于专业发展的培训班。

● 请一位补充/传统学校的班主任教师举办会议。

● 鼓励小规模的研究和/或实践项目,利用补充学校和主流学校之间的潜在联系（p. 272）。

手语

能同时使用口语和手语或两种不同手语进行交流的人被认为是双语者（Petitto，2009）。世界上使用的手语与口语之间存在很复杂的平行关系,例如美国手语（American Sign Language，ASL），英语手语（Signed English，美国、爱尔兰、新西兰、澳大利亚、大不列颠），尼加拉瓜手语（Lingua de Signos Nicaraguense，Nicaraguan Sign Language），沃普瑞手语（Warlpiri Sign Language,澳大利亚土著居民），以及魁北克手语（Langue des Signes Quebecoise（LSQ））。这些语言中的每一种都是不同的,并且都不是简单的口语衍生版本。举个例子,即使两个国家都是用相同的法语,但使用魁北克手语和法国手语的人无法相互理解。

口语和手语都有大量的词汇和复杂的语法,劳拉—安·佩蒂托（Laura-Ann Petitto）和艾欧尼亚·科尔曼（Ioulia Kovelman）（2003）指出口语和手语的语言习得有相同的机制。除此之外,口语与手语的里程碑式变化是相同的。举例来说,儿童大约在相同的时间"说"出他们的第一个词,在 12 个月左右,无论是口语还是手语（P. Bloom，2002）。实际上,对儿童在幼儿期学习口语和手语的研究表明,从出生时就接触双语,并且特别是在出生时就接触手语和口语,并不会造成儿童语言习得的延迟和混乱（Petitto & Kovelman，2003，p. 16）。因为接触两种语言时,儿童能够平衡好双语中的口语和手语。

双语是什么？

据估计,美国现在有 52,60 万人会说西班牙语,这使得美国拥有全世界第二大讲西班牙语的人群,仅次于墨西哥。在美国各州中,新墨西哥州西班牙语者最多,比率达

47%,得克萨斯州和加利福尼亚州都以38%的比率紧随其后,亚利桑那州也达30%。到2050年,美国预估将拥有全世界最庞大的讲西班牙语人群——大约有1.38亿(Burgen,2015;Perez,2015)。自1990年以来,亚洲移民的数量变成了原来的两倍多,从1990年的近500万到2014年的近1300万(Zong & Batalova,2016)。伴随着这些增长的数字而来的是关于双语主义的错误观念,正如你在表5.3中看到的。

表5.3 关于双语的误区和真相

在此表中,L1表示母语,L2表示第二语言。

误区	真相
学习第二语言(L2)只需要花费很少的时间和精力,并且当他们接触语言时"儿童就会学会它"	把英语作为第二外语时,能熟练掌握口语需要2至3年,并且需要6至9年掌握应用学术语言。为了学习第二语言,学生需要有一个交流的理由和机会,比如接触英语使用者、互动、支持、反馈和时间
能将所有语言技能(听、说、读、写)从第一语言转换到第二语言	阅读是最容易转化的技能
语码转换是使语言混乱的一种表现	在母语和第二语言中语码转换都表示一种高水平语言能力
所有双语者都能轻松地保持两种语言。儿童不会丢失他们的母语	在两种语言中保持高水准技能需要付出大量努力和精力。第二语言学习者的问题在于他们容易丢失了母语以及第二语言的发展不足(在L1和L2中成为半语者)
在幼儿时期过早学习两种语言会混淆或延迟学习英语	全世界大多数儿童在他们幼儿时期能够成功学习一种以上的语言。事实上,学习两种语言还能平衡大脑发展
为了成功地让孩子学习英语,学生的父母在家中只能说英语	在许多环境下儿童都需要使用两种语言
用母语阅读不利于学习英语	不论在母语或者第二语言中,丰富的文学环境都有利于必要的前阅读技能的发展
语言障碍必须由英语测试来识别	儿童必须通过母语和第二语言中的测试来确定是否是患有语言障碍

资料来源:Based on Espinosa, L. M. (2008). Challenging Common Myths About Young English Language Learners. New York: Foundation for Child Development and Ohio Department of Education (2014). Myths About Second Language Learning. Columbus, OH: Ohio Department of Education.

成为双语者意味着什么？一些对双语的定义专门关注在语言基础上的含义：双语者能够讲两种语言。但是掌握双语也意味着掌握两种文化交流所必需的知识，处理潜在的分歧，但同时也要保持对自己身份的认同，所以双语也需要双重文化（Borrero & Yeh, 2010；S. J. Lee, Wong, & Alvarez, 2008）。而成为一名成功的双语学生还需要学习学术语言。

语境化和学术语言

精通第二语言有两个方面：面对面的基础沟通/谈话技能和学术语言（E. E. Garcia, 2002；Herrell & Jordan, 2016）。举例来说，基础沟通和谈话技能包括运用适当的词汇和句子、问答问题、发起和终止谈话、听的技能，并且理解和运用俗语。

学术语言（Academic language）①贯穿整个小学和初中以及大学的语言使用范围，并且包含读写流利；理解语法和句法；了解专业词汇；遵守书面和口头指示；与其他学生合作完成作业；理解不同类型的课文和写作结构，例如小说、诗歌、数学问题、科学图表以及历史中的大事年表；掌握学习技巧，例如构写大纲、总结和阅读理解；理解抽象、高阶、复杂的概念。学术语言包含一般词汇和运用在许多学科中的概念，例如分析、评估或者总结具体学科的词汇和策略，如数学中的等式方程或微分，最近的选举结果中的一个因子，或者金融领域中的衍生品（你会看到当同一个词在不同的领域内有两个截然不同的含义时将变得多么复杂）。实际上，学术语言应该被当作一种人们为了在学校取得成功而必须学习的新语言。所以，所有学生，尤其是那些在家中可能不说正式英语的学生，必须在学术上成为双语和双文化使用者；他们必须学习新的说话方式以及学校所需的文化规则（Echevarría, Vogt, & Short, 2017；Vogt, Echevarría, & Short, 2010）。

对于正在学习一门新语言的儿童来说，在一个高质量项目中要花 2 到 3 年的时间才能在面对面谈话中使用基本的语言。基本第二语言的学习阶段呈现在表 5.4 中。

---

①学术语言——在小学、中学和大学水平的学校中使用的全部语言，包括词汇、概念、策略和学科过程。

表 5.4 学生学习第二语言时常见的错误和成就

语言阶段	常见错误与局限	成就
在学习语言的第一年	• 完全不说话 • 每次只能理解一个单词 • 单词读错音 • 遗漏单词 • 用一两个词回答 • 严重依赖上下文	• 用手势、姿势、手指方向来交流 • 能够运用"是""否",或者其他简单的单词
在学习语言的第二年	• 基础的发音和语法错误 • 有限的词汇量	• 运用完整的句子 • 良好的理解力(在上下文中) • 善于使用语言交际
在第三年及以后的语言学习期间	• 在复杂语法上的一些错误	• 能够讲完整的故事 • 良好的理解力 • 开始去理解并运用搞学术语言 • 更大的词汇量

资料来源：Based on Miranda, T. Z. (2008). Bilingual Education for All Students：Still Standing after All These Years. In L. S. Verplaetse & N. Migliacci (Eds.), Inclusive Pedagogy for English Language Learners：A Handbook of Research Informed Practices (pp. 257－275). New York, NY：Erlbaum.

掌握学术语言技能,例如利用新语言阅读课文将花费超过 3 年的时间,远至 6 到 9 年,这依赖学生在母语中已经拥有学术知识的量。因此,那些在交谈中似乎"知道"第二语言的孩子们在复杂的学校任务中使用该语言时仍然会有很大的困难(Bialystok, 2001；Verplaetse & Migliacci, 2008)。下面是一位来自墨西哥的十年级学生描述她的老师如何帮助掌握学术语言：

> 我真正喜欢我的 ESL 老师的地方是,她给我们解释了如何组织我们的思想,以及如何用学校所要求的方式进行写作。她还教会我们如何做一个优秀的批判性读者。这对我的其他课程很有帮助,并且我知道这对生活有好处。(Walqui, 2008, p. 111)

　　文化差异可能会在很多方面妨碍学术语言和内容理解的发展。举例来说,许多亚洲学校课堂上有这样一种文化氛围,即学生向老师提问会被认为是粗鲁和不恰当的,因为提问意味着老师的教学工作做得不好。在亚洲课堂上,学生提问可能会导致老师在学生面前丢脸——这是完全不可接受的情况。因此,教师需要问自己为何他们的学生不问问题。在老师被视为权威知识的来源的文化氛围中,课堂讨论可能被认为是浪费时间。这种文化认为,学生怎么可能从其他那些不是权威的学生身上学到东西? 因此,文化塑造的学习观念和以往在不同类型的课堂上的经历可能解释了为什么英语学习者似乎很安静,并且不愿意在课堂上发言。英语学习者可能也会认为他们的老师不够优秀,因为他们不能解释所有的事。如果他们之前的学校强调死记硬背的话,他们之后也可能更喜欢把死记硬背作为一种学习策略(感谢俄亥俄州立大学的 Alan Hirvela 博士,他指出了这些关于学校和教师观念的文化差异)。

　　"指南:促进语言学习"只是提供了促进语言学习的想法,但你也应该在教学时牢记文化差异。

指南:促进语言学习

　　提供结构、框架、支架和策略。举例:

1.解决问题时"大声思考",以此建立和澄清学生所接收到的信息。

2.使用可视组织者、故事地图或其他辅助工具帮助学生组织和联结信息。

　　用视觉提示支持口头解释。举例:

1.使用面部表情和手势来强调意思。

2.使用图表、地图、图形、图片、电影、视频、网页和具体材料。

　　教授相关背景知识和关键词汇概念。举例:

1.非正式地评估学生当前的背景知识。如果缺少必要的信息,可以直接教授。

2.专注于关键词汇,并持续使用这些词汇。

　　给出有针对性的有用的反馈。举例:

1.将反馈集中在意义上,而不是语法、句法或发音上。

2.提供频繁、简短、清晰的反馈。尽可能使用学生母语中的词汇。

3.确保让学生知道他们什么时候能够成功。

4.将任务和活动分解成更小的"一口的大小",每次"咬"完一口教师要给予一次反馈或强化。

让学生参与其中。举例:

1.小组练习和两人一组进行练习。

2.创造一些学生能详细交谈的环境。

3.让学生挑战一些清晰的高阶问题。

4.同时也要让他们有时间思考并写出答案,可能的话可以两人一组进行。

尊重学生的文化和语言。举例:

1.了解学生的个人和语言背景:在家里说什么语言? 家人什么时候到美国的? 他们在美国住了多久了? 他们在其他国家接受的是什么教育?

2.了解学生的宗教背景、食物喜好和限制以及家庭习俗;然后将学生的经验融入写作和语言艺术活动中。

3.学习一些学生语言中的关键词——这是一个机会,让你成为一个更全球化和更复杂的语言学习者。

4.视多元化为一项财富;拒绝将其视为缺陷的观念。

资料来源: Based on Peregoy, S. F. , & . Boyle, O. F. (2017). Reading, Writing, and Learning in ESL: A Resource Book for Teaching K‐12 English Learners (7th ed.). Boston, MA: Pearson; Echevarría, J. , Vogt, M. , & Short, D. J. (2017). Making Content Comprehensible for Secondary English Learners: The SIOP? Model (5th ed.). Boston: Pearson; and Gersten, R. (1996b). Literacy Instruction for LanguageMinority Students: The Transition Years. The Elementary School Journal, 96, 217‐220.

教室中的方言差异

沟通是教学的核心,但正如我们在这一章中看到的,文化影响沟通。在本节中,我们将研究两种语言差异——方言差异与性别化语言。

方言

停下来想一想:当你想喝软饮料时,你叫它什么? 你认为美国其他地方的人也用这个词吗?

在得克萨斯州长大的我们总是问:"你想喝杯可乐吗?"如果答案是肯定的,那么下一个问题就是:"哪种饮料——可口可乐、根啤、七喜、橙汁?"当我搬到新泽西州时,我不得不要一杯苏打水。如果我要一杯可乐,那我得到的就是可乐。20年后,当我们来到俄亥俄州的一个聚会上,我那位在俄亥俄州哥伦布市长大的同事说:"你必须学会说中西部话,我们要可乐时会说'bottlapop'"。不同的地区有不同的说话方式——无论是口音还是用词。例如,在新英格兰,许多人把交通环岛称为"rotary",而冰激凌碎屑则称为"jimmies"。意大利三明治可能是潜水艇(submarine)、鱼雷(torpedo)、英雄(hero)、楔子(wedge)、hoagie、muffaletta,或po'boy,取决于你试图在哪里点它。在美国,至少有10种地区或地理方言,在这个国家出生的孩子没有一个学的英语是不含方言的(Owens, 2016)。

方言(dialect)①。是特定群体使用的一种语言规则系统。方言是这个群体集体认同的一部分。读这本书的人都至少会说一种方言,也许更多,因为没有一种绝对标准的英语。英语有几种方言,例如澳大利亚式、加拿大式、英式和美式。这些方言中的每一种都还有变体。列举几种美式英语的方言,如南方英语、波士顿英语、卡津英语、亚洲英语和非裔美国英语。简约的短信编码。"顺便说一句,我喜欢你"("BTW, u r sum1 I like")是不是一种新的方言呢(Owens, 2016)?

方言在发音、语法和词汇方面的规则不同,但重要的是要记住这些差异不是错误。每一种方言都是合乎逻辑的、复杂的、受规则支配的。这方面的一个例子就是双重否定的使用(Brice & Brice, 2009)。在美国英语的许多版本中,双重否定的结构,如"我不是没有更多"("I don't have no more")是不正确的。但在许多方言中,如一些非裔美国人英语的变体和其他语言(如俄语、法语、西班牙语和匈牙利语),双重否定是语法规则的一部分。如果你想用西班牙语说"我什么都不想要",你必须从字面上说"I don't want nothing"或者"No quiero nada"。我的丈夫来自宾夕法尼亚州,在一些句子中他省

---

①方言——某一特定群体所说的一种语言的各种变体。

略了"to be"，例如"The lawn needs mowed（草坪需要修剪）"和"The car need swashed（汽车需要清洗）"。

方言与发音。各个方言在发音上也有不同，这就可能会导致拼写问题。例如，一些非裔美国人英语和南方方言，很少注意单词的结尾的发音，很少关注到最后的辅音，比如"s"，这可能会导致这些单词不能以标准的方式表示所有格、第三人称单数动词和复数。所以"John's book"可能是"John book"，对于思考（thinks）、黄蜂（wasps）和列表（lists）等单词来说，单数和复数听起来是一样的。当结尾不发音时，学生发音中的同音异义词（发音相似但含义不同的词）要比老师所预期的还多，例如 spent 与 spend 听起来类似。即使没有方言差异造成的混淆，英语本身也有许多同音异义词。通常情况下，老师在拼写课上都会特别注意这些单词。如果教师知道一些学生方言中特殊的同音异义词，他们就可以直接教授这些发音之间的差异。

方言与教学。教师如何应对课堂中的语言多样性？首先，他们要格外注意自己可能对说方言的学生有负面的刻板印象。其次，教师可以重复使用不同单词的指令，然后要求学生复述指令或举例，以此确保学生理解了。最好的教学方法似乎是首先理解学生，并且接受他们的语言是一个有效的和正确的系统，然后教授另一种在更正式的工作环境中使用和书写的英语（或是在你们国家的其他主要语言），学生将因此获得广泛的学习机会。简·安恩（Jean Anyon,2012）描述了她是如何在小学课堂上自然地做到这一点的：

> 事实上，我认为我的学生使用的语言是具有创造力并且很可爱的。我让我的学生用他们自己的语言写诗和故事。我们会欣赏他们的发音。然后，因为我来自与他们不同的文化——白人中产阶级，我们会讨论他们写的东西和我说话的方式之间的区别。我们会对他们的谈话和我的谈话来来回回地进行翻译。通过这种方式，语言模式被看作是不同，但没有好坏之分的。关于他们需要学习标准英语以便在白人世界中发挥作用的讨论，是我们的活动的自然结果，而不是强制进行的。（p.2）

在两种语音形式之间进行切换被称为语码切换(code switching)①——这是我们都学会了的。有时,语码用于教育或专业交流的正式演讲;有时,语码是朋友和家人之间的非正式交谈;有时,语码是不同的方言,甚至是幼儿也能识别不同的语码变化。戴博纳(Delpit,1995)描述了一个一年级学生对她的第一堂阅读课的反应。在她认真朗诵完老师手册上的引言后,这个学生举手问道:"老师,你怎么像一个白人一样说话? 你说话就像我妈妈打电话的时候一样。"对于大多数孩子来说,只要他们有好的榜样、明确的指导和真正练习的机会,学习另一种语言对他们来说是很容易的。

性别化语言

如果你要根据你对方言的了解来猜测什么是性别化语言(genderlects)②,你可能会猜到性别化语言就是男性和女性说话的不同方式。男孩和女孩在他们的语言上有一些细微的差别。女孩在讲话时更健谈,更倾向于从属关系(从属关系谈话是旨在建立和维持关系的谈话)。但大部分研究都是对白人中产阶级儿童进行的,结果不一定适用于其他群体和文化。例如,一些研究报告说,女孩更可能合作、谈论情感;而男孩则更有竞争性,谈论的是权利和正义。但其他研究发现,非洲裔美国女孩与男孩一样,会在交谈中竞争,更多地谈论自己的权利(Leaper & Smith, 2004)。和大部分的语言一样,文化差异也存在于性别选择中。插话就是一个很好的例子。在美国,男孩比女孩更喜欢插话,但在非洲、加勒比、南美洲和东欧,女性插话的频率远高于美国。在泰国、夏威夷、日本以及安提瓜和巴布达,男孩和女孩说话的方式是很相似的——不是插话,而是彼此合作、轮流发言(Owens, 2016)。

面向移民学生的教学

费利佩·瓦尔加斯是一名五年级的学生,他和家人从墨西哥来到美国已经三年多了,他的父亲在一家鸡肉加工厂找到了一份工作。许多墨西哥人在工厂工作。现在在他们居住的佐治亚州北部小镇,有一个说西班牙语的教堂、一个墨西哥杂货店、一个墨

---

①语码切换——在两种语言形式之间移动。
②性别化语言——男人和女人说话的不同方式。

西哥酒吧和餐厅。费利佩的母亲负责照顾家庭和孩子,她不会说英语,但他的父亲和哥哥恩里克都会说一点英语。恩里克来到这个国家时才 15 岁。他在一个为说其他语言的人开设的英语课程(ESOL)班学习了一年之后就退学了,并在养鸡场工作。他很自豪能为家庭做出贡献,但他梦想成为一名汽车技师,他把所有的空闲时间都花在给邻居修理汽车上,这样还能赚点外快。费利佩的大姐现在 15 岁了,和他一样,在转入英语班之前,她在 ESOL 课程中学习了两年。她的父母从"老家"给她选了一个丈夫,她打算 16 岁就离开学校,尽管她不愿意嫁给她父母选的那个男人。他的两个妹妹分别是 8 岁和 4 岁,最小的孩子在一个特殊的"起跑线计划"班学习英语,而另一个正在二年级留级,因为她很难学会阅读。

费利佩在学校的成绩大多是 C。他在阅读课本时仍存在困难,班上有许多英国朋友,而他和他们用英语交流是没有问题。事实上,当他的父母来学校参加家长会时,他还会为他们翻译。数学的确是他的优势。他在数学上的考试成绩一直都是 A,而且他进入了最好的"数学小组",所以他去找另一位老师学习数学。那个老师叫他"菲利普",并且告诉他,他长大后可能会成为一名会计或工程师。费利佩喜欢这个想法,但他的父亲说上大学要花很多钱,并提醒他当他们攒够钱买了一个小农场时,总有一天会回到墨西哥,这也是他父亲的梦想。

今天在美国的学校里有很多像费利佩和他的兄弟姐妹这样的学生。在本章的剩余部分,我们将探索如何教育这些学生,使他们的大学梦想和职业梦想能够在他们最终居住的地方实现。

移民和难民

移民(immigrants)①是自愿离开自己的国家,在一个新的地方成为永久居民的人。在美国,居住在移民家庭的儿童约占 18 岁以下儿童和青少年的 25% ,占所有幼儿园学生的五分之一(Koury & Votruba-Drzal, 2014;Turner, 2015)。来自墨西哥的移民,比如费利佩的家庭,是美国最大的移民群体,其次是拉丁美洲其他国家,然后是东亚和南亚

---

①移民——自愿离开祖国到新地方永久居住的人。

(Zeigler & Camarota,2015)。

难民(refugees)①是一个特殊的移民群体,他们也自愿搬迁,但他们是因为不安全而正在逃离自己的祖国。美国要求寻求难民身份的个人证明"他们是因种族、宗教、国籍、政治观点或某一特定社会群体的成员身份而遭受迫害或害怕迫害"(U. S. Citizenship and Immigration Services,2017)。自1975年以来,300多万难民在美国永久定居,其中一半是儿童。2016年,大约85000名难民被允许进入美国,其中大部分来自亚洲、中东和非洲(Igielnik & Krogstad,2017)。

起初几十年里,社会期望这些新移民被同化——进入文化大熔炉(melting pot)②,成为与那些更早移民的人一样的人。多年来,美国学校的目标是成为大熔炉下的火焰。那些说着不同语言、拥有不同宗教和文化遗产的移民孩子们被期望进入学校、掌握英语,并学习成为主流美国人。当然,大多数学校都是为欧美中产阶级的孩子设计和服务的,所以应该让移民孩子来适应和调整,而不是让学校做出改变。非自愿移民,即被迫移民到美国的奴隶的后代,通常在文化大熔炉中根本不受欢迎。

在20世纪60年代和70年代,一些教育工作者认为,移民、有色人种学生和贫困学生在学校的生活和学习存在问题,是因为他们"在文化上处于不利地位"或有"文化障碍"。这种文化缺陷模型(cultural deficit model)③假设,由于学生的家庭文化没能让孩子融入学校生活,所以其文化是不足的。现在,教育心理学家拒绝接受文化缺陷的观点。他们认为,学生的家庭文化与美国学校的期望之间可能不兼容(Gallimore & Goldenberg,2001)。此外,许多族群越来越意识到,他们不想完全融入美国主流社会。相反,他们希望保持自己的文化和身份,并同时是社会中受人尊敬的群体的成员。多元文化主义是我们的目标——更像是一个盛满多种食材的沙拉碗,而不是之前的大熔炉理念(J. A. Banks,2015;Stinson,2006)。在过去的几十年里,美国移民大多数集中

---

①难民——一种特殊的移民群体,他们也自愿搬迁,但因为不安全而逃离自己的祖国。

②熔炉——这是一种将移民吸收和同化到社会主流从而消除种族差异的隐喻。

③文化缺陷模型——该模型假设少数民族学生的文化不充分,无法为他们在学校取得成功做好准备,从而解释了少数民族学生在学校成绩方面的问题。

在大城市,像加利福尼亚、得克萨斯、亚利桑那和纽约。但是现在,在其他城市和城镇,特别是在中西部各州,也有许多移民。鉴于教授学生英语口语能力带来的挑战,以及问责测试的要求,很明显各地的教师都面临着压力(S. B. Garcia & Tyler, 2010)。但是这没有多少用;因为不到1%的小学和中学教师准备将英语作为第二语言教学(Aud 等, 2010)。

当今的课堂

英语学习者(English language learners, ELLs)①(正在学习英语的人,通常被称为ELLs)是美国人口增长最快的群体。一些研究人员预测,到2030年,从幼儿园到高中的学生中大约有40%的人会说有限的英语(Guglielmi, 2012)。据估计,到2065年,仅拉丁美洲人就将占美国人口的四分之一(Cohn, 2015)。在美国出生的移民家庭的孩子组成了另一个需要专门语言教学的群体。即使在高中刚开始的时候,这些学生可能仍然缺乏学术英语的技能——学术语言——这是在他们复杂抽象的课程中取得成功所必需的(Dixon et al. , 2012; Slama, 2012)。

这些变化并不局限于美国。预计到2031年,有三分之一的加拿大人将是少数族裔,并且四分之一是在外国出生的,所以在加拿大讲官方英语和法语以外的语言的人数很可能也会增加(Catalyst, 2016)。实际上,所有发达国家都有很多移民的学生。例如,在荷兰阿姆斯特丹的学校里,在12岁以下的学生中有超过一半的人来自移民家庭,并且在澳大利亚有四分之一的人出生在海外(Crul & Holdaway, 2009; Martin, Liem, Mok, & Xu, 2012)。这些数字只会随着近期世界难民危机的加剧而增加。

四种学生情况。以下是今天作为英语学习者的学生在课堂上的四种基本情况(Echevarría & Graves, 2015)。

• 双语平衡者。这些学生的听、说、读、写能力在英语和母语中都发挥得很好。他们有继续学习两种语言所需的学术知识,也有这样做的技能和态度。这些学生可能不会面临教学上的困难挑战,但他们确实需要在语言和文化方面保持自己的技能。

————————

①英语学习者——正在学习英语并且其主要或传统语言不是英语的学生。

- 单语/有读写能力的学生。这些学生能够使用母语进行读写（在使用母语时达到或超过年级水平），但是英语口语水平有限。这里的教学挑战是帮助学生发展英语能力以及继续学习学术科目。

- 单语/无读写能力的学生。这些学生无法读写，他们可能无法运用母语读写或者他们可能具备有限的读写能力。有些人从未上过学。除此之外，他们英语口语水平有限。这些学生在学习学术科目和语言时都需要极大的支持。

- 双语有限者。这些学生。能很好地讲两种语言，但由于某种原因，他们在学习方面有困难。他们可能有潜在的挑战，如学习障碍或情感问题。进一步的测试常常有助于诊断问题。

这些学生资料与我们在前面的章节中遇到的基本会话语言和学术语言的区别有关。你可能还记得我们要花 2 到 3 年的时间来培养良好的会话语言，但是要 6 到 9 年（甚至 10 年）才能掌握学术语言。然而，要知道，在许多学术领域，一些来自移民家庭的孩子会超过来自本土家庭的同学，所以不要认为会有问题——去了解这个学生就好（Koury & Votruba-Drzal，2014）。如果你在一个有很多正在学习英语的学生的学校教书，学校工作人员可能会为他们做正式的评估，以便适当安置这些学生。

第 1.5 代：两个世界之间的学生

设身处地想一想：想想你是这个人：

你在 1 岁左右来到美国。你的家人没有证件。你有在美国出生的弟弟和妹妹，他们是合法公民，但你不是。你的父母和哥哥姐姐都努力工作，通常是做两份工作，这样就可以让年幼的孩子接受良好的教育。你在美国的新社区里上过幼儿园、小学和中学。你高中毕业时成绩很好，希望能上大学，但你很快发现自己没有获得奖学金的资格，不得不自己支付国际学生一样的学费，而这是你负担不起的。即使作为一个勤奋而有前途的学生，尽管事实上你已经在美国生活了很长时间，而且说一口流利的英语，但你也不能在许多州合法工作、投票或开车。

如果你是这个学生，你就会成为一个很大的群体的一员，这个群体通常被称为

"1.5代人"（Generation1.5）①，因为他们的特征、教育经历和语言流畅度介于在美国出生的学生和新近移民的学生之间（A. L. Gonzalez, 2010）。他们不是在美国出生的，但是他们大部分时间都住在这里，因为他们很小的时候就和家人一起来了。他们家里说的语言可能不是英语，但他们经常说流利的会话英语，即使他们的学术英语不是很强。杜佰瑞和利马阿尔维斯（Dubarry & Alves de Lima,2003）描述了另外几类1.5代学生：

- 来自美国领土如波多黎各的学生，有时被称为"移民"。

- 在美国出生的移民的子女生活在紧密联系的社区，在那里，传统语言因居民在家庭和商业生活的使用而得以保留。

- 这些孩子是由他们富有的父母送去和哥哥姐姐住在一起，以便在美国接受教育，有时也被称为"降落伞儿童"（parachute children）。

- 在不同国家间来回迁移的家庭的孩子。

- 说其他"英语"的移民，如来自牙买加、东印度或新加坡的英语。

这些学生可能有一些共同的特点和挑战。他们可能没有掌握在家里使用的语言，因为他们的学校教育中不使用那种语言。他们可能通过听和朋友或哥哥姐姐说话、看电视或听音乐来学习英语。他们被称为"耳朵学习者"，因为他们在从环境中听到的语言上建立了他们的英语知识。但他们听到的往往是口语或俚语，所以他们可能在学习如何准确地用英语阅读和写作方面有困难。我们很多人都知道我们所听到或读到的语法是否正确，因为我们一生中听到的语法（大部分）准确——我们的耳朵教会了我们很多。但对于许多1.5代的学生来说，他们的耳朵学习给了他们一个不完美的，甚至是不准确的英语语法概念。因为他们是"耳朵学习者"，他们可能会使用不正确的动词或名词形式，误读复数，或混淆听起来很相似的单词，如confident 和confidence。他们依靠语境、手势、面部暗示和语调来理解语言，因此阅读和校正作业对其也更困难，因为他们无法"听到"错误。复杂的学术阅读和写作作业非常具有挑战性（Harklau, Losey, & Siegal, 1999；Reid & Byrd, 1998；Roberge, 2002）。

_____

①第1.5代人——性格特点、教育经历和语言变化处于在美国出生学生和新移民学生两者之间的学生。

相比之下,我的许多国际研究生大多是通过阅读、写作、词汇和语法练习作为"眼睛学习者"来学习英语的,虽然他们可以写得很好,但他们在口头交流方面更困难。所以,了解你的学生是什么样的,以及他们第一次是如何学习英语的,应该有助于你理解他们犯的错误和面临的挑战。

情感和情绪/社会性的考量

设身处地想一想:你去上教育课。老师走到讲台边说:

Mina-san, ohayō gozaimasu. Kyō wa, kyō iku shinrigaku no jū gyō ja arimasen. Kyō wa, nihon no bangō, ichi kara jū made benkyō oshimasu. Soshite, kono kyō shitsu wa Amerika no kyō shitsu ja arimasen. Ima wa Nihon no kyō shitsu desu. Nihon no kyō shitsu dewa, shinakerebanaranai koto wa mittsu mo arimasu. Tatsu, rei, suwaru. Mina-san, tatte kudasai. Doshite tatteimasen ka? Wakarimasen ka?

这门课继续以同样的方式进行,直到你拿到"*测试*",并被告知"尽你最大的努力——这占你成绩的20%。"你简直不敢相信! 你会做什么?

这看起来不可能吗? 事实上,我的一个博士生(Yough, 2010)设计了这节课(没有测试),这样在他的教育心理学课上你就能体验到用一种你不会说的语言(假设你的日语有点生疏)来教授重要的内容是一种什么感觉。对 ELLs 学生的研究表明,他们在学校可能会遇到严峻的挑战和压力。他们可能觉得自己和别人不是一类人,别人在取笑他们,或者干脆无视他们。其他人似乎都知道规则和正确的词语。保持沟通需要勇气和毅力,说得越少越好,所以这些学生迫切需要的交流练习并没有发生。此外,研究表明,与用第一语言阅读相比,学生在阅读第二语言文本时,焦虑更有可能影响他们的注意力和理解能力,尤其是对于那些容易产生阅读焦虑的语言学习者来说(Rai, Loschky, & Harris, 2015)。

教师可以做些什么来支持学生在交流中的勇气和坚持呢? 第一步是创建一个充满关怀和尊重的课堂社区。我们将在第十三章探讨创建课堂社区的策略。埃切瓦里亚和格拉夫斯(Echevarria & Graves,2015)建议用额外的步骤来为 ELLs 的学生提供情感支持和提高他们的自尊,正如你在指南中看到的:"为 ELLs 学生提供情感支持和提高他们的自尊"。

指南:为 ELLs 学生提供情感支持和提高他们的自尊

设计能促进各种阅读和写作成功的活动。举例:

1. 每周与年龄较小的学生单独谈话,记录他们复述故事的过程。让学生编辑和修改听写作业,并读给搭档听。

2. 与年龄较大的学生做互动日志——每周收集并回复。

3. 教学要包括多种写作,而不仅仅是学术写作。对于年纪较大的学生来说,这可能是 twitter、Facebook 帖子、游戏、博客、给编辑的信或与朋友的电子邮件通信。对于年纪较小的学生,你可以使用家庭故事、贺卡、感谢信、购物单——想想那些日常实用写作。

确保学生有足够的时间来练习,并仔细、有针对性地纠正错误。举例:

1. 私下指出书面作业中什么是正确的、什么几乎是正确的、什么是错误的。

2. 谨慎对待公开的口头纠正,要建立在正确的基础上,而不仅仅是不接受明显错误的答案。

将教学与学生生活中的相关知识联系起来。举例:

1. 让学生调查家庭成员最喜欢的电影。用电影人物来讨论文学的要素——情节、观点等。

2. 让学生创建建筑公司或企划方案,以此来学习数学概念。

积极让学习者参与其中。举例:

1. 在历史课上比较基于家庭历史的个人时间轴和历史时间轴。

2. 为农村学生进行以动物或农业为基础的科学项目。

使用不同的分组策略。举例:

1. 试着写故事和练习口头陈述时让学生两两一组。

2. 建立小型团队来研究最近移民群体的文化和语言。

提供母语支持。举例:

1. 尽可能多地学习和使用学生的语言——如果他们能学习,你也能。

2. 寻找互联网翻译资源和当地的母语志愿者。

3. 把母语杂志和书籍带到教室。

让家庭成员和社区成员参与。举例：

1. 引入说书人、当地企业主、艺术家和工匠。

2. 为你的班级创建一个欢迎中心。

对所有学生都抱有高期望，并将这些期望清晰地传达出来。举例：

1. 保留已经进入工作或大学的学生的剪贴簿。

2. 不要接受平庸的作品。

3. 成为尊重多样性的榜样和偏执的敌人。

资料来源：Based on Echevarría, J., Vogt, M., & Short, D. J. （2017）. Making Content Comprehensible for Secondary English Learners：The SIOP Ⓡ Model （5th ed.）. Boston：Pearson and Echevarría, J., & Graves, A., Sheltered Content Instruction：Teaching English Language Learners with Diverse Abilities （5th ed.）. © 2015. Boston：Pearson.

另一个问题与文化差异有关。正如我们之前看到的，在初中或高中移民到美国的学生可能在"老家"经历着非常不同的教育体系和教育价值观。"他们可能在这些系统中学习非常成功，也许是通过记住课程要求的内容而表现出色。"但当他们遇到一种不同的教育方式时，他们可能会突然感到困难，觉得自己几乎一无所知。而作为一名教师，你需要了解这些学生的长处，承认他们的能力，并利用他们的知识基础。这正是我们接下来要讨论的话题。

与家庭合作：借助文化

正如前面章节中提到的，当家庭更多地参与到学校中，他们的孩子就会更成功（Dearing et al.，2006）。在这里，我们考虑了几种让家庭参与的方法：利用知识储备、设立欢迎中心（Welcome Centers）、让学生主导会议。

知识储备与欢迎中心。路易斯·摩尔（Luis Moll）和他的同事们想要一种更好的方法来教育在亚利桑那州图森市巴里奥学校的墨西哥裔美国工人家庭的孩子（Moll等，1992）。与其改变学生的不足，摩尔决定找出并利用他们家庭知识的工具和知识储备（funds of knowledge）①。通过采访这些家庭，研究人员确定了他们在农业、牧场、动

———————

① 知识储备——家庭和社区成员在工作、家庭和宗教生活的许多领域获得的知识可以成为教学的基础。

物护理、经济和预算、建筑、建筑规范、会计、销售、贷款、劳动法、儿童护理、医学、家庭管理、电器维修、机械、科学和宗教方面的广泛知识。当老师们把他们的作业建立在这些知识的基础上时,学生们就会更加投入,老师们就在这些接近学生生活经验的知识基础上对他们进行教育。例如,通过参加一个知识储备项目,一位老师意识到她之前一直在想她的学生的缺点和问题——比如成绩差、疏离感、家庭问题和贫困。但后来她通过关注他们的知识资源,而不是他们的缺点,了解了这些家庭。她还在日记中写道,她的学生的一些行为经常被误解。日记中的一个例子写道:

> 星期三(11/25/92)音乐老师对我说,"你知道,莱蒂西亚错过了两次合唱排练。"我还没来得及回答,学校的戏剧老师就插嘴说:"哦,她太没有责任心了。她报名参加了戏剧俱乐部,只参加了两次会议。"我说:"等一下……"然后我告诉她莱蒂西亚的弟弟正在住院接受一系列手术,而母亲有事不得不离开时,她会让莱蒂西亚负责照顾她的两个弟弟。事实上,她虽然错过了放学后的排练,但这是一种对家庭的责任、服从和忠诚的表现。(Gonzales 等, 1993)

通过与学生家庭的接触,这位老师了解到了社区中宝贵的认知资源,她对学生和家庭的尊重也与日俱增。

摩尔的工作也是西南一所托儿所到五年级小学"欢迎中心"项目的基础。在 4 年的时间里,该校的拉丁裔学生比例从 12% 上升到 43%,其中大多数学生都是新近移民过来的。欢迎中心是一个很吸引人的地方,在这里,新移民家庭可以互相见面,通过分享专业知识来学习(DaSilva Iddings, 2009)。这个中心是一个明亮、舒适、非正式的空间,有一个小厨房、野餐桌、电脑和打印机,西班牙语和英语的书籍和杂志,数学教具,儿童手工作业的展示,以及其他欢迎性物品。在放学后,中心为五年级学生提供家庭作业帮助。说西班牙语的家庭为社区成员教授西班牙语课程、烹饪和舞蹈。中心还为成人和儿童共同学习提供了英语读写活动。该中心创造了许多成功的故事——教师与学生的家庭有联系,并开始欣赏学生的语言和文化的价值;移民家庭逐渐成为公民;还有的开办企业和餐馆。与家庭的联系可能对移民学生的成功尤为重要。"指南:与家庭和社区形成合作伙伴关系——欢迎所有的家庭"提供了更多的想法。

指南：与家庭和社区形成合作伙伴关系——欢迎所有家庭

尊敬他人（Vaughn,Boss, & Schumm,2014）。举例：

1. 学习每个学生的名字和姓的正确发音。

2. 确保每个学生的文化传统在课程中都有体现。

3. 像对待父母一样尊重学生的家庭。

确保与家人的沟通是可以理解的。举例：

1. 在你和你的班级的所有交流中尽可能使用家庭语言。

2. 尽可能使用口头交流方式——电话或家庭拜访。

平衡正面和负面的信息。举例：

1. 把孩子的成就或善举寄回家。

2. 将解释纪律作为帮助孩子成功的方法。

建立欢迎新家庭的制度。举例：

1. 指派更有经验的"伙伴"父母与新家庭交流。

2. 与社区多语言媒体联系,发布学校信息。

确保信息通畅。举例：

1. 建立电话树或短信网络。

2. 告诉家长你每周都要给家里发一封短信,这样父母们就可以向子女询问信息。

3. 建立一个课程通信或网站,并结合多种语言。

学生主导会议。从我记事起,家长会就一直存在。这可能是富有成效的,但也可能是令人失望或对抗性的。让学生在会议中投入更多,甚至在学习本身上投入更多的一种方法是让学生负责主导会议,向他们的父母展示工作,解释他们学到了什么,以及他们是如何学会的。学生们对自己的成功和失败承担了更多的责任。他们如何才能进步呢？他们下一个标志性阶段的目标是什么？当学生们主导会议时,家长们可能更愿意参加,也更愿意参与。通过精心的计划和准备,教师可以创造出一种为学生谋福

利的团队意识(Haley & Austin, 2014)。

有很多方法可以使用和设计学生主导的会议。大多数教师与学生一起工作,为具体项目设定明确的学习目标,并可能提供指导自我评估的规则(更多的想法规则参见第十五章)。重要的是要提前通知家庭,甚至可能从他们那里收集关于他们对孩子的希望和关心、他们的兴趣和他们的知识储备的信息。让他们知道他们的孩子将主导会议,如果有必要,为他们解释。同时也要向家庭保证,他们将有时间在会议结束后他们的孩子不在场的情况下,与你私下会面,分享他们的担忧和问题。

会议期间,学生主导讨论、展示作品,也许回复提示,比如,"这篇文章我喜欢的地方是……""我知道……""如果再来一次,我会提高……""我的下一个目标是……"。为了做好主导会议和解释他们的工作,学生应该互相练习。有了这些准备,如果家人不来,学生就会沮丧,所以你应该准备一个后备计划,确保约定好的家庭成员来不了时仍有另一个成人参加,让他们坐在你旁边,和你的学生交流。时间表规划指南见表5.5。

表5.5　计划和举办学生会议的时间表

时间	内容
评级开始时	确定几个学生作业:项目、论文、图纸、测验、报告,等等,这将是学生在评分期结束时主导的会议的一个重点内容。建立清晰的评估标准,每个标准再附上一份说明
评级期间	让学生使用标准或规则练习进行自我评估,并与班上其他人分享他们的评估结果
会议前几周	向家长发出通知,解释学生主导的会议,并询问孩子的兴趣、家庭责任、对学校的好恶、花在看电视或玩游戏上的时间、兄弟姐妹的数量和年龄,或花在家庭作业上的时间。你也可以询问家人最喜欢的活动、父母的兴趣和知识储备,以及他们对孩子的关心和目标
开会前一周	让学生做最后的笔记,说明他们将如何向家人展示他们的作品,然后进行会议角色扮演,扮演父母和学生的角色
会议结束后一周	让学生反思他们在准备和领导会议时所学到的东西。他们将如何利用这些经验来指导他们未来的学习

针对英语学习者移民学生进行教学

在美国,刚学英语的学生有时会被描述为英语能力不足者(Limited English proficient, LEP)①。更常见的是,正如我们所看到的,这些学生被称为英语学习者(ELLs),因为他们的母语不是英语。作为第二语言的英语课程(English as a second language, ESL)②是专门用于教授这些学生英语的课程的名称。许多人更喜欢术语ESOL(English for Speakers of Other Language,针对其他语言者的英语课程),因为学习英语的学生可能会将其作为第三或第四语言进行添加。这正是费利佩·瓦尔加斯项目(Felipe Vargas' Program)的名称(这是我们之前提到过的)。通常,英语水平有限意味着学业成绩较低,就业前景较差。因此,一个围绕语言发展多样性的重要问题是我们应该如何去教导这些学生。

学习英语的两种方式

事实上,几乎每个人都同意所有公民都应该学习他们国家的官方语言。但是,这种语言的教学应该在何时以及如何开始呢? 是先教学生用母语阅读,还是开始用英语阅读? 这些孩子需要一些英语口语课程才能有效地进行阅读指导吗? 其他科目,如数学和社会研究,是否应该以母语教学,直到孩子们能说流利的英语为止? 正如你在"观点与争论"中所看到的,关于这个问题的争论已经持续了很长的一段时间了。

双语教育研究。双语教学具有很强的优势。还记得派蒂托(Petitto,2009)的研究吗? 他发现,参加双语课程的单语英语人士在阅读两种语言所需的技能方面表现出色。当国家少数民族青少年语言扫盲小组在进行关于浸入式英语学习和更注重使用母语的对比的研究时,他们发现,在许多不同的测试结果上更注重母语使用的学生表现得更好(Francis, Lesaux, & August, 2006)。欧洲语言保护项目的研究得出了同样的结论——双语维护计划是更有效的(Reljic, Ferring, & Martin, 2015)。

但是,教学过程总是"照他们说的去做"吗? 也就是说,实际的教学内容与项目名

---

①英语能力不足者——这个术语主要用于形容那些母语不是英语,却正在学习英语的学生,因为其负面的内涵而不是首选术语。
②作为第二语言的英语课程——为母语不是英语的学生开设的教授英语的项目和课程。

字匹配吗？也许并不是。在一项直接比较得克萨斯州和加利福尼亚州128间教室的浸入式教学和维持母语式教学的研究中,李·布朗姆·马丁及其同事(Lee Branum-Martin,Branum-Martin, Foorman, Francis, & Mehta, 2010)发现用英语和西班牙语进行教学的相当部分不是按计划类型进行,有许多地方性的差异。一些浸入式英语教学的教师使用了相当多的西班牙语,一些保留西班牙语教学也用了相当多的英语。另外一个发现是,保留西班牙语的教学计划展现出了其对英语成绩积极的影响。

这里总结了由美国教育部资助的一项研究(Gersten et al., 2007)为英语学习者提出了五项主要建议(Peregoy & Boyle, 2017)。

1.通过对阅读的形成性评估(见第十五章)进行指导,以确切地知道英语学习者已有的知识经验和准备学习的内容,并确定哪些是需要更多阅读帮助的学生。

2.使用小组干预措施,将指导重点放在评估中已经确定的需求领域。

3.老师教授的内容包括课程内容的基本词汇,以及课堂上常用的单词、短语和表达。

4.直接教授学术英语——培养学生阅读文本、撰写学术作业、使用正式语言和论证的能力。

5.广泛使用同伴辅助的方式进行学习,特别是小组学习,以完成学业任务。

观点与争论:针对英语学习者来说,最好的教育方式是什么?

在这个问题上有两个基本的立场:一个是专注于纯英语的浸入式教学,以使学生尽快过渡到英语的使用。另一种方法是努力保持或改进母语,并将其作为主要教学语言使用,直到英语技能得到更充分的发展。

观点: 结构性浸入式英语教学对于英语学习者是最好方式。

浸入式/快速过渡方法的支持者认为学生应该尽可能早地和尽可能密集地接触英语。他们认为,如果用母语教学,学生就会失去宝贵的学习时间。早期的倡导者引用了加拿大浸入计划,成功的证明了语言浸入的作用(Baker, 1998)。在一篇针对教育行政人员的文章中,凯文·克拉克(Kevin Clark)表明,"这些课程有可能会加速英语学习者的英语语言发展,并做好获得较高水平的学术内容的语言准备。"(K. Clark, 2009,

p. 42）。今天，许多学校都遵循这一思路，并提供结构化英语浸入式教学（Structured English immersion, SEI）①。关于 SEI 虽然每个人都有不同的看法，但其通常具有两个基本特征：（1）教师在教学中尽可能使用英语；（2）学生在课堂上的能力水平决定了教师如何使用和教授英语，即教学必须适合所有学生的能力（Ramirez, Yuen, & Ramey, 1991）。学校采用这种方法至少有三个原因（K. Clark, 2009）：

1. 一些州已经通过法律强制实施这种浸入式教学，并且限制了用孩子的母语进行教学的这种方式。

2. 美国所有学区必须实行的问责测试使用的是英语。学生整体在这些考试中得分不高的学校将面临处罚，因此让考生尽可能快地达到英语水平对学校有利。

3. 学校担心，虽然没有获得强化和持续英语教学的英语学习者可以学习足够的英语会话，但他们发展不出中学以及高等教育所需的学术英语。

浸入在语言环境中是学习新语言的好方法，也是全世界许多语言学习课程的基础（K. Clark, 2009）。

对立的观点：应保持学生的母语。

用英语教学（teaching in English），并希望学生学到东西，和教学生英语（teaching English）不一样。保留母语的教学的早期支持者提出了四个重要主题（Gersten, 1996b；Goldenberg, 1996；Hakuta & Garcia, 1989）。今天，这些程序通常被称为双语教学。

1. 第一语言的深度学习有利于第二语言学习。例如，一项跟踪了拉美裔八年级学生 12 年的大型国家样本的研究发现，第一语言西班牙语的熟练程度预测了其英语阅读能力，英语阅读能力可以预测学校和职业生涯的成就（Guglielmi, 2008, 2012）。学生用他们的第一语言学习阅读时产生的元认知策略和知识也转移到第二语言的阅读（van Gelderen, Schoonen, Stoel, de Glopper, & Hulstijn, 2007）。因此，保持和提高第一语言的熟练程度非常重要。学生在学习英语时，也不会忘记用母语学习的学习策略和学术内容（数学、科学、历史等）。此外，可以用一种语言中已经学习过的词汇去支持另

---

①结构性英语浸入式教学（SEI）——一种通过最大限度用英语指导学生和以适合英语语言学习者能力的水平使用英语，从而快速教授英语的环境。

一种语言的词汇学习(Goodrich,Lonigan,& Farver,2013)。

2.被迫尝试用不熟悉的语言学习数学或科学的孩子一定会遇到一些学习上的麻烦。想一想,如果你被迫只用刚学习了一个学期的第二语言来学习分数或生物学,怎么办? 一些心理学家认为,通过这种方法教授学生,学生可能会成为半语者(semilingual)①;也就是说,他们并不能精通这两种语言。对于来自低社会经济地位背景的拉丁裔学生来说,只会半语可能是其辍学率如此之高的原因之一(Ovando & Collier,1998)。

3.如果忽略第一语言,重点学习第二语言英语,可能学生会认为他们的家庭语言(他们的家庭和文化)是次等的信息,没有第一语言那么重要。

4.几年前,哈库奇哈库塔曾说过:"一方面存在对教育获得的双语的钦佩和骄傲,而另一方面有对家庭酿造的移民双语的蔑视和羞耻,这是一种矛盾的态度"(Hakuta,1986,p. 229)。具有讽刺意味的是,当学生掌握学术英语并让他们的家庭语言退化时,他们到了中学会再被鼓励学习"第二"语言。有时会鼓励以西班牙语为母语的人学习法语或德语,因此他们就有可能会在三种语言中成为半语者(Miranda,2008)。

当心"非此即彼"。 在关于双语教育的辩论中,很难将政治与实践分开。很明显,高质量的双语教育课程可以取得积极的成果。学生在使用母语教学的科目和对英语的掌握上都有进步,自尊也有所提高(Crawford,1997;Francis,Lesaux,& August,2006;Reljic,Ferring,& Martin,2015)。ESL 课程似乎对阅读理解产生积极影响(Proctor,August,Carlo,& Snow,2006)。但今天的注意力正在从关于一般方法的争论转向关注有效教学策略。正如你将在本书中多次看到的那样,明确学习目标和所需技能的直接指导相结合似乎是有效的,包括学习策略和谋略、教师或同伴指导实践再到独立实践、真实和引人入胜的任务、以学术为中心的互动和对话的机会,以及老师的热情鼓励(Cheung & Slavin,2012;Gersten,1996b;Goldenberg,1996)。

英语学习者的教学有很多有效的策略。接下来我们将看两个例子:视觉策略和文学回应小组。

---

①半语者——无法熟练说出任何一种语言。

视觉策略。视觉策略(visual strategies)为学习所有内容提供支持,从字母到发音,从词汇表到理解文本结构。年轻学生可以画画并用两种语言标记。他们可以通过分类图片和标记类别来了解更高级别的概念。年龄较大的学生可以通过参考图 5.2 中的视觉支持来学习撰写论文(Peregoy & Boyle, 2017)。

如何学习写一篇文章的可视化方法

老师解释说,文章的一个好结构就像火车一样,每个部分都起着重要的作用。例如,引入部分说明文章的位置,就像引擎确定列车的方向一样。

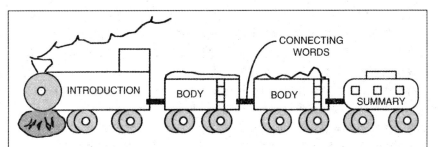

引入:在引入部分中你应该写你想在文章中论述的最主要的事情。

正文:这个部分你要提供信息来支持你在引入部分中阐述的观点。每一个新的段落都要提供不同的信息,就像每一节车厢都要装载不同的东西一样。但是每一个新的部分都要和主题有关。

过渡句:你要把段与段进行连接,让读者更容易掌握段落之间的关系。要做到这点你要使用一些词语,例如"而且"和"此外"。

总结:在总结部分你要再次提醒读者你要在文章中表达的最重要的观点。

资料来源: Peregoy & Suzanne F.; Boyle. Reading, Writing and Learning in ESL: A Resource Book for Teaching K–12 English Learners (7th ed.). ⓒ2017, p. 414 (Figure 10.5). Reprinted and electronically reproduced permission of Pearson Education, Inc., Upper Saddle River, NJ.

图 5.2　如何学习写一篇文章的可视化方法

文学回应小组。教授英语学习者的目的是让他们成为有能力的读者、作家和英语演讲者。文学回应小组(literature response groups),也称为文学圈,提供使用小说和非小说文本的机会。三到六名学生阅读文本,然后讨论和辩论他们阅读文本的内容,确保每个人都参与到说话、倾听和理解中。他们也可能会写下阅读后的感受,然后讨论对方的观点。通常,教师会提供一个讨论指南,如图5.3所示(Peregoy & Boyle,2017,p. 349)。

文学回应单举例

使用此图的教师提醒学生接受并尊重他人的意见,记住学生对故事可以有许多不同的解释,并且他们可以随意提出自己的问题。

1.如果你曾经(或没有)喜欢这本书,那么这本书的哪个事件、特征或方面引起了你的这种反应呢?是什么?为什么?

2.你的文字回应小组成员是否对该书和你有共同的反应?有什么反应是一样的?有什么不同?

3.如果你遇到与书中主角相同的问题,你会以类似的方式回答吗?为什么?

4.当我们第一次见到他或她时,你对主角的感受如何?你有没有觉得喜欢这个角色?

5.你如何看待主角与其他角色的表现方式?

6.有没有任何人物特征让你想到你曾经知道的人物?或者让你联想到了自己?

7.你认为作者在试图教我们什么道理吗?如果是,会是什么?

8.你会想改变这本书的结尾吗?如果是的话,会是怎么样的呢?

9.你有想和哪个角色见面吗?当你遇到这个角色时,你会想和他说什么或做什么?

10.随着这个故事的进展,你对这个角色的感受有没有改变呢?是什么让你对他的情感发生了变化呢

11.如果你可以进入书中并成为故事的一部分,你会想从哪里进入?你会想成为谁?你会怎么做?你将如何改变故事?

12.如果故事发生在不同的时期或者不同的地方,那么在这个故事中会有什么不同?

资料来源: Peregoy & Suzanne F.; Boyle. Reading, Writing and Learning in ESL: A Resource Book for Teaching K-12 English Learners (7th ed.). © 2017, p. 349 (Figure 9.2). Reprinted and electronically reproduced by permission of Pearson Education, Inc., Upper Saddle River, NJ.

图5.3 文学回应单举例

所有人的双语:双向浸入。美国学生需要掌握会话和学术英语才能达到高水平,但他们不应该在此过程中牺牲自己的母语。学校的目标应该是平衡的双语制。实现这一目标的一种方法是创建双向浸入式课程,其中包括一种语言的母语使用者和另一种语言的母语使用者,并使用两种语言进行教学。目标是让两个群体都能流利地使用这两种语言(Peregoy & Boyle, 2017; Sheets, 2005)。我的女儿在魁北克度过了一个夏天,并在此之后的每节法语课上都表现得更好。

要为英语学习者提供真正有效的教育,我们需要许多双语教师。如果你具备其他语言的能力,你可能希望为了教学而更好地掌握它。32 个州和哥伦比亚特区都报告了双语教师的短缺(Liebtag & Haugen, 2015),而促进语言学习是大多数教师的责任。图 5.4 显示了一些教学策略,这些策略将支持不同年级的语言和文化发展。

当学生退出浸入式或双语课程并具备一定的英语技能时,他们并没有完成学习。许多学生的下一阶段是掩蔽教学。

促进学习和语言习得的教学策略

双语课程和英语作为第二语言课程中的有效教学结合了许多策略(直接教学、媒介、辅导、反馈、示范激励、挑战和真实活动)、许多阅读,写作和交谈的机会。

策略 \ 年级	K	1	2	3	4	5	6	7	8	9	10	11	12
戏剧	→												→
译制电视节目		→											→
笑话		→											→
一个看/一个不看			→										→
谜语			→										→
支架:													
创作广告				→									→
开发棋盘游戏				→									→
创作漫画书				→									→
创作流行歌曲					→								→
绘制场景/人物	→												→
装饰图形	→												→
制作想要的海报		→											→
图片/拼贴画		→											→
为故事选择音乐		→											→
将诗歌变成歌曲			→										→
展示和讲述				→									→
SOLOM	→												→
歌曲	→												→
无文字书籍故事	→												→

资料来源:Peregoy & Suzanne F.; Boyle. Reading, Writing and Learning in ESL: A Resource Book for Teaching K–12 English Learners (7th ed.). © 2017, p. 194 (Figure 5.5). Reprinted and electronically reproduced by permission of Pearson Education, Inc., Upper Saddle River, NJ.

图 5.4 促进学习和语言习得的教学策略

掩蔽教学

与移民和英语学习者学生一起工作的大多数教师都面临着挑战,即需要教授学科并同时培养学生的英语语言技能。而掩蔽教学(sheltered instruction)①是一种在实现这两个目标方面取得成功的方法。掩蔽教学通过将有内容的词语和概念放入上下文中向英语学习者的学生传授相关内容,以使内容更易于理解。教学策略包括简化和控制语言,关注英语的相关语法和形式——帮助学生"破解代码",使用视觉和手势,而且包括现实生活中的支持和示例。此外,教学重点是学生的谈话和讨论,而不是老师一直讲话。为了更清楚地了解什么是好的掩蔽教学,詹纳·埃切瓦里亚和她的同事们(Jana Echevarría, Echevarría, Vogt, & Short, 2017)确定了其中八个关键的要素:准备、建立背景、可理解的输入、策略、互动、实践和应用、课程交付、回顾和评估。然后,研究人员开发了一个观察系统来检查每个要素是否包含在他们的课程计划中。该系统被称为掩蔽教学观察协议(SIOP®)。图 5.5 给出了 SIOP® 的每个元素可能包含的一些示例。

SIOP® 课程可能是什么样的? 有许多方法可以设计符合图 5.5 标准的课程。表 5.6 介绍了七种不同的课程结构和活动,以帮助学生理解内容和培养语言技能。

特殊挑战:有残疾和有特殊天赋的英语学习者

如果你还记得前面描述的四种英文学习者,你就会知道其中一种类型的学生可能有学习障碍,但因为学生的语言是有限的而很难辨别。有残疾的英文学习者很难诊断,因此专家评估是必要的(S. B. Garcia & Tyler, 2010)。有时学生因为英语学习有问题而不适当地接受了特殊教育,但有时候,应该受益于特殊服务的学生被拒绝入学,因为他们的问题被认为只是语言学习问题(U. S. Department of Education, 2004)。此外,有特殊天赋或者天才学生也可能难以识别。

---

①掩蔽教学———种通过将内容的词语和概念置于学习内容中,以便使得学习内容更易于理解,在向英语学习者的学生教授内容的同时提高英语语言技能的方法。

掩蔽教学观察协议(SIOP®)的一些例子

　　SIOP®有30个特征或区域，可在观察期间进行评估。每个特征的评级从4（高度明显）到0（不明显）或NA（不适用）。这些评分被转换为分数。（L1表示原始语言，L2表示第二语言。）

观察者： 日期： 年级：	教师： 学校： 第二语言英语水平：
班级： 总分：120（每个NA减掉4分）	课程：多天/一天（选一个） 总得分：

使用方式：圈出最能反映你在掩蔽课程中所观察到的数字。你可以给出0~4的分数。
"评论"处可描述你观察到的行为的具体例子。

	高度明显	有些明显		不明显	不适用
	4	3	2	1	0
准备					
1.与学生一起明确定义、展示和回顾内容目标	☐	☐	☐	☐	☐	☐
2.与学生一起明确定义、展示和回顾语言目标	☐	☐	☐	☐	☐	☐
3.内容概念适合学生年龄和受教育背景水平	☐	☐	☐	☐	☐	☐
4.使用更多的补充材料，使课程清晰有意义（例如计算机程序、图形、模型、视觉效果）	☐	☐	☐	☐	☐	☐
5.使内容（例如文本、作业）适应所有熟练程度的学生	☐	☐	☐	☐	☐	☐
6.将课程概念（例如访谈、写作、模拟、模型）与阅读、写作、听力和/或口语的语言实践机会相结合，进行有意义活动。	☐	☐	☐	☐	☐	☐
评论：					
建立背景					
7.明白地将概念关联学生的背景经验					
8.在以往学习与新概念之间建立明确联系	☐	☐	☐	☐	☐	☐
9.强调关键词汇（例如介绍、写作、重复和突出显示，供学生查看）	☐	☐	☐	☐	☐	☐
评论：					
可理解的输入					
10.适合学生熟练程度的言语（例如面对初学者时速度要慢，使用发音和简单的句子结构）	☐	☐	☐	☐	☐	☐
11.明确解释学业任务	☐	☐	☐	☐	☐	☐
12.使用使内容概念清晰的各种技术（例如建模、视觉、动手活动、演示、手势、肢体语言）	☐	☐	☐	☐	☐	☐
评论：					
策略					
13.使学生有充分机会使用学习策略	☐	☐	☐	☐	☐	☐
14.使用支架技术持续辅助和支持学生理解（例如，出声思维）	☐	☐	☐	☐	☐	☐
15.用各种问题或任务促进高阶思维技能（例如记忆性、分析性和解释性问题）	☐		☐	☐	☐	☐
评论：					

	高度明显	有些明显		不明显	不适用
	4	3	2	1	0
互动					
16.教师/学生之间以及学生之间要频繁互动和讨论，鼓励对概念做出详尽回应	☐	☐	☐	☐	☐
17.分组配置要能支持课程的语言和内容目标	☐	☐	☐	☐	☐
18.始终提供充足的学生反应时间	☐	☐	☐	☐	☐
19.当需要辅助、同伴或L1文本时，让学生有充分的机会阐明L1中关键概念	☐	☐	☐	☐	☐
评论：					
实践/应用					
20.为学生提供实践材料和/或操作，以便使用新的内容知识进行练习	☐	☐	☐	☐	☐
21.为学生提供在课堂上应用内容和语言知识的活动	☐	☐	☐	☐	☐
22.可以整合所有语言技能的活动（即阅读，听力和口语）	☐	☐	☐	☐	☐
评论：					
课程交付					
23.授课要明确支持内容目标	☐	☐	☐	☐	☐
24.授课要明确支持语言目标	☐	☐	☐	☐	☐
25.学生参与大约占该教学过程90%~100%	☐	☐	☐	☐	☐
26.使课程步调适应学生能力水平	☐	☐	☐	☐	☐
评论：					
回顾/评估					
27.全面回顾关键词汇	☐	☐	☐	☐	☐
28.全面回顾关键内容概念	☐	☐	☐	☐	☐
29.定期针对学生产出提供反馈（例如，语言、内容、工作）	☐	☐	☐	☐	☐
30.所有教学目标和学生理解评价（例如抽查、小组反应）	☐	☐	☐	☐	☐
评论：					

资料来源：Echevarría, J., Vogt, M., & Short, D. J. (2017). Making Content Comprehensible for Secondary English Learners: The SIOP® Model (5th ed.). Reprinted with permission from Pearson Education, Inc.

图5.5　掩蔽教学观察协议(SIOP®)的一些例子

表5.6　SIOP®课程结构的理念，鼓励理解内容和建立语言技能

结构	示例/它看起来像什么？	理由/为什么它有效？
思考—分组—展示	老师不是对整个班级进行提问，而是要求两三个学生做出回应，但要求每个人都要想出答案或回复提示并告诉合作伙伴。然后，老师呼吁一些学生与全班同学进行分享他们的回答	让所有学生都有机会思考和谈论这个主题。允许教师在课程中监控学生对内容和语言目标的理解

分块和咀嚼	老师每10分钟暂停一次,并指导学生与合作伙伴或小组讨论他们刚刚学到的知识。在 SIOP®课程中,学生讲的话由老师精心构建,具有特定的提示和/或句子启动器,例如"如果我可以采访我们今年读过的任何作者,那就是……因为……"	通过将其"分块"成可学习的、学生可以消化的内容部分,使新信息更容易学习(参见第8章,了解为何这一点很重要)。让学生有机会使用课程中的概念和内容进行交流
漫游和评论	老师提出了一个反思问题(例如,"你今天学到的最重要的东西是什么?"或"你今天的学习让你感到惊讶的是什么?"),学生默默地思考,然后站起来在教室里漫步,与同学讨论他们的想法	让学生有机会综合他们学到的知识,并以更加符合对话规则的方式进行交流。让他们练习沟通
播客	学生准备2到3分钟的口头摘要,说明他们选择的主题或教师指定的主题。让他们排练,然后将其录制在播客或音频文件上,以便在班级使用观看	提供口语练习,听取和改善语言的机会。听众的存在能增加学生的动力并鼓励学生精心准备
电视谈话节目	小组计划一个关于他们研究过的多个参数的主题的脱口秀节目。一名学生是主持人和提问者,其他人是嘉宾。例如,在研究极端天气现象后,一位嘉宾可能是飓风专家,另一位是暴风雪专家,第三位是地震专家,第四位是龙卷风专家	该节目的视频录制允许教师或学生评估学生说话、使用关键词汇、回答主持人问题等等的水平。观众的存在为学生增加动力并鼓励他们精心准备
写标题	学生通过撰写标题捕捉一天的课程、阅读的文本、观看的视频或口头呈现的信息的要点,然后给大家分享他们的标题是什么	鼓励学生使用描述性语言、和专注于单词的选择,以创建引人注目的头条新闻
电子期刊和维基百科	学生每天或每周一次在电子期刊上写作,以反思他们所学的内容。在单元结束时,教师可能会要求学生为班级维基编写在线条目,它可以显示正在研究的主题的关键信息	鼓励学生进行信息综合和写出更长的作品

资料来源:Based on Echevarría, J., Vogt, M., & Short, D. J. (2017). Making Content Comprehensible for Secondary English Learners: The SIOP ® Model (2nd ed.), pp. 212 – 213. Boston, MA: Pearson.

学生是有残疾的英语学习者

作为一名教师,你的决定之一就是是否要让一位苦苦挣扎的英语学习者接受评估。当然,第一步是使用最好的教学方法,将掩蔽教学纳入主题学习和英语语言发展。但如果进展似乎比平时慢得多,你可能会向乔治·德·乔治(George De George,2008)提出的以下问题:学生的教育背景是什么? 他或她的家庭背景是什么? 这位学生什么时候来到美国? 出生在美国但在家里讲另一种语言或在年幼时移民会使早期的学习变得更加困难。在本国学校已经取得学业成就后移民的学生有读写能力的基础。他们知道一些学术内容,他们知道他们可以在学校学习。相比之下,在家里说另一种语言且从未上过学的孩子在学习英语书写的字母和声音时没有可参考的英语口语。此时,双语教学最好的策略。

在考虑转介学生时要问的其他问题是:母亲怀孕期间是否有任何问题或并发症? 孩子是否经历过任何严重的伤害或疾病? 这个孩子搬家了吗? 孩子是否有充足的机会在良好的双语或沉浸式课程中学习? 与孩子一起工作的老师是否接受过沉浸式教学培训? 即使他或她落后于同龄人,学生是否在他自己本身基础上取得了进步? 学生是否有任何才能或特殊技能可以利用? 这些问题将帮助你确定学生的困难是由于缺乏学习机会、教学不足还是残疾。无论诊断结果是什么,都需要关注学生和提供适当的教学,因为有英语困难的学生更有可能辍学(U.S. Department of Education, 2004)。

惠及每一位学生:认识双语学生的天赋

因为双语学生可能在学术英语方面苦苦挣扎,即使他们知识渊博,也仍可能会被天才学生计划所忽视。来自墨西哥的一名十年级男孩,在美国待了两年,用西班牙语告诉采访者:

> 高中阶段的学习对我来说很难,因为我的英语非常有限……有时我感到压力很大,因为我本来想说些什么,但我不知道怎么开口说。很多时候,老师提问,我知道答案,但我担心人们会嘲笑我所以我都不会说。(Walqui, 2008, p. 104)

这个学生可能很有天赋。为了识别有天赋的双语学生,你可以使用案例研究或组合方法来收集各种证据,包括与父母和同伴的访谈、正式和非正式评估、学生作业和表现的实例以及学生自我评估。表5.7所列的清单选自卡斯特利亚诺和迪亚兹(Castellano & Diaz,2002)的著作,它是一个有用的指南。

表5.7　识别有天赋和才能的双语学生

以下是一些识别具有天赋和才能的双语学生的想法。留意有以下特点的学生:

_____快速学习英语
_____勇于尝试用英语交流
_____自己练习英语技能
_____与母语为英语的人对话
_____不轻易被挫败
_____对新词或短语感到好奇并练习它们
_____质疑词的含义,例如"'bat'怎么能既是一种动物,又是你用来击球的东西?"
_____寻找母语和英语之间的相似之处
_____能够为能力较弱的英语使用者调整自己的语言
_____用英语证明领导能力,例如使用英语来解决分歧并促进小组合作学习
_____喜欢独立工作或与英语水平高于他们的学生一起工作
_____能够用有限的英语词汇表达抽象的口头概念
_____能够以创造性的方式使用英语,例如可以用英语制作双关语、诗歌、笑话或原创故事
_____变得容易厌倦日常任务或按部就班的训练
_____有很大的好奇心
_____坚持不懈,坚持完成一项任务
_____是独立和自给自足的
_____注意力持久
_____对自己选择的问题、主题和问题全心投入
_____记性好、回忆快,能使用新信息
_____表现出社会性的成熟,特别是在家庭或社区

资料来源:Castellano, Jaime A.；Diaz, Eva, Reaching New Horizons: Gifted and Talented Education for Culturally and Linguistically Diverse Students, © 2002. Reprinted and electronically reproduced by permission of Pearson Education, Inc., Upper Saddle River, NJ.

总结

语言的发展

人类如何发展语言？文化和学习在其中扮演着什么角色？ 文化为对儿童来说重要的概念创造了词语。儿童通过积极尝试，理解他们所听到的内容，寻找模式和制定规则来培养他们建立在其他认知能力基础上的语言。在该过程中，先天语言获取机制（内置偏差和规则）可以限制搜索并引导模式识别。奖励和纠正在帮助孩子学习正确的语言使用这些方面起着重要作用，但孩子自己的思维过程非常重要。

语言的要素是什么？ 到5岁时，大多数孩子已经掌握了几乎所有本土语言的发音。在词汇方面，我们理解的词会比我们使用的词多。到6岁时，孩子们最多可以理解20,000个单词并使用大约2,600个单词。随着认知能力的发展，对表达抽象概念和假设情境的词语的理解随后出现。随着孩子们对语法的理解，他们可能会过于广泛地应用新规则，例如，把"broken（破碎）"说成"broked（经纪）"。在理解了主动语态后，儿童会学会理解语法中的被动语态。

什么是语用学和元语言意识？ 语用学是关于如何使用语言的知识，即何时、何地、如何以及向谁说话。关于元语言意识，是关于自己使用语言的知识以及关于语言是如何运作的知识，它是从5岁或6岁开始，并在整个生命中持续发展。

帮助读写技能起步的最重要技能是什么？ 研究已经确定了两大类对后续阅读很重要的技能：(1)理解声音和代码，例如知道字母有名字，声音与字母相关，以及单词由声音组成；(2)口语技能，如表达性和接受性词汇、语法知识，以及理解和讲故事的能力。考虑初级读写能力的一种方法是同时考虑编码和口语技能，这是由内而外技能（将印刷单位解码为声音单位和将声音单位解码成语言单位的能力）的概念，以及由外而内技能和过程（理解那些听觉衍生的能力，包括将它们置于正确的概念和背景框架中）。对于讲西班牙语的双语学生，西班牙语或英语的接受性语言的增长能预测早期阅读水平。家长和老师可以通过与孩子一起阅读、复述故事、谈论故事，以及限制看电视的时间来促进读写能力的起步。

语言发展的多样性

学习两种语言涉及什么？ 如果孩子有足够的学习两种语言的机会,孩子们可以一次学习两种语言。学习多种语言是具有认知优势的,因此在学习另一种语言时保留下传统语言是很有价值的。学习进行准确发音的最佳时间是儿童早期,但任何年龄的人都可以学习一门新的语言。从小就听过一种语言可以提高成年后学习该语言的能力。尽管双语的优势似乎很明显,但许多儿童和成年人却正在失去他们的传统语言。我们的目标不是要失去一种语言来获得另一种语言,而应该是平衡的双语——即同样流利地使用两种语言。能够以口语和书面语言或两种不同的语言与人进行交流的人会被认为是双语者。

真正双语意味着什么？ 双语的一些定义完全集中在基于语言的意义上:双语人士或双语者讲两种语言。其他定义更严格,并将双语定义为在成人日常生活中有效使用两种语言,其中包括双文化以及在两种文化和两种语言之间来回切换,同时仍保持一种认同感。熟练掌握第二语言有两个不同的方面:面对面交流(语境化语言技能),需要大约 2 至 3 年的时间才能开发出这样良好的级别,以及语言的学术用途(称为学术语言),如阅读、写作、语法、了解专业的学术词汇,理解数学问题、科学图表和学习技能,需要大约 6 至 9 年才能发展。事实上,学术语言被视为人们为了在学校取得成功而必须学习的新语言。因此,所有学生,尤其是那些在家里可能不会说正式英语的学生,必须在学术上成为双语和双文化的学生;因为他们必须学习新的讲话方式和学校所需的文化规则。双语学生也经常困扰于与双文化主义相关的社会调整问题。

文化差异如何影响双语学生？ 文化差异可能会影响学术英语和内容的理解。例如,许多亚洲学生来自这样一种文化,这种文化认为问老师问题是粗鲁和不恰当的,因为质疑意味着老师的教学工作很差。这时教师需要问问自己为什么他们的英语学习者(ELL)学生不会提问。文化塑造学习的观念以及先前不同类型课堂的经验可以解释为什么 ELL 学生看起来很安静,并且不愿在课堂上讲话。这些学生也可能认为他们的老师不是很好,因为老师不解释一切。如果他们以前的学校强调记忆,他们就也可能会更喜欢将记忆作为一种学习策略。

教室中的方言差异

什么是方言? 方言是指特定群体所使用的语言的各种变体。方言是该群体集体身份的一部分。每个读这本书的人都至少会说一种方言,也许更多,因为没有一种绝对标准的英语。不同方言在发音、语法和词汇方面的规则都不同,但重要的是要记住这些差异并不是错误的。每种方言都是合乎逻辑的、复杂的、规则的。男性和女性的谈话方式甚至都存在一些差异,称为性别化语言。

教师应该如何考虑方言? 教师要对自己是否对说不同方言的孩子有负面刻板印象敏感。教师还可以通过使用不同的单词重复说明并要求学生进行解释说明或举例来确保他们理解了。最好的教学方法是首先理解学生并接受他们的语言作为一个有效和正确的系统,然后教授替代形式的英语(或任何你的国家的主导语言),用于更正式的工作环境和写作,使学生可以获得一系列机会。

面向移民学生的教学

区分移民和难民这两个词。 移民是指那些自愿离开自己的国家成为新地方永久居民的人。难民是一群特殊的移民,他们也是自愿搬迁,但他们逃离本国是因为它不安全。

区分"熔炉"和多元文化。 数据统计表明美国社会文化多样性在日益增加。旧观点——少数群体成员和移民应该失去其文化独特性并完全融入美国的"大熔炉"中,这或许会被视为文化缺陷——正在被多元文化主义、平等的教育机会和城市的新重点所取代——文化多样性的融合。

什么是1.5代? 1.5代是指那些个性特点、教育经历和语言流利介于美国出生的学生和刚移民的学生之间的学生。他们不是出生在美国,但是他们大部分时间生活在美国,小时候就和家人一起移居。在他们家中使用的语言可能不是英语,但他们通常会进行流利的英语会话,即使他们的学术英语不是很发达。他们可能倾向于是"耳朵学习者",他们通过倾听并与周围的语言模型进行交互来掌握语言。

针对英语学习者移民学生进行教学

与英语学习者相关的术语是什么? 英语学习者有时被称为有限英语熟练者

(LEP)。更常见的是,这些学生被描述为英语学习者(ELLs),因为他们的第一或传统语言不是英语。致力于教授这些学生英语的课程称为英语作为第二语言课程(ESL)。英语水平有限通常意味着学业成绩较低、就业前景较差。因此,围绕语言发展多样性的一个问题是我们应该如何教导这些学生。

英语学习者的四种一般情况是什么? 平衡双语的学生能很好地用他们的第一语言和英语说、读、写。单语/有读写能力的学生用他们的母语(在用母语工作时达到或超过年级水平)读写,但英语水平有限。单语/无读写能力的学生没有读写能力,他们可能不会以母语朗读或写作,或者他们的识字技能可能非常有限。有限的双语学生可以用两种语言进行良好的交流,但由于某些原因,他们在学术上学习上有困难。他们可能面对潜在的挑战,例如学习障碍或情绪问题。

什么是双语教育? 虽然关于帮助双语学生掌握英语的最佳方法存在很多争论,但研究表明,如果他们不被迫放弃他们的第一语言,那最好了。学生用他们的第一语言越熟练,他们掌握第二语言的速度就越快。

什么是掩蔽教学? 掩蔽教学是一种在教授英语和学术内容方面被证明取得成功的方法。掩蔽教学通过将内容的词语和概念置于上下文中以使内容更易于理解,向英语学习者传授内容。策略包括简化和控制语言,注意英语相关的语法和形式的——帮助学生"破解代码",使用视觉和手势,使用现实生活支持和示例。此外,教学重点是学生的谈话和讨论,而不是老师一直在说。对于英语学习者,还需考虑情感和情感因素。他们可能会在学校遇到严峻的挑战和压力。他们可能觉得,有些人正在嘲笑他们,或者无视他们,觉得没有归属感。以学生的文化知识储备为基础,利用学生主导的会议,可以使课堂更具支持性、教学更有效。

特殊挑战:有残疾和有特殊天赋的英语学习者

教师如何处理英语学习者学生的特殊需求? 作为一名教师,你的一个决定是,是否要将一个苦苦挣扎的英语学习者学生转介。当然,第一步是使用最好的教学方法,结合掩蔽教学来开发主题学习和英语语言的发展。但如果进度似乎比平常慢得多,您可以将学生转介给专家进行观察或测试。无论诊断结果如何,都必须需要教师给予关注和提供适当的教学。有英语困难的学生更有可能辍学。由于语言差异可以掩盖天赋,教师应该特别注意、努力识别那些有天赋和才能的双语学生和ELLs学生。

关键术语

Academic language	学术语言
Balanced bilingualism	平衡双语
Bilingual	双语
Code switching	编码切换
Critical periods	关键期
Cultural deficit model	文化缺陷模型
Dialect	方言
Emergent literacy	初级读写能力
English as a second language(ESL)	作为第二语言的英语课程
English language learners(ELLs)	英语学习者
Expressive vocabulary	表达性词汇
Funds of knowledge	知识储备
Genderlects	性别化语言
Generation1.5	第1.5代
Heritage language	传统语言
Immigrants	移民
Inside-out skills	由内而外的能力
Limited English proficient(LEP)	英语能力不足者
Melting pot	文化熔炉
Metalinguistic awareness	元语言意识
Monolingual	单语
Outside-in skills	由外而内的能力
Overregularize	过度规则化
Pragmatics	语用学
Receptive vocabulary	接受性词汇

Refugees	难民
Semilingual	半语者
Sensitive periods	敏感期
Sheltered instruction	掩蔽教学
Sheltered Instruction Observation Protocol（SIOP®）	掩蔽教学观察协议
Structured English immersion（SEI）	结构化英语浸入式教学
Syntax	句法

教师案例簿

教室中的文化碰撞——他们会做什么？

他们会做什么？

以下是几位专家教师讲述他们如何与本章开头所描述的班级建立积极的关系，其中包括非裔美国人、亚洲人和拉丁裔或一些相处不洽的学生。

JENNIFER PINCOSKI K－12 学习资源教师

Lee County School District,Fort Myers，FL

老师很难与他/她的学生联系，因为文化是如此不同，群体彼此不了解。教师的不适是显而易见的，这是有问题的，因为作为课堂领导者，教师的态度和行为会为每个学生定下基调。建立一个包容性和接纳性的学习环境是要从领导者开始的。重要的是要通过尊重学生作为一个个体，尊重他们的差异，并表现出对他们生活经历的真正关注，来向学生示范理解和接纳。

这是一个了解更多个人学习方式的好机会。在分配轻松独立的任务后，教师可以利用这段时间与每个学生进行简短的面谈。面谈会议应侧重于去熟悉学生，了解他们的兴趣，并讨论学生的学习目标。这不仅有助于建立积极的师生关系，还为教师提供了针对学生来说可用于规划未来课程和活动的重要信息。

此外，为了让来自不同文化的学生进行互动，教师可能需要改变房间的实际布置和/或重新分配座位。教师尽量不要让学生自己选择自己的小组，而是可以随机分配小组，也可以根据学生长处、兴趣、学习方式等有目的地对学生进行分组。小组应经常更换,并且应该仔细设计作业的形式以匹配学生的个人特征。

LAUREN ROLLINS 一年级教师

Boulevard Elementary School, ShakerHeights, OH

在每个学年开始时,我留出了大量时间来了解我的学生,让他们相互了解,同时也让他们了解我。这是建立课堂社区不可或缺的一部分。熟悉每个群体的文化是实现成功结果的必要条件。同样重要的是,学生群体之间也要相互尊重。这非常重要,是值得暂停课程,直到达到这些目标的。有一项活动是邀请学生在"表演和讲述"的情况下分享他们的背景和文化。另一项活动是为彼此创建"赞美图表"。学生们会在图表上写下他们喜欢彼此的一些赞美语,表达对方积极的品质。在活动结束时,每个学生都会感到受到他人的尊重和赞赏。这是一种"感觉良好"的活动,也是尊重和欣赏课堂成员的重要一步。

LINDA SPARKS 一年级教师

John F. Kennedy School, Billerica, MA

学生可以很快地了解一个人对他们的看法或者对他们的想法。我没有在我的课堂上体验到这种特殊事件,因为我所在的是小学。但我相信这可以在任何阶段发生,特别是当老师在环境中出现与平时不一样的行为表现或表情时,学生们会立即想要知道老师此时对他们的看法。他们需要得到尊重,以便学会尊重,同时建立他们的信任和信心。一旦获得了这种信任,学生就更愿意参加课堂活动。我必须做一些灵活的分组,就像"如果你有绿色运动鞋,移动到左角。"学生不肯动是因为他们属于一个特定的种族群体。我总是用这些古怪问题来促使孩子移动,特别是当我换桌子的时候。这也将最大化教学,因为现在他们希望他们的小组能击败其他同伴的小组。当这种情况发生时,学生将开始学会在社交上互动,同时还能满足学术需求。

PAULA COLEMERE 特殊教育教师,英语、历史

McClintock High School, Tempe, AZ

我的第一个目标始终是为学生创造一个安全的学习环境。由于课堂上存在种族分歧引起的潜在问题,学生很难一起上学,而且上学后也很难学习。在这堂课中需要

消除敌意。为了实现这个目标,我会组织班级进行一个团队建设活动。这项活动旨在向学生展示无论他们看起来如何,他们每个人都不同于其他人。我做过一项这样的活动,如果学生们经历过某些事情,就让他们走到中心线。它开始很简单,但之后会更深入。例如,主持人可能会说,"如果你认识一个被谋杀的人,就去中心线。"可悲的是,很多学生都经历过这种情况,他们会发现他们并不孤单。在这项活动之后,我会与学生讨论如何把我们的分歧抛开。这是一个受教育的时刻,因为我们之后都将在生活中遇到我们不喜欢或与我们不同的人,但为了工作我们必须找到一种方法和他们建立良好的关系。

/ 教育治理与领导力丛书 / 王定华 总主编

[美]

安妮塔·伍尔福克

Anita Woolfolk

著

陈红兵 张春莉

译

教育心理学

Educational Psychology

(Fourteenth Edition)

华东师范大学出版社

全国百佳图书出版单位

上海

第14版

中

第六章　文化与多元化

概览

教师案例簿

白人女孩俱乐部——你会做什么?

你在一所小学任教,学生背景差异不大。实际上,大多数你教的学前班和小学一年级的学生都是来自中产阶级和中上阶层的白人家庭。1 月,一名新生转到你的班级,她是一位非裔美国教授的女儿,这位教授最近刚到附近的大学任职。几周以后,你发现在很多活动中都看不到这名新生的身影。课间休息的时候,她总是一个人坐在图书馆,一个人在角落里玩耍,午餐时也没有人和她坐在一起。课间游戏活动中,任何一支队伍挑选队员时,她总是最后一个人选。情况已经够糟糕了,但更糟的是,一天你偶尔听到班上两个成绩很好的女生在谈论她们的"白人女孩俱乐部"。

批判性思维

- 你是否会进行一些调查,以便更了解这个"俱乐部"?你会如何调查?

- 如果你发现你的学生真的创建了一个拒绝有色人种的俱乐部,你会怎么做?

- 如果面对的是高年级的学生,学生团体规定某些人不能成为他们的成员,那么你将会如何处理?

概述与目标

在美国,教室文化的组成成分正在发生变化,其他许多国家也是如此。著名教育心理学家弗兰克·帕贾瑞斯(Frank Pajares)曾在美国教育研究协会的演讲中指出:"教育中最棘手的那些问题都不能用一种简单通用的方法解决。要解决这些问题,就必须关注我们生活中文化的力量。"(Pajares,2000,p.5)我同意他的观点。在本章中,我们将探讨构成社会结构的多种文化。首先,我们将通过一些统计数据来了解学校中的多元化,然后我们将通过三个学生的故事(本章将介绍其中两个,另一个费利佩的故事在第五章中已介绍)体会多元化在生活中的意义。接着,我们将考察学校对不同种族或民族和文化群体的不同反应,以文化的广泛内涵为基础,探讨构成学生身份的社会阶层、种族或民族和性别三个重要维度。随后,我们将讨论多元文化教育。这是学校改革的普遍趋势,强调多元化的融合和包容。我们也将探讨,如何创设具有文化兼容和弹性的课堂。最后一部分内容,是关于面向每位学生进行教学的四条一般性原则。学完这一章后,你应该能:

目标6.1　描述文化的定义,并论述美国学校中的多元文化如何影响教与学。

目标6.2　论述社会阶层和社会经济地位的定义,以及社会经济地位不同如何影响学业成就。

目标6.3　阐述种族、民族、偏见、歧视、刻板印象威胁对学生学业成就可能带来的影响。

目标6.4　描述性别、性别同一性以及性取向的发展在教学中的作用。

目标6.5　论述多元文化教育的定义,并将多元化相关的研究应用到文化兼容课堂的创建中。

当今的多元文化课堂

多元文化的内涵很广泛,本章将探讨多元文化中的社会阶层、种族、民族、性别和性取向等方面。我们首先看看什么是文化。很多人会将这个概念与报纸上的"文化事件"专栏联系起来,例如艺术展、博物馆、莎士比亚戏剧节、古典音乐会等等。事实上,文化的含义更加广泛,它涵盖了特定人群的整个生活方式。

停下来想一想:放下书,暂且休息一会儿,打开电视,(如果你直到下周二才会回来读,就不要这样做了!)找一个有广告的频道。(我知道,找到一个没有广告的频道更难。)看大约 15 个广告。每一个广告中的声音或演员是年老的还是年轻的? 经济条件是富裕的还是贫穷的? 男性还是女性? 演员的种族或者民族是什么? 快速统计出每个类别各看到多少例。

美国文化的多元化

文化(culture)①的定义很多。多数定义都认为,文化是塑造和指导特定人群的信念和行为的知识、技能、规则、规范、惯例、传统、自我概念、制度(教育、法律、公共、宗教以及政治等)、语言和价值观,以及创作并流传于后世的艺术、文学作品、民间故事和手工艺品(Banks & Banks, 2016; Cohen, 2009, 2010)。这个群体创造了一种文化———一种生活的规则———并把这种文化传达给它的成员。这种传达在很大程度上是隐性的———不需明确说明就能够被理解或暗示。这些群体的界定,可能是依据地域、民族、宗教、种族、性别、社会阶层或其他标准。我们每个人都隶属于多个不同的群体,因此我们都会受到多种不同文化的影响。有时,不同的影响会无法融合,甚至互相抵触。例如,如果你是一名女权主义者,但同时又是一位罗马天主教徒,你可能很难协调两种文化中关于女神父地位的不同信念。你个人的信念将部分取决于你对每个群体的认同程度。

每个现代国家都存在多种不同的文化。以美国为例,在平原地区的某个小村镇长大的学生,与在东北部地区的城市中心或得克萨斯州郊外的学生相比,他们所属的文化群体有很大区别。即使同在平原小镇,便利店职员的子女与镇医院医生的子女之间的成长文化也不同。在美国,那些美籍非裔、亚裔、拉美裔、印第安人和欧裔白人,他们有着迥然不同的历史和传统。虽然他们生活在同一个国家,拥有许多共同的经历和价值观———尤其是在大众媒体的影响下———但他们生活中的许多方面仍受不同文化背

---

①文化——在特定群体中,指导人们行为并借以解决环境中生活问题的知识、价值观、态度和传统。

景的影响,而且越来越受社交媒体上的"朋友"网络的影响。

我们可以将文化看成是一座冰山(图6.1)。冰山上部的三分之一是可见的,而其余部分则是看不见的、未知的。文化中可见的标志(如民族服饰、婚嫁习俗等)只反映出文化差异中很小的部分。

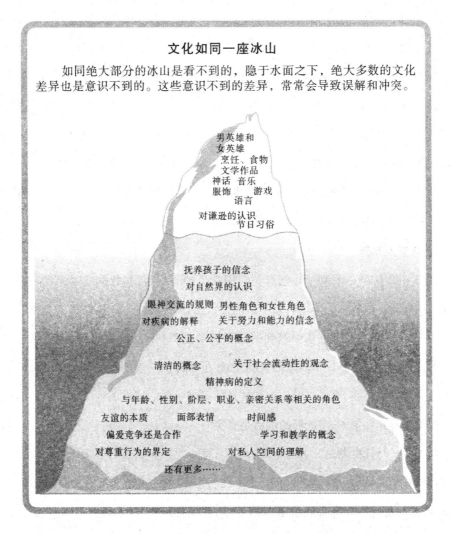

图 6.1

绝大多数的文化差异是"隐于水面之下"的。它们是内隐的、无法用语言表述的,甚至是无意识的偏见和观念(Kahneman,2011;Sheets,2005)。例如,不同文化在处理人际关系时有不同的规范。在有些群体里,倾听者应该一边听一边轻轻点头表示赞同，或者偶尔发出"嗯、嗯"的声音表示自己正认真倾听。但在另一种文化的群体里，倾听的过程中不应该表示赞同，应该双眼低垂，以表示对对方的尊重。在某些文化中，应该由地位更高的人开始话题并提问，而地位更低的人只能回答。而另一些文化中，情况则正好相反。

文化的影响是广泛而深远的。有些心理学家甚至认为文化会决定智力（Nisbett，2009）。例如，在巴厘岛的社会生活中"体态优雅"非常重要，因此在该地文化中，掌握肢体动作的能力是智力的标志。而西方社会认为使用词汇和数字很重要，因此在相应的文化中，这些技能才是衡量智力的指标（Gardner，2011）。研究甚至发现，心理障碍的症状表现也会受到文化的影响。例如，在工业化社会的文化中人们强调洁癖，因此强迫症患者往往表现为不断洗手，而在巴厘岛人们强调社会关系，因此强迫症患者往往表现为不断窥探亲朋好友生活中的全部细节，即他们的社会网络（Lemelson，2003）。

让我们看看两个学生的表现，以了解更多关于文化多元化的细节。

两个学生案例

在第一章中，我们看到了一些有关美国学生的统计数据，数据表明课堂正在变得越来越多样化。但教师的工作对象不是统计数据，而是学生——他们每个人都是独一无二的个体，就像你在第五章中遇到的五年级学生费利佩。在这一部分，美国佐治亚大学的南希·纳普（Nancy Knapp）向我们描述了另外两个学生的案例。每个案例中的主人公并非真实存在，而是南希认识和教过的不同学生的特征的组合体。他们的名字和所属学校都是杜撰的，但他们的生活是真实的。

特妮丝·马托克斯是一名七年级的学生，她跟妈妈和三个弟弟妹妹一起住在美国东北部的一个大城市。妈妈白天在一个干洗店工作，晚上和周末则在办公楼做清洁赚钱。因此，特妮丝每天都要叫弟弟妹妹起床，并送他们去学校，晚上还要帮他们做晚餐，监督他们做作业。她从 10 岁就开始做这些事情。

学业对特妮丝而言并不困难，她小学的时候各门功课常常拿 B。特妮丝原本不太喜欢学校，直到去年才喜欢上了学校。在她六年级时，英语老师允许学生自己决定写些什么，即使写自己的生活琐事也可以。她从不因为学生犯错而立即责备他们，而是陪他们继续努力或让他们跟同伴一起学习,直到他们最终取得值得自豪的成绩。特妮丝发现自己很喜欢也很擅长写作。特妮丝在英语课上太爱说话以至于她的朋友安东尼·贝利斥责她"表现太像白人"。她非常愤怒,也为此感到困扰。她跟安东尼常在一起,而且她很喜欢他。她的老师希望她参加额外测试,以争取转到专门的提高班,但特妮丝还在犹豫。即使她能考上,她也担心自己交不到朋友,提高班里几乎所有孩子都是白人,少数的几个黑人孩子也是从其他城区来的。此外,她的朋友们也会因此不高兴,尤其是安东尼。她的妈妈希望她去试试,她说如果考上提高班可能会前途无量,但特妮丝不想离开她的朋友们。而且,她很希望多上一些类似去年那样的英语课。

杰西·金凯德是威斯康星州某中学二年级的学生,她跟母亲住在城镇的一所小房子里。她的母亲在一家诊所作接待员,她的父亲与第二任妻子和 3 岁的小儿子(杰西的同父异母弟弟)住在城外不远的地方,因此他们经常见面。

杰西在学校接受职业课程,大多数学科都得 C,少数几门得 D。有时她会不及格,但她只关心明年毕业前她是否能得到足够的学分。她经济学的老师称赞她在烹调上有才华,建议她提高成绩,以便申请到厨师学校就读。杰西喜欢烹调,也知道自己擅长于此,但她不打算继续进修。她争取毕业只是为了取悦父母,她对自己的生活已经有所打算。毕业后她打算在城里找份工作,用两年时间赚些钱,然后就嫁给沃尔特·艾肯。杰西读一年级时,沃尔特读二年级,他们从那时起就开始交往。沃尔特今年开始将在威斯康星大学攻读动物学学位,他们计划等到沃尔特毕业就结婚。随后,他们将搬到艾肯家族农场的小房子里,直到三四年之后沃尔特的父亲退休。到时候他们就能接管农场,搬到大房子里。杰西希望到时候他们至少能有一个孩子。

因此,只要能毕业,杰西一点都不在乎自己的成绩。她的父亲也同意不必浪费时间和金钱继续升学,反正她以后用不上那些东西。杰西的妈妈 17 岁就退学结婚了,她希望杰西再好好考虑清楚。她说,她只是希望杰西能"保留选择的余地"。

费利佩、特妮丝、杰西只是其中三个学生,而这样的案例还有成千上万——每个人都有着独特的能力和经历。他们说着不同的语言,有着不同的民族和种族背景,且生活在不同的社区。有些来自贫困家庭,另一些来自有权势的家庭——但他们都面临教育中的各种挑战。本章接下来的部分将考察当今学校中文化差异的不同维度。

谨慎:解释文化差异

我们在探讨文化差异时,需要注意以下两点。第一,我们需要分别考察社会阶层、民族、种族和性别等维度,因为已知的研究大多只集中于上述变量中的某一项。现实中的孩子当然不仅仅是非裔美国人,或仅仅是中产阶级、男性。他们是多个群体的成员,拥有复杂的身份,就像上述案例中提到的那三个学生一样。结果是一幅丰富多彩的文化交织画面。交织性(intersectionality)[①]是指我们重叠的、交叉的多重社会身份(性别、性取向、阶层、民族、宗教、年龄等等),这些多重身份以独特的方式塑造着我们每个人(Rosenthal, 2016)。例如,无家可归的学生大部分来自少数民族,性少数群体(LGBTQ)[②](女同性恋者、男同性恋者、双性恋者、跨性别者和对其性取向感到疑惑的人)中的学生比异性恋青年更容易无家可归(Coker, Austin, & Schuster, 2010)。我们可以用一整章的篇幅来讨论这些不同文化群体成员之间的交集,以及他们是如何影响教和学的。我们将只讨论几个身份交叉的例子,但鼓励你考虑自己的例子。

第二个需要注意的是,属于哪个特定群体并不是决定性因素。知道一个学生属于哪个特定文化群体,并不能因此确定该学生的表现。每个人都是独特的个体。例如,如果你班上有个学生总是迟到,可能是因为这个学生每天上学前还需要工作,必须步行很长的路,必须负责送弟弟妹妹上学(像特妮丝那样),但也可能是因为害怕上学。我们不能把群体成员关系作为任何行为的唯一解释因素,人类太复杂了。

停下来想一想:让我们暂停一会儿,想三到五个你所属的文化群体(性别、性取向、阶层、民族、宗教、年龄等等)。你的各种成员身份的交叉如何影响你与其他人的互动?你自己的文化传承和选择的文化归属会如何影响你对自己的看法和自己的行为?归属团体后你感受到哪些主要的优点?如果有的话,你体验过什么缺点?

[①]交织性——我们重叠的、交叉的多重社会身份(性别、性取向、阶层、民族、宗教、年龄等等),这些多重身份以独特的方式塑造着我们每一个人。

[②]性少数群体——性取向是女同性恋、男同性恋、双性恋的人,或者是跨性别者,又或者是目前对其性取向感到疑惑的人。

文化冲突和融合。不同文化的差异有时是显而易见的,例如节日风俗和服饰这些冰山顶端的特点,有时又是很微妙而深入的,例如交谈中的发言顺序。当细微而不明显的文化差异碰撞时,就很容易发生误会和冲突。如果用主流文化中的价值观和能力观去判断学校中各种行为是否"正常"或合适,就会发生文化冲突。在这种时候,那些生活在不同社会文化中的孩子,他们的行为举止会被看作是不恰当的、不服从规则的、粗鲁的或是失礼的。

罗莎·埃尔南德斯·希茨(Rosa Hernandez Sheets)曾描述过一个5岁墨西哥裔美国女孩的故事(Sheets, 2005)。她每天中午在学校食堂吃午餐时都会省下一份面包卷,带回家分给弟弟吃。她的父母很高兴她具有这种分享的精神,但学校管理者命令她把面包卷扔掉,因为学校规定不允许把食物带出食堂。这个女孩面临着服从学校规则还是遵从家庭文化价值观的冲突。在这个案例中,老师解决这一问题的方法是:与食堂厨师沟通,让他们把面包卷装进一个小塑料袋里,然后把塑料袋放进小女孩的书包,以方便她带回家。

当然,并不是所有的文化差异都会在学校造成冲突。例如,与其他族群相比,亚裔美国人在高中、大学和研究生院的毕业率都是最高的——因此,他们有时会被称为"模范的少数裔"(Lee, 2006)。这种想法公平吗?

刻板印象的危险。习惯性认为亚洲人和亚裔美国人就是模范学生——安静、勤奋且听话,这种想法是有问题的。因为这种做法会强化学生的顺从,扼杀他们的自信。斯泰西·李(Stacey Lee)指出,人们对亚裔美国人还有另一种刻板印象(Lee, 2008):从外表看,他们永远是外国人。即使他们的家族已经在美国生活了几十年,即使他们已经是第四代或者第五代的移民,他们看起来也都不是"真正的"美国人(Lee & Zhou, 2015)。事实上,李的研究表明教师往往会叫他们"亚洲人",而不是"亚裔美国人"或"美国人"。按照这种逻辑,他们也会叫我德国学生,因为我的曾祖父是从德国来到威斯康星州的。我出生在得克萨斯州,我对德国文化的了解仅仅局限于曾祖父制作圣诞小酥饼的秘方——顺便提一下,曾祖父做得非常好。

大多数情况下,学生会很介意这些刻板印象,尽管自己出生在美国,但感觉自己仍然是"外国人"。一个高中生曾告诉李,"观看 MTV 会非常影响我的行为方式,因为我希望自己更美国化,我染了头发,戴彩色隐形眼镜"(Lee, 2004, p. 44)。在本章后面的部分,我们将探讨如何让学校与家庭文化相融合。但首先,我们需要讨论一下文化冲突、偏见和歧视对学生的幸福和成就的影响。

经济和社会阶层的差异

尽管多数研究者同意社会阶层是人们生活中最有意义的文化特征之一,但这些研究者却很难对社会阶层进行明确的界定(Liu et al., 2004; Macionis, 2013)。研究者使用不同的术语——社会阶层、社会经济地位、经济背景、富裕、贫困、资产或特权等。有些人只考虑经济上的差异,还有些人同时考虑了权力、影响力、流动性、对资源的控制、机会的获得和威信等方面的差异。

社会阶层和社会经济地位

现代社会中,财富、权力和威信这三者并不总是统一的。一些人,例如大学教授,他们是专业人士,因此理所当然地拥有较高的社会地位,但他们的财富或权力却相对较少(相信我)。另一些人,尽管并不富裕,但他们却拥有一定的政治权力;还有一些人甚至已经身无分文,但他们却是城镇社交名流中的一员。大多数人都能意识到自己的社会阶层,即能察觉出一些群体的社会阶层高于他们,而另一些群体的社会阶层低于他们。他们甚至会表现出一种"阶级主义"(类似于种族主义或性别歧视),认为自己比那些拥有较低社会阶层的人更优秀,并尽量避免与这些人接触。例如,玛丽莎,一位在学校属于受欢迎和有特权小团体的高中生,这样描述最不受欢迎群体"乡巴佬":

> 这些人很穷,我想他们大部分人都是住在乡下的。我们(很快自我纠正),哦,我的一些朋友管他们叫"乡巴佬"或"乡下人"。我猜他们大部分都生活在小镇西边的山上,那边都是贫民窟。这些人吸烟、嗑药、穿得很邋遢。他们使用方言,通常成绩都很差,他们不喜欢学校,所以我想他们已经落了很多节课了。他们没有真正地融入学校,老是惹麻烦。我常常看不到他们;我没跟他们一起上过一节课。(Brantlinger, 2004, pp. 109 – 110)

表6.1 不同社会阶层的若干特征

	上流 （资本家）	上层中产阶级 （管理层）	中产	工人	底层
收入	20万美元以上	11.4万—20万美元	4.8万—11.4万美元	2.7万—4.8万美元	2.7万美元以下
职业	家族企业、祖传富户、投资者、首席执行官	公司法人、专业人士、以某种方式获得收入	白领、技术蓝领	蓝领	最低工资的、非技术性工种
教育	在家上学、家教、名牌私立院校	名牌大学或研究生院	高中、大学或职业学院	高中	高中及以下
房产	有几处房产、有私人飞机	至少有一处	通常有一处	50%左右有一处	无
健康保险	有	有	一般都有	有限	无
居住环境	最高级	高级、舒适	舒适	适中	恶劣
供子女上大学	容易	一般可以	很少	稀少	罕见
政治权力	国家（或许是国际性的）、州或地方	国家、州或地方	州或地方	有限	没有

注:所有描述均为粗略分类。根据个人和背景,每个类别中都可能有例外。例如,收入指标会因家庭成员人数和地区有所不同。在火奴鲁鲁等物价非常昂贵的地区,一个三口之家要想跻身较低中产阶级至少需要15万美元。

资料来源:Information from Macionis, J. J. (2013). Society: The basics (12th ed). Upper Saddle River, NJ: Pearson and Gorski, P. (2013). *Reaching and teaching students in poverty: Strategies for erasing the opportunity gap.* New York, NY: Teachers College Press

除社会阶层外,研究中还会从其他方式探讨这些差异。社会学家和心理学家将财富、权力、对资源的控制、威信等方面的变量综合成一个指标,称为社会经济地位(socioeconomic status,SES)①。与社会阶层不同,多数人并不了解自己的社会经济地位。研究者通常用社会经济地位将人群分类。计算社会经济地位的公式不同,分类也可能不同(Macionis,2013;Sirin,2005)。没有一个变量能够单独、有效地测量社会经济地位,即使是收入也不行。多数研究者认为社会经济地位有四种水平:上流、中产、工人和底层,表 6.1 总结了这四种社会经济地位的主要特征。根据皮尤研究中心(2016),2014 年,尽管大约一半的美国成年人生活在中等收入家庭,但随着美国富裕和贫困家庭数量的增加,中等收入家庭的数量正在缩减。在之前"停下来想一想"中,你看到的那些广告中有多少人看上去像是来自底层?

极端贫困:无家可归和高度流动的学生

当家庭生活在极度贫困中时,他们有时甚至缺少一个稳定的家。在 2013—2014 学年,美国有 130 多万学生无家可归(全国无家可归者教育中心,2015)。美国 37 个州在 2011 年到 2014 年之间里无家可归的学生人数就增加了 10% 到 25%。无家可归或者经常搬家的学生面临着身体、社会和学习困难等方面的额外风险。例如,即使在考虑了许多其他风险因素和收入水平之后,在一学年里搬家三次及以上的学生复读的概率比正常的学生要高 60%(Cutuli et al.,2013)。根据全国无家可归者中心,在无家可归的学生中,75% 的小学生和 85% 的高中生阅读和数学成绩低于年级水平。无家可归和高流动性给学生带来了难以克服的、长期的风险和问题。

即使有这样的风险,许多这类学生在面对问题时还是很有韧性的。库图利(J. J. Cutuli)和他的同事们(2013)分析了 26,000 多名学生从三年级到八年级的数学和阅读成绩,发现尽管面临挑战,45% 无家可归和高度流动的学生都能达到平均水平或者更好。研究得出,诸如有效养育方式、学生自我调节能力(见第十一章)、学习动机(见第十二章)、教学质量和师生关系(见整本书)等因素为这些学生的适应提供支持。在学

---

①社会经济地位——人们基于其所拥有的收入、努力、背景和威望而在社会中所处的相对地位。

校的最初几年是非常重要的,对于无家可归的学生来说,在低年级发展阅读和自我调节能力更有可能成功(Buckner, 2012)。因为自我调节能力对每个人都很重要,我们会花很多时间在第十一章探讨如何帮助学生发展这些能力。

贫困与学业成就

大约21%的18岁以下的美国人生活在贫困线以下:四口之家的年收入为24600美元(Jiang, Ekono, & Skinner, 2016)。事实上,有超过9%的儿童生活极度贫困,每天的生活费只有2美元左右。有一段时间这种情况有一定的改善。2000年贫困家庭的数量是近21年来最低的,但此后贫困家庭的比率又在持续增高,尤其是对于非洲裔美国儿童(Bishaw,2013年)。如果加上生活在低收入家庭中的孩子(一个四口之家的年收入是48000美元),那么美国就有44%的儿童生活在低收入或者贫穷家庭,2016年就有3000万学生有资格在学校享用免费或优惠午餐(Jiang et al. , 2016; U. S. Department of Agriculture, 2016)。想要了解这些学生,了解他们的生活,可以读《灰烬中的火:与美国最贫穷的孩子一起走过的25年》这本书。乔纳森·科左(Jonathan Kozol)讲述了生活极度贫困的孩子们令人惊叹的故事、他们经受的考验以及胜利(Kozol, 2012)。每个老师都应该阅读这本书。

生活在贫困中的非西班牙裔白人儿童(500万)、拉美裔儿童(600万)以及非裔美籍儿童(500万)的绝对数量是相似的。但贫困儿童所占的比率在非裔美籍、拉美裔以及印第安儿童中更高——2012年,非裔美籍儿童有43%生活在贫困中,拉美裔儿童有34%生活在贫困中;而亚裔和非西班牙裔白人儿童的比率分别是15%和13%(Children's Defense Fund, 2015)。与很多刻板印象相反,多数贫困儿童生活在郊区和乡村,而非那些大城市。但在城市学校中贫困儿童的比率也是非常高的。

社会经济地位和学业成就有中等相关,在0.30—0.40之间(Sackett, Kuncel, Arneson, Cooper, & Waters, 2009; Sirin, 2005)。总体而言,在所有族群中,社会经济地位高的学生在测验上的平均成绩要高于社会经济地位低的学生,他们接受教育的年限也更长,这种不同发生在学生7岁到15岁之间(Berliner, 2005; Cutuli et al. , 2013)。儿童生活在贫困中的时间越长,贫困对其学业的影响越大。例如,即使我们将家长的受教育水平考虑在内,贫困儿童被留级或到特殊教育班级的数量仍在以每年2%—3%的比率增加(Ackerman, Brown, & Izard, 2004；Bronfenbrenner, McClelland, Wethington, Moen, & Ceci, 1996)。图6.2显示了家庭收入水平不同的学生从三年级到八年级阅读成绩的发展趋势(无家可归/高度流动、免费午餐、优惠午餐、全国平均水平、无收入风险)。你可以看到增长率是类似的,但是这几组在三年级时的起始水平是不同的。这也是早期干预(学前和小学)对于处于危险环境中的学生尤为重要的另一个原因。

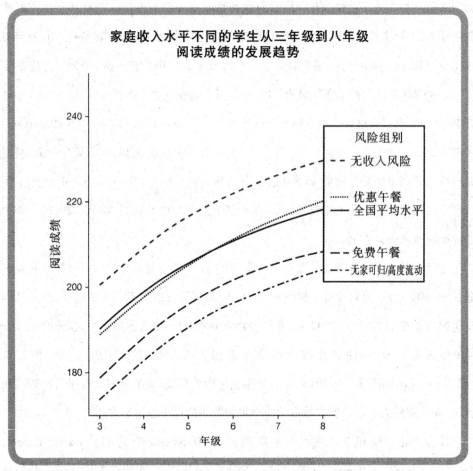

注：一般=家庭收入没有风险的学生；HHM是homeless/highly mobile首字母的缩写。

资料来源：Cutuli, J. J., Desjardins, C. D., Herbers, J. E., Long, J. D., Chan, C-K, Hinz, E., & Masten, A. S. (2013). Academic Achievement Trajectories of Homeless and Highly Mobile Students: Resilience in the Context of Chronic and Acute Risk. Child Development, 84, p. 851. Reproduced with permission of John Wiley & Sons, Inc

图6.2 家庭收入水平不同的学生从三年级到八年级阅读成绩的发展趋势

一个令人不安的趋势是特权家庭(收入位于90%)和贫困家庭(收入位于10%)的孩子成绩差距越来越大。对于2001年出生的儿童来说,这个差距要比1976年出生的儿童大30%到40%。富人和穷人之间日益显著的收入差异导致了低收入家庭儿童在更大程度上被隔离在低质量学校。富裕家庭的儿童可获得的经济资源允许他们从非正式的学习机会中获得巨大的优势,如旅行、专项夏令营和家教服务——这些都是贫困家庭负担不起的资源(Berliner, 2013;Reardon, 2011)。这使得一些研究人员将贫富学生的学业表现差异称为"机会差距"而不是成绩差距(Gorski, 2013;Milner, 2010;2015)。

低社会经济地位如何导致学生的低学业成就?不能把它归咎于某个单一的原因(Evans, 2004)。母亲和孩子缺乏良好的健康护理、危险或不健康的家庭环境、有限的资源、家庭压力、学业中断、遭遇暴力、过度拥挤、无家可归、歧视和其他因素共同导致了学生的学业失败。结果,这些低学业成就的学生成年后只能获得收入微薄的工作,又导致下一代只能继续在贫困中出生。许多学者提出了其他一些可能的解释(Evans, 2004;Gorski, 2013;Jensen, 2016;McLoyd, 1998)。下面我们将逐一分析。

健康、环境和压力。在儿童出生前,贫困就已经对他产生了消极的影响。贫困家庭无法为胎儿与幼儿提供良好的健康护理和营养,一半以上的未成年母亲从未接受过任何产前护理。贫困母亲和未成年母亲更可能生下早产儿,而早产儿一般在认知与学习上会有较多的问题。贫困儿童在出生之前可能会接触到各种合法的(尼古丁、酒精)和非法的药物(可卡因、海洛因)。如果母亲在怀孕期间服用毒品,儿童会出现组织、注意和语言技能等方面的问题。

贫困儿童更可能经历由于被驱逐、食物匮乏、过度拥挤、公共设施被切断而带来的压力,其概率是其他儿童的4倍。压力的增加可能会导致学校缺勤的增多、注意力和专注力的下降、记忆和思维方面出现问题、动机和努力的降低、抑郁情绪的增加以及神经形成(新的大脑细胞的生长)的减少(Evans & Kim, 2013;Jensen, 2009)。在儿童早期,贫困儿童会比中产阶级和富裕家庭中的儿童体验到更多的应激激素。这些高水平的应激激素会干扰大脑的血液流动和神经元联结的形成,减少身体的色氨酸供应,而色氨酸是一种能抑制冲动和暴力行为的氨基酸(Hudley & Novak, 2007; Richell, Deakin, & Anderson, 2005; Shonkoff, 2006)。在成长过程中,贫困儿童会接触到污染程度更大的空气和水——回想一下密歇根州弗林特市的水污染丑闻。贫困儿童铅中毒的比率是非贫困儿童的两倍以上,而铅中毒与较低的学业成就和长期的神经损伤有关(Evans, 2004; McLoyd, 1998)。

低期望与低学业自我概念。贫困学生也经常受到老师和同龄人的蔑视。由于贫困学生可能会穿旧衣服、说方言、对图书和学校活动不熟悉,因此教师和其他学生可能会认为这些学生不聪明。教师会避免在课堂上叫这些学生回答问题,因为他们认定这些学生不知道答案,也会为他们设定更低的学业标准,并接受他们低水平的作业。于是,低期望似乎成为正常,因此提供给这些学生的教育资源也会不足(Borman & Overman, 2004)。低期望和较差的受教育经历,会导致学生产生习得性无助(我们在第四章中介绍过)。社会经济地位低的儿童,特别是那些还受到种族歧视的儿童,会逐渐认定学校是个死胡同。没有高中文凭,这些学生很难找到薪水不错的工作,很多工作提供的报酬只能勉强糊口。理查德·米尔纳(Richard Milner)在他2015年出版的《从种族到课堂》(Racing to Class)一书中,描述了贫穷与种族交叉导致有色人种贫困学生长期遭受教育机会不平等的几种方式。

同伴影响与抵抗文化。如果一个学生的学校同学多是来自中高等收入家庭,那么与学校同学多是来自低收入家庭的学生相比,他们上大学的可能性要高出68%。甚至在控制了许多可能的原因之后,格雷戈里·帕拉迪(Gregory Palardy)得出结论,同伴影响是大学出勤率差异最强有力的预测因素。在贫困率很高的学校上学的学生不太可能有打算上大学的朋友,而更有可能拥有辍学的朋友(Palardy, 2013)。

一些研究者提出,社会经济地位低的学生可能会成为抵抗文化(resistance culture)①的一部分来应对他们周围的不平等。对于这种文化的成员来说,在学校的成功就意味着背叛和努力把自己变成"中产阶级"。为了保持他们的身份以及在群体中

---

①抵抗文化——拒绝采纳主流文化的行为和态度的群体价值观和信念。

的地位,社会经济地位低的学生必须拒绝那些会让他们在学校中取得成功的行为——学习、与教师合作,甚至是到学校上课(Bennett,2011;Ogbu,1987,1997)。这是学生们的一种可以理解的反应,他们可能认为这种尝试在压迫性或歧视性制度下是徒劳的。约翰·奥格布(John Ogbu)发现,这种抵抗文化的现象大多出现在贫困的拉美裔美国人、印第安人以及非裔美国人等群体中,但同样的情形也会出现在美国与英国当地贫困的白人学生以及巴布亚新几内亚当地的高中生身上(Woolfolk Hoy, Demerath, & Pape,2002)。

但这并不是说所有或者大多数社会经济地位低的学生都拒绝获得高学业成就。很多年轻人,尽管他们的经济状况不好或有消极的同伴影响,但仍然能取得很高的学业成就(O'Connor,1997)。当然我们也并不能忽视学校教育的某些方面会激发所有学生的抵抗,如竞争性评分制度、公开训斥、压力很大的测验和作业、过难或过分简单的重复性任务等(Okagaki,2001)。单纯关注学生的抵抗(或者他们缺乏韧性),只是一种用来责备学生低学业成就的方式;与其这样,还不如让学校成为一种包容环境,避免引起学生的抵抗(Stinson,2006)。要做到这一点,一种方法是认识到我们自己的文化背景、社会化和刻板印象会如何"阻碍我们以最真实、最开放的方式与低收入家庭或任何家庭建立联系的能力。"(Gorski,2013,p. 59)。用葛尔斯基(Gorski)的话说,教育工作者需要成为"平等素养者"(equity literate)。

家庭环境与资源。多数贫困家庭无法为幼儿提供学前阶段的高质量照顾,以促进儿童认知能力和社会性的发展(Duncan & Brooks-Gunn,2000;Vandell,2004)。生活在贫困家庭中的儿童很少读书,却会花更多时间看电视;他们很少接触到书籍、电脑、图书馆、旅行——还是机会差距(Kim & Guryan,2010)。但同样地,不是所有的低收入家庭都缺乏资源。很多低收入家庭会为他们的孩子提供丰富的学习环境。不论社会经济地位如何,父母只要支持和鼓励孩子——读书给孩子听,提供书籍和教育性玩具,带孩子去图书馆,提供学习时间和场所——他们的孩子往往更会阅读,也更乐于阅读(Cooper, Crosnoe, Suizzo, & Pituch,2010)。在学校教育时间以外,比如暑假或学前阶段,家庭和社区资源对儿童成就的影响似乎是极大的。

暑假中的退步。在刚入学时,贫困学生与家境较好的学生相比,阅读技能大约落后 6 个月。但到了六年级,这种差距扩大到 3 年左右。贫困学生和中产阶级学生之间这种阅读技能上的差距自 20 世纪 70 年代初以来就一直在增加。对于这种持续增长的差距,一种解释是来自贫困家庭的儿童以及尤其是那些母语不是英语的儿童,在暑假里丧失了学习的机会。即使来自贫困家庭的儿童在校期间的成绩与来自优越家庭的儿童相当,但每一个暑假都会造成两组儿童的阅读成就增加 3 个月左右的差距(Kim & Guryan, 2010; Kim & Quinn, 2013)。一项研究表明,二年级到六年级的四个暑假能解释来自贫困家庭与来自优越家庭的儿童在学业成就上 80% 的差异(Allington & McGill - Frazen, 2003, 2008)。这实际上就是一种"马太效应"(穷人越来越穷,富人越来越富)。家境较富裕的儿童始终有更多的机会接触书籍,尤其是在暑假里,他们会读更多的书。而儿童读的书越多,他们也就越会阅读——阅读的数量对阅读能力的提高有着很重要的作用。好消息是为低收入家庭和儿童提供的高质量暑期阅读项目可以有效地帮助学生提高阅读能力(Kim & Quinn, 2013)。

分层教学:不良的教学方式。很多社会经济地位低的学生成绩较差的一个重要原因是他们都接受了分层教学,因此他们实际上接受了不同的教育(Oakes, 1990)。如果他们被分到"低能力"、"一般"、"实践型"或"职业型"班级中,他们只能学会如何记忆,与优势家庭的同龄人相比学习更加被动;中产阶级的学生在他们的班级中,则更多地会被鼓励去思考和创造。

即使没有被分层,家庭收入低的儿童更可能就读于那些教育资源匮乏的学校,并且面对教学能力较差的教师(Evans, 2004)。例如,在贫困率很高的学校,有超过 50% 的数学教师和超过 60% 的科学教师没有教学经验或是原先教授其他学科,他们没有接受过现在所教学科的相关训练(Jensen, 2009)。如果社会经济地位低的学生接受的是低水准的教育,他们的学业技能也会较差,改变生活的机会也会很有限,从一开始就不能为后续教育做好准备(Anyon, 1980; Knapp & Woolverton, 2003)。如何为生活在贫困中的学生提供优质的教学,以下的"指南:教育生活在贫困中的学生"提供了一些建议。

指南:教育生活在贫困中的学生

学习相关资料,了解贫困会给学生的学习带来什么影响。举例:

1.阅读优秀期刊上的相关文章。

2.寻找各种可靠的资源,如 Eric Jensen(2013)著的《用心使贫困学生参与进来:提高成绩的实用策略》(Engaging Students with Poverty in Mind:Practical Strategies for Raising Achievement);Paul Gorski(2013)著的《帮助和教育贫困学生:消除机会差距的策略》(Reaching and Teaching Students in Poverty:Strategies for Erasing the Opportunity Gap)。

对所有学生设定并保持高期望。举例:

1.警惕自己不要因为贫困而对学生感到遗憾,原谅他们低水平的作品,并对他们保持低期望。不要怜悯,而是去深入了解他们,并在此基础上进行共情。

2.与学生交流,让他们了解"成功源于努力而非家境"的道理。

3.激发可以体现学生智能的高阶思维技能。

4.提供建设性的批评,因为你坚信你的学生能做出高质量作业。

5.增加具有挑战的科目和大学先修课程。

与学生形成一种关怀的关系(见2015年承诺中心报告:"不要放弃我")。举例:

1.使用包容性的语言,如"我们的班级"、"我们的项目"、"我们的学校"、"我们的努力"等。

2.课后与学生聊天,发现他们的兴趣和能力。

3.参与学生喜欢的运动或其他事件。

4.为学生家庭创设一个"班级欢迎中心"(详见第五章)。

5.帮助学生与导师、教师和/或教练建立联系。

将学习技能和自我调节技能纳入教学内容中。举例:

1.教会学生如何组织作业、集中注意力和寻找恰当的帮助。

2.将冲突管理和解决社会性问题的技能纳入课程中。

注意健康问题。举例:

1.注意那些经常缺席或迟到的学生。

2.检查是否有一些学生听不见课堂讨论,或坐在教室后面看不到黑板。

3.示范健康的饮食和体育锻炼。

评估学生的知识基础,从他们已有的水平出发进行教学,但不要停滞不前(Milner,2010)。举例:

1.使用简短的、不分层的任务来评估每个单元的学习目标。

2.根据评估的结果进行差异化教学(详见第十四章)。

资料来源:Jensen, E. (2013). Engaging Students with Poverty in Mind: Practical Strategies for Raising Achievement. Alexandria, VA: Association for Supervision and Curriculum Development.; Gorski, P. (2013). Reaching and Teaching Students in Poverty: Strategies for Erasing the Opportunity Gap. New York, NY: Teachers College Press; Center for Promise. (2015). Don't Quint on Me: What Young People Who Left School Say About the Power of Relationships. America's Promise Alliance: Washington, DC.

教学中的民族和种族

美国是一个多元化的社会,到 2020 年,超过一半的学龄人口将是由非裔、亚裔、拉美裔或其他族裔美国人所组成(Chappell,2015)。在我们了解有关民族和种族的研究之前,先来澄清一些相关术语。

何谓民族和种族

民族(ethnicity)①是指具有共同的历史、祖国、语言、传统或宗教等文化特征的群体。无论我们是意大利人、乌克兰人、中国人、日本人、纳瓦霍人、夏威夷人、波多黎各人、古巴人、匈牙利人、德国人、非洲人或爱尔兰人(这里仅举几例),我们都有各自的民族传统。**种族**(race)②则被定义为"拥有共同的生物遗传特征的人所组成的一个特定的类别,这些生物遗传特征有重要的社会意义",如肤色、发质等(Macionis,2013)。在生物学上并没有完全纯正血统的种族。例如,随机地选择任何两个人,他们遗传密码的字母排列顺序上的差异,平均只有 0.012% (大约 1% 的 1%) 源自种族(Myers,2005)。

---

①民族——有共同文化传统的一群人。
②种族——根据外表和血统进行社会建构而产生的类别。

因此,民族和种族是社会建构的观念,在特定的社会或政治背景下获得意义(Lee & Bean, 2010)。就个体水平而言,民族和种族是我们自我认同的一部分,当我们还很年轻的时候,通过理解民族和种族,我们可以理解自己,并与他人互动。我们在第三章中更为详细地介绍了民族认同的发展。就群体水平而言,民族和种族则与经济结构、政治结构联系在一起(Macionis, 2013)。重要的是请注意,年轻人通常很少或根本没有区分自己的种族或民族身份——两者是紧密交织在一起的。因此研究人员建议当试图准确地再现青少年形成身份认同时的心理体验时,使用诸如"种族—民族—文化认同"这样的术语可能更为恰当(Umana-Taylor et al., 2014)。在这本书里我对这几个标签的选择,是基于哪个最适合正讨论的内容。我使用标签:民族、种族或种族/民族。

社会学家有时会使用少数群体(minority group)①来指代这些受到不平等待遇或歧视的群体。这种根据种族或民族传统将特定人群称为"少数群体"的做法,常因其容易让人产生误解及其负面的历史含义而受到批评(Milner, 2010)。例如,在一些地区如芝加哥或密西西比州,非裔美国人是多数群体而欧洲裔美国人是少数群体。除非另有说明,当我提到少数民族的时候,我用的是整个美国人口作为参考群体。我经常用"白人"、"黑人"和"拉美裔"来代替"欧洲裔美国人"、"非裔美国人"和"西班牙裔美国人",因为这些术语包含的范围更广,包括不同国籍(如加拿大、海地或多米尼加共和国)和移民身份的学生。教师在处理学生的种族/民族传统时应谨慎使用这些术语(关于术语的更多信息请参阅克里斯蒂亚·布朗2017年出版的学生关于歧视的理解的书)。

学业成就中的民族和种族差异

学校里的一个主要问题是,某些民族群体的成绩总是低于全体学生的平均水平(Matthews, Kizzie, Rowley, & Cortina, 2010; Uline & Johnson, 2005),这一结果反映在所有标准化测验上,但这种差距自从20世纪80年代正在日益缩小,而且小于人们所看到的穷学生和富学生之间的差距(Raudenbush, 2009; Reardon, 2011)。例如,如图6.3

---

①少数群体——长期在社会上处于不利地位的一群人,在实际数量上并不总是"少数的"。

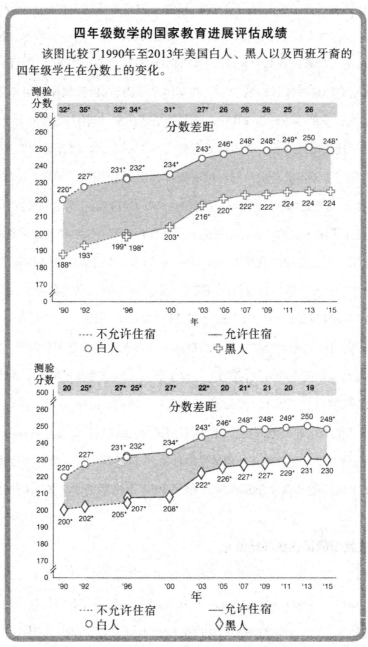

图6.3　四年级数学的国家教育进展评估成绩

所示,在美国国家教育进展评估(National Assessment of Educational Progress, NAEP)的数学成绩上,四年级白人学生和黑人学生之间的分数差距从1996年的34分缩小到了2015年的24分(美国教育部,2015)。四年级白人学生和西班牙裔学生之间的差距则从1996年的25分缩小到了2015年的18分(美国国家教育统计中心,2015)。八年级学生的分数差距更大(白人学生和黑人学生之间有32分的差距;白人学生和西班牙裔学生之间有22分的差距)。

目前,"成就差距"的支持者受到了众多批评。批评者认为,这一概念采用了一种狭隘的视角,将中产阶级白人学生的成绩作为标准,其他所有学生都必须以此为参照而被比较和被测量(Anyon, 2012)。多元文化学者理查德·米尔纳(H. Richard Milner)认为,我们应该思考其他类型的"差距",如教师学历和资质的差距、课程挑战性的差距、住房购买力的差距、健康护理的差距、学校资助的差距、儿童保育质量的差距、数字鸿沟差距、财富收入差距、就业差距,所有这些差距综合在一起造成了很多有色学生的机会差距(Milner, 2013; 2015)。格洛丽亚·拉森·比林斯(Gloria Ladson - Billings)描述了我们欠有色学生和由于几十年的投资不足和歧视而生活在贫困之中的学生的教育债务(Gloria, 2006)。

事实上,机会差距和教育债务会造成教育成就的差距。2014年在全美约有87%的白人学生从高中毕业,非裔美国学生的比率为73%,拉美裔的比率为76%,亚裔和来自太平洋岛屿的学生的比率为89%(Kena et al., 2016)。但这是美国所有州的平均数据。如果单独来看每个州,我们会发现一些有意思的差异。美国新墨西哥州的毕业率是最低的(低于70%)。艾奥瓦州和内布拉斯加州的毕业率最高,达到90%或更高。但是不同种族的完成率差别很大。内华达州只有54%的黑人高中生毕业。六个州的黑人/白人学生的毕业率相差20%或更多。拉美裔学生的毕业率范围从明尼苏达州的63%到得克萨斯州的86%(美国教育部,2015)。这些差异可能有多种原因。一些州面临贫困家庭增多、城市学校增多、教育支持减少,以及其他挑战。

尽管不同民族群体的学生在认知能力测验上一直有差异,但大多数研究者认为这些差异主要是歧视、文化不兼容、语言差异,或者在贫困环境中的成长经验而导致的结果。因为很多少数群体的学生在经济上也处于不利地位,因此将这两种不同的影响区分开来是很重要的(Milner, 2015;Roberts, Mohammed, & Vaughn, 2010)。例如,一项研究发现,即使控制了男生的社会经济地位、家庭环境和问题行为,学习技能和自我调节技能(例如专注、毅力、组织能力以及学习自主性)仍能解释幼儿园至五年级非裔美国男生读写能力的发展(Matthews, Kizzie, Rowley, & Cortina, 2010)。因此,至少对非裔美国男生来说,早期这些学习技能的发展有助于消除机会差距,这可能也适用于其他群体。

与关注不同群体在成就上的差距相比,很多教育工作者呼吁加强对非裔和拉美裔学生的成长和学业成功的研究。贝里(Berry)对两名数学成绩优异的非裔中学生进行了研究,结果发现在他们的生活中,他们有来自家庭和教师的支持和高期望,在学前和小学阶段有积极的数学学习经验,常常去教堂做礼拜,课外活动活跃,对自己是"数学成绩优异的学生"这一身份有积极的认同感(Berry, 2005)。那些成功的非裔男孩身上还有一个决定性的特征就是,他们的家庭教会了他们如何理解和应对学校里的歧视,我们将在下一个主题中谈到。

不平等的传统

在探讨社会经济地位低的儿童之所以在学校面临问题的原因时,我们说到了有限的教育机会、低期望以及来自教师和同学的歧视。实际上,很多少数族群的学生也在经历类似的歧视。例如,在 1924 年美国南方的一些地区,学校是实行种族隔离制度的,黑人学生在自己的学校每年只能接受 6 个月的教育,因为他们需要在农场工作 6 个月;白人学生则能接受到完整的 9 个月教育。在黑人的学校里,黑人学生最多只能上到八年级(Raudenbush, 2009)。

设身处地想一想:种族隔离制度在美国直到 1954 年才不再合法。想象一下,如果你回到了那个时候,下面故事中的小孩就是你自己,你会怎么做?

在堪萨斯州首府托皮卡,一位牧师牵着他 7 岁的女儿去离家四个街区的一所小学上学。琳达·布朗想要上二年级,但学校不允许,公立学校的官员要求她到两公里以外的另一所学校就读。这就意味着琳达·布朗每天要步行六个街区到车站,有时还要等半个小时才能等到公交车。如果遇上下雨天,等到公交车来的时候,琳达·布朗可能已经浑身湿透了。有一次站在车站实在太冷了,她就跑回家了。她问父母,为什么她不能在离家只有四个街区的那所学校上学?(Macionis,2003,p. 353)

琳达·布朗父母的解决办法是,在其他有关家庭的帮助下对学校政策提出诉讼。众所周知,1954 年布朗一家诉托皮卡教育局案的结果是:宣布对黑人儿童实行"隔离但平等"的学校本身就是不平等的。

60 多年后,多年来关于废除种族歧视的研究表明,依靠法律硬性推行融合教育并不能马上解决数百年来种族不平等的历史所带来的不利影响。部分原因是一旦有色人种学生增多,白人学生就会转学。现在很多市区学校的种族隔离程度比最高法院出台校车制和其他消除种族歧视的措施之前更加严重(Orfield, Ee, Frankenburg, & Siegel - Hawley,2016)。例如,在洛杉矶、迈阿密、巴尔的摩、芝加哥、达拉斯、孟菲斯、休斯敦、底特律等地区的学校里只有不到11%的非西班牙裔的美籍白人学生。事实上,在非裔和拉美裔美国学生就读的学校中,有三分之二种族隔离程度都非常高,学生集中生活在贫困中。因此,种族隔离也成了经济隔离(Ladson-Billings, 2004;Mickelson, Bottia, & Lambert, 2013;Raudenbush, 2009)。

记者尼科尔·汉娜-琼斯(Nikole Hannah - Jones)描述了她和丈夫之间在决定是否让女儿就读纽约市种族隔离的低收入公立学校时的紧张关系(Nikole,2016)。"难道我们工作还不够努力吗?……这样她就不用去那种困住很多黑人孩子的学校了。"这是许多家庭面临的问题(见汉娜·琼斯的 2015 年《美国生活》广播)。研究表明,学校的人口构成确实会影响长期的结果。例如,经济学家拉克·约翰逊(Rucker Johnson)发现随着孩子年龄的增长,就读过废除种族隔离制度的学校的成年黑人比起就读过种族隔离严重的学校的成年人,更有可能上大学并且生活在种族融合的社区中,他们不太可能贫穷,不太可能遭受慢性健康问题,也不太可能进监狱(Rucker,2015)。

即使是在融合教育的学校里,少数群体的学生通常也会由于教师对他们的低期望而被再次隔离到低能力班级中(Tenenbaum & Ruck, 2007)。简单地将人们放在同一栋建筑中,并不意味着他们将会彼此尊重,或接受相同质量的教学(Ladson - Billings,

2004；Mickelson et al.，2013）。更多关于如何理解和减少教育中民族和种族差异的信息，请看美国心理协会特别委员会关于教育差异的报告（American Psychological Association's Presidential Task Force，2012）。缩小教育结果差距的关键一步是承认偏见和歧视在教育中的作用。

什么是偏见？ "偏见"一词与"预判"（prejudge）一词关系密切，偏见（prejudice）①是对某一特定群体的刻板的、不合理的概括——一种先入为主的判断。偏见由信念、情绪和特定行为的倾向所组成。例如，如果你认为胖人很懒（信念），对他们感到厌恶（情感），不愿和他们约会（行为），那你就对胖人有偏见（Aboud et al.，2012；Myers，2010）。偏见（Bias）②是指一种带有偏见的偏好或行为。偏见可以是积极的，也可以是消极的，也就是说你可以对一个群体既有积极的也有消极的非理性信念，但多数是指消极的态度。偏见可能针对某个特定的种族、民族、宗教、政治立场、年龄、地理位置、语言、性取向、性别或外表。

种族偏见是普遍存在的，并不只是针对某一群体。一些证据表明公然的种族偏见已经有所减少。例如，1970年，50%以上的美国人会理所当然地认为少数群体不应该成为自己的邻居，到了1995年，这个比例下降到了10%（Myers，2005）。但种族主义不仅仅是公然的、明显的种族主义，微妙的、潜在的种族偏见仍在继续，尽管它可能是无意识的。研究人员已经用多种方式证明了这一点。例如，针对多起美国警察枪击手无寸铁的黑人的案件，研究者开发了一种电子游戏。在这个游戏中会出现一系列白人和黑人，他们可能有武器，手里拿着一把枪，也可能没有武器，手里拿着一个手电筒或钱包。实验要求被试"射击"游戏中拿着武器的人。实验中并没有提到种族的问题。但结果发现，在射击有武器的目标时，被试射击黑人目标的速度更快，频率也更多；在决定不射击没有武器的目标时，被试对白人的反应更快，频率也更高（Greenwald，Oakes，& Hoffman，2003）。而在另一个研究中被试是真正的警察，结果发现与错击没有武器的白人嫌疑人相比，他们错击没有武器的黑人嫌疑人的可能性更大（Plant & Peruche，

---

①偏见（prejudice）——一种先入为主的判断，对某个特定群体的不合理的概括。

②偏见（bias）——一种带有偏见的偏好或行为。

2005）。

你可能会认为警察和教师是完全不同的。再想一想。研究者使用了类似的技术表明，教师更有可能对少数民族学生期望更低，更有可能不成比例地让那些来自历史弱势群体的学生接受特殊教育或进行纪律干预（van den Bergh，Denessen，Hornstra，Voeten，& Holland，2010）。在一个几乎没有老师会说他们偏爱一个群体而不喜欢另一个群体的社会里，这是怎么发生的？为什么会发生？

偏见的发展。儿童在很小的时候就开始形成偏见。在世界各地多民族地区进行的研究表明，基于种族成员的偏见四五岁就开始了（Aboud et al.，2012；Anzures et al.，2013）。一个非常流行的观点是儿童天生对肤色是没有偏见的，除非父母教他们，否则儿童是不会形成偏见的。尽管这些观点听起来很吸引人，但却缺乏研究的支持。即使没有父母的直接教导，很多幼儿也会形成偏见。目前的观点认为，偏见的形成涉及个人、人际以及社会等方面的因素（Aboud et al.，2012；McKown，2005）。

产生偏见的一个原因是人们倾向于将社会分为两类——我们和他们，或者内群体和外群体。这些分类可能是根据种族、宗教、性别、年龄、民族、性取向甚至是运动团队来进行划分的。我们往往认为外群体的人不如我们，与我们不同，但他们之间是相似的——"他们看起来都一样"。事实上，3个月大的婴儿如果没有接触过其他种族的人，就会对自己种族的面孔表现出偏好。9个月大时，婴儿就能更好地识别出自己种族的面孔（Anzures et al.，2013）。

产生偏见的另一个原因是那些拥有更多（更多财富，更高社会地位，更多威信）的成年人会认为自己之所以有特权，是因为他们比那些"一无所有"的人更优秀，拥有更多的东西是理所当然的。这种想法导致人们将责任归咎到受害者身上：那些生活在贫困中的人或被强奸的女性，之所以会遭遇到不幸完全是他们自找的——"他们罪有应得"。情绪在偏见的发展中也有一定的作用。有不好的事情发生时，我们往往会寻找某些人或某些群体来当替罪羔羊。例如，在"9·11"悲剧发生后，一些人会以攻击无辜的美籍阿拉伯人来泄愤（Myers，2010）。

但偏见不只是形成一种"内群体"的倾向、一种自我辩白或一种情绪反应，它也是我们在整个生活中收集来的大量信息和价值观的产物。儿童会或外显或隐性地从家庭、朋友、教师和周围环境中学习那些被重视(或不重视)的特征和个性。回想你之前对广告的分析——在广告里有很多女性或有色人种吗?多年来,出现在书本、电影、电视和广告中的榜样,大多是欧裔美国人,其他民族和种族背景的人很少能饰演"英雄"(Ward,2004)。不过这种情形正在逐渐改变。2002年奥斯卡最佳男女主角都是美籍黑人,但丹泽尔·华盛顿(Denzel Washington)是以反派角色胜出的。2005年,杰米·福克斯(Jamie Fox)则凭借对 Ray Charles 这一英雄角色的出色表演荣获奥斯卡最佳男主角。巴拉克·奥巴马在2008年成为美国总统。尽管如此,看到历史上被压迫的群体被媒体认可并不是既定事实。在几位非裔美国演员的出色表演在2016年奥斯卡颁奖典礼上被冷落之后,一场风暴发生了。2016年美国总统大选期间,媒体也出现了类似的负面报道。在这期间,南方贫困法律中心报道了仇恨言论和种族主义的激增(see https://www.splcenter.org)。

停下来想一想:列出下列人物的三个主要特征:

大学新生

政治家

运动员

佛教徒

美国步枪协会的成员

偏见是很难消除的,因为它已经是我们思维过程的一部分。你将在第八章中看到,儿童会形成图式——关于客体、事件和动作的有组织的知识体系。我们头脑中有关认识的人、所有日常行为等知识的图式。同样,我们也会形成关于不同群体的图式。当我要你列出大学新生、政治家、运动员、佛教徒以及美国步枪协会的成员的主要特征时,你可能会写出一大串,而这些特征所透露出来的就是你对上述群体的刻板印象——图式。刻板印象(stereotype)①是适用于群体中每个成员的简单描述。这些刻板

———————————

①刻板印象——组织某一类别的知识和知觉的图式。

印象实质上就是一种图式,它可用来组织你所知道的、相信的、感觉到的关于这些群体的知识。刻板印象可能包含对某个群体的偏见(僵化、不公平的信念),但本不必如此(Macionis,2013)。

通过各种图式,我们用自己的刻板印象来理解世界。利用图式能够让你更快地、更有效地加工信息。一旦我们有了图式,我们就会在遇到新信息时依赖它。虽然这通常很有用,但如果我们的分类基于不完整、有限或有偏见的信息,则可能会很危险。当我们处于压力之下或资源有限,我们也过度依赖于刻板的、可能存在偏见的分类(Baumeister & Bargh,2014)。教师很了解这些情况!像警察和所有人一样,教师也会扭曲信息以使其更加符合他们的图式,特别是当他们的刻板印象包含了对一个群体的偏见。我们会注意那些与刻板印象一致的、甚至会增强刻板印象的信息,丢失或忽略不相符的信息。符合刻板印象的信息甚至会被更快速地加工(Kahneman,2011)。

从偏见到歧视。偏见包括对某一类群体僵化、非理性的信念和情感(通常是消极的)。偏见的第三个元素是一种行为的倾向,称为歧视。歧视(discrimination)[①]是指特定人群所受到的不平等待遇。很显然,很多美国人每天都会受到微妙的或公然的偏见和歧视。比如,拉美裔、非裔和印第安人占美国总人口的35%左右,但2014学年获得博士学位的学生中,拉美裔所占的比率大约为6.5%,非裔的比率为6.4%,印第安人的比率则为0.2%;相对地,37%的博士学位授予给了非美国居民的国际学生(美国国家科学基金会,2015)。非裔和拉美裔学生早在小学时在科学和数学方面就开始失去机会,他们很少被选入超常班,也很少有机会参与加速或丰富化的课程,他们更可能会被分到"基本技能班"。随着他们历经初中、高中和大学,他们的足迹与培养科学家的道路越来越远。即便他们真的成了科学家和工程师,与女性的不公平待遇一样,他们在同等的职位上所得到的报酬仍会少于白人(National Science Foundation,2015;Shen,2016)。

尽管偏见和歧视来自许多地方——同龄人、媒体、校外的社会交往——证据表明

———————————

①歧视——不平等地对待某一特定人群。

来自教师的歧视可能是对教育结果最具破坏性的(Benner & Graham,2013)。如前所述,老师们往往意识不到他们的偏见。然而,这些偏见会影响教师对学生的期望和对学生行为的解释。例如,耶鲁大学的研究人员要求教师观看有关种族多样化的学龄前儿童的视频。一些教师被告知要期望学生表现出"挑战性行为"而其他教师没有。那些被告知要寻找不当行为的教师们更长时间注视着黑人儿童——特别是黑人男孩——而不是白人儿童,这表明存在一种隐性偏见。黑人和白人教师都是这样(Gilliam, Maupin, Reyes, Accavitti, & Shic, 2016)。这种无意识的偏见可能是造成黑人学生相对于白人学生来说停学比例过高的部分原因(美国教育部,2016)。最近的另一项研究发现,非黑人高中教师对黑人学生(尤其是男生)的期望低于黑人教师(Gershenson, Holt, & Papageorge, 2016)。正如我们将要看到的,这些偏见会对学生的受教育程度产生严重影响(即使是无意的)。

为保护自己的子女,少数种族和民族学生的家庭常常不得不对歧视很敏感。教师如果对可能会造成歧视的信息不够敏感,就可能会不小心冒犯到这些家庭。卡罗尔·橙(Carol Orange)叙述了这样一个故事:一位教师将印有全班学生姓名的假期工作表(按字母顺序排列)寄到每个学生家里,结果有三个学生的名字没有被打印出来,教师用笔将他们的名字写在工作表的一侧,并没有写在原先的顺序里。这三个大学生有两个是拉美裔美国人,还有一个是非裔美国人。那个非裔学生的母亲感到很不舒服,觉得她的儿子在名单中被完完全全"边缘化"了(名字被写在页面的边缘)。实际上,这三名学生是在名单设计出来之后才转学到这个班级来的。但教师其实是可以避免这种无心的冒犯的——重新做一份名单,列出每一个学生的名字。这对教师来说只是举手之劳,但却表明她重视每一个学生(Carol,2005)。

发展心理学家克里斯蒂亚·布朗(Christia Brown)已经表明,即使是年轻的孩子也有对偏见的意识,而且对歧视保持高度警惕。好消息是这些学习者也非常关注他们是否受到学校其他人的欢迎和包容。但是受到歧视会让学生感到不受重视,被忽视甚至被排斥,所有这些都使得他们很难保持对学校的积极性。感觉你必须时常监控可能存在的成见和偏见会降低学生学业成就,那就是刻板印象威胁(Christia, 2017)。

刻板印象威胁

刻板印象威胁(stereotype threat)①是指"个体对自己会验证所属群体的刻板印象的一种担心"(Aronson, 2002, p. 282)。它的基本观点是:当被刻板印象化的个体处在一种适用该刻板印象的情境中,他们将承受额外的情感和认知负担。这种负担是指,个体担心以他人或自己的视角验证刻板印象。例如,女孩在解决复杂的数学问题时或者非裔美国人参加标准评估考试时,他们就承担着又一次证实刻板印象的风险,即证实"女孩在数学方面不如男孩"或者"非洲裔美国人在标准评估考试中得分较低"的刻板印象。即使她们不相信这些印象,但当个体意识到这个刻板印象,就会希望可以表现得更好,以便证明这个刻板印象是错的。

对于那些认同某一群体("作为非裔美国人我很自豪")和认同某一学科("科学对我来说真的很重要!")受到威胁的青少年,影响似乎更糟(Appel & Kronberger, 2012; Aronson, Lustina, Good, Keough, Steele, & Brown, 1999; Huguet & Régner, 2007)。

谁会受到刻板印象威胁的影响? 乔舒亚·阿伦森(Joshua Aronson)、克劳德·斯蒂尔(Claude Steele)及其同事通过一系列的实验发现,当非裔或拉美裔学生被放置在会引发刻板印象威胁的情境时,他们的表现会比较差(Aronson & Steele, 2005; Okagaki, 2006; Schmader, Johns, & Forbes, 2008)。例如,在斯坦福大学的一项实验中,实验者告诉其中一组非裔和白人大学生被试,将要进行的测验会准确地测量出他们的口语能力;而另一组相似被试则被告知这个测验的目的是要了解问题解决的心理过程,不涉及对个人能力的评估。当被告知这个测验是用来诊断口语能力时,非裔美国学生只完成了白人学生一半数量的问题;而在无威胁的情境中,非裔学生完成问题的数量与白人学生相当。

不仅仅是少数群体的女性或学生,很多群体都可能会受到刻板印象威胁的影响。在其他研究中,例如社会经济地位较低的学生、老年考生、非常擅长数学却被告知亚洲学生在该特定考试上的表现远优于自己的白人男性大学生和学龄儿童,刻板印象威胁

---

①刻板印象威胁——个体承受的额外的情感和认知负担,即你担心自己在学业情境中的表现会强化其他人对自己持有的某种刻板印象。

都抑制了他们的表现(Aronson, Lustina et al., 1999; Hartley & Sutton, 2013)。例如,邦尼·哈特利(Bonny Hartley)和罗比·萨顿(Robbie Sutton)针对青少年学生的刻板印象威胁进行了三项研究。在第一项研究中,他们发现4岁的女孩和7岁的男孩认为女孩在学校里比男孩表现更好,并且相信成年人也会这么认为。在第二项研究中,一组7到8岁的男孩和女孩参加了一项测试。实验组被告知女孩在这项测试中做得更好,但是对照组被告知研究人员只是想"看看你怎么做"。图6.4显示了结果。处于刻板印象中的男孩的考试表现明显更差,但女孩的考试表现并未受到影响。在第三项研究中,在实验条件下,当学生们被告知研究人员期望男孩和女孩在测试中得分相同时,刻板印象威胁的影响就消失了(Bonny & Robbie, 2013)。

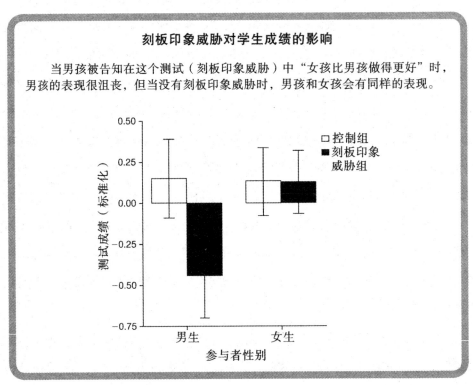

资料来源:Reprinted with permission from Hartley, B. L., & Sutton, R. M. (2013). A Stereotype Threat Account of Boys' Academic Underachievement. Child Development, 84, p. 1724.

图6.4 刻板印象威胁对学生成绩的影响

刻板印象威胁为什么又如何影响学习?这种威胁会:(1)阻碍个人在考试和作业

中发挥最佳水平,(2)干扰注意力、工作记忆和学科学习(例如数学),以及(3)减少与该学科的联系、降低该学科的价值(Appel & Kronberger, 2012; Huguet & Régner, 2007)。因此,刻板印象威胁可能是造成某些民族之间成就差距的一个原因,但不是唯一的原因(Nadler & Clark, 2011)。让我们来看看刻板印象威胁在学校里的影响是怎样的。

短期效应:测验成绩。 回顾有关女性、数学以及刻板印象威胁的研究,我们不难发现,哪怕是极其微妙的线索也可能会引发焦虑。例如,在正式测验前要求测试者将性别写在答题纸上,都会导致女性取得更低的数学成绩,尤其是测验很难的时候,人们通常认为女性并不是很擅长数学,而"做个女人"是女性自我同一性中很重要的部分。这是有道理的,因为最容易受到刻板印象影响的人是那些对优异表现最关心、投入最多的人(Hartley & Sutton, 2013; Régner, Steele, Ambady, Thinus-Blanc, & Huguet, 2014))。值得庆幸的是,刻板印象威胁造成的平均差异并不大。一个具有中等数学能力的女性在SAT(学术能力评估测试)或GRE(美国研究生入学考试)等类型的测验上得到450分,而不是平均成绩500分。一项研究估计,若排除了刻板印象威胁的干扰,能多出6%的女性通过高难度的微积分测验(Nguyen & Ryan, 2008; Wout, Dasco, Jackson, & Spencer, 2008)。

凯瑟琳·瑞安和阿林森·瑞安(Katherine Ryan & Allison Ryan, 2005)提出了一个用于解释刻板印象威胁和女性以及非裔美国人在数学方面表现较差之间的关系的理论模型。在唤醒刻板印象威胁的情境中,如高压力测验,这些学生会倾向于选择表现回避目标,这就意味着学生想要避免自己看上去很蠢(我们将在第十二章中详细介绍这种目标)。设定这些自我保护目标的学生坚持性较差,也不会使用有效的策略。他们倾向于采取例如不尝试或拖延的自我阻抑策略——他们只是想要自己看上去不是那么蠢。但正是他们拖延学习、不努力尝试,导致他们在测验过程中缺乏准备而很焦虑。另外还有两种相关的解释:一种是刻板印象威胁会降低工作记忆容量——会导致学生没办法在认知过程中容纳那么多信息(Okagaki, 2006);另一种则认为刻板印象威胁会减少学生对任务的兴趣和投入——为什么要在让自己看起来很蠢的事情上花心思(J. L. Smith, Sansone,

& White, 2007；Thoman, Smith, Brown, Chase, & Lee, 2013)？

长期效应:缺乏认同感。受到刻板印象威胁的学生在威胁随处可见的环境中不太可能有归属感和联结感。当他们感到孤立无援时,动机和参与感都会受到影响(Thoman et al., 2013)。学生如果持续选择表现回避目标,为避免自己看上去很蠢、失去兴趣、缺乏归属感并在测试中感到焦虑,而发展出自我妨碍策略,他们会变得退缩、声称不在乎成绩、几乎不付出努力,甚至退学——他们在心理上逃避成功,声称"书呆子才会学数学"、"失败的人才去上学"。一旦学生认定学习一点都不"酷",他们就不可能付出更多的努力去学习。一些证据表明,与非裔女性学生和白人学生相比,非裔男性学生对学习更不认同,也就是说,他们将自尊与其学业成就分离开来(Cokley, 2002；Major & Schmader, 1998；C. Steele, 1992)。考虑到当你害怕确定某一特定学科的负面刻板印象时,对该学科的认同(例如将你自己视为一个数学人)会导致更具破坏性的影响,这似乎是合理的。例如,当非裔美国儿童面临一个"诊断性"阅读测试,那些对学校表现出更强认同感的人比那些对学校认同度较低的学生会经受更高程度的焦虑和更多的自我怀疑(Wasserberg, 2014)。

但其他研究则对这种身份识别的联系提出了质疑。历史上,非裔美国人是非常重视教育的(Gorski, 2013；Milner, 2015；Walker, 1996)。一项研究发现,与认同白人文化的非裔美国青少年相比,那些有着强烈非洲中心主义的非裔青少年有更高的学业目标和自尊(Spencer, Noll, Stoltzfus, & Harpalani, 2001)。布朗和朱同样发现,对他们的种族群体持积极态度的拉丁裔儿童在学业上表现更好,并且不太可能受到来自教师歧视的不利影响(Brown & Chu, 2012)。事实上,与你的族群紧密联系可以缓解歧视和刻板印象威胁的破坏性影响(Nasir, Rowley, & Perez, 2015)。教师、家长和学生如何应对刻板印象威胁和歧视的不利影响?

抗争刻板印象威胁和歧视。教师应帮助所有学生将学业成就视为民族、种族和性别认同的一部分。教师在这方面起着重要作用。例如,对于在白人小学就读的墨西哥移民儿童,如果他们的教师更加重视多样化,那么他们就更加认同自己的种族(Brown & Chu, 2012),并且比同龄人更少受到歧视。

教师和家长也应该确保学生有成长型思维（growth mindset）①，也就是说，学生相信他们的学习和智力是不固定的、可以改变的一项研究，要求非裔美国大学生和白人大学生写一封信寄给"处境不利"的中学生，鼓励他们坚持学业。研究向一些大学生提供支持"能力可以增长"的证据，并鼓励他们将这样的信息写信告诉他们的中学生笔友。提供给另一些大学生的信息是有关多元智能的，但并未提及这些多元智能是可以增长的。实际上并不存在那些中学生。但研究发现，撰写有关能力增长观的劝说信的这一过程是非常有用的。在随后一学期，那些被"能力可以增长"说服的非裔美国大学生和白人学生有更高的平均成绩（白人学生提高的程度较小），更享受学校生活且更愿意参与学校活动（Aronson, Fried, & Good, 2002）。在另一项研究中，改变女生对智力的看法——能力可以增长，也能帮助中学女生取得更高的年终数学成绩（C. Good, Aronson, & Inzlicht, 2003）。因此，拥有成长型思维，相信智力可以得到改善，可以帮助学生对抗刻板印象威胁。

重新建构威胁性测验，将其看作是能"提高思维能力"的一种"挑战"，能降低刻板印象威胁对四至六年级非裔美国学生和普林斯顿大学学生（他们均来自那些鲜有学生考上常春藤大学的高中）的影响（Alter, Aaronson, Darley, Rodriguez, & Ruble, 2009）。在学校完成自我肯定的任务，例如写一些关于个人价值观的东西，似乎可以降低刻板印象威胁的影响（Sherman et al., 2013）。

教师还必须考虑到他们有责任照顾在学校和社会中受到歧视和骚扰的学生。在2016年总统竞选期间，超过三分之二的教师表示，他们的学生——主要是那些移民、穆斯林、非裔美国人和其他有色人种学生，对唐纳德·特朗普当选表达了焦虑和恐惧（Costello, 2016）。正如一位教师所指出的，选举的基调"鼓动（许多学生）对少数民族、移民、穷人等发表偏执和煽动性的言论"（p. 10）。选举后，美国教育研究协会（American Educational Research Association）的领导人敦促教育工作者"反对暴力、暴力威胁以及一切以任何形式旨在限制机会、威胁学生福祉或伤害为社会做贡献的学生的

---

①成长型思维——个人持有的能力不稳定、可控、可提高的信念。

行为"(Gadsden & Levine,2016)。

害怕受害、警察残暴或被驱逐出境对一些学习者造成了极大的压力,正如我们已经看到的,压力和焦虑使学生很难学习。尽管教师在缓和这种压力上有着独特的作用,但是一些教师选择不与学生接触,或者不确定怎样做才最好。其他教师则利用这次选举的机会讲授政府及其在保护和尊重人权方面的作用。在本章末尾,你将会看到一些使课堂成为一个欢迎所有学习者的地方的建议。

在第十二章中,我们将介绍考试焦虑以及如何克服考试焦虑的消极影响。那些有助于克服考试焦虑的方法,许多也可以用于帮助学生对抗刻板印象威胁以及各种形式的显性或隐性的压迫。

教与学中的性别

在本节内容中,我们将探讨性别角色认同的发展。我们将特别关注男女两性的社会化过程以及教师在给所有学生(无论他们的身份认同如何)提供公平教育中的作用。

性和性别

"性别"(gender)一词通常是指特定文化决定的适合男孩或女孩、男人或女人的特征和行为。相反,"性(sex)"是指生物学上的差异(Brannon,2002)。个体在性别和性方面的同一性是多重的,在本节中,我们将探讨三个重要层面的作用:性别认同、性别角色和性取向(Ruble,Martin,& Berenbaum,2006)。性别认同(gender identity)[①]指个体对作为男性或女性的自我认同。尽管在历史上,性别认同被描述为二元术语(即男性或女性),将其看作一个连续体的概念会更好。这种更具包容性的观点接纳了许多形式的性别表达。性别角色(gender roles)[②]是指特定文化中与每个性别相关的行为和特征。性取向(sexual orientation)[③]是指在性或情感上吸引你的人物性别(Savin-Williams & Cohen,2015)。性少数青少年被认定为或被其他非异性恋(例如男同性恋、

---

①性别认同——个体对作为男性或女性的自我意识以及人们对性别角色和特征的观念。
②性别角色——文化传统上与男性或女性相关的行为和特征。
③性取向——在性或情感上吸引一个人的人物性别。

女同性恋、双性恋)所吸引(Toomey & Russell,2016)。这三个成分之间的关系是极复杂的。例如,一个女人可能会认同自己是女性(性别认同),但她的行为方式不符合性别角色(踢足球或摔跤),可能会同时被男性和女性(即双性)所吸引。让我们来深入了解一下这些层面的详细信息。

性别认同

性别认同是个体对作为男性或女性、或两者都是、或两者都不是的自我意识(Brown & Stone,2016)。埃里克森和其他一些早期心理学家认为,形成自己的性别认同是非常简单的:认识到自己是男性或女性,然后做出相对应的行为。但现在,我们认识到有些人经历着有关性别的冲突。例如,变性人常常会说自己被困在错误的身体里,他们感觉自己是女性,但他们的生物学性别是男性,或者情况刚好相反(Lhamon & Gupta,2016;Ruble et al.,2006)。我的一个本科生在一次心酸的表露中告诉我们班上的学生,她在童年的时候就有一种独特的感觉,觉得自己真的是个男孩,"我的内心与外表不匹配"。还有一些人可能只是以性别膨胀、性别不一致或非正常性别的方式行事。一个男孩可能会成天待在女孩堆里,玩洋娃娃,穿女孩的衣服。与大多数男孩相比,他可能更认同大多数女孩,因此也可能会拒绝双重性别的标签。

一些儿童的性别认同形成得很早,而且还相对持久。然而,有些人的性别认同可能需要更长时间才能形成。表现出非正常性别的学生可能容易受到侮辱和歧视,或自我信念感较低。例如,荷兰的研究人员询问七年级学生感觉自己的性别是否正常。那些认为自己性别不正常程度较高的学生对学习能力的信心低于性别正常的学生(Vantieghem, Vermeersch, & Van Houtte,2014)。教师可以在学生性别认同形成过程中起到重要的支撑作用。

性别角色

性别角色是指对男性和女性应当如何行为的期望——什么是男性化,什么是女性化。性别角色随文化、时代和地域的不同而有所差异。尽管女性仍被认为是儿童的主要照顾者,应负责家庭事务,但如今对女性的期望显然与18世纪有所不同。

儿童是何时以及如何发展出性别角色的?早在2岁时儿童就意识到性别差

异——他们知道自己是男孩还是女孩,知道妈妈是女性,爸爸是男性。到了3岁左右,他们意识到自己的性别是不能改变的:他们以后一直都是男性或女性。生物学因素会影响性别角色的发展。很小的时候,激素会影响儿童的活动水平和攻击性,因此男孩更喜欢剧烈的、粗犷的、吵闹的游戏。游戏模式导致年幼儿童更喜欢与拥有相同游戏模式的同性玩伴一起玩,因此4岁儿童与同性玩伴玩耍的时间是与异性玩伴玩耍的时间的3倍;到了6岁,这个比率上升到11:1(Halim, Ruble, Tamis-LeMonda, & Shrout, 2013; Hines, 2004)。但是,生物学因素不是唯一的影响因素。事实上,男孩倾向于和男孩玩耍,女孩和女孩玩耍,这可能会导致一个性别隔离循环,这个循环就定义和强调了性别角色规范(Martin, Fabes, & Hanish, 2014)。

人们对待男孩和女孩的方式不同,这也是重要的影响因素。研究发现,家长会给男孩更多的自由,让他们去邻居家串门,也会较早地允许男孩做一些具有潜在危险性的活动,如独自过马路等。因此,与女孩相比,家长会更鼓励男孩独立和自主。事实上,父母、同伴和教师可能会奖励那些符合性别角色的行为——女孩的温柔善良、男孩的坚强自信(Brannon, 2002; Brown, 2014)。

不仅如此,玩具也发挥了作用! 当走到任何一家商店的玩具区,你可以看看有哪些玩具是给女孩的,哪些是给男孩的。布娃娃和厨房用品是给女孩的,玩具枪是给男孩的。几十年来一直如此。但我们不能只是去指责玩具厂商,成人在给儿童买玩具时也喜欢去买那些具有性别特征的,爸爸也不会鼓励自己年幼的儿子去玩"女孩子的玩具"(Brannon, 2002; Brown, 2014)。当一家大型零售商宣布不再按性别划分玩具时,许多父母愤怒不已。让我们面对现实,性别社会化在儿童时期不会停止。我最近帮助一名一年级学生搬进学校里的男女混合宿舍。他的门上装饰着一张写着他名字的卡片,名字旁边是一辆改装车,而他的女室友们的门上都有公主皇冠名片。这些关于性别的环境信息会带来什么后果呢?

在与家庭、同伴、教师、玩具以及周围环境的互动中,儿童开始逐渐形成性别图式(Gender schemas)①。所谓性别图式,是有组织的知识网络,它涉及男性、女性分别意味

---

①性别图式——有组织的认知网络,涉及性别的相关知识,会影响儿童如何思维以及做出何种行为。

着什么的相关知识。性别图式能帮助儿童理解世界,并引导他们的行为(见图 6.5)。如果一个小女孩关于女孩的图式包括"女孩应该玩布娃娃,而不是卡车"或"女孩不可能成为科学家",那么她会注意、记住这些准则,更多地与布娃娃而不是卡车互动,她可能会避免参加科学活动(Golombok et al. , 2008;Leaper, 2002)。当然,这只是一般的情况,并非所有个体都符合这种情况。例如,女孩如果觉得"卡车是男孩玩的"这一性别图式与自己无关,而卡车又很吸引自己,那她就会玩卡车(Liben & Bigler, 2002)。到了 4 岁,儿童开始意识到性别角色,5 岁左右,他们已经发展出一般的性别图式——能分辨哪些衣服、游戏、玩具、行为和职业是适合男孩或女孩的,儿童的这些想法非常刻板(Brannon, 2002;Halim et al. , 2013)。

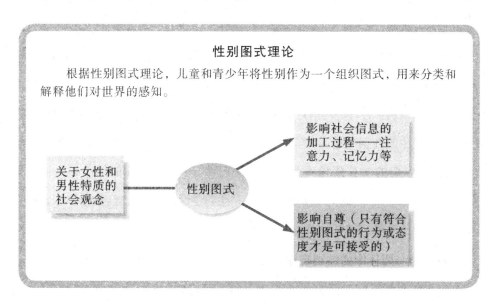

图 6.5　性别图式理论

即使现代社会在"男女机会平等"方面有了很大进步,但一个学前的女孩也更有可能告诉你她想成为一个护士,而不是工程师。我的一个同事曾教育她的小女儿性别刻板印象存在危害,然后她将小女儿带到自己的大学课堂。当学生们问这个小女孩:"你长大后想做什么啊?"这个小女孩立刻回答:"医生!"她的教授妈妈骄傲地笑了。然后,小女孩偷偷地告诉前排的学生:"我其实想做一个护士,但我妈妈肯定不让我做。"实际上,这是幼儿常见的反应。与年长儿童相比,学前儿童有更刻板的性别角色观念;与女性的职业相比,所有年龄的儿童对男性的职业都有更刻板、传统的想法(Woolfolk & Perry, 2015)。

随后,儿童进入青春期,他们变得更关注自己的行为是否表现得"像男人"或"像女人",而这些标准是由他们的同伴文化、社交媒体、父母或环境所界定的。例如,在一项研究中,向儿童和青少年展示了女孩性别化和无性别化的形象,他们认为性别化的女孩比无性别化的女孩更受欢迎,但也认为性别化的女孩不如无性别化的女孩健壮、聪明和漂亮(Stone, Brown, & Jewell, 2015)。性别化的性别刻板印象在女孩和年长的学生中得到了更为强烈的认同,这表明,随着孩子年龄的增长,性别化形象在媒体中的曝光也会增加,这对女孩形成性别图式可能尤其重要。

其他研究表明,当父母(尤其是母亲)看到科学、技术、工程和数学(STEM)领域的有用性和价值时,他们的孩子在整个高中都会参加更多的 STEM 课程(Rosek, Hyde, Svoboda, Hulleman, & Harackiewicz, 2015)。即使是学习环境中的微小变化(例如,当计算机科学教室包含科幻小说书籍等带有刻板印象的对象而不是植物时)也可能引发不利于一些学生的性别刻板印象。一项研究表明,仅仅上一堂刻板的计算机科学课堂,就会让青春期的女孩感觉不太愿意上这门课,因为她们担心自己不属于这里(Master, Cheryan, & Meltzoff, 2016)。总之,从生物学因素到文化规范,很多因素都会影响性别角色的发展,当心非此即彼的解释。

课程资源与媒体中的性别歧视

当我在长途火车上正好忙着校对这本书前一个版本的这一页时,一位列车员在我身边停下来说:"对不起,打断一下你的家务,我能看看你的车票吗?"他这种性别歧视的态度(我确定是无意的)让我笑了一下。我很怀疑他是否会用同样的问题去质问那个坐在走道对面正在写东西的男人。就像种族歧视一样,性别歧视(gender biases)①的信息可能很微妙,并可能出现在教室里(见 Brown & Stone, 2016; Leaper & Brown, 2014)。

---

①性别歧视——对男性和女性有不同的看法,通常喜欢某一性别,而不喜欢另一性别。

不幸的是,学校经常用不同的方式助长性别歧视的观念。即使出版者已经制定了一些准则,以避免学校教材中的性别歧视,但我们仍有必要检查教材中是否存在性别角色的刻板印象,特别是考虑到学校图书馆里的书更新缓慢。例如,即使现在儿童的书籍中男性和女性作为主角的次数相同,但在标题和举例说明中有更多的男性,并且书中的角色(尤其是男性)仍脱离不了刻板印象的框架。男孩多是好争斗、善争辩。而女孩则是善于表达情感、温柔亲切。女孩角色有时会跨越性别角色的界限,变得更加主动,但男孩角色则很少表现出"女性的"善于表达情感的特征(Brannon,2002;Brown,2014;Evans & Davies,2000)。此外,视频学习软件、虚拟世界、社会媒体网站以及 YouTube 等资源,不会像多数教材那样仔细地筛选有关性别、种族、民族、经济、宗教或年龄的刻板印象和歧视,因此,它们成了这些刻板信息的来源(Henry,2011)。数字化教学、测验材料以及电脑程序中的人物也多以男孩为主,同时包含其他的歧视。看看视频格斗游戏中男性和女性的体格,他们正在宣传多么不真实、不健康的身体形象。

学生在正式上学前,他们接触时间最长的"教材"便是电视和网络媒体。一项研究采用内容分析法对电视广告进行分析,结果发现,白人男性的角色远远多于其他群体(在前面的"停下来想一想"中,当你看广告时是否也发现了这一点?)即使是在只呈现声音的情况下,男性解说广告的数量也可能是女性的十倍之多。这种以男性为代言人的电视广告模式也普遍出现在美国、欧洲、澳大利亚和亚洲等地区。女性比男性更容易被塑造成"依赖男性的",而且多是以"家"为主要描述背景的(Brannon,2002)。因此,无论是在上学前还是上学后,学生都可能会接触到男性占多数比例的教材。纪录片《雕塑小姐》(Miss Representation)(Siebel Newsom,2011)提供了许多令人信服(并且相当令人震撼)的例子,说明了主流媒体和文化是如何描述女孩和妇女处于过度兴奋又动力不足的地位的(请参见 http://therepresentationproject. org,了解更多信息,包括教育者工具包)。

教学中的性别歧视

关于教师如何对待男女学生的研究有不少,但大多数研究所关注的都是白人学生。因此,本小节中所报告的结果多数都是针对白人学生的。

很多研究均证实,性别歧视似乎更偏向男性。过去30年来最具说服力的一项发现是:总体而言,教师与男生的互动比女生的互动要多,但同时也有更多的消极互动,而非积极互动(Jones & Dindia, 2004)。这个情况从学前一直持续到大学。教师会问男生更多的问题,给男生更多的反馈(赞扬、批评和纠正),并且也会给男生更多具体而有价值的建议。当然,这些差异并不是平均分配的。一些男孩,通常是成绩好的白人学生,得到的关注和指导会比平均数更多;而成绩好的女孩,受到教师的关注则是最少的。平均来说,老师认为男孩比女孩更擅长数学,除非女孩比男孩更努力、表现更好、更渴望学习。只有这样,老师才会认为女孩的数学能力和男孩差不多(Robinson - Cimpian, Lubienski, Ganley, & Copur - Gencturk, 2014)。

最近的研究还分析了教师内在的观念和态度(回想一下前面提到的冰山比喻)可能对女孩和男孩产生的不同影响。例如,一些证据表明,女孩能领悟到教师的态度。在一项研究中,如果教师对数学的焦虑程度较高,女孩们在期末数学考试中得分就较低,并且更倾向于认同男生在数学方面优于女生的观点(Beilock, Gunderson, Ramirez, & Levine, 2010)。教师可能没有意识到,他们的行为受到自己态度的影响,但通过直接的指导、示范或与男孩和女孩的差异互动,他们可以对学生如何看待自己以及学生们的表现产生重大的影响(Gunderson, Ramirez, Levine, & Beilock, 2012)。

但并非所有的偏见都偏向男生。在过去10年里,北美、西欧、澳大利亚和一些亚洲国家的教育工作者,开始质疑学校是否为男生提供了良好的教育。之所以会有这样的担心,是源自很多国家的数据似乎都表明男生的学业成绩不佳。事实上,男孩在学校的成绩不佳被称为"当今时代最紧迫的教育公平的挑战之一"(Hartley & Sutton, 2013, p. 1716)。更为惊人的指控还包括学校试图破坏"男孩文化",并将"女性的、女孩的"文化强加给男孩。

男孩之所以在学校里面临困难,一种解释是学校教育的期望并不符合男孩的学习方式(Gurian & Stephens, 2005),尤其是那些非裔美国男生(Stinson, 2006)。另一种解释是男生为"表现自己的男子气概,赢得尊重",会对抗学校的期望和规章制度,从而故意破坏自己的学习成绩(Kleinfeld, 2005, p. B6)。批评者认为,学习应该提供更小的班级、更多的讨论、更清晰的规则、更好的指导课程,以满足男孩的需要。同时,学校里应该有更多的男性教师,而实际上90%的小学教师是女性(Svoboda, 2001)。为使学校能更有效地对男孩和女孩进行教育,一种通行的做法是男女分班。2008年,《纽约时报杂志》的封面故事就是这个主题(Weil, 2008)。2015年和2016年,《大西洋月刊》报道了这个话题的"复苏"(Anderson, 2015;Yap, 2016)。在过去的十年中,美国许多学区都在英语、科学和数学等核心学科中尝试了男女分班(Herron, 2013)。那么这种两性隔离的方式有效吗?阅读下面的"观点与争论",了解相关论点。

观点与争论:男孩和女孩应该接受不同的教育吗?

支持者认为学生最好与同性伙伴一起学习。批评人士则表示,男女分班对学生的影响很小,并且可能会加剧性别刻板印象,甚至导致更大的性别差异。

观点:男孩和女孩有独特的优势和挑战,应该以不同的方式进行教学。

在2001年,《不让一个孩子掉队》(NCLB)法案开始允许公立学校开设同性班,引起了许多教育者的注意,这导致了2006年对第十一条法规的修订,即取消了对单一性别公共教育的禁令。本着创新的精神,许多学校响应号召,开始为男孩和女孩们的特殊需要提供服务指导。毕竟,2012年PISA测试结果显示,在全世界15岁的儿童中,男生在数学和阅读成绩的最低分和最高分上的比例过高,女生在数学方面的自信心普遍低于男生而焦虑程度普遍高于男生(OECD,2015)。检验是否所有学生都能从单一性别教学中受益似乎是合乎逻辑的(Bigler, Hayes, & Liben, 2014)。

此后,美国1000多个学区都在某种程度上实施了男女分班教学(Klein, Lee, McKinsey, & Archer, 2014)。一些组织,如古里安研究所(http://www.gurianstitute.com/),为学校提供了书籍和专业发展工作坊,基于假设男孩和女孩具有不同的学习"风格",专注于如何为每个性别的学生提供最好的教育(Gurian & Stevens, 2005)。利奥纳德·萨克斯(Leonard Sax)是一位坚定的男女分班的支持者,他认为风格不同是源于男女之间根本的生物学差异,需要对他们采取不同的教学方法(Leonard, 2005)。男女分班可以帮助女孩发展她们自己的优势,提高她们的自信、兴趣和成绩,尤其是在科学、技术、工程和数学四大学科上(STEM)。另一方面,男孩可以专注于加强他们的读写能力和合作能力。古里安和其他研究者在媒体上发布了一些有趣的发现,这些发现显示了分别针对两种性别进行教学的收获(e. g., Gurian, Stevens, & Daniels, 2009)。学生和家长可以选择就读单一性别学校或者男女混合学校,这可能意味着这些学生倾向于对单性学习环境做出良好的反应。

对立的观点:女孩和男孩的相似点多过彼此的差异,应该一起上课。

一些研究人员对支持性别隔离教育方法的数据进行了批判性研究,他们认为这些方法未能实现其在学习和心理健康中促进性别平等的承诺。黛安·哈普恩(Diane Halpern)和她的同事在2011年发表的文章《单性教育的伪科学》(the Psendosciance of Single - sex schooling)中指出,关于同性教育的研究"被严重误导了,而且常常以薄弱、精心挑选或具有误导性的科学论点为依据,而不是有效的科学证据"(Diane, 2011, p. 1706)。例如,当研究人员考虑到学生的初始表现水平时,许多学生在单性教学中并没有获得成就。这些学者认为,对单性教育的研究缺乏随机分配的统计严谨性,因此这些研究可能是由于抽样问题或研究者偏见得出的结果。事实上,哈普恩和她的同事声称男女分班实际上会由于使性别差异更加明显(因此导致性别成见),从而使结果更加糟糕。他们指出,研究表明,当一组人与另一组人被区分开时(基于性别、眼睛颜色,或者甚至是T恤颜色),人们会产生群体间的偏见。他们认为,单性教育最大限度地减少了性别平等所需的机会,即教育男孩和女孩彼此合作。"与其他群体成员的积极合作是改善群体间关系的有效方法"(Diane, 2011, p. 1707)。

但是男性和女性之间存在生物学差异的证据是什么?男人真的来自火星而女人来自金星吗?海德(Hyde)进行了一项元元分析(即对46项元分析的综述),总结了数百项关于人类行为中性别差异的研究(Hyde, 2005)。她的研究发现为她提出的"性别相似性假说"提供了证据。除了一些重要的例外,男性和女性在许多心理和表现指标上都高度相似。这些差异的大小在整个生命周期、在不同情境中都有波动,这可能导致研究人员高估性别差异的大小和稳定性。例如,许多关于性别差异的证据来自对成年人的研究,而成年人已经有了多年的社会化经验;这些性别差异不一定存在于儿童身上。毕竟男孩和女孩也许来自同一个星球……因此应该以同样的方式接受教育。

小心非此即彼。那么,单一性别的学校或课堂能促进学生的学习吗?答案是:"视情况而定"。最近的一项元分析研究提供了迄今为止最全面的答案,解决了哈普恩及其同事发现的一些方法学问题。帕尔克(Pahlke)、海德(Hyde)和阿利森(Allison)对来自21个国家的160万名从幼儿园到12年级的学生参与的184项研究的结果进行了检验(Pahlke, Hyde, & Allison, 2014)。他们研究了就读于单性学校和男女同校的学生是否展示了不同的表现和态度。由于研究设计的质量参差不齐,研究人员对使用随机分配的研究与未使用随机分配的研究分别进行了分析。在将学生随机分配到单一性别课堂的研究中,两个环境中的学生之间只出现了细微的差异。在单性别学校,女生和男生的表现都略好一些,但在男女同校学校就读的女生比在同性学校就读的女生有更高的教育抱负。

男女分班的支持者和批评者都一致认为,良好的教育绝不是一刀切的。教师必须意识到没有什么针对男孩或女孩的特殊教学策略——好的教学就是好的教学。根据性别将学生分组并没有将教学变得更简单;实际上,男女分班让班级更加难以管理,也会加剧性别成见。"指南:避免教学中的性别歧视"会提供一些其他的方法,帮助你避免在课堂上对学生产生性别偏见。关注每个学生的动机和成就意味着不同的时间可能需要使用不同的方法。正如很久以前威廉·詹姆斯(William James)提醒老师们:"我们不能为所有事情制定具体的规则。这依赖于具体情况下的细心观察"(William, 1899/2001, p.55)。

指南:避免教学中的性别歧视

检查你所使用的课本和其他教学材料,看看这些材料是否在用公正的态度来看待男性、女性和性别错位的个体。举例:

1.在工作、休闲和家庭情境中,男性和女性是否都会被塑造成传统的角色或非传统的角色?

2.与学生讨论你的分析,并邀请学生一起帮你找出这些素材中的性别角色偏见,例如杂志广告、电视节目、新闻报道等。

警惕课堂活动中存在任何无意造成的偏见。举例:

1. 你是否会在某些特定的活动中用性别来分组?那些不愿意把自己贴上男孩或女孩标签的学生做何感想?这样的分组合适吗?

2. 你是否会叫某一性别的学生来回答特定的问题?例如数学方面的问题让男生回答,诗歌方面的问题让女生回答。考虑你给学生的反馈的质量。

3. 小心你的隐喻。比如让学生解决问题时不要使用"tackle the problem"这个短语(因为"tackle"在一些俚语中与男性身体有关。)

找出学校可能针对男生或女生所设的限制。举例:

1. 弄清楚指导教师在课程和职业选择方面会给学生什么样的建议。

2. 查看有没有提供男女生都适合参与的运动项目。

3. 女生是否会被鼓励参加高级科学和数学课程,男生是否会被鼓励参加英语和外语课程。

尽可能使用与性别无关的语言。举例:

1. 使用包容性术语(例如,用"law‐enforcement officer"和"mail carrier"来替代"policeman"和"mailman")。

2. 在称呼某个委员会的负责人时,用"head"来替代"chairman"。

提供反刻板印象的性别榜样。举例:

1. 要求学生阅读由女性科学家或女性数学家发表在专业期刊上的文章。

2. 邀请近期毕业的主修科学、数学、工程或其他科技领域的女大学生,跟你班上学生聊聊大学生活。

3. 为男生和女生开设网络指导课程,让学生有机会接触到自己所感兴趣的领域中的相关从业人员。

确保所有学生都有机会从事复杂、技术性的工作。举例:

1. 把相同性别的学生分在一组做实验,以避免女孩老是当"秘书"、男生总是当"技术人员"的情况出现。

2. 在组内轮换工作,或随机分配任务。

如果你作为一名实习教师看到性别偏见怎么办?更多观点,请查看 Teaching Tolerance. org,并搜索"classroom resources"。

性取向。性取向是关于吸引力的感觉——"一种内在机制,它将一个人的性倾向不同程度地导向女性、男性或两者"(Savin-Williams & Vrangalova, 2013, p. 59)。性取向和性别认同是人类发展的不同方面(Orr et al., 2015)。例如,一个性别认同为女性的人可能会同时被男性和女性所吸引(即双性恋倾向)。性取向的常见标签包括男同性恋、女同性恋和双性恋。另一个经常使用的类别是模糊取向,即不确定自己的性取向(Robinson & Espelage, 2012)。但像身份标签一样,性取向标签是个人的不完备表述,也有些人并不喜欢给自己贴标签。这使得准确评估不同性取向的人口数量有点困难。

研究发现,大约8%的青春期男孩和6%的青春期女孩报告自己与同性发生过性行为或被同性强烈吸引。青少年阶段,男性比女性更可能拥有同性性伴侣。但在大学期间,女性则更可能拥有同性性伴侣。但实际上,只有少数的青少年是真正的同性恋或双性恋——大约4%的青少年确认自己是男同性恋(选择同性伴侣的年轻男性)、女同性恋(选择同性伴侣的年轻女性)或双性恋(拥有不同性别的伴侣)。到了成年,这个数字增加到5%~13%(Savin-Williams, 2006)。个人报告自己性取向的方式可能会影响这些结果。一个想要进行同性性行为的学生可能不会认同自己是同性恋,也未必会向他人透露自己的性取向(Savin-Williams & Cohen, 2015)。

相当多的同一性发展模型已经描述了一个人如果不是异性恋,会如何理解自己的性取向。总体而言,这些模型包括下列或与之类似的阶段(Savin-Williams & Cohen, 2015)。

● 感觉不同——6岁左右,大部分儿童会减少对其他同性孩子的活动的兴趣。而一些儿童可能发现自己与其他人不同,因此而感到焦虑并害怕被别人发现。其他儿童则不会经历这些焦虑。

● 感觉困惑——青少年时期,当他们发现自己被同性吸引时,这些学生会感到困惑、不安、孤独、不知所措。他们可能缺少角色榜样,会尝试改变自己的活动和约会方式,以符合异性恋的刻板印象。

● 接受——成人早期,大部分年轻人已经梳理好自己的性取向,并认同自己是男同性恋者、女同性恋者或双性恋者。他们可能公开或不公开自己的性取向,但会告诉身边的一些朋友。

不过,这种同一性发展的阶段模型存在一个问题,它们都假设同一性获得就是最终的结果。实际上,新近的模型强调性取向是灵活的、复杂的、多层面的,在人的一生中都可能发生改变。例如,一些人可能在人生的一段时间与异性伴侣约会或结婚,但在随后的一段时间内会受到同性的吸引或有同性伴侣,反之亦然(Garnets,2002)。

基于性别表达和性取向的歧视

性别表达或者性取向错位的儿童和青少年(也就是说,他们的表达方式与同龄人不同)比其同班同学更有可能受到同龄人和成年人的歧视(Brown,2017;Brown & Stone,2016)。例如,如果一个男孩的偏好或行为不符合男性的社会规范,就会经常被取笑,受到恐同的辱骂,被污蔑为娘娘腔,或者更糟——受到身体攻击。男孩和女孩都会受到这种侮辱。根据最近的一项元分析研究,被认定为是女同性恋、男同性恋、跨性别或双性恋的青年(通常使用更具包容性的术语——性少数青年)更有可能成为校园暴力的受害者(Toomey & Russell,2016)。全国性调查数据也显示了这一点。2011年全美校园环境调查报告要求青少年汇报他们过去一年的经历。在接受调查的性少数青年中,85%以上的人听到过"男同性恋者"这个词被贬义使用,70%的人在学校里经常听到其他恐同言论,82%的人曾受到言语骚扰或威胁,55%的人经历过某种形式的网络欺凌,38%的人曾受到身体上的骚扰或攻击(Kosciw,Greytak,Bartkiewicz,Boesen,& Palmer,2012)。几乎所有人都表示对这些事件感到痛苦,有一半人由于自己的性取向和/或性别表达在学校感到不安全。这些压力会导致性少数青年的学业成绩下降。(Poteat,Scheer,& Mereish,2014)。

这种受害带来的压力是性少数学生比异性恋同龄人更容易失学和企图自杀的原因之一(Robinson & Espelage,2012)。跨性别学生尤其容易受到压力增大的影响。幸运的是,接受美国联邦政府援助的学校开展的教育项目和活动必须遵守1972年教育法修正案第九条的规定。第九条保护所有学生的受教育权利,并确保他们有一个安全、无歧视的环境,无论他们的性别认同如何(Lhamon & Gupta,2016)。然而,目前一些州正在对第九条的解释提出疑问,美国最高法院很可能在不久的将来对此做出裁决。

教师如何为所有学生创造一个安全的学习环境,不管他们的性别认同如何? 正如一位负责人所观察到的,教师的最终目标应该是确定孩子需要什么才能"感到安全、被包容和被支持"(Orr et al., 2015)。我们在第十三章中讨论了欺凌和教师在处理各种欺凌中的作用。现在,让我们来考虑一下,如果学生带着性别认同或性取向的问题来找你,你能做些什么? 即使父母和教师通常不是第一个知晓青少年性别认同困惑的,你也可以做好准备。如果有学生向你寻求帮助,表6.2为性少数青年群体提供了一些寻求援助和创造安全环境的建议。此外,你可能会发现,查阅同性恋者与异性恋者教育网络(GLSEN)出版的《2016年安全空间工具包:支持学校女同性恋、男同性恋、双性恋和跨性别学生的指南》(2016 Safe Space Kit:A Guide to Supporting Lesbian, Gay, Bisexual, and Transgender Student in Your School)和《学校转型:支持K-12学校跨性别学生指南》(Schools in Transition:A Guide for Supporting Transgender Students in K - 12 Schools)是很有帮助的(Orr et al., 2015)。这两种资源都可以在线获取。通过简单提供一个非主观判断的事实,教师就可以帮助性少数青年建立更加积极和健康的自我认同(Riggle & Rostosky, 2012)。

在本章中,我们已经讨论了很多方面的差异。教师如何才能为所有学生提供合适的教育呢? 现在我们来讨论这个问题。

表6.2 向不同性取向学生提供援助

这些建议来自 Attic Speakers Bureau——雅典青少年中心的一项计划,雅典青少年中心主要是训练同伴教育者来帮助年轻人,以及对在学校、相关组织、卫生保健机构中为青少年提供服务的人进行培训。

提供援助
当一个女同性恋、男同性恋、双性恋或跨性别的青少年或者对自己的性取向感到困惑的年轻人直接找你寻求帮助时,请记住下面简单的五步计划: 　　**倾听**　这个方法看起来很平常,但却是与那些年轻人交谈初期你最应该做的事情。通过倾听,可以让他们尽情地宣泄和表达他们的经历。 　　**支持**　告诉他们"你不是孤单的",这点至关重要。很多性少数青少年感到孤独,因为他们缺乏与自己讨论性取向问题的同伴。让他们了解到有很多人也面临同样的问题,这对他们来说弥足珍贵。这样的陈述对交谈也是非常重要的,因为它不涉及对个人的评价。 　　**求助**　没必要把自己当成一个专家。把这些青少年转介给专门处理这些问题的专家,这是在帮助这些年轻人,而不是失职。

处理 应对骚扰者——不要忽视性取向引起的言语或身体的骚扰。创设并维持一个让所有青少年感觉舒适、愉快的环境是非常重要的。

随访 确保跟进这些个体，看看情况是否有所改善，考虑未来你还可以做些什么来帮助他们。

除此之外，还有一些建议能够帮助你更好地为女同性恋/男同性恋/双性恋/跨性别/对其性取向感到疑惑的青少年以及正在应对性取向问题的青少年提供服务：

· 面对有关性取向和性方面的话题时，表现得坦然、放松。

· 参加相关培训，学习如何有效地呈现有关性取向的信息。

· 通过了解事实、分享信息等方式肃清有关性取向的谣言。

· 工作时要撇开自己的个人偏见，以便更好地帮助学生解决性取向和性方面的问题。

资料来源：From The Attic Speakers Bureau and Carrie E. Jacobs, Ph. D. Reprinted with permission.

创建文化融合的课堂

想象一下费城市区的一个十年级班级，肯塔基州农村的一个一年级班级，埃尔帕索的一个八年级班级。现在想象一下你在电视上看到的教室和那些你上过课的教室。课堂是一个人们每天聚集的独特的地方，汇集了穷人、富人以及介于二者之间的人，这些人的文化背景大有不同，性别认同和性取向问题也并非都符合刻板印象，再如宗教、家庭构成、政治立场和能力等生活的其他重要方面差异也很大。教师从自己独特文化背景里来到工作场所，如何创建能够容纳、保护甚至拥抱文化多样性的课堂？

一些教育工作者已经注意到，创造文化融合的课堂是提供多元文化教育（Multicultural education）①的基础。

多元文化教育（Multicultural education）是一个涉及广泛的学校改革并为所有学生提供基础教育的过程。多元文化教育反对和拒绝学校和社会中的种族歧视和其他形式的歧视；接纳和支持学生、学生所在社区以及他们教师所表达和体现出的多元文化（民族、种族、语言、宗教、经济、性别及其他）。（Nieto & Bode, 2012, p. 42）

---

①多元文化教育——使所有学生都能公平地接受教育的教育改革运动。

詹姆斯·班克斯(James Banks)认为,多元文化教育存在五个维度:内容的整合、知识的构建过程、偏见的减少、包容的学校文化和社会结构、公平的教学,具体如图6.6所示(James,2014)。很多人只是熟悉内容的整合这一维度,或是在教一门学科时会使用不同文化的实例和内容。这是因为,他们认为多元文化教育就是在课程上做些改变,一些教师甚至认为多元文化教育与教学、科学这样的学科无关。但如果你考虑其他四个维度——帮助学生理解知识是如何建构的、减少偏见、在学校创设一种促进所有学生学习和发展的社会结构以及实行公平的教学或使所有学生受益的教学——你便会发现多元文化教育的观点与所有学生和所有学科有关。

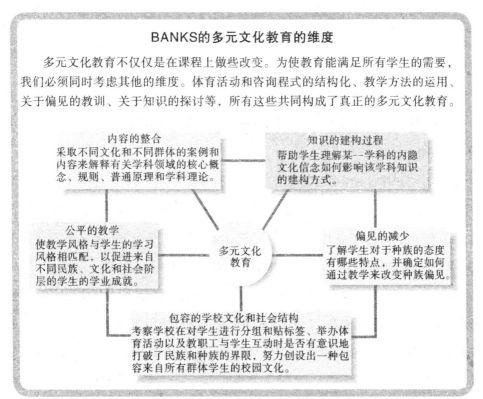

资料来源:James A. Banks (2014), An Introduction to Multicultural Education (5th edition). Boston, MA:Pearson,经许可后转载。

图6.6 BANKS 的多元文化教育的维度

对可以替代多元文化教育的教育方法的研究已经超出了教育心理学的范围,但我们必须意识到,关于什么是"最好"的教育方法是没有定论的。然而,很多教育学家认为文化相关教学法在所有课堂都是有益的。

文化相关教学法

一些研究者主要关注那些在教育有色人种学生和贫困学生方面取得成功的教师（Delpit，1995；Edmin，2016；Milner，2015；Siddle Walker，2001）。格洛丽亚·莱德森－比林斯（Gloria Ladson-Billings）的研究便是一个很好的例子（Gloria，1990，1992，1994，1995）。她用三年时间研究了在加利福尼亚州为非裔美国人社区服务的优秀教师。她请家长和校长来推荐这样的教师。家长所推荐的教师不仅会尊重家长，激发孩子的学习热情，而且能理解孩子需要很好地适应两种不同的世界——家庭社区和外面的白人世界。在校长推荐的教师所带的班级里，学生较少违纪、出勤率高，并且在标准化测验上成绩较高。在这项研究中，家长和校长共同提名了9位教师，莱德森－比林斯深入研究了其中的8位。

根据研究，莱德森－比林斯提出了一个优质教学的概念，她将这种优质的教学称为文化相关教学法（Culturally relevant pedagogy）①，并指出文化相关教学法必须符合下列三个原则：

1.学生必须体验到学业上的成功。"尽管当前社会存在一些不公平的现象，课堂环境也不太友善，但学生仍然需要发展他们的学业技能。发展这些技能的途径是多样的，但所有学生都需要具备基本的读写、运算、操作、社会和政治方面的技能，以便成为民主社会中的积极参与者。"（Ladson-Billings，1995，p. 160）。

2.学生必须发展或维持自身的文化能力。随着学生他们的学习技能的提高，他们仍需要维持自身的文化能力。"采用文化关联教学的教师，会把学生的文化当作学习的工具。"（Ladson-Billings，1995，p. 161）例如，一位教师用说唱音乐来教授学生学习诗歌中的字面含义和象征意义、押韵、头韵和拟声。另一位教师则将社区里一个做红薯派很有名的人请进教室来指导学生的学习。后续的课程还可以包括探究乔治·华盛顿·卡弗（George Washington Carver）关于红薯的研究、味道测试的大量分析、红薯派

---

①文化相关教学法——能有效地教育有色人种的学生，包括让学生体验到学业上的成功，发展或维持自身的文化能力，以及具备一种挑战现状的批判意识。

的市场销售计划以及成为一名厨师所需的教育准备等。

3.必须培养学生形成挑战现状的批判意识。除了发展学生的学业技能、维持学生的文化能力外,优秀教师还应该帮助学生"发展一种广泛的社会政治洞察力,使他们对滋生和助长社会不平等的社会规范、价值观、道德观念、社会制度予以批判"(Ladson-Billings,1995,p.162)。例如,一所学校的学生对使用过时的课本感到不满。于是,他们动员学生调查那些特许中产阶级学生使用新课本的款项支出,然后给报社编辑写信,质疑这些不平等的现象,并通过其他渠道获得新信息来更新课本内容。

莱德森-比林斯指出,很多人认为她所提到的三个原则是教学的基本要求。她赞同这样的说法,但同时也质疑"为什么这样的教学却很少发生在非裔美国学生的课堂上"(Ladson-Billings,1995,p.159)。

莉萨·德尔皮特(Lisa Delpit)指出,采用文化相关教学方式对有色人种学生进行教学包含以下三个步骤:(1)教师必须相信学生内在的智力特征、人性和精神特征——教师必须相信学生。在美国,很多学校都有这样的例子,即有些来自低收入家庭的非裔美国学生的阅读水平高于年级平均水平,数学成绩也非常优秀。学生的学习成绩低,责任不在于学生,而在于他们所接受的教育。(2)常常有教师会认为,学生测试成绩高就说明学生学得好,自己照本宣科地上课就是好的教学。这实际上是一种错误的观点。成功的教学应该是"持续的、严谨的、是将不同学科的知识加以整合的,与学生所处的文化相联系,与他们文化的智慧遗产相联系,能够吸引学生,并能促进学生批判性思维和问题解决能力的发展,因为这两者有利于学生适应课堂外的世界"(Delpit,2003,p.18)。(3)教师必须从各方面了解学生,并了解他们有什么样的遗传特性。这样,学生才能不断去探索自己的智慧遗传特性,才能理解为什么要发展学业、社会、身体及道德等方面的技能——学习不仅仅是"为了找到一份工作,而是为了我们的社会,为了我们的祖先,为了我们的后代"(Delpit,2003,p.19)。

迈克尔·普瑞斯利(Michael Pressley)及其同事选取了一所在教育非裔美国学生方面很成功的K-12学校进行个案研究(Michael,2004)。研究者列出了该学校有效教学的一些特征,见表6.3。如何将其应用于其他环境中的学习者?

表 6.3　与非裔美国学生学业成功有关的学校和教师特征

学校的特征	教师有效教学的特征	其他特征
强有力的行政领导	教师有为教育献身的精神,并对学生的学习负责	总体上有充足的学习时间,能有效地利用每一天或每一周的时间。如利用上学前和放学后的时间与其他学生进行互动和帮助他人,充分利用每一分钟的上课时间,为某些需要学习课程的学生提供暑假学校课程等
经常对学生的进步做出评价	很多时间教师只是提供支架,鼓励学生自我调节	学生会帮助其他学生提高学习成绩
重视学习	课程和教学重视学生的理解	家庭和学校之间有紧密、牢固的联系
安全有序的环境	为学生提供指导,尤其是在申请大学等方面	有成就的校友会通过捐赠和物质资助来回馈学校
对学生的学业成就有很高的期望,会选择性地招收和保留学生——学校会淘汰那些不好好把握学习机会的学生(如行为不端的学生,或没有达到学业标准的学生),再重新招收有良好学习意愿的学生	有意识地、大量地、频繁地激发学生的动机,包括使用以下方法: • 积极的预期; • 来自教师和管理者的易察觉的关心; • 赞扬学生某些特定的成就; • 形成整体的一种积极氛围,鼓励学生; • 让学生体验合作学习; • 对成就给予明确的奖励	一些在学校里不太常见的动机激发方法: • 为学业成功举行盛大的集体庆祝仪式; • 鼓励学生将自己看成是一个未来的大学毕业生和成功的专业人士; • 避免学生对未来形成消极的看法; • 提供事实和证据,使非裔美国学生为自己的文化传统和生活感到自豪
大多数课堂的课堂管理都非常好,因此教学时间大多是花在学习任务上	教师为学生的学业成就提供坚强有力的教学支持(如指导学生学习,明确考试期望,提供有益的信息,对学生的作业给予反馈,并在考试前组织学生复习)	提供很多课外活动,丰富课程内容——绝大多数措施都是以促进学业发展为目的,或希望能增加学生对学业追求的投入
		学校建筑富有吸引力,并能提供很多的资源,以促进学生的学业追求

资料来源:Based on Pressley, M. , Raphael, L. , Gallagher, J. D. , & DiBella, J. (2004). Providence St. Mel School: How a School That Works for African American Students Works. *Journal of Educational Psychology*, 96 (2), pp. 234 – 235.

过去关于如何对来自少数群体(种族、民族或语系)的低收入学生进行教学,争论的焦点主要集中在补救问题或克服已有的障碍等,但现在的观点则强调发挥学生的长处。贝丝·多尔(Beth Doll)及其同事描述了教育学和心理学中有关如何最有效地对贫困儿童和残疾儿童进行教学的研究。他们认为,有两个因素维系着学生和他们的课堂:学生的自我能动性和人际关系(Beth, 2005)。

自我能动性因素。

●学业自我效能感,学业自我效能感是一种关于自身学习能力的信念,是预测学业成就最为稳定的一个指标。正如你将会在第十一章中所看到的那样,在提供给学生必要支持的情况下,让学生处理有挑战的、富有意义的任务,同时观察完成同样任务的他人表现时,他们的自我效能感就能得到发展。教师正确的和鼓励性的反馈,也有利于学生学业自我效能感的发展。这就要求教师注意到"当孩子们内化了这样的信念时——他们是蠢笨的、无动于衷的、可有可无的——他们眼中的痛苦,"(Delpit, 2012, p. xx)。教师可以通过挑战社会信息来支持学生的自我效能,这些信息将黑人和穷人描述为"坏",白人和富人描述为"好"。

●行为的自我控制,行为的自我控制也称作学生的自我调节,是建立安全有序的课堂环境的必要条件。第七章、第十一章和第十三章将会介绍一些帮助学生发展自我控制的方法。

●学业自我决定,自我决定是自我管理因素的第三个成分,包括做出选择、设定目标、持续付出等方面。正如你将会在第十二章中所看到的那样,自我决定的学生能够感觉到自己很有能力,能够独立自主,并且与其他人产生并保持联系。所有这些都可以通过一个有爱心的教师来促成。这样的学生有更强的学习动机和学习投入。

人际关系因素。

●温暖的师生关系,充满关怀的师生关系与学生良好的在校表现呈现稳定的正相关,对那些正面临严重挑战的学生更是如此。我们在第一章和第三章已经介绍了教师的关注对学生的影响,在本书的余下章节中我们将会继续探讨这种充满温暖的师生关系的价值。

● 有效的同伴关系,正如我们在第三章所见,同伴关系也是联结学生与学校的重要因素。

● 有效的家—校关系。有效的家—校关系是为学生建立一种充满关怀的人际网络的最后一个成分。在学校发展计划中,詹姆斯·科默(James Comer)发现当家长持续地积极参与子女教育时,其子女的学习成绩和测验分数会提高(Comer, Haynes, & Joyner, 1996)。

学习中的多样性

如何组织课堂以反映学生学习的多样性? 让我们来看看教师们如何尊重课堂上存在的可能影响学生学习的文化差异:社会组织、文化价值观、学习偏好、社会语言学和文化脱节,这些是罗兰·撒普(Roland Tharp, 1989)首次提出的,并为教师提供了有用的建议。

社会组织。社会结构或社会组织是指人们为达到某一特定的目标而进行互动的方式。例如,夏威夷的社会组织注重协同合作。儿童会和一群朋友、兄弟姐妹玩在一起,年长的孩子则常常会照顾年幼的孩子。在课堂上,如果将四五名夏威夷男孩和女孩组成合作小组,学生的学习和参与的积极性就都会有所提高(Okagaki, 2001, 2006)。教师在特别关注某一小组时,其他小组内的孩子则会相互帮助。但同样的结构,放在纳瓦霍的课堂上就不适用了,这些学生不会一起合作,因为纳瓦霍的儿童从小接受的观念就是要独立,不可以跟异性儿童一起玩。面对同样的儿童,教师可以通过组成2—3人的同性别学习小组来鼓励他们合作。因此,如果你班上有来自不同文化的学生,你需要提供多种不同的分组方式供学生选择。

文化价值观与学习偏好。正如本章所述,所有的学习者(和教师)都有不同的价值观和偏好,这些价值观和偏好与他们不同的文化背景有关。例如,一些研究的结果表明,拉美裔的学生很注重对家庭和群体的忠诚,这可能就意味着,这些学生更喜欢合作性的活动,而不喜欢与同伴竞争(Garcia, 1992; Vasquez, 1990)。这可能也意味着学生的行为方式会反映某些拉美裔价值观,比如丁费尔德(Dingfelder)提出的这四种价值观(2005):

家庭主义：与家庭有很紧密的联系，讨论有关家庭的问题和事情都会被视为对家庭的不忠诚；

和谐：重视人际关系的和谐，武断地发表自己的看法或争论在他们看来都是不妥的；

尊重：非常尊重教师和政府官员等权威人士。

人际取向：重视亲密的人际关系，不喜欢疏远的、冷淡的、职业化的人际关系。

非裔美国学生的学习风格可能与美国多数学校的教育方式有冲突，他们的学习风格具有以下的特点：喜欢视觉的/整体的学习方式，而不是言语的/分析的；喜欢随意的推断，而不是有条理的逻辑推理；关注人与人之间的关系；喜欢精力充沛地同时参与几项活动，而不愿意按部就班地学习；喜欢估算数字、空间和时间；喜欢更多地依赖非言语交流。与只有唯一正确答案的封闭性问题相比，那些认同自身传统文化的有色人种学生似乎在开放性问题上表现得很好，经常会想出多个答案；而且与细节题相比，他们更能创造性地回答概括性问题或强调意义理解的问题（Bennett，2011；Gay，2000；Sheets，2005）。

美国印第安人似乎更看重谦逊与和谐，而不是竞争。美国印第安学生似乎也是比较喜欢整体的、视觉的学习风格。例如，纳瓦霍学生喜欢在讨论故事情节前先把故事从头到尾完整地听一遍。对这些学生来说，教师中途停下来提问是一件很奇怪的事情，也会打断他们的学习过程（Tharp，1989）。这些学生有时候会有强烈的愿望，希望能独自地通过尝试错误的方式来学习，他们不喜欢教师公开指出自己所犯的错误（Morgan，2009）。

但正如前面所提到的，对任何一个群体抱有刻板印象都是危险的，尤其是在不同文化的学习风格方面。我们应该重新审视这里的一些注意事项。

谨慎参考有关学习风格的研究。当你在阅读有关文化价值观和学习偏好的研究时，请牢记以下两点：首先，一些有关学习风格的研究，它们的效度已经受到了严重的质疑,正如你在第四章中看到的。其次,关于"研究不同群体中学习风格和学习偏好上的差异是不是危险的、种族主义的(和/或性别歧视的)"如今已是争论的热点。在我们的社会中,我们常常会把"差异"当作是"缺陷"和刻板印象(Christopher, Wendt, Marecek, & Goodman, 2014)。后一种观点认为白人中产阶级文化是"正常的"和有价值的(McIntosh, 1989, 2009; Paris, 2012)。

这里我介绍了一些有关文化学习风格差异的信息,是因为我相信,只要明智地使用,它们能帮助我们更好地理解学生,但如果假定某个群体中的每一个个体的学习风格都是相同的,那就是极其错误和危险的了(Sheets, 2005; Tyler et al., 2008)。给教师的最好建议是:敏锐地观察所有学生中的个体差异,促成可行的、适当的学习方式。永远不要根据先入为主的有关民族或种族的假设,对学生的最佳学习方式抱有成见,应认真去了解每一个学生。

社会语言学。社会语言学(sociolinguistics)①是有关"不同文化中交谈的礼节和习俗"的研究(Tharp, 1989, p. 351)。教室是一个特殊的交流环境,它有自己的一套规则,规定了使用语言的时间、方式、对象、主题和礼节。为了成功地进行交流,学生必须了解交流规则。也就是说,他们必须理解课堂上的语用学(pragmatics)②——交流的时间、地点和方式。但这并不是件容易的事情,当课堂活动发生变化时,交流规则也在变化。有时你必须举手才能发言(老师讲课的时候),有时却不需要(当大家围坐在地毯上讲故事时或者在实验室里做实验的时候);有时候提问是合适的(例如讨论时),但在另外一些情况下,提问就不太合适了(例如老师在批评你的时候)。这些不同的活动规则被称为参与结构(participation structures)③,它们明确了每一种课堂活动的适当的参与方式,大多数课堂有很多不同的参与结构。要在课堂上进行有效的交流,学生有时需要理解那些非常微妙的、非言语的线索,以便了解何种参与结构是比较有效的。

---

①社会语言学——旨在考察研究不同文化群体内部的正式和非正式的交流规则,例如交流的方式、时间、主题、对象及时间跨度等方面的规则。

②语用学——有关在特定文化中何时以及如何使用语言以成为一个有效沟通者的规则。

③参与结构——关于参与某项特定活动的正式和非正式的规则。

例如,当老师走向黑板,学生就应该抬起头看着黑板,做好认真听讲的准备。

　　一些儿童之所以会比其他儿童能更好地理解课堂情境,是因为学校的参与结构与他们在家庭所学到的结构是一致的(Tyler et al.,2008)。大多数学校的交流规则与中产阶级家庭的规则接近,因此来自这些家庭的儿童通常看起来能更好地交流,他们了解那些不成文的规则。也有一些学生即使和老师说着同样的语言,在交流方面可能仍有困难,也因此在学习上出现问题。面对这种情况,教师可以做些什么呢? 教师应该清晰明确地说明交流规则,不要误以为学生知道该怎么做。一旦情境发生改变,记得给学生一些提示,解释并示范正确的行为。我曾见过教师向学生解释如何使用"默读"、"小声说话"及"轻声细语",他先讲解,然后做示范:"当我和其他同学一起工作时,如果你必须打断我,那么请你安静地站在我旁边等,直到我可以帮助你为止。"对学生的反馈要保持一致,如果希望学生举手回答问题,就不要叫不举手的学生回答。教师可以用这些方法教会学生该如何在学校里学习。

　　文化脱节。当学生的价值观、参与结构和学习偏好与主流学校的文化相冲突时,会发生什么? 毕竟,没有价值中立的学习环境(Christopher et al.,2014)。许多少数民族学生基于他们自己的文化价值观的学习偏好和学习实践在学校中难以持续,而这些通常来自家庭或父母的社会化活动,肯尼斯·泰勒(Kenneth Tyler)及其同事将这种学校里的行为过程称为文化脱节(cultural discontinuity)(Tyler,2008,p. 281)。一些在校学生很难在学校文化中找到自己的价值观,而学校文化主要是建立在白人中产阶级的规范之上。因此,正如克里斯托弗·埃姆丁(Christopher Emdin)在他的《给那些在黑人聚居区教书的白人老师们》(For White Folks Who Teach in the Hood)一书中尖锐地指出:一些学生"很快就会发现,为了获得学业上的成功,他们应该脱离自己的文化"(Emdin,2016,p. 13)。为了融入不同价值观的学校文化中,学生的代价是什么? 埃姆丁说,"丧失了尊严,粉碎了他们的人格"。"进入学校时认为自己聪明能干的城市青年面临着无视其现实的课程安排和试图抹杀其文化的校规"(Emdin,2016,p. 13)。这些学生认识到他们必须顺从,否则在他们的老师和同龄人的眼中,他们可能会变得毫无存在感和价值。

给教师的建议：教育每一位学生

有效教学应该与谦逊和尊重文化差异相结合(Delpit, 2012)。在一个环境中可行的文化行为和价值观可能在另一个环境中不可行。这并不意味着一个是正确的,另一个是错误的。你该如何理解学生的文化,并以此为基础开展教学? 你该如何应对多种不同的语言? 下面将介绍四条一般性的教学原则,以帮助你解答这些问题。

了解自己。与自己的种族和民族传统、文化和语言背景、性别和性取向能够熟悉、轻松地相处,对于你能够为学生创造一个同样的安全空间至关重要。自我意识还包括质疑这样一种假设,即你的价值观和经验是"标准",是衡量他人的尺度。帕吉·麦金托什(Peggy McIntosh)鼓励所有的教师——尤其是白人教师——去探索他们自己不同的身份(McIntosh, 2009)。这意味着我们每个个体,作为种族、经济、民族、宗教、性别和性取向(仅举几例)交叉而独特的身份,要反思从我们周围的各种权力体系中获得优势和劣势的方式。让我强调下这一点:所有人在生活中都会自然得到一些特权和劣势,而这些都在不同程度上与他人在不同环境中对其身份的评价方式有关。花点时间回到本章前面的"停下来想一想"活动。你的身份能给你带来什么优势? 你的身份又能给你带来什么劣势? 这对于你理解自己的学生经历有什么帮助?

了解学生。我们必须了解我们的学生是谁,他们有着怎样的传统(Delpit, 2003)。读完这一章有关文化差异的内容,并不足以让你了解所有学生的生活。我建议你参加一些大学的相关课程或阅读一些其他的相关资料。但仅仅阅读和学习也还是不够的,你应该去了解学生的家庭和社区。埃尔巴·雷耶斯(Elba Reyes)是一位为有特殊需要的儿童服务的成功的双语教师,她介绍了自己的做法:

> 我发现通常如果你真的想要了解一位家长,就要到他所处的环境中去,这是与家长建立信任、理解家长观点的关键。首先,去了解他们所在的社区,熟悉当地的杂货店在哪、学生放学后干些什么。然后,在家长方便的时间安排一次家访。家庭环境并不总是带来失败,有时我会发现孩子在家里做得很成功,比如骑车或帮忙做晚饭。(Bos & Reyes, 1996, p. 349)

试着与学生及家长一起做些课外活动,邀请家长到教室里来,向学生们介绍自己的工作、爱好或自己民族的历史和传统。不要等到学生有问题时才跟家长见面。观察和倾听学生在不同规模的团体中与他人的互动情形。让学生给你写信,并给他们回复。和一两个学生一起吃午饭。在教学之外,也要花一些时间与学生相处。

尊重学生。我们应当尊重学生的学习意志——因为他们面临着很多挑战,也克服了很多障碍,我们必须相信自己的学生(Delpit, 2003)。对一个孩子来说,得到真诚的接纳是发展其自尊的必要条件。有些少数群体儿童的自我形象及其职业抱负会在上学的最初几年有所降低,这可能是因为学校过分强调主流文化的价值观、成就和历史。一种解决方案是采用埃姆丁(Emdin)所说的"现实教学法——一种主要目标是教师要尊重每个学生自己的文化和情感领域的教学方法"(Emdin, 2016, p. 27)。教师可以通过邀请学生在课堂上介绍他们的文化(以文学作品、艺术、音乐或其他文化知识的形式),帮助学生保持对自己民族文化的自豪感。这种文化的融合绝不仅仅是做些"表面功夫",例如介绍某个民族的饮食或服饰,学生必须了解不同群体对社会与人类智慧发展所做出的重要贡献。目前,有很多优秀的文献资料可供教师参考,以便帮助教师能更好地了解不同群体学生的背景信息、历史和相应的教学策略(例如,Banks, 2014;Emdin, 2016;Gay, 2000;Irvine & amp;Armento, 2001;Ladson Billings, 1995)。请记住,这不仅仅局限于少数民族成员。学习者可以在学校课程中看到其他群体成员(如性少数成人)也是同样重要的。

教育学生。对学生来说,教师能做的最重要的事情就是教他们学会读、写、说、计算、思考和创造——教学应该具有持续性、严谨性,并应该与学生所处的文化相联系(Delpit, 2003)。对学业和高期望的高度重视以及对学生的关怀支持是一个关键因素(Palardy, 2013)。要留意隐藏的偏见是如何潜入的。有时,为了同情处于危险中的学生并且减轻他们的压力,老师给予这些学生比特权学生更积极的反馈。这种善意但过于积极的反馈会降低这些学生的期望并且减少其学业挑战(Harber et al., 2012)。通常情况下,社会经济地位低下或者少数民族的学生,他们的目标只集中在基本技能上。

学生们被教授单词和发音,但故事的意义却在这之后才教授。更多建议请阅读"指南:文化相关教学法"。

指南:文化相关教学法

尝试不同的分组方式,促进班级人际关系的和谐与合作。举例:

1. 尝试"结伴学习"和配对学习。

2. 组成四五人的异质小组。

3. 让高年级学生建立较大规模的团队。

为不同学习风格的学生提供不同的学习方法。举例:

1. 为学生提供不同阅读水平的言语材料。

2. 提供诸如图表、模型等各种视觉材料。

3. 提供录音带和录像带。

4. 组织活动和项目。

直接教授课堂规则,即使是那些你认为每个学生都应该知道的行为规则。举例:

1. 告诉学生该如何引起老师的注意。

2. 告诉学生当他们需要帮助的时候,何时以及怎样打断老师。

3. 说明哪些材料学生可以随意使用,哪些需要征得老师的同意。

4. 向学生示范如何适当地表达对其他同学观点的不赞同或质疑。

了解学生不同行为的含义。举例:

1. 询问学生,当你肯定和表扬他们时,他们的感觉如何,为什么他们有此感觉?

2. 向家庭、社会成员或其他教师征询那些你不熟悉的学生的表情、手势或其他反应的含义。

在教学中强调意义的理解。举例:

1. 确保学生理解他们所读的内容。

2. 尝试一些不需要书面材料的教学方式,如讲故事等。

3. 以日常生活经验为例来说明抽象概念。比如,用账单上的透支来说明负数。

了解学生的风俗习惯、传统和价值观。举例：

1. 以节日为主题，探讨不同传统和风俗的由来和含义。

2. 分析同一事件中不同的传统。

3. 参与社区事务和节日活动。

帮助学生鉴别有关种族主义、古典主义、性别歧视和恐同的信息。举例：

1. 分析课程资源中的偏见。

2. 让学生成为"偏见侦探"，报告媒体上有偏见倾向的评论。

3. 讨论学生会使用什么样的方式来表达自己对其他同学的偏见，以及遇到这种情况时应该做些什么。

4. 充分利用教育时机。讨论在媒体、课程资源或课堂上出现的偏见的表现方式，如反犹太主义或者同性恋恐惧症。

最后，直接教学生如何做一个学生。在低年级，可以直接讲授课堂的礼节和行为规则：如何依次发言、何时和怎样打断教师、如何轻声说话、如何在小组中得到帮助、如何做出有利的解释，以及在与他人交往时如何尊重差异。高年级时，教师要教给学生适用于各个学科的学术性语言和学习技巧。在不违背前面提到的第三条原则"尊重学生"的前提下，要求学生学习"在学校里我们该怎么做"。在学校里提问题的方式可能与家庭里围坐在餐桌旁提问问题不同，但学生可以同时学会这两种方式，而不必考虑孰优孰劣。当然，在学校里可能会出现更多不同的情况，你也可以自己尝试一些其他适当的方法。

总结

当今的多元文化课堂

文化是什么，文化多样性又是如何影响学习和教学的？ 有关文化的概念有许多许多，但大多指代的是某种特定的知识、技能、规则、传统、信仰以及能够引导部分特定群体行为的价值观等等：文化是一种生活方式。在包括地域、国籍、民族、种族、性别、社会地位以及宗教等的诸多文化要素影响下，每个人都是众多文化群体中的一员。处在特定的文化群体中并不会决定成员们的行为或价值观，但是他们很可能会被培养出特定的价值观或行为。每一种文化群体都拥有巨大的差异性,就好比你遇到两个人,特妮丝和杰西,她们本身就体现着多样性。

有时候文化间的差异非常明显,如同海面上冰山浮出的一角。但也有时候文化间的差异也非常细微,如同冰山隐藏于水下般难以发觉。当具有这些细微的文化差异的个体碰在一起的时候,就很容易发生误解和矛盾。当人们总是倾向用主流文化中认定的价值观和才能去判定学生在学校里如何表现才算作"正常的"或是适当的行为时,这些矛盾就可能会发生。于是在这类情景下,如果将已经接受过某种文化熏陶的孩子置于另一种文化氛围中,其表现可能就会被视作是行为不当,不遵守规则,或者是举止粗鲁无礼。

经济和社会阶层的差异

SES 指的是什么? 它和社会阶层有什么不同? 社会阶层反映的是一个群体在社会中具有的威望和权力。大多数人都对他们自己及他们同龄人所处的社会阶层非常了解。而社会学家则倾向使用术语社会经济地位(SES)来衡量个体所有财富、权力、对资源的掌控水平以及社会威望间的差异变量。一个人的社会经济地位取决于多个因素——不仅仅是收入——这个因素对 SES 的影响常常会超过其他的文化差异。目前为止,还无法用任何一个单一变量作为评估 SES 的有效指标,但大多数研究者们将 SES 统分为四个级别:上流、中产、工人以及底层。表格 6.1 中即对不同 SES 级别人群的特点进行了归纳总结。

SES 和在学业成绩之间有什么关系? 社会经济地位和学业成绩呈中等相关关系。对于各个民族而言,SES 水平更高的学生在考试分数上表现出较高的平均水平,并从留校学习时间上来看也要长于那些 SES 水平较低的学生。孩子处于贫困环境的时间越长,对其学业成绩的影响也越大。为什么 SES 会和学业成绩有关联呢? SES 水平较低的学生可能会面临着卫生保健条件不足、老师期望低、自卑感、习得无助、参与抵制文化、学校分层、家庭环境缺乏刺激性、暑期退步等不利条件。最后一个重大的发现是指 SES 水平较低的孩子会由于暑期不能待在学校内而失去学习场所,而 SES 水平高的孩子则能继续学习取得进步。

教学中的民族和种族

首先要区分民族和种族。民族(文化传播行为)和种族(通过体貌特征建立起的社会分类)都是人们用来描述他们自己和其他人的重要类别。但少数民族/种族群体(无论是数量上或是历史上遭受过边缘化的)的人口正在迅速增长。

老师和学生间的民族文化差异如何影响他们在学校的表现?当老师和学生在文化信仰、价值观和期望值上存在差异时,师生间的矛盾可能会因此产生。矛盾产生的原因常常是隐性的文化差异,当某些微小的文化差异聚集到一起时,师生间就很容易产生误解。在经过某些文化培养后,学生的学习态度和行为会更符合学校期望。而不同族群间在认知和学术能力方面存在差异的现象,在很大程度上算是种族隔离导致的遗留问题,并会继续激发种族偏见和歧视的情况产生。

区别偏见、歧视和刻板印象威胁。偏见是一种偏执的、不公平的概括——对某类人群先入为主的判断或态度。产生偏见的原因可能会来自特定的种族、族裔、宗教、政治、地理或语言群体,也可能会针对个人的性别或性取向。歧视则是对一特定人群的不公平对待或行为。刻板印象威胁是指你在学业情境中的行为表现可能证实了他人对你的刻板印象,并由于这种成见给你造成了额外的情感或是认知负担。对于单个个体而言,其实并不需要过多在意他人眼中的刻板印象。真正重要的是要知道自己真正给他人留下的印象是怎样的,并且个体也会关注自己的言行举止,用良好的表现来推翻他人心中的刻板印象,且避免带给他人负面情绪和影响。可以确定的是,短期内,负面的刻板印象会引发学生的考试焦虑并会影响其发挥水平,而长期处在刻板印象威胁中会导致个体对自己的学业水平和成果失去认同感。

教学中的性别

性别认同和性别角色是什么,它们又是如何发展的?性别认同是指一个人沿着女性—男性变化区间感受其自身性别的个人看法。性别角色指的是一系列刻板的男性或是女性的行为和特点。父母和教师对于不同性别的孩子采取的不同教育行为,以及大社会环境因素都会影响孩子对他们性别角色的理解。通过他们和家庭、同龄人、老师以及总体环境之间的交流互动,小孩逐渐开始形成性别图式,即关于男性女性定义的系统性知识网络。

性别偏见又是如何传达出来的? 在许多儿童书籍中,标题和插图都以男性角色居多,并且里面的人物(特别是男孩)仍然以传统的方式展现其作为男性的特点。而书中的女孩人物有时会跨越性别角色,显得更加生动活泼,不过很难看到男孩子的角色会展示"女生"的表现特征。电视广告和网络媒体中也存在性别的过度表征。不管怎么说,学校内教师和男同学的互动也要多于女孩。最近部分教育工作者声称学校不应如此拥护男孩,并建议以后开放单性教室,而对于男女分班课堂价值所在的研究也是各式各样。

一个人性取向的发展有哪些阶段? 性取向的发展阶段会遵循从不适应到困惑再到接受的模式,特别是对存在特殊性取向的少部分学生而言(男同性恋,女同性恋,双性恋和变性人)。有部分研究人员声称一个人的性取向不总是固定的,并且可能随着时间推移而改变。

创建文化融合的课堂

多元文化教育是什么? 多元文化教育是一个旨在提高所有学生受教育公平性的研究领域。理想化的多元文化教育格局下,美国社会应当会转变成一个崇尚多样性的社会。杰姆斯·班克斯提到要达到多元文化教育有五个方面:整合内容,帮助学生理解知识是如何受文化信念影响的,减少文化偏见,在学校内创建能够支持所有学生学习和发展的社会架构,并且采用能够覆盖所有学生的教学方法。

文化相关教学法是什么? 格洛里亚·拉德森－比林斯(1995,2000)指出文化相关教学法基于三个命题:学生必须在学业上收获成功,发展或保持他们的文化竞争力,并且培养出批判性的思维去挑战现状。

教师如何能够发挥出学生的优势? 有两条方针可以帮助将学生和他们所在的课堂社区紧密联系在一起。第一条着重强调学生的自我能动性,即他们设定目标和追求目标的能力。这一点包括了学业上的自我效能感、自我控制和自我决定能力。第二条方针着重强调学生与老师、同龄人和家庭之间的关心和联系。

学习方面应注意的多样性有哪些? 教师应当关注课堂上的社会组织和学生们的参与结构,并直接教导学生如何在这样的架构中取得成功,战略性地利用好学生的文化价值观和学习偏好信息,避免课堂上出现文化脱节的情况。此外,教师应了解他们自己和学生都是拥有复杂身份的个体。这些条件的达成能够带给每一个学生所期待的尊重并更加有效地教导他或她。

关键术语

Bias	偏见
Culturally relevant pedagogy	文化相关教学法
Culture	文化
Discrimination	歧视
Ethnicity	民族
Gender biases	性别歧视
Gender identity	性别认同
Gender roles	性别角色
Gender schemas	性别图式
Growth mindset	成长型思维
Intersectionality	交织性
LGBTQ（lesbian，gay，bisexual，transgender，and questioning）	性少数群体（女同性恋，男同性恋，双性恋，跨性别者和对其性别认同感到疑惑的人）
Minority group	少数群体
Multicultural education	多元文化教育
Participation structures	参与结构
Pragmatics	语用学
Prejudice	偏见
Race	种族
Resistance culture	抵抗文化
Sexual orientation	性取向
Socioeconomic status（SES）	社会经济地位
Sociolinguistics	社会语言学
Stereotype	刻板印象
Stereotype threat	刻板印象威胁

教师案例簿

白人女孩俱乐部——她们会做什么？

以下是一些专家教师对"白人女孩俱乐部"一章开头所描述的情况的反应

LAUREN ROLLINS　一年级教师

Boulevard Elementary School, Shaker Heights, OH

在我的教室里,任何形式的歧视都是不能容忍的! 我会通过各种不同的方式来应对这种不幸的情况——全班授课、私下小组讨论以及与我的新学生和她的父母一对一的会面。我会把糖果(或者其他学生想要的东西——贴纸、铅笔等等)分发给一组选定的人——男孩、棕色眼睛的学生等等,然后开始我的全班授课。我会故意成立一个小组,这个小组将组成"白人女孩俱乐部"的女孩子排除在外。这个活动会引发全班的讨论,讨论一组学生做了另一组学生没有做的事情是多么不公平。我们会谈论被排斥的群体对这种轻视的感受,以及为什么不以任何理由歧视他人是重要的。我还会附上一本支持这个主题的儿童读物。我会在阅读过程中停下来,讨论书中不同人物的感受。接下来,我会私下和组建这个俱乐部的女孩们见面。我要提醒她们,把别人排除在一个群体之外是不应该的,也是我不能容忍的。要么每个人都可以玩,要么没人可以。最后,我将会见我的新学生和她的父母。我会请她告诉我班上一些她有兴趣与之建立友谊的学生的名字,我会鼓励她的父母在校外为他们的女儿安排一对一的活动日,希望通过此方式建立友谊。

PAULA COLEMERE　特殊教育教师—英语、历史

McClintock High School, Tempe, AZ

在新年伊始我最喜欢的一堂课上,我给每个学生五颗杂豆,让学生选出"最好的"一颗。然后我们讨论为什么他们选择那颗豆子作为最好的,并在与人们交流之前讨论豆子的不同之处。经过讨论,我们通过角色扮演处理了多样性的不同情境,讨论不同情况下的结果。这是一个很好的教学,因为它不仅讨论了差异性还涉及了自尊。虽然所有的学生都可以提高自尊心,但这很可能帮助新来的女孩更好地面对这种情况。这

一课可以针对年轻或年长的学生做出调整以适用于他们。因为这些学生都很年轻,我希望这是一个温和的方式,让"俱乐部"的女孩们看到她们一直在做的事情是错误的。下一步我将会与女孩们谈谈,并在必要时进行调解。

PAUL DRAGIN　九至十二年级 ESL 教师

Columbus East High School, Columbus, OH

根据观察,当有歧视的情况时,我会毫不犹豫地迅速采取行动。根据学生的年龄阶段,我会从两个方面来解决这个问题。我会在课堂上谈论如何建立团体,展示一些关于被排除在外或被忽略时的感觉的情境和视频。对于这个易受影响的年龄段的孩子来说,这种令人不安的困境可能会给一些孩子留下不可磨灭的印记,如果处理得当,他们就会内化这种被排除在外的学生不可避免地产生成为"其他人"的感觉。我会联系组建"白人女孩俱乐部"评论的那些女孩的父母,让他们知道我听到的和看到的关于新学生的事情。希望这可以把一个不幸的情况变成一个很好的学习机会,并使其在之后学生面对与他们不同种族、民族或文化的人时一直伴随着他们。

JESSICA N. MAHTABAN　八年级数学教师

Woodrow Wilson Middle School, Clifton, NJ

我的第一反应是调查这个"俱乐部"。我可以和每个女孩单独谈话,问她们为什么创办这个俱乐部,以及为什么她们觉得把人排除在俱乐部之外很重要。此外,我还必须确保家长、管理人员和辅导员也了解情况。

我的工作就是尽我所能向我的学生解释排斥任何人是不礼貌的。我会告诉他们一些关于排斥的不同情境,并要求他们对每一种情境的个人感受进行反思。我们会在小组以及整个班级讨论这些情境和他们的感受。一起解决问题将是找到问题的各种解决方案以及找出在不同情况下谁可以帮助他们的最佳方法。希望在这些课程结束时,每个学生都能明白,我们的课堂是一个家庭,作为一个家庭,我们接受差异,而不是排斥。

SARA VINCENT　特殊教育教师

Langley High School, McLean, VA

歧视和种族主义经常因为无知而发生。最小化歧视的最佳解决办法是教育个人了解不同的文化。老师可以邀请新同学的家人到教室里谈论他们的背景和经历,也可以让整个班级完成一个关于家庭历史的项目。一旦课堂上的其他学生更多地了解了新同学的文化,他们将更有可能接受她的不同,并理解她与他们没有太大的不同。另外,老师可以让新同学在课间休息或在课堂上担任队长,这样她就不会最后被选中。这将帮助她获得与同龄人交朋友的信心。当教师试图把重点放在教育学生的正面行为的方面时,她应该让行政部门意识到"白人女孩俱乐部"的情况。如果其他女孩的令人担心的行为继续发生,管理人员应该介入并注意这种情况。

第二部分

学习与动机

第七章　学习的行为主义观点

概览

教师案例簿

厌学——你会做什么?

你的一个学生要求每周至少两次去看学校的护士。按照护士的说法,他的大部分抱怨都是毫无根据的。没错,有一次他确实得了流感,但是十次有九次是完全没有问题的。最近你注意到当有口头作业或是他必须面对全班发言的时候,他就会"生病"。你会采取什么措施来处理这种情况?

批判性思维

- 这是一种典型的恐惧症吗? 如果是,你要怎么做?

- 这种行为可能会起什么作用?

- 你将采取何种更积极的行为以帮助这个学生找到其他方法来满足他的需要?

- 在这种情况下给予奖励或施以惩罚会有用吗? 为什么?

概述与目标

本章我们从学习的一般定义开始,这个定义考虑到了不同理论流派对立的观点。在这一章,我们将重点介绍行为主义流派,在第八章和第九章中,我们将重点介绍另一主要流派——认知学派;然后我们将在第十章考察建构主义,在第十一章考察社会认知观点。正如你所看到的,有很多看待学习的方式,并且每一种都可以为教育工作者提供一些参考。

我们在这一章将集中讨论四种行为学习过程：邻近、经典性条件作用和操作性条件作用以及观察学习，最后两种过程是我们讨论的重点。在考察了教学应用行为分析的含义之后，我们将讨论当前学习的行为方法的方向，即功能行为评估、积极行为支持和自我管理。最后，我们要考察班杜拉对学习的行为主义观点的挑战，以及对教育工作者提出的有关行为主义的其他批评、警告和伦理考虑。

当你学完这一章后，你需要做到：

目标7.1　从行为视角定义学习，包括它与神经科学的联系以及涉及邻近学习、经典性条件作用、操作性条件作用和观察学习的过程。

目标7.2　解释邻近学习和经典性条件作用的早期观点，并描述它们对教学的影响。

目标7.3　解释操作性条件作用特别是正强化和负强化、呈现性和去除性惩罚的异同，以及强化安排如何影响学习。

目标7.4　应用行为方法矫正教室内外的行为，这些方法包括：鼓励和消退行为、塑造、正练习、暂时契约方案、代币强化方案、团体效应以及适当使用惩罚。

目标7.5　应用功能行为评估、积极行为支持和自我管理技术。

目标7.6　评价当前对学习的行为主义理论的挑战并提出有关其应用的担忧。

理解学习

当听到"学习"这个词时，我们中大多数人想到的是读书和学校，是要掌握的科目或技能，比如代数、西班牙语、化学或空手道，但学习并不局限在学校，我们生活的每一天都在学习。婴儿们学习踢腿以转动婴儿床上的风铃，年轻女孩学习所有她们热爱的泰勒·斯威夫特歌曲的歌词，像我一样的中年人学着改变他们的饮食和运动方式，而每过几年我们都学着寻找一种更有吸引力的新款衣服，因为我们曾经喜欢的旧款式已经落伍了。最后的一个例子表明学习并不总是有意的。我们并没有试图喜新厌旧，尽管事情看起来是这样的。我们并不会提前意识到当走上舞台时会紧张，但大多数人确实如此。那么这种被称为学习的、对人有着巨大影响的现象是什么呢?

从广义上说,当经验(包括实践)引起个体的知识、行为或行为倾向发生相对持久的变化时,学习(learning)①就发生了。这种变化可能是自觉的也可能是不自觉的,可能变得更好也可能变得更糟,可能正确也可能错误,可能是有意识的也可能是无意识的(Mayer,2011;Schunk,2016)。这种变化必须是由经验(人与环境的相互作用)引起的,才能称为学习。仅因成熟而发生的变化,像长高或头发变白,不能称为学习。由于疾病、疲劳、药物或饥饿导致的短暂变化也不是一般定义上的学习,两天没有进食的人不是学习饥饿。当然,在我们应对饥饿的过程中,学习起着一定的作用。

我们的定义中,由学习导致的变化特指个体知识、行为或行为倾向的变化。大多数心理学家都会同意这种说法,只是认知心理学家倾向强调知识的变化,而行为心理学家则关注行为的变化。行为倾向是指尽管个人并不总是对变化采取行动,学习也发生了。即使时机未到之前没有发生这种行为,倾向仍然存在(S. B. Klein,2015)。

在本章中讨论的心理学家都支持行为学习理论(behavioral learning theories)②。行为主义观点关注行为的变化,并强调外部事件对个人的影响。一些早期的行为主义者,如华生(J. B. Watson,1919)采取了激进的立场,因为思想、意图和其他内部心理事件不能被看见或者不能严格地和科学地进行研究,这些他所谓的"精神主义"甚至不应该被包括在学习的解释之中。

有时,人们将学习的行为主义解释与一些令人不安的教学方法联系起来,这些教学方法听起来属于非常糟糕的行为矫正的范畴。行为矫正让人联想到洗脑、惩罚甚至休克疗法。正如你将在本章中看到的,基于学习的行为主义观点的教学和治疗方法的一个更准确的术语是应用行为分析(Alberto & Troutman,2017)。在我们探讨行为学习理论和基于这些观点的策略之前,让我们先提出一些重要的道德考虑。

道德问题

与使用本章所述策略相关的道德问题类似于任何旨在影响人们的过程所提出的

---

①学习——由经验引起知识或行为的持久变化的过程。

②行为学习理论——对学习的解释是把外部事件作为可观察行为变化的原因。

问题。目标是什么？这些目标如何与教师或学校的目标相对应？一项策略会对所涉及的个人有何影响？对教师或多数人的控制是否过分？

目标。本章描述的策略可以专门用于教导学生静坐、举手发言,并在其他所有时间保持沉默(Winett & Winkler,1972)。但是采用这些技术来达到这样的目的是不道德的。确实,教师可能需要建立一些组织和秩序,但行为改善并不能确保学业学习。另一方面,在某些情况下,支持学业学习可能会改善行为。教师应尽可能强调将这些策略应用于学业学习。与课堂行为的变化相比,学业上的改进更能成功地推广到其他情境。

策略。本章后面讨论的惩罚会产生负面影响:它可以作为攻击性反应的模型,并且可以鼓励消极的情绪反应。当具有较少潜在危险的积极方法也可能起作用时,惩罚是不必要的,甚至是不道德的。当更简单、限制性更小的办法失败时,应该尝试更复杂的技术。

选择策略的第二个考虑是策略对学生个体的影响。例如,一些教师根据学生在校的良好表现,安排学生在家中获得礼物或特殊活动的奖励。但是,如果一名学生有因为来自学校的不良报告而在家中受到严厉惩罚的历史,那么基于家庭的奖励计划可能对该学生非常有害,在学校取得令人不满的进展的报告可能会导致家庭虐待行为的增加。在阅读本章中的策略时,请记住这些警告和考虑。在我们深入研究学习的行为主义解释之前,让我们进入一间真实的教室,并注意可能的学习结果。

学习并不总是"表里如一"

在与一个老师合作教一个八年级的社会研究课几周之后,伊丽莎白准备自己接手了。当她走到教室前台时,她看到一个成年人走近教室门口,是诺思先生,她的学院主管。她的脖子和面孔肌肉突然变得非常紧张。

"我顺便来看看,算是我的第一次听课。"诺斯先生说,"我昨晚想告诉你,但没有联系上你。"

伊丽莎白试图掩饰她的紧张,但她把笔记收集起来准备上课时手在发料。她转向她的学生,然后介绍当天的主题。"今天让我们从一个游戏开始吧。我说一些词,然后我要你们告诉我你能想到的第一个词,我将把它们写在黑板上。但请一个个地说。好了,第一个词:奴隶制。"

"南北战争。""林肯。""自由。""《解放宣言》。"学生回答得很快,看到学生们理解了游戏,伊丽莎白放松了。

"不错,非常好。"她说,"现在尝试另一个词:南方。"

"南卡罗来纳州。""南达科他州。""南方公园,""不,是联盟,你这笨蛋。""奴隶制。""《琼斯的自由国度》。""马修·麦康纳。"由于最后这个回答,班上发出一阵笑声。

"马修·麦康纳!"伊丽莎白出神地叹了口气。接着她也笑了。一会儿所有学生都笑了。"好了,安静下来。"伊丽莎白说,"下一个词:北方。"

"蓝腹天竺鲷。"学生继续笑。"果冻肚。""肚皮舞。"教室爆发出更大的笑声,一些学生做出不恰当的动作。

"稍等一下。"伊丽莎白请求道,"这些想法有点离题了。"

"离题?棒球。"最先提到"马修·麦康纳"的男孩喊道。他站起来开始向教室后面的一个朋友扔纸团,模仿克莱顿·克肖的风格。

"旧金山巨人队。""不,是洛杉矶道奇队,笨蛋。""球类运动。""热狗。""爆米花。""电影。""《琼斯的自由国度》。""马修·麦康纳。"现在学生的反应太快了,伊丽莎白根本来不及阻止。出于某种原因,当"马修·麦康纳"这个词第二次出现时,全班笑得更厉害了,伊丽莎白突然意识到她没有把控好课堂。

"好吧,既然你们对南北战争了解这么多,请合上书,拿出笔,"伊丽莎白说道,她显然生气了。她把本打算作为合作的开卷项目的练习题分发出去。"用20分钟完成这个小测验!"

"您事先没告诉我们要测试!""这不公平!""我们还没有讨论过这些事呢!""我又没有做错什么!"即使最文质彬彬的学生,也露出抱怨和厌恶的表情。"我要向校长举报你,这是侵犯学生的权利!"

这最后一句话打击很大。全班刚讨论完人权,作为南北战争这个单元的准备。当她听到这些抗议,她感到很可怕。她要怎么给这些"测试"打分呢？练习题第一部分涉及南北战争期间的事实,第二部分要求学生创建一个新闻类节目,采访受战争影响的普通人。"好吧,好吧。这不是一个测试,但为了得到分数你们必须完成这个练习题。我本打算让你们合作完成的,但你们今天早上的行为告诉我你们还没有做好小组合作的准备。如果你们能安静认真地完成练习题的第一部分,你们就可以一起做第二部分。"伊丽莎白知道她的学生想一起为新闻采访节目写剧本。

伊丽莎白害怕回头看她的主管。他在听课表上写的是什么？

看起来,至少在表面上,几乎没有任何形式的学习正在伊丽莎白的教室里发生。伊丽莎白有一些好想法,但她在应用学习原则的过程中也犯了一些错误。我们将在这一章多次回到这个小插曲,来分析所发生的事件的各个方面。在开始之前,可以挑选出四个事件,每个事件可能涉及一个不同的学习过程。首先,学生能将卡罗来纳、达科他和公园这些词与南方联系起来。第二,当学院主管进教室时伊丽莎白的手发抖。第三,一个学生用不适当的反应继续扰乱课堂。第四,伊丽莎白听了一个学生的回答后笑了,全班同学都和她一起笑了。这四个事件所代表的学习过程分别是：邻近、经典性条件作用、操作性条件反应和观察学习。在接下来的页面中,我们将从邻近开始考察这四种学习。

早期的学习解释：邻近和经典性条件作用

对学习的最早解释之一来自亚里士多德(Aristotle)。他说当一些事件相似、相反和邻近时,我们会将它们一起记忆。最后一个原则最为重要,因为它包含在所有关于联想学习的解释中。邻近(contiguity)①原则是说当两个或多个感觉经常一起发生时,它们就会相互关联。后来,当这些感觉或刺激(stimulus)②中的其中一个发生时,其他

①邻近——由于重复配对而将两个事件联系在一起。
②刺激——激活行为的事件。

感觉也会被记起来或反应(response)①(S. B. Klein, 2015;Rachlin, 1991)。例如,当伊丽莎白说"南方"的时候,学生联想到了"卡罗来纳"、"达科他"和"公园"。他们曾多次听到这些词被一起使用。在学生学习这些短语时,其他的学习过程也可能包括在内,但邻近是一个因素。邻近在另一个众所周知的被称为经典性条件作用的学习过程中同样发挥着重要作用。

停下来想一想:闭上你的眼睛,专注于下面每一个生动的图像:法式炸薯条烹饪的味道、一次你在学校很尴尬的时候、巧克力软糖的味道、牙医钻牙的声音。在你形成每张图像的过程中你注意到了什么?

如果你像我一样,想象牙医的钻孔声会收紧你的颈部肌肉。实际上,当想象咸薯条和香浓巧克力时(尤其是因为在下午六点钟,我还没有吃晚饭的情况下),我真的会流口水。我记得第一件尴尬的学校事件是当我在高中全校师生面前做侧手翻时摔了一跤。每当我回想起这段回忆时,仍会伴随着小小的畏惧。经典性条件作用(classical conditioning)②关注非自愿的情绪或生理反应(如恐惧、肌肉紧张增加、分泌唾液或出汗)的学习。这些反应有时被叫作反射(respondents)③,因为他们是对刺激的自动反应。通过经典性条件作用的过程,人类和动物可以被训练来对某种刺激做出非自愿的反应,而此前这种刺激对他们没有影响或者有十分不同的影响。这些刺激会自动引发或产生反应。

经典性条件作用是由俄国生理学家巴甫洛夫(Ivan Pavlov)在20世纪20年代发现的。他试着确定狗从进食到分泌唾液所需的时间。但这个时间间隔不断变化。起初这些狗像所期望的那样在进食过程中分泌唾液。然后,这些狗一看见食物就开始分泌唾液。最后,当它们听见科学家们走向实验室的声音就分泌唾液。巴甫洛夫决定从他最初的实验中绕过去,考察这些意想不到的干扰因素或最初被他称为"心理反射"的东西。

---

①反应——可观察到的、对事件的回应。

②经典性条件作用——将自动反应与新刺激联系起来。

③反射——由特定刺激引起的反应(一般是自动或非自愿的)。

在他早期的一个实验里,巴甫洛夫通过使一个音叉发出声音开始,记录一只狗的反应。和预想的一样,狗没有分泌唾液。在这一点上,音叉的声音是一个中性刺激(neutral stimulus, NS)①,因为它没有引起唾液分泌。然后巴甫洛夫喂这只狗食物,狗的反应是分泌唾液。因为不需要事先的训练或"调节"来建立食物与分泌唾液的联系,食物是一个无条件刺激(unconditional stimulus, US)②。又因为分泌唾液是自动产生的,不需要任何条件,所以分泌唾液是一个无条件反应(unconditional response, UR)③。

利用这三个元素——食物、分泌唾液和音叉,巴甫洛夫证明了一只狗可以被训练在听见音叉的声音时分泌唾液。他通过把声音和食物连在一起做到了这一点。他使音叉发出声音,然后迅速喂狗食物。在巴甫洛夫如此地重复几次后,狗在听到声音后吃到食物前就开始分泌唾液。现在音调变成了一个能够引起分泌唾液的条件刺激④(conditional stimulus, CS)。在听到声音后的分泌唾液反应现在就是一个条件反应⑤(conditional response, CR)。对这种情况的一种解释集中于期望或可预测性——狗学习到:先前的中性刺激(音叉的声音)现在预示着无条件刺激(食物)的出现,所以动物以一种可期望反应(分泌唾液)回应音叉的声音——为食物做准备或期待食物。只要声音是帮助狗预见"食物在路上"的信息,声音与分泌唾液的联系或条件作用就会发生。(Gluck, Mercado & Myers, 2014; Rescorla & Wagner, 1972)。

如果你认为巴甫洛夫条件作用只是过往成果,可以思考一下这篇来自《今日美国》的节选,其描述了一项针对"Y 时代"(那些出生在 1977 和 1994 年间的人群)的产品的广告运动。

激浪公司的高管们对这种"广告策略"有他们自己的说法:巴甫洛夫联系。通过在冲浪、滑板和滑雪板锦标赛上分发品牌的样品,"在品牌和令人兴奋的体验之

---

①中性刺激——与反应无关的刺激。

②无条件刺激——使自动产生情绪或生理反应的刺激。

③无条件反应——自然发生的情绪或生理反应。

④条件刺激——在条件作用后激发情绪或生理反应的刺激。

⑤条件反应——学习到的对先前中性刺激的反应。

间有一种巴甫洛夫式的联系",戴夫·布尔韦克说。他是百事公司的高级营销总监,激浪的创造者。(Horovitz,2002,p. B2)

或许可以用这种方法解决数学作业的问题!

指南:经典性条件作用的应用

把积极的愉快的活动与学习任务联系起来。举例:

1. 强调团体竞争和合作,而不是个体的竞争。许多学生对个体竞争有消极情绪,这可能泛化到其他的学习中。

2. 通过让学生决定如何平均分点心来使分东西的练习有趣,然后让他们吃分好的点心。

3. 通过创建一个有枕头、色彩丰富的书籍和阅读木偶等道具的舒适的阅读角来使主动的阅读有吸引力。

帮助学生自愿并成功地在会产生焦虑的情景中冒险。举例:

1. 安排一个害羞的学生负责教其他两个学生如何为地图的学习分配材料。

2. 向着较大的目标设计一些小步骤。例如,给在测试情景中有"紧张"倾向的学生先每天做不评分的练习,然后每周做一次。

3. 如果一个学生害怕在全班同学面前说话,首先让这个学生坐着对一个小组读一份报告,然后站着读,接着让他讲出这份报告而不再是逐字逐句地念。最后,让他当着全班同学做报告。

帮助学生认识各种情况中的差异和相似之处,使他们能够适当地区分和泛化。举例:

1. 解释当陌生人提供礼物或游乐设施时给予回绝是合适的,但是当家长在的时候接受成人的好意则是安全的。

2. 向为大学入学考试焦虑的学生保证这个考试和他们参加过的其他考试是一样的。

我们许多对各种情境的情绪反应可能部分是通过经典性条件作用学会的。医学

有一个术语——白大褂综合征,描述那些在医生办公室被某个穿着白大褂的人测试时血压就会上升(一种不自愿的反应)的人。另一个例子是,当伊丽莎白看见她的学院主管时,她的双手就会发抖,这可能要追溯到之前对她的表现进行评估中的不愉快经历,以至于现在一想到被观察就心跳加速、手心出汗。经典性条件作用对营销经理和老师都有启示。请记住情感与态度、想法与观点都是在教室里学习的。情感学习有时候会干扰学业学习。基于经典性条件作用的程序也可以帮助人们学习更多的适应性情绪反应,就像上面指南所建议的那样。

操作性条件作用:尝试新的反应

到目前为止,我们已经集中研究了像唾液分泌和恐惧这种反射式反应的自动化条件作用。显而易见,不是所有的人类学习都是无意识的,不是所有的行为和反应都是自动的。人们积极地对其环境进行"操作"。这些有意的行动叫作操作性反应(operants)①。包含在操作性反应行为中的学习过程叫作操作性条件作用(operant conditioning)②,因为我们正是在对环境实施操作的过程中习得特定的行为。

人们一般认为提出了操作性条件作用这一概念的人是斯金纳(B. F. Skinner,1953)。斯金纳认为经典性条件作用的原理只能解释一小部分的学习行为。人类的许多行为是操作性反应而不是应答性反应。经典性条件作用仅仅描述了如何把已经存在的反应与新刺激配对,没有解释新的操作性行为是如何习得的。

行为,像反应或动作,仅仅是表示一个人在特定情景中的所作所为的词(请注意,我在这本书中用行为和反应这两个词来表示同样的意思)。从概念上讲,我们可以把行为看作是三明治式地受双重环境影响:那些发生在此行为之前的事[前因(antecedents)]③和那些发生在此行为之后的事[结果(consequences)]④(Skinner,

---

①操作性反应——由人或动物发出的自愿(通常是目标导向的)行为。
②操作性条件作用——自愿行为被结果或先前事件强化或弱化的一种学习。
③前因——先于行为之前的事件。
④结果——行为之后发生的事件。

1950)。这种关系可以非常简单地表示为前因—行为—后果或 A—B—C。随着行为的发展,一个特定的后果会成为另一个 A—B—C 序列中的前因。在操作性条件作用方面的研究表明操作性作用会因前因、后果的变化或二者共同的变化而改变。早期的研究集中在后果上,常常以老鼠和鸽子作为被试。我们首先来看后果。

后果的类型

停下来想一想:回想你曾经遇到过的使用奖惩手段的老师,试着回忆不同类型的奖励:

具体奖励(贴纸、食物、奖品、证书);

活动奖励(空闲时间、谜题、免费阅读、电脑游戏时间);

"免试"奖励(无作业、无每周考试);

社会奖励(表扬、表彰、领导角色)。

你也试着回忆各种惩罚:

失去特权(不能坐在你想要的地方,不能和朋友一起工作);

罚款(失去分数、等级和金钱);

额外的工作(家庭作业、跑圈圈、俯卧撑)。

按照行为主义的观点,后果在很大程度上决定一个人是否会重复导致此后果的行为。后果的类型和呈现的时间间隔会加强或削弱行为。我们首先看一下加强行为的后果。

强化。虽然强化(reinforcement)[1]通常被理解为"奖励",而在心理学上,这个词有特殊的含义。强化物(reinforcer)[2]指任何加强行为的后果。因此,从定义来看,被强化的行为在发生频率或持续时间上应增加。任何时候若你看到一个行为持续更久或次数有所增加,你就可以假定那个行为后果对于个体来说就是强化物(Alberto & Troutman, 2017;S. B. Klein, 2015;Landrum & Kauffman, 2006)。强化过程可图示如下:

————————————————

①强化——利用结果来加强行为。
②强化物——发生在行为之后,使得行为再发生的可能性增加的任何事件。

结果　　　　　　　效果

行为——→强化物——→加强或重复的行为

我们可以十分确信食物对于一个饥饿的动物是一个强化物,那么对人来说强化物是什么呢? 任何行动的后果是否加强行为,可能取决于个人对事件的看法及其对她或他的意义。例如,有些学生因行为不端而一再被送到校长办公室,这可能在暗示这一后果的某些相关之处对他们是一种强化,即使这对你来说并不是一件好事。顺便提一下,斯金纳没有推测为什么强化物会增加行为的发生。他认为讨论概念或意义这样的"想象中的建构"是没用的。斯金纳只是简单地描述了给定的操作行为会因为特定的后果而增加的趋势(Skinner,1953,1989)。

强化的种类有两种。第一种叫正强化(positive reinforcement)①,当行为或反应产生一个新刺激时正强化可能就会出现(Alberto & Troutman, 2017)。例如,一只鸽子啄红色的钥匙得到食物,一个学生从椅子上摔下来引起同学欢呼和笑声,一件新的外套带来许多赞美。

从教师的观点来看,即使正在被强化的反应(从椅子上摔下来)并不是"积极的",正强化也可能发生。在很多教室里,不恰当的反应的正强化在无意中发生着。教师通过无意中强化问题行为来帮助保持问题行为。例如,在伊丽莎白的课上,那个男孩第一次回答"马修·麦康纳"时,她的笑或许无意中强化了问题反应。问题行为得以持续可能有其他原因,但伊丽莎白的笑应该是其中之一。

当加强行为的后果是一个新刺激呈现(增加)时,这种情况被定义为正强化,当加强行为的后果是一个刺激的去除(减少)时,这个过程被称为负强化(negative reinforcement)②(Alberto & Troutman,2007)。若一个特定的行为导致避免或摆脱了一个令人厌恶的情境,那么这种行为在类似情境中就可能重复。一个常见的例子就是汽车安全带蜂鸣器。只要你系上安全带,那烦人的蜂鸣器就会停止。以后你会重复这个

---

①正强化——行为发生之后呈现想要得到的刺激来加强行为。

②负强化——行为发生的时候通过去除令人厌恶的刺激来加强行为。

系好安全带的行为,所以这个过程是强化。这种强化是负强化,因为系好安全带的行为去除(减少)了一个令人厌恶的蜂鸣器的刺激。想想我们本章开始那个案例中的学生,这个学生正好在口头陈述之前不断"生病",然后被送到护士办公室。这个行为使他摆脱了令人厌恶的情境——当众发言,所以"生病"得以维持的部分原因是通过负强化。之所以说这是负强化,是"生病"去除了不愉快的刺激(口头报告);之所以是强化则是因为去除刺激的行为("生病")在以后增加或重复了。当然经典性条件作用也可能在起作用。学生可能已经被引起了对当众发言的不愉快心理反应的条件作用。

负强化中的"负"并没有暗指被强化的行为一定是消极的或糟糕的,记住这一点是重要的。它的意思接近于负数的意义,一些东西被减去了。尝试将正强化与负强化与行为后增加或减少某物的结果联系起来。那种增加或减少某物有着加强(强化)行为的效果。

惩罚。负强化和惩罚常被混为一谈。为了避免这个错误,记住强化过程(正强化或负强化)总是意味着增加或加强行为。而相反,惩罚(punishment)①意味着减少或抑制行为。有惩罚跟随的行为在以后相似的情境中较少有可能被重复。另外,是效果把一个后果定义为惩罚,而不同的人对惩罚有不同的理解。一个学生可能认为被学校停学是一种惩罚,而另一个学生可能在类似情况下根本不在乎。惩罚的过程如下图所示:

后果 效果

行为——→惩罚——→减弱或减少的行为

和强化一样,惩罚可以采取两种形式中的任何一种。第一种被叫作Ⅰ型惩罚,但是这个名称没有传达丰富的信息,所以我用了呈现性惩罚(presentation punishment)②这个词。当在行为后呈现(增加)一个刺激会抑制或减少行为,呈现性惩罚就发生了。当教师训斥学生,分配额外的工作,使学生跑额外的圈圈等,他们使用的就是呈现性惩

---

①惩罚——减弱或抑制行为的过程。
②呈现性惩罚——通过在行为后呈现一个令人厌恶的刺激来减少此行为再次出现的可能性。也叫Ⅰ型惩罚。

罚。我叫另一种类型的惩罚（Ⅱ型惩罚）为去除式惩罚（removal punishment）①，因为它意味着去除（减少）一个刺激。当一个年轻人的行为不恰当时，老师和家长就会撤消他的特权，他们运用的就是去除式惩罚。两种惩罚的效果就是减少引起惩罚的行为。图7.1 总结了强化与惩罚的过程。

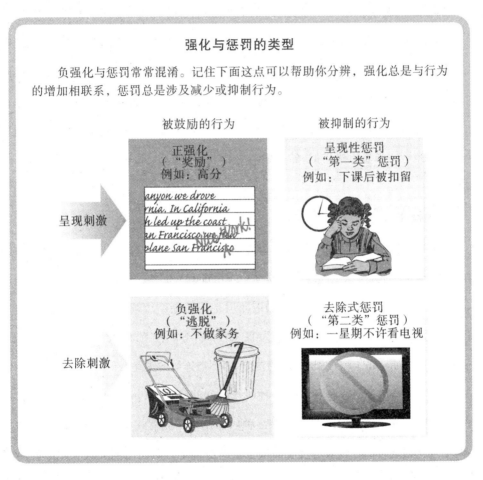

强化与惩罚的类型

负强化与惩罚常常混淆。记住下面这点可以帮助你分辨，强化总是与行为的增加相联系，惩罚总是涉及减少或抑制行为。

图 7.1　强化与惩罚的类型

强化与惩罚的神经科学

为什么强化和惩罚会产生作用？这方面有很多理论。例如，一些心理学家认为强

---

①去除式惩罚——通过在行为后去掉一个令人愉快的刺激来减少此行为再次出现的可能性。也叫Ⅱ型惩罚。

化物是偏爱的活动或者能满足主体需要的事物,然而另一些心理学家认为,强化物能够减少紧张的情绪。在第二章,我们对大脑的了解越来越多。从事动物和人类研究的研究人员已经有了很多关于学习新行为的大脑区域的发现。例如,小脑的某些部分与简单的反射学习有关,例如跟着一个特定的音调学习眨眼的动作,并且大脑的其他部分与学习如何避免类似打击之类的痛苦刺激有关(S. B. Klein, 2015; Schwartz, Wasserman, & Robbins, 2002)。其他的一些研究探索为何动物与人以某种形式表现以获取刺激或强化物。对于大脑某些部分的刺激将会使饥饿的老鼠忽略食物的存在而尽一切可能使刺激持续下去。这些相同的大脑系统与人们从许多事情(包括食物和音乐)中体验到快乐是有联系的。或许我们大脑的许多部分和复杂的活动模式让我们享受到一些经历,"学着想要它们,然后学习怎样获得它们"(Bernstein & Nash,2008, p. 187)。

强化程式

当人们正在学习一个新的行为时,如果每一次的正确反应都得到强化的话,他们将会较快地学会它,这就是连续强化程式(continuous reinforcement schedule)①。然后,当人们已经掌握了新行为,如果他们被时不时地给予断断续续的强化,而不是每次都得到强化,那么他们会对这个行为保持得最好。间歇强化程式(intermittent reinforcement schedule)②帮助学生保持技能,而不需连续的强化。

有两种基本的间歇强化程式。一种叫作时间间隔程式(interval schedule)③,它建立在两个强化物之间的时间量上。另一种叫作比率间隔程式(ratio schedule)④,建立在两个强化物之间学习者给出反应的次数的基础之上。时间间隔程式和比率间隔程式或许是固定的(可预知的),也可能是变化的(不可预知的)。表7.1总结了五种可能存在的强化安排(连续强化程式和四种间歇强化程式)。

---

①连续强化程式——每个适当的反应之后都呈现强化物。
②间歇强化程式——某些反应之后呈现强化物,不是所有反应都呈现。
③时间间隔程式——根据两次强化物之间的时间间隔长度进行的强化。
④比率间隔程式——根据两次强化物之间反应的次数进行的强化。

表7.1　五种强化程式

程式	定义	例子	反应模式	停止强化后的反应
连续强化程式	每次反应后都强化	开电视；从自动售货机买糖果	快速学会反应	持久性很差,反应消失快
定时距	固定时间段后强化	以每周测验的方法学习；轮流洗餐具(在一段具体的时间阶段之后清洗餐具)	随着强化时间邻近,反应比率提高；强化后反应比率降低	持续性差；当预期的强化时间已至而强化仍未出来时,反应迅速消失
变时距	变化的时间段后强化	突击测验；发短信(在不同的时间段后得到回复)；观鸟(发现新种类之间的时间不定)	反应慢,稳定；每次强化后很少有停顿	持久性较好；反应慢慢下降
定比率	固定反应次数后强化	电话推销员在每100张信用卡注册后得到奖金；卖蛋糕	反应速度快；强化后就停止	持久性差；如果做出了预期的反应次数,而强化物没有出现,反应比率迅速减慢
变比率	变化的反应数目后强化	投币机	反应速度非常快；强化后少有停顿	持久性最好；反应比率很快,然后逐渐下降

资料来源:Based on information in Alberto, P. A., & Troutman, A. C. (2017). Applied Behavior Analysis for Teachers (9th ed.). Boston, MA: Pearson; Klein, S. B. (2015). Learning: Principles and Applications (7th ed.). Thousand Oaks, CA: Sage.

不同安排的效果如何呢?表现的速度取决于控制。如果强化建立在你所做出的反应数目的基础上,那么你就对强化有更多的控制。你累积正确反应的次数越快,得到的强化也就越快!一个老师说:"做对这十道题,你就可以用你班上的平板电脑。"而另一位老师说:"用20分钟做这十道题,然后我会检查,十个都做对才可用你班上的平板电脑。"相比较之下,前面的那位老师能看到学生更快的表现。

行为的持久性取决于不可预测性。连续强化程式和两种固定强化程式(定比率程式和定时距程式)都具有很大的可预测性。我们期待在某点上能得到强化,当强化达不到我们的期待时我们一般会很快放弃。为了鼓励反应的持续性,变化强化程式是非常合适的。在一篇关于瓦洛里·卡梅伦的文章中,有一个很好的例子,说明了学生在变化强化程式中的持续性。刘易斯(Valorie Lewis)是《今日美国》全美国教师团队的一员。在谈到刘易斯的三年级课堂时,她的一位同事说,学生"害怕缺席,因为他们不想冒险错过任何东西。当刘易斯夫人正在计划什么特别的事情时她不会告诉他们,所以他们必须每天都在那里以防万一—(S. Johnson,2008,p.7D)"。事实上,如果强化安排逐渐变化直到它变得"快不行了"——意味着强化只在许多次反应或长时间间隔后出现——然后人们能学会在很长一段时期内工作而不需要一点强化。看赌徒玩投币机就可以知道恰到好处的强化是多么起作用!

当强化受到限制时,强化安排将影响我们反应的持久性。完全没有强化将会发生什么结果呢?

消退。在经典性条件作用中,我们知道如果条件刺激出现而没有伴随非条件刺激(只有声音,没有食物),条件反应将会消失。在操作性条件反应中,如果长时间没有强化物,一个人或动物就不会持续某一行为,这个行为最终会停止。例如,如果你重复给某人发短信但没有得到回复,你或许会放弃再给那个人发短信。没有强化会导致消退(extinction)①。不过,这个过程也可能会持续一段时间,正如你也知道的,如果你对发脾气的孩子不予注意,他们就会自行停止。孩子经常胜出——因为你没有不闻不问,那么不仅你不希望的情况不会消失,而且孩子的行为还会得到间歇的强化。这样的结果,自然是,孩子以后发脾气的毛病会越来越顽固。

前因和行为改变

在操作性条件作用中,前因——先于行为之前的事件——提供了有关哪些行为将导致积极的后果,哪些行为将导致不愉快的后果的信息。斯金纳的鸽子学会当灯亮的时候通过啄来获取食物,但当灯熄灭时则不去啄,因为灯熄灭以后再怎么啄也没有食物。换句话说,它们学会把前因的灯光作为一种线索去辨别啄的可能后果。鸽子啄的动作受到刺激控制(stimulus control)②——受到有区别的灯光刺激的控制。这同样适

---

①消退——已经学会的反应的消失。
②刺激控制——用控制前因出现或者不出现来引发行为。

用于人。例如,我发现自己(不止一次)很想转向我原来办公室的停车场,即使后来我的部门被重新安置在城镇的一个新地方。当我开车的时候,旧的地标建筑物线索使我自动地朝向我的原来办公室的方向。另一个例子是一个据说是真实的故事:一桩银行抢劫案里开车逃跑的逃犯飞速穿过城镇,却在她习惯性地在红灯前停下时被警察抓住。红灯的刺激有了自动控制的功能。我们都在学习审时度势,察言观色。你什么时候去向你的室友借车呢,是在一次很大分歧后还是在一次大家都玩得开心的晚会以后呢? 老师可以在教室有意地运用这些线索。

有效指令传递。增加学生的积极行为的一个重要的前因是你给出的指令类型。关于有效指令传递(effective instruction delivery)[1]的研究发现,简洁、清晰、具体并能传达预期结果的指令比含糊的指令更有效。陈述比提问更有效。你应该离学生只有几英尺远,从房间对面传来的指令不太可能起作用。理想状态下,你应该先和学生眼神交流,然后给他们下指令(D. S. Roberts,Tingstrom,Olmi,& Bellipanni,2008)。

线索。根据定义,线索(cueing)[2]是在某种具体的行为发生之前,提供一种作为前因的刺激的行为。线索对于使人在特定时间采取特定行为特别有用,但又容易忘记。在与年轻学生工作中,教师常常发现他们在事后纠正错误的行为。教师会问学生:"你什么时候才开始记得……?"这样的提示常常让人厌烦。错误已经犯了,年轻人只剩下两个选择,要么承诺下一次会更努力尝试,要么想"你为什么不让我一个人待着?"任何一个反应都不能让人满意。给出一个非判断性的线索有助于防止这种消极的反抗。例如,在一场考试前,一位教育心理学家可能会说,"记住,人们常常将负(减少)强化和惩罚混为一谈。这个测验中的一些问题将会测试你们对它们的差别的理解"。当学生考得好时,老师要对学生的成就给予强化而不说"你还是没懂……"(Alberto & Troutman,2017)。

这些原理在实践中将会是什么样子? 我们来看下一部分。

---

①有效指令传递——简洁、清晰、具体并能传达预期结果的指令。陈述比提问更有效。
②线索——提供一种刺激,引发所期望的行为。

综合考虑:应用行为分析

行为学习方法对教学做出了重要的贡献,包括明确学习目标和直接指导(我们会在第十四章谈论教学时再看这些主题)的体系和班级管理体系,如团体效应,暂时契约方案和代币强化(Landrum & Kauffman,2006)。当目标是学习明确的信息或者改变行为时,当材料是按次序的并且是真实的时候,这些方法都是有用的。应用行为分析(Applied behavior analysis)①就是在这些情况下运用行为学习原理来改变行为(Alberto & Troutman,2017;Kazdin,2001,2008)。

理想情况下,应用行为分析要求对要改变的行为进行明确的说明,对行为进行仔细测量,分析前因和可能正在维持不合适或不想要的行为的后果,基于行为原理进行干预以改变这种行为,以及对改变进行仔细测量。在应用行为分析的研究中,常见的是一种 ABAB 设计(在第一章描述过)。也就是说,研究者对行为进行基线测量(A),然后应用干预(B),然后停止干预看行为是否回到基线水平(A),再重新介入干预(B)。

在教室里,教师通常不能遵循所有的步骤,但他们可以做到以下几点:

1.明确要改变的行为和目标。比如,如果学生在计算中犯"粗心"的错误,你的目标是每 10 道题错 1 道呢?还是每 20 道题错 1 道?

2.仔细观察并记录行为的当前水平。当前每 10 道或 20 道题做错几道?造成这些错误的原因可能是什么?计时测试时错误是否会更多?家庭作业呢?小组作业呢?时间重要吗?

3.使用前因、结果或者两者并用,做一个明确的干预计划。比如,每道题提供一分钟的额外计算时间,以使他们能全部正确完成。

4.跟踪结果,必要时修改计划。

让我们考虑一些完成上述第三步(干预)的具体方法。

---

①应用行为分析——运用行为学习原理来理解和改变行为。

鼓励行为的方法

如你所知,鼓励行为就是强化行为。有几种特殊的方法去鼓励现存的行为或是教授新的行为,这些方法包括教师注意和表扬、普雷马克原则、塑造、正练习。

通过教师注意进行强化。许多心理学家建议教师强调正面行为——对学生的好的行为进行表扬,而忽视一些错误的行为。一些研究者相信:对于老师来说,系统性地表扬和注意可能是最有用的激励方法和教室管理手段(Alber & Heward,1997,p. 277;Alber & Heward,2000)。一个相关的策略是差别强化,即确保在正确行为出现时就进行强化,无视错误的行为。比如,如果一个学生容易做无关评论(这周五的游戏是什么时候?)你就应该忽略这个与任务无关的评论,但与任务有关的贡献一旦发生,就要承认(Landrum & Kauffman,2006)。

这种表扬—忽视法是可能有帮助,但是不要期望它解决所有的教室管理问题。几项研究表明,当教师使用积极结果(大多数是表扬)作为他们唯一的教室管理策略的话,制造混乱的行为仍会继续(McGoey & DuPaul, 2000;Pfiffner & O'Leary, 1987;Sullivan & O'Leary, 1990)。同时,如果其他学生的注意正在强化问题行为时,教师的无视也不会有多大帮助了。

使用表扬还有第二个考虑。仅仅"派送赞扬"并不能改善行为。为了使其有效,表扬必须是:(1)与被强化的行为紧密联系;(2)明确地指出被强化的行为;(3)是可信的(Landrum & Kauffman, 2006;O'Leary & O'Leary,1977)。换句话说,表扬应该对好的行为有真诚的承认,使学生理解他们的什么行为获得了认可。另外,一些证据表明,当学生成功地完成一件事情之后夸赞他聪明,而下一次他没有做到同样优秀的话,可能会破坏他的动机。当这种情况发生时,那些被夸赞过聪明的学生对任务的持续性和享受程度可能会不如那些早期被夸奖为努力的学生(Mueller & Dweck,1998)。最后,一些心理学家已经提出,教师们运用表扬倾向使学生为了赢得教师赞同而关注学习,而不是因为学习本身的好处而关注学习。也许最好的建议就是意识到过度使用或误用表扬的潜在危险并据此进行引导。在下页的指南里,"应用操作性条件作用——适当地使用表扬"给出了有效地使用表扬的观点,这些观点是基于布罗非(Brophy,1981)对该主题的深入研究和卡兹丁(Alan Kazdin,2008)对家长、老师的研究。

指南:应用操作性条件作用——适当地使用表扬

在给予表扬时要清楚并且有系统。举例:

1. 务必要让表扬与适当的行为直接相联系。

2. 务必使学生理解是哪个行为或完成的任务受到赞扬。要说:"令我印象深刻的是你确保了小组内的每个成员都有机会发言。"不要说:"领导小组的工作做得很好。"

让表扬具有赏识的色彩而非评估的意味(Ginott,1972)。举例:

1. 赞扬并赏识学生的努力、成就和行动——尤其是当这些行动帮助了其他人时。

2. 不要评价学生的性格或个性——对事不对人。

基于个人的能力和局限建立标准。举例:

1. 要根据学生个人过去所做的努力对其进步或所完成的任务进行表扬。

2. 要让学生关注他们自己的进步,而不是与他人的比较。

将学生的成功归因于他们自己的能力与努力,以便他们获得自信:成功是可能的。举例:

1. 不要暗示成功或许基于运气、额外的帮助或者简单的材料。

2. 让学生描述他们遇到的一些问题,以及他们是如何解决的。

让表扬真正地起到强化的作用。举例:

1. 不要试图用表扬一些同学来影响班上其他同学。这种策略经常会招致相反的结果,因为学生们知道正在发生着什么。另外,你可能会让被表扬的学生感到尴尬。

2. 不要只是为了平衡学生的失败而给予他不应得的表扬。这很少能使学生感到安慰,并会令人注意到该学生没有能力获得真正认可。

3. 不要在结尾处加批评:"这周完成的作业很不错,为什么你们不每周都如此呢?"(Kazdin,2008)

承认真正的成功。举例:

1. 奖励实现了特定目标的学生,而并非仅仅是参与者。

2. 对于那些没有参与的学生,不要因为他们保持安静、未扰乱课堂就奖励他们。

3. 要将表扬与学生能力的进步和所完成部分的价值相联系。应该说:"我知道你核查了你的所有问题,你的成绩反映了你细心的工作。"

选择强化物：普雷马克原则。在大部分课堂里,其实有许多现成的强化物,如与其他同学说话的机会、在电脑上工作、不用做家庭作业或参加测试、自己选择座位、领队、做老师的助手或喂养班级宠物。然而,老师们都有一种要随便提供这种机会的倾向。和表扬一样,如果老师将特权和奖励与学生的学习和积极行为直接关联,那么老师就会大大促进学生的学习和期望的行为。

在选择最有效的强化物方面有一个有效的指导是普雷马克原则(Premack principle)①,这是以普雷马克(1965)来命名的。根据普雷马克原则,一个较受欢迎的活动可以作为一个较不受欢迎的活动的强化物。有时也被称作"祖母的规则":首先做我要你做的,然后做你想做的。伊丽莎白在她的课上用了这个原则,她告诉学生他们自己完成工作单的第一部分后,就可以一起研究南北战争的新闻项目。

如果学生不必学习的时候,他们会做什么呢? 这个问题的答案也会给我们指出许多可能的强化物。对于大部分学生来说,聊天、四处转、挨着朋友坐、免除作业与考试、编辑班级网页、用电脑、拍视频或者玩游戏都是他们喜欢的活动。为学生决定合适的强化物的方法也许就是观察他们空闲时间在干什么。为了让普雷马克原则发挥效应,较不喜欢的行为要先发生。在下面的对话中,观察这位老师是怎样失去一个使用普雷马克原则的最好机会的:

学生:噢,不! 难道我们今天又得学习语法? 今天早上我看见别的班都在大礼堂讨论这出戏。

教师:但是别的班昨天就完成了关于句子的那节课,我们也快要讲完了。如果我们不完成这节课,我怕你们要忘记我们昨天复习的那些语法规则了。

学生:为什么不把完成句子的事放在课的最后,而现在我们来谈这出戏呢?

教师:好吧,如果你们保证过后会去完成句子的话。

---

①普雷马克原则——一个较受欢迎的活动可以作为一个较不受欢迎的活动的强化物。

讨论这出戏本可以作为完成课程的强化物。而像这样,这个班很可能会把整个时间都拿来讨论这出戏了。当讨论得正热闹的时候,老师将不得不阻止并让大家回头来学习语法。

塑造。当学生因为他们不能完成某个技能而总是不能成功地获得强化,会出现什么情况呢? 考虑如下的这些例子:

一个四年级学生看到了数学期末考试的结果。"又是差不多一半的试题连一分都没有得到,而我在每个问题上都犯了一个愚蠢的错误。我恨数学!"

一个十年级的学生每天找一些借口以逃避在体育课中的垒球比赛。这个学生不能抓住一个球,现在拒绝尝试。

在这两种情况下,学生都没有从他们的工作中得到强化,因为他们努力的结果不够好。一个可靠的预测是,学生很快就会不喜欢这个班、这门学科,或许也不喜欢老师和学校。一种防止这种问题出现的策略是塑造(shape)①,也称逐步接近法(successive approximations)②。塑造是要强化进步,而不是追求完满。

为了运用塑造,老师必须把学生最后要掌握的复杂行为分解成许多小的可控制的步骤。一种识别小步骤的方法是任务分析(task analysis)③,最早由米勒(R. B. Mille)发展出来,那时他是为了帮助武装部队训练人员。米勒的方法从对最后的表现要求进行界定开始,即受训者(或学生)在项目或单元结束时必须能做什么。然后,通向最终目标的步骤被具体化。这个程序简单地将技能和过程分解为次级技能和次级过程——通往成功的小步骤。

想一个任务分析的例子,如学生必须要基于研究写一篇文章。如果老师分配了文章,而没有进行任务分析,会发生什么呢? 一些学生可能不会使用计算机来检索。他们可能在维基百科里读到一到两个条目,然后只根据这一简短的阅读写他们的立场。另一组学生可能会使用搜索引擎进行网上检索,也知道从书中的索引里查找信息,但

---

①塑造——强化朝着预期目标或行为前进的每一小步。

②逐步接近法——强化达到目标的每一小步,这些小步骤组成了复杂的行为。

③任务分析——把任务分层分解为基本技能和次级技能的系统方法。

很难整合信息以达成结论。他们可能交上冗长的文章,列出了不同观点的摘要,但没有任何综述和结论。还有一组同学能做出结论,但他们所写的文章满是语法错误,令人迷惑,以至于老师不明白他们试图要表达什么。每一组同学都不能完成任务,但是原因有所不同。

任务分析呈现了朝着最后目标的有逻辑的步骤序列。意识到这个序列有助于老师确保学生进入下一步时有必备的技能。另外,当学生有问题时,老师能指出问题所在。许多行为可以通过塑造改进,特别是获得那些需要坚持、忍耐、增加精确度、加快速度和大量练习才能掌握的技能。但是因为塑造是消耗时间的过程,如果成功能通过简单的方法(如线索)获得,就不应该使用塑造了。

正练习。在正练习(positive practice)①中,学生用一种行为代替另一种行为。这种方法特别适用于处理学术错误。当学生犯了错误,他们必须尽快纠正,练习正确反应。当学生破坏了教室纪律,同样的规则也可以运用。学生们可能应该被要求练习正确的行为,例如进入教室后立即把背包放到指定的位置,而不是惩罚。这个过程有时被称作正练习过度纠正,因为正确的行为要练习到差不多自动化为止(G. A. Cole, Montgomery, Wilson, & Milan, 2000; Marvin, Rapp, Stenske, Rojas, Swanson, & Bartlett, 2010)。下面的指南"应用操作性条件作用——鼓励正行为"概括了不同的鼓励正行为的方法。

记住,在每一个行为学习项目中都有一个元素——正确行为的具体练习。与大众认知相反,练习往往不能达到完美的程度,但练习能使行为变得持久,所以练习准确的行为是重要的。

指南:应用操作性条件作用——鼓励正行为

确保你以学生重视的方式认可正行为。举例:

1. 在呈现班级规则时,设置遵守规则的积极后果和违反规则的消极后果。

2. 认同承认错误的行为,并给予第二次机会:"因为你承认你的文章抄袭了书本,

---

①正练习——在错误发生后立即练习正确的反应。

我给你一个重写的机会。"

3.给努力学习的学生提供他们想得到的奖励,比如额外的休假、免除作业或考试、主要项目上额外的学分。

当学生正在学习新的材料,或者尝试新的技能时,给予足够的强化。举例:

1.在每个学生人生的第一幅写生中,找出并评论其可取之处。

2.强化学生互相鼓励的行为。"一开始法语的发言很困难和别扭。当有人鼓足勇气尝试新单词时,让我们相互帮助,不要发出笑声。"

建立新行为后,要通过不定期地给予强化去鼓励坚持。举例:

1.对课堂上的积极参与给些意外的奖励。

2.以一些简短的、带有附加分的书面问题来开始上课。学生不用必须回答,但好的答案可以为他们学期的总分加分。

3.保证好学生会不时因其优秀表现而获得表扬。别把好学生的成绩当成理所应当。

用普雷马克原则确认有效的强化物。举例:

1.注意学生利用课余时间做什么。

2.注意哪些学生喜欢一起学习。与朋友一同学习的机会常常也是一种强化物。

运用线索帮助建立新行为。举例:

1.在教师里挂上幽默的标识,提醒学生注意纪律。

2.每学年开始,当学生走进教室,让他们注意贴在黑板上的图表,上面列出了他们上课时应该带上的所有材料。

确保所有学生,包括那些经常制造麻烦的学生,当他们表现好时得到赞扬、特权或其他奖励。举例:

1.不时回顾你的班级名单,确保所有学生得到一些强化。

2.建立强化的标准,使所有学生都有机会得到奖励。

3.检查你的偏见。男孩是不是比女孩儿得到更多强化的机会?或者相反?不同种族的学生呢?

确立多样的强化物。举例:

1.让学生就强化物提建议,每星期从强化物表单中选择。

2.与其他老师和家长讨论关于强化物的想法。

暂时契约方案、代币强化和团体效应

你刚刚学会了如何将正强化、普雷马克原则、塑造和正练习融入你的课堂管理系统。作为有效课堂管理的其他例子，暂时契约方案、代币强化和团体效应可供考虑。

暂时契约方案。在一个暂时契约方案（contingency contract）①的计划里，老师与每个学生签订一份单独的契约，具体说明学生必须做什么以获得某种特权或奖励。在有些计划里，学生提出可被强化的行为和可以获得的奖励。协商过程本身可以作为一种教育体验，因为学生要学会设定合理的目标并遵守契约条款。而且，如果学生参与目标的确定，他们会更加致力于实现这些目标（Locke & Latham, 2002; Schunk, 2016; Schunk, Meece, & Pintrich, 2014）。

图7.2中的例子列出了一份适合中年级和高年级的为了完成作业而制定的契约方案。方案应规定明确的目标，确定目标是否充分和完全实现的标准，以及目标成功和失败的后果。协议的一个重要部分是规定的审查契约的具体时间，以确定条款是清晰而有帮助的，也许还可以做些调整。有关进步的信息可以支持学生的积极性。

代币强化方法。

停下来想一想：你是否参加过一个项目，在这个项目里你可以获得积分或学分来换取奖励？你是飞行常客俱乐部的会员吗？或者你的信用卡上有积分吗？你每购买10杯咖啡就能得到一杯免费咖啡吗？或者当你填写一张穿孔卡片时，你会得到免费的冰沙吗？参加这样的活动会影响你的购买习惯吗？如何影响？我知道我用一张信用卡支付我所能支付的所有费用以获得积分，并且总是出于同样的原因试着乘坐一家航空公司的航班。我正在参与到代币强化方法中。

通常情况下，很难快速为所有理应得到积极后果的学生提供积极的后果。代币强化方法（token reinforcement system）②可以通过让所有学生获得代表学业和积极课堂行

---

①暂时契约方案——教师和学生之间的合同，规定学生必须做些什么才能获得某种奖励或特权。

②代币强化方法——在这种方法里，通过学业和积极的课堂行为挣得的代币可以用来换取一些想要的奖励。

为的代币来帮助解决这个问题。代币可以是积分、支票、卡片上打的孔、筹码、游戏币，或者任何其他容易识别为学生所有物的东西。每隔一段时间，学生们用他们挣来的代币换取一些想要的奖励（Alberto & Troutman，2017；Kazdin，2001）。

一个基本的暂时契约方案

这个例子是为年龄较大学生制定的暂时契约方案。这可以调整以适应学生的情况和需要。

契约方案

我，_____，在这个日期 _____
宣布我同意做下面的事：
目标：_____
1.
2.
3.
如果（当）_____
_____，这些目标将被认为是完整的。
达到目标的奖励：_____
1.
2.
3.
没有达到目标的后果：_____
1.
2.
3.
这份契约方案将会在如下日期————————————————
_____ 被师生审查。
双方签署本契约，即同意本文件的规定，并将因此遵守本契约的规定。

学生签字：_____   日期：_____

教师签字：_____   日期：_____

图7.2 一个基本的暂时契约方案

根据学生的年龄差异，奖励可以是小玩具、学校用品、空闲时间、特殊的班级工作、积极的家庭反馈、听音乐或玩电脑游戏的时间、与朋友坐在一起的机会或其他特权。

这种方法被称为"代币经济"，当其首次建立时，代币应该按相当连续的时间发放，并有机会尽早和经常地将代币交换为可获得的奖励。但是，一旦方法的效果良好，代币就应该按照间断的时间分发，并且在他们交换奖励前需要被保存更长时间。

另一种变通的方式是让学生在教室里赚取代币，然后在家里换取奖励。当父母愿意合作时，这些计划会非常成功。通常将一张便条或报告表格、每天或每周两次送到家。便条上表明学生在前一段时间内获得的积分数。这些积分可以交换看电视或视频游戏的时间，获得特别的玩具，或者是和父母单独在一起的时间。这些积分也可以积攒起来换取像旅行这样更大的奖励。但是如果你担心孩子可能会为了追求完美承受压力，或者因为不好的报告受到惩罚，那么无论如何不要使用这种方法（Jurbergs，Palcic，& Kelly，2007）。

代币强化方法是复杂而耗时的。通常，它们只应用于三种情况：(1)去激发对自己功课毫无兴趣并且其他方法对他不起作用的学生；(2)去鼓励那些在学业进步上屡屡失败的学生；(3)去应对那些无法控制的班级。一些群体的学生似乎比其他学生从代币强化中获益更多。智力迟钝的学生、经常失败的孩子、几乎没有学习技能的学生和有行为问题的学生似乎都对代币强化具体、直接的性质有更加明显的反应。

这几页对代币强化和暂时契约方案的讨论只能提供这些方法的介绍。如果你想在你的教室里建立一个大规模的奖励方案，你可能应该寻求专业的建议。通常，学校的心理学家、顾问或者校长能够提供帮助。

团体效应。教师可以根据选定的目标学生的行为来强化课堂（例如，"如果贾马克斯、埃文和梅在他们的垫子上待到午睡时间结束，那么我们将得到一种特别的零食"）。此外，班级还可以根据班级中每个人的集体行为获得奖励，通常是将每个学生的分数加到班级或团队总分中。

设身处地想一想：

想象你是得克萨斯州一个小镇上一个很聪明的三年级学生。你是一个惊人的模仿者并且爱讲笑话。因为你时常对课堂节奏感到很厌烦，宁愿找乐子也不愿意集中精力上课，这样你就会惹麻烦。我们聪明的老师做了什么呢？她告诉你和班上其他同学,如果每个人整个周都努力学习,那么你可以在每周五下午为全班同学表演单口相声。问题的所在反而成为解决方法,杰米·福克斯开始了他作为一名喜剧大师的职业生涯。

"设身处地想一想"中的这位教师正在把个体(杰米)和团体(整个班级)的后果结合起来——在这个过程中拓展每个人的学习时间。

良好行为比赛(good behaviour game)①是团体效应中一个更结构化的例子。师生一起讨论什么能使教室变成更好的地方,并且识别妨碍学习的行为。基于这个讨论,他们拓展了班级规则,把整个班级分为两队或者三队。每次有一个学生违规,这个学生所在队伍就会得一分。在这段时间的最后得分最少的队伍得到特殊的奖励或特权(更长的休息时间,第一批吃午饭,该队的"宇宙飞船"移得离"月球"更近,诸如此类)。如果所有队伍的得分都低于预先设定的分数,则所有队伍都将获得奖励。有时,一节课需要一个"禁止告密"的规则,这样各队就不会把所有的时间都花在指出彼此的错误上。大多数研究表明,尽管这个比赛对学业成绩的改善很小,但它能对良好行为规范中所列的行为产生一定的改善,并能预防许多行为问题,特别是在问题频繁的课堂上。该项目的一个重要方面是确保可获得的奖励是有吸引力和有价值的。如果你使用良好行为比赛,你可以先调查你的学生来确定他们对奖励的偏好(Flower,McKenna,Bunuan,Muething,& Vega,2014;Tingstrom,Sterling-Turner, & Wilczynski,2006)。

如果我们将针对学业成就的干预措施加入经证明有效果的良好行为比赛中会发生什么呢?布拉德肖(Catherine Bradshaw)和她的同事们就是这么做的(Bradshaw,Zmuda,Kellam, & Ialongo,2009)。他们跟踪调查了678名学生的高中时代,大部分是来自城市一年级的非裔美国学生。在一年级时,这些学生要么参加一个控制组,要么参加两个具体项目中的一个:(a)以教室为中心的干预,其将良好行为比赛与加强的学业课程(大声朗读、日记写作、读者剧场、批判性思维技能、含羞草数学、小组活动等)结合起来;或者(b)以家庭为中心的干预,促进父母参与家庭阅读和数学活动,帮助父母

①良好行为比赛——一个班被分成几个队,每一个队都会因为违反了公认的良好行为规则而被扣分。

制定更好的儿童管理策略。在一年级参加（a）项目的学生在十二年级标准化成绩测验中得分较高、特殊教育服务的转诊减少、高中毕业率较高、12年后大学入学率较高！参加（b）项目只对阅读测验分数有很小影响。因此，在早期帮助学生学习积极的行为和学习技能可以对未来数年产生影响。

你也可以使用不分组的团体效应（group consequence）①；也就是说，你可以根据全班的行为进行强化。然而，使用团体方法是需要谨慎的——如果团体对一个人没有真正的影响，整个团体不应该因为那个人的错误行为或错误而受惩罚。有一次，当老师宣布一个男孩要转学到另一所学校时，我看到全班一片欢呼。欢叫声"不会再加分了！不会再加分了！"充斥着教室。"加分"指的是教室的制度，即每当有人违反规则时，就给全班加一分。每多一分就意味着失去了5分钟的休息时间。即将转学的那个男孩对失去许多课间休息时间负有责任。他从一开始就不太受欢迎，而积分制度虽然在维持秩序方面相当有效，却使这个男孩在他自己的班级里被抛弃。

不过，以支持和鼓励的形式出现的同伴压力也可能会产生积极的影响。当学生关心同龄人的认可时，建议采用团体效应（Theodore，Bray，Kehle，& Jenson，2001）。如果几个学生的不当行为似乎是由其他学生的注意和笑声所推动的，那么团体效应可能是有帮助的。老师可以教学生如何给予同学们支持和建构性反馈。如果少数学生似乎喜欢破坏这个方法，这些学生可能需要单独的安排，例如把所有的破坏者一起放在他们自己的小组中。

处理不良行为

在我们探索处理问题行为的方法之前，让我们花一点时间考虑一下为什么学生扰乱课堂或违反规则。我们在杰米·福克斯的故事中看到了一个原因——他只是觉得无聊，并且同时也是一个好的表演者。对于一个三年级的学生来说，享受朋友们的笑声比专注于他已经理解的课程一定更有好处。其他可能性——可能是一个学生有未查明的学习障碍，或者缺乏交友的社会技能并且将打搅课堂作为一种发泄沮丧或获得

---

①团体效应——因遵守或违反行为准则而给予整个班级的奖励或惩罚。

关注的方式。也许学生觉得自己与课毫无联系,因为她的种族或民族很少出现在教材中,或者老师似乎对她的期望值很低。不良行为的背后是什么?你的教学方法和教材适合学生吗?有时,课堂中断或缺乏动机表明教学实践需要改变。也许是课堂规则不明确,或者执行不一致。也许是你的指示含糊不清。也许是课文太简单,或者太难,或者节奏不对。如果这些问题存在,奖惩可以暂时改善情况,但学生在学习学术材料上仍将有困难。先改进你的教学。专注于积极的方面,和你的学生发展关怀和尊重的关系,保持正确的节奏和难度水平,设计有吸引力的,文化上恰当的课程和任务。

假设你已经很好地解决了所有这些问题,但是一些问题仍然存在——现在怎么办?有时,你必须处理不良行为,要么是因为其他方法失败,要么是因为这些不良行为本身是危险的,需要采取直接的行动。为此,负强化、申斥、反应代价和社会隔离都提供了可行的解决方案。

负强化。回想一下负强化的基本原理:如果一个动作停止或避免了令人不快的事情,那么这个动作可能在类似的情况下再次发生。负强化正在伊丽莎白的教室里进行着。当她的学生抱怨时,他们就逃过了考试,所以负强化可能增加了将来抱怨的频率。

负强化也可以用来增强学习。为了做到这一点,你把学生置于轻度不愉快的环境中,这样当他们的行为有所改善时,他们就可以"逃离"。想想这些例子:

老师对三年级的学生说:"当用品被放回柜子里并且你们每个人都安静地坐着,我们就到外面去。在那之前,我们将失去休息时间。"

高中老师对一个很少完成课堂任务的学生说:"一旦你完成了作业,你就可以和同学们一起在礼堂上课。但是在你完成之前,你必须在自习室学习。"

安东尼奥·班德拉斯在电影《带头》中写道:与一群完全不合作的高中生合作,班德拉斯用学生讨厌的"老"音乐向他们猛烈攻击,直到全班都排好队准备练习交际舞舞步时,才把它关掉。

你可能想知道为什么这些负强化的例子不被认为是惩罚。当然,在课间休息期间待在家里,不和班级一起参与特别的项目,或者被迫听你讨厌的音乐,都是惩罚。但每一种情况下的重点都是加强具体的行为(放好用品,完成课堂任务,排好队并与老师合作）。教师通过在期望的行为发生后尽快消除某些厌恶的行为来加强（强化）行为。因为后果涉及去除或"减少"一个刺激，所以这种强化是负强化。

负强化也给学生一个锻炼自我控制的机会。失去课间休息或听到你讨厌的音乐是令人不愉快的情况，但在每一种情况下，学生保持着自我控制。一旦他们表现出适当的行为，不愉快的情况就结束。相反，在此之后发生的惩罚，学生不能如此轻易地控制或终止它。

负强化有几个规则：用积极的方式描述所期望的变化；不要虚张声势；确保你能强制执行你设定的不愉快的后果；尽管有抱怨，还是要坚持到底；坚持行动，而不是承诺。如果这种不愉快的情况在学生承诺下一次会变得更好时结束，那么你就强化了做出承诺，而不是做出改变（Alberto & Troutman, 2017; O'Leary, 1995）。

申斥。在我女儿的小学校报《联合日报》上，我读到了一个四年级学生写的题为"我为什么喜欢学校"的故事中的几句话："我也喜欢我的老师。她帮助我理解和学习。她对每个人都很好。我喜欢当她生某些人的气时，她不会在全班面前对他们大喊大叫，而是私下跟他们说话。"

在减少破坏性行为方面，温和、冷静、私下的申斥（reprimands）①比大声、公开的申斥更有效（Landrum & Kauffman, 2006）。研究表明，当申斥声大到能让全班听到时，干扰就会增加或持续到一个恒定的水平。一些学生喜欢因行为不端而获得公众关注，或者他们不希望同学们看到他们"输给"老师。如果这些方法不常用，如果教室通常是一个积极、温暖的环境，那么学生通常会对私下申斥迅速做出反应（J. S. Kaplan, 1991）。

反应代价。任何支付过罚款的人都熟悉反应代价（response cost）②这个概念。对于某些违反规则的行为，人们必须失去一些强化物——金钱、时间和特权（J. E. Walker, Shea & Bauer, 2004）。在一个班级中，反应代价的概念可以通过多种方式应用。学生第一次违反班级规则时，老师会发出警告。第二次，老师在成绩簿上学生名字旁边做记号。学生每累积一个记号，就会失去 2 分钟的课间休息时间。对于年龄较大的

---

①申斥——对错误行为的批评、指责。
②反应代价——失去强化物的惩罚。

学生来说,一定数量的记号可能意味着失去在小组中合作或使用电脑的特权。

社会隔离。减少不良行为的最具争议的行为方法之一是社会隔离(social isolation)①,通常被称为强化的"间歇(time out)②"。这个过程包括让一个极具破坏性的学生离开教室 5 到 10 分钟。这个学生被单独安置在一个空旷无趣的空间里——惩罚是与其他人短暂的隔离。去校长办公室或被限制在普通教室角落里的椅子上,与独自坐在空荡荡的地方是不一样的。但是要注意:如果短暂的间歇无助于改善情况,不要尝试更长的隔离时间。卡兹丁(2008)几十年来一直在帮助老师和家长积极对待孩子,他说:"如果你给予的隔离时间越来越长,这意味着你的策略失败了。答案不是改善——事实上恰恰相反。如果你给予更多和更长的隔离,这应该告诉你,你需要更多地强化好的行为,以取代不想要的行为"(p. 10)——对各种惩罚的好的建议。

关于惩罚的注意事项。还记得我在"团体效应"一节中说过的"不会再加分了"吗?实际上,老师使用的是一种基于惩罚的方法——准确地说是去除式惩罚。对于违反规则的每一分,全班都有 5 分钟的课间休息时间被取消。这一方法导致了对主要规则破坏者的排斥。

不幸的是,惩罚似乎是家庭教育和学校教育中十分常见的一部分。我说不幸是因为一项又一项研究表明,惩罚本身,就像通常在家庭和学校中所做的那样,是不起作用的。它告诉孩子们该停止做什么(通常,他们已经知道了),但它并没有教会他们该做什么(Kazdin, 2008)。当你考虑使用惩罚的时候,你应该使它成为双管齐下的一部分。第一个目标是执行惩罚和制止不良行为。第二个目标是明确学生应该做什么,并为那些想要的行动提供强化。因此,在抑制问题行为的同时,积极的替代反应也在加强。正如你将在下一节中看到的,近来的方法确实强调了支持积极行为。"指南:应用操作性条件作用——使用惩罚"给出为积极目的使用惩罚的想法。

我再说一遍:惩罚本身并不会带来任何积极行为。严厉的惩罚向学生传达了"强

---

①社会隔离——让扰乱课堂的学生离开教室 5 到 10 分钟。
②间歇——在技术上去除所有强化。在实践中,把一个学生和班级其他成员进行短暂时间的隔离。

权即公理"的意思,并可能促成报复。此外,当潜在的惩罚者——教师——在场时,惩罚效果最好。当老师在教室里的时候,学生们学会了"表现良好",但是当老师离开或者有代课老师的时候,这个方法可能会崩溃。惩罚倾向让学生关注自己行为的后果,而不是要求他们思考自己的行为对他人的影响;因此,惩罚不会给他人以同情心。最后,惩罚可能会影响你和学生之间发展友爱关系(Alberto & Troutman,2017;Hardin,2008;Kohn,2005;J. E. Walker et al.,2004)。

指南:应用操作性条件作用——使用惩罚

试着创设可以使用负强化而非惩罚的情境。举例:

1.当学生达到一定的能力水平时,允许他们摆脱不愉快的情况(完成额外的练习册作业,每周的数学事实测试)。

2.坚持行动,而不是承诺。不要让学生说服你改变协议的条款。

如果你确实要使用惩罚,保持惩罚温和简短——然后将它与做正确的事情结合起来。举例:

1.年幼孩子的间歇——不超过2至5分钟;扣分——如果学生一天能得5个贴纸,不要超过1个(Kazdin,2008)。

2.将简短温和的惩罚和因做了正确的事或恢复原状的强化相结合。如果一个学生在厕所里涂鸦,用简短的惩罚加上清除涂鸦。

在你的惩罚运用上要始终如一。举例:

1.避免无意中强化你想要惩罚的行为。保持对抗的私密性,这样学生就不会因为在公开的摊牌中站出来面对老师而成为英雄了。

2.通过为较年幼的学生张贴主要的班级规则,或在课程大纲中为年龄较大的学生概述规则和后果,让学生提前知道违反规则的后果。

3.告诉学生,在惩罚之前,他们只会收到一次警告。以平静的方式发出警告,然后坚持到底。

4.在合理的可能范围内,使惩罚成为不可避免的和立刻的。

5.当你生气的时候不要实施惩罚——你可能太严厉了,然后接下来需要收回——这表明你缺乏一致性。

关注学生的行为,而不是学生的个人素质。举例:

1.以平静而坚定的声音申斥。

2.避免报复性或讽刺性的话语或语调。当学生模仿你的讽刺时,你可能会听到自己愤怒的话语。

3.强调结束问题行为的必要性,而不是表达任何你对学生的厌恶。

4.意识到有色人种的学生会受到不成比例的惩罚,被关禁闭,并被开除出校。你们的政策公平吗?

使惩罚与违规行为相匹配。举例:

1.忽略那些不扰乱课堂的轻微的不良行为,或者用向学生投以不赞成的目光的方式停止这些不良行为。

2.确保惩罚不会比不良行为更严重——例如,不要因一次违反规定而剥夺学生所有自由时间(Landrum & Kauffman,2006)。较少的惩罚是更有效的,只要将它与因做了正确的事情而得到的强化结合起来。

3.不要用额外的作业作为对课堂上讲话等错误行为的惩罚。

4.当一个学生为了得到同伴的接纳而表现错误时,把他从这个朋友群体中移出是很有效的,因为这确实是一种强化情况中的间歇。

5.如果问题行为继续,分析情况并尝试新的方法。你的惩罚可能不够,或者你可能是无意中强化了错误行为。

惠及每一位学生:应对严重的行为问题

有着严重行为问题的学生给教师带来了一些最困难的挑战。有两项研究表明,应用行为原则对帮助这些学生是很有用的。

西奥多(Lea Theodore)和她的同事(2001)与有5名诊断患有严重情绪障碍的青少年学生的教师一起工作。他们制定了一份有清晰规则的简短清单(例如,不要使用淫秽的语言,在5秒内遵从老师的要求,不要用言语贬低别人)。这些规则写在索引卡上贴在每个学生桌子上。老师的桌子上有一张清单,上面写着每个学生的名字,以记下任何违反规则的地方。这份清单很容易观察到,因此学生可以监控自己和彼此的表现。在45分钟的课程结束时,一名学生从一个罐子中选择了一个"标准"。可能的评价标准为:整组的表现、得分最高的学生、得分最低的学生、所有学生的平均成绩或随机单个学生的成绩。如果被选为标准的学生有五个或更少的违规记录,那么整个组都会得到奖励,这个奖励也是从一个罐子中随机挑选出来的。可能的奖励是一瓶动力饮料、一袋薯片、一条糖果,或者允许一次上课迟到。采用 ABAB 设计——基线、2 周干预、2 周退出干预、2 周返回团体效应。当奖励制度到位时,所有学生在遵守规则方面都表现出明显的进步。学生们喜欢这种方法,老师觉得很容易实施。

行为干预通常用于自闭症儿童(S. M. Bartlett, Rapp, Krueger, & Henrickson, 2011; L. J. Hall, Grundon, Pope, & Romero, 2010; Soares, Vannest, & Harrison, 2009)。例如,巴特利特(Sara Bartlett)和她的同事测试了一种用来治疗埃文的反应代价策略。埃文是一个患有自闭症的 8 岁男孩,他的口头表达能力非常有限,而且有随地吐痰的问题。研究人员让这个男孩在学校治疗室的一张桌子上工作时听收音机,这被他的老师认为是他最喜欢的玩具。当这个男孩吐痰时,收音机被移除 10 秒,然后被放回。在这些训练中,埃文的吐痰率几乎为零。然后,研究人员停止了反应代价策略,当埃文吐痰时,收音机没有被移除。随地吐痰的比率又回升了。接下来,研究人员重新设置了反应代价,将收音机移除 10 秒,埃文的吐痰次数再次下降到接近于零的水平。(请注意,这也是 ABAB 研究设计的一个例子——基线、治疗、返回基线、恢复治疗。)研究人员把埃文转移回教室,并在那里进行他的训练课程。最后,他们教埃文的老师使用这种策略,在整个 4 个月的随访期内,埃文在通识教育课堂上的吐痰次数几乎为零。

当前应用:功能行为评估、正行为支持和自我管理

在本章上文,当我们讨论应对问题行为时,我警示过你们先思考"为什么"——为什么学生会扰乱课堂或进行表现? 在普通教育和特殊教育课堂上的教师都成功地采用了一种新的方法,该方法始于提出相似的问题,"学生从问题行为中得到了什么——这些行为起到了什么作用?"重点在于行为的原因,而不是行为本身是什么(Lane, Falk, & Wehby, 2006; Lane, Stage et al., 2008; Warren et al., 2006)。

问题行为的原因一般分为四类(Barnhill, 2005)。学生将因如下原因而进行表现:

1. 受到其他人的关注,例如老师、家长或同龄人。

2. 逃避某些不愉快的处境,例如学业或社会的要求。

3. 得到渴望的物品或活动。

4. 满足感觉上的需要,例如患有自闭症的儿童通过摇臂或拍打手臂能获得刺激。

如果行为的原因已知,教师就可以设计出支持积极行为的方式,从而起到同上文所述的"为什么"的作用。例如,我曾和一位中学校长一同工作,他对一个丧父几年的男孩十分关心,这个男孩在很多科目,尤其是数学上有困难。这个学生每周至少在数学课上扰乱秩序两次,并最后被送进校长办公室。在那里,男孩得到校长全神贯注的注意。在校长训斥之后,他们讨论起了运动,这出于校长对这男孩的喜爱和对其没有男性榜样的担心。男孩在课堂捣乱的作用显而易见——它们总是导致如下结果:(1)使男孩逃离数学课堂(起负强化效果);(2)与校长一对一交谈(在少许申斥之后起正强化效果)。针对上述状况,我和校长、老师开发了一种方法来支持学生在数学上的积极行为,方法是给他一些额外的辅导,此外,当他完成数学题而非在课堂上捣乱时,给予他和校长交谈的机会。新的积极行为起到了与旧问题行为相同的许多功能。

发现"为什么":功能行为评估

理解问题行为的"为什么"的过程被称为功能行为评估(functional behavioral assessment)①。教师通过使用广泛的程序来绘制 A—B—C(前因—行为—后果)情景,来试图确定行为的原因(Barnhill,2005)。图 7.3 总结了许多学校行为的可能功能。

许多不同的步骤可以帮助你在课堂上确定一个具体行为的功能。你可以就学生的行为对他们进行访谈作为开始。在一项研究中,学生被要求描述他们在学校里使他们陷入困境的所作所为,以及在他们行动之前和之后发生了什么。尽管学生并不总能确定他们为什么会做出这种行为,但他们似乎可以从与一个关心他们、试图理解他们境遇,而非仅是责备他们的成年人的交谈中获益(S. G. Murdock,O'Neill,& Cunningham,2005)。但你需要做的远不止和学生交谈。你或许也可以和学生家长或其他老师交

——————————

①功能行为评估(FBA)——获取有关前因、行为和后果的信息的过程,以确定行为的原因或功能。

维持一些麻烦行为的可能功能和后果

行为的功能	维持的后果
为了引起注意： 与成人（教师、家长、教育家、顾客等）的社交； 与同伴的社交	正强化 受到注意将会使学生重复行为的概率和可能性增加
为了获得具体的事物： 协助得到： 　　对象 　　活动 　　事件	正强化 获得具体的事物会使学生重复行为的概率和可能性增加
为了获得感觉上的刺激： 视觉　　　味觉 听觉　　　动觉 嗅觉　　　本体感觉	自动的正强化 通过参与而获得的感觉刺激会使学生重复行为的概率和可能性增加
为了躲避关注： 同伴或成人的关注 与同伴的社会互动	负强化 使学生远离其厌恶的互动会使学生重复行为的概率和可能性增加
为了躲避： 苛刻或无聊的任务、环境、活动、事件	负强化 消除学生厌恶的刺激会使学生重复行为的概率和可能性增加
为了逃避感官刺激： 疼痛或不适的内部刺激	自动的负强化 通过参与行为本身来减轻痛苦或不适的内部刺激会使学生重复行为的概率和可能性增加

资料来源：：From Alberto, P. A., & Troutman, A. C., (2017). Applied Behavior Analysis for Teachers (9th ed.). Reprinted and electronically reproduced by permission of Pearson, Education, Inc., Boston, MA.

图 7.3　维持一些麻烦行为的可能功能和后果

谈。你还可以用下述的这些问题来进行 A—B—C 观察:问题行为何时何地发生? 涉及什么人或活动? 在这之前,发生了什么——其他人或目标学生做或者说了什么? 在行为之后,发生了什么——你、其他学生或目标学生做或说了什么? 目标学生通过从事这种行为获得或逃避了什么? ——学生行动之后有何改变? 在图7.4给出了一种更具有结构性的方法,这种方法是基于简单的 A—B—C 分析为功能行为评估制定观察指引。利用上述的这些信息,老师可以发现,每当课堂过渡到另一项活动时,学生就会进行上述行动。同时,老师对学生行为的强化来源也一清二楚。

一份为运用A-B-C框架评估功能行为的简要结构观察指南

学生姓名:丹顿　　　　　　　　　　日期:2015年2月25日
位置:B女士的代数(二)课堂　　　观察者:D先生
开始时间:1:02　　　　　　　　　　结束时间:1:15

A:前因	B:行为	C:后果
1:03学生取出并打开课本,开始上课。	丹顿把他的帽子拿出来带上。	绕着丹顿的学生开始笑并说"嘿。"
1:05老师注意到了丹顿并告诉他取下他的帽子。	丹顿慢慢取下他的帽子,并鞠躬。	学生鼓掌。
1:14老师问了丹顿一个问题。	丹顿说,"伙计,我不知道。"	另一个学生说,"对,你是个笨蛋。"其他人笑了。

资料来源:Based on Friend, M. & Bursuck, W. D. (2012). Including Students with Special Needs: A Practical Guide for Classroom Teachers (6th ed.). Adapted by permission of Pearson Education, Inc.

图7.4 一份为运用 A‐B‐C 框架评估功能行为的简要结构观察指南

相同的行为或许对不同的学生会产生不同功能。例如,一个对三名学龄前学生进行的功能行为评估发现,其中两名学生为了引起老师的注意而具有攻击性和不合作性,但第三名学生却在试图躲避或避免老师的注意(Dufrene, Doggett, Henington & Watson,2007)。根据功能行为评估提供的信息,教师们开发了一套干预方案,包括为每个孩子提供的积极行为支持。两个学生只要达到特定的标准,就可以引起老师注意,而第三个学生只要达到特定标准,就可以"独处"。

正行为支持

在第四章中我们讨论的《残疾人教育法》(IDEA,2004)要求对残疾学生和有接受特殊教育风险的学生进行正行为支持。正行为支持(positive behavior supports, PBS)①是以目的相同的新行为取代问题行为的实际干预。

正行为支持可以帮助残疾学生成功地融入课堂。例如,通过正行为支持的干预,一个有智力残疾的5岁男孩的破坏性行为在较短的时间内基本被纠正,而该干预是基于由普通教育教师和特殊教育教师采取的功能行为评估。这种干预包括:确保分配的任务难度水平合理、在这些任务中给予一定辅助、教导学生如何请求他人协助、教导学生如何在分配的任务中请求休息(Soodak & McCarthy,2006;Umbreit,1995)。

在课堂层面,教师被鼓励使用诸如预矫正(precorrection)②之类的预防策略。预矫正包括确定学生错误行为的背景、明确可替代的预期行为、修改情境使问题行为尽可能不发生(如提供线索或使学生远离各种干扰)、在新的背景下预演预期的积极行为,并在积极行为出现时提供有力的强化。利用功能行为评估,努力让学生参与进来,给予积极的关注点,始终如一地执行学校/班级规则,主动纠正破坏性行为,并为顺利过渡做好计划(J. Freiberg,2006)。

功能行为评估的方法不仅适用于有特殊需要的课堂或学生,在整个学校层面,教师和管理者可以:

1. 就支持正行为和纠正问题的共同办法达成一致。

2. 发展一些正面表述的、具体的行为目标,并向所有学生教授实现这些目标的程序。

3. 找出一系列方法(从小的、简单的方法到复杂的、更有力的方法)承认适当的行为和纠正行为错误。

4. 将正行为支持的程序和学校的纪律政策结合起来。

研究表明,当对全校所有学生使用功能行为评估方法时,纪律问题减少了,而最容易出现行为问题的学生的改善尤其明显(Bradshaw,Waasdorp & Leaf,2015)。由于大约

---

①正行为支持(PBS)——旨在为学生提供目标相同新行为来代替问题行为而设计的干预措施。

②预矫正——一种积极行为支持的工具,包括确定学生错误行为的背景,明确可替代的预期行为,修改情境使问题行为尽可能不发生,在新的背景下预演预期的积极行为,并提供有力的强化。

5%的学生占据了约50%的纪律问题,因此对这些学生制定干预措施是有意义的。例如,一项比较研究将中学生分为"行为支持项目之中与项目之外"进行比较,结果表明,(项目中学生的)纪律问题、言语和肢体攻击的行为显著减少。此外,这些学生对学校安全的认识有所改善(MeZelle,Biglan,Rusby,& Spraguy,2001)。

近年来,多数行为心理学家发现,即使使用了功能行为评估等更新的方式,操作性条件作用对学习的解释仍然十分有限。随着学习的行为方法的发展,一些研究者加入了一个新的要素——自我管理。

自我管理

停下来想一想:你生活的哪些方面需要一些自我管理? 写下一个你想增加的行为和一个你想消除的行为。

正如你将在本书中所见,学生在管理自己的学习中所扮演的角色是当今心理学家和教育家关注的重点,这关注并不局限于任何一个群体或一种理论。不同的观察视角都集中在一个重要的观点上:学习的责任和能力取决于学生。学生必须积极主动,没有人能为别人学习(Butler,Schnellert,& Perry,2017;Mace,Belfiore,& Hutchinson,2001; B. H. Manning & Payne, 1996;Zimmerman & Schunk,2004)。从行为的视角看来,学生可能参与一个基本行为改变计划中的任一阶段,或者全过程。他们可以协助目标设定,观察自己的行为,保持记录,并评估自己的表现。最后,他们还能够选择和提供强化。

目标设定。目标设定阶段似乎在自我管理(self-management)①中非常重要(Reeve,1996;Schunk,Meece,& Pintrich,2014)。一些研究表明,设定具体目标并将其公布于众是自我管理计划的关键要素。例如,几年前,海耶斯(S. C. Hayes)和他的同事鉴别出一些在学习上有严重问题的大学生,并教他们如何设定具体的学习目标。那些设定目标并向实验者宣布这些目标的学生在覆盖他们正在学习的材料的测试中表现得明显好于那些私下设定目标的学生。那些设立目标并将其告知研究者的学生在考试中明显比私下设立未公开目标且从不向任何人透露的学生好得多(Hayes,

---

①自我管理——管理自己的行为,并对自己的行为负责,也指使用行为学习原则来改变自己的行为。

Rosenfarb，Wulfert，Munt，Korn，& Zettle，1985）。

标准越高，表现往往越好（Locke & Latham，2002）。但什么类型的目标是重要的？如果你阅读了有关21世纪学习所需要的技能，你就会看到诸如自我指导、问题解决、批判性思维、创造力、合作、沟通和社会责任都在其中。或许你可以和你的学生共同制定一些有助于发展这些21世纪技能的具体目标（Butler，Schnellert & Perry，2017）。

进展监测和评估。学生或许也可以参与行为改变计划的监测和评估阶段。这些是自我管理的要素，通常由学生自己处理（Briesch & Chafouleas，2009；Mace，Belfiore，& Hutchinson，2001）。学生也可以参与行为改变项目的监控和评估阶段。这些是通常由学生自己处理的自我管理要素（Briesch & Chafouleas，2009；Mace，Belfiore，& Hutchinson，2001）。一些适合自我监测的行为范例包括：完成任务的数量、练习技能的时间、阅读的书籍数量、改正的问题数量和跑一英里所使用的时间。在没老师监督情况下必须完成的任务，如家庭作业或个人学习，也同样是自我监控的好选择。学生应使用图表、日记或清单记录问题行为的频率或持续的时间。进步记录卡可以帮助较年长的学生将任务分解成多个小步骤，决定完成步骤的最佳顺序，并通过为每天设定目标来跟踪每天的进步。而记录卡本身可以作为提示逐渐从项目中淡出。

自我评价比简单的自我记录难度更大，因为它涉及对质量的评判。学生有能力合理准确地评估自己的行为，尤其是当他们和老师共同构建评价良好表现或成果的标准时（Butler，Schnellert，& Perry，2017）。准确自我评价的一个关键是教师定期检查学生的评价，并对学生的正确判断进行强化。较年长的学生比起较年幼的学生更容易掌握准确的自我评价。自我校正往往与自我评价相伴，学生首先进行评估，而后改变、改进他们的行为，最后再将改进后的行为与标准进行比较（Mace，Belfiore，& Hutchinson，2001）。

自我强化。自我管理的最后一步是自我强化（self-reinforcement）[1]。然而，关于这一步骤是否真的必要，存在一些分歧。一些心理学家认为，仅是设定目标和监测进展就已足够，而自我强化不会增加任何影响。另一些心理学家认为，在出色完成一份工

---

[1] 自我强化——控制（选择和管理）自己的强化物。

作后奖励自己,与只是设定目标和跟踪进展相比能带来更高水平的表现(Bandura,1986)。如果你愿意保持坚定意志,在达到目标前,拒绝接受提前获得自己想要的东西,那么奖励的承诺或许可以为工作起到额外的激励作用。考虑到这一点,当你读完这一章时,你可能想出一些方法来强化自己。类似的方式帮助我首先写完了这一章。

有时,教导学生自我管理可以解决教师的一个问题,并提供额外的益处。例如,一个由9—16岁的队员组成的竞技游泳队中,教练在说服游泳运动员保持高的训练效率上有困难。之后,教练绘制了四张图表,要求每个成员遵循图表的训练计划,并将这些图表贴在游泳池旁。游泳运动员有义务记录各自的训练圈数和每个训练单元的完成情况。由于记录公开化,所以游泳运动员可以看到自己和队友的进展情况,并准确追踪训练单元的完成情况。这项改变使训练量增长了27%,而由于游泳运动员可以不用等待指示而立即开始训练,这个方法也受到教练的欢迎。

有时,家庭可以用于帮助他们的孩子发展自我管理能力。教师和家长可以共同致力于一些目标,同时支持学生不断增强的独立性。"指南:与家庭和社区形成合作伙伴关系"提供了一些思路。

指南:与家庭和社区形成合作伙伴关系

以积极正面的方式向家长和孩子介绍该方法。举例:

1. 邀请家庭参与,并向所有家庭成员强调可能的好处。

2. 考虑只和志愿者一起启动这个项目。

3. 描述自己如何运用自我管理计划。

帮助家庭和学生设立可达成的目标。举例:

1. 举例说明学生可能的自我管理目标,比如在晚上早点开始做作业,或者记录读书。

2. 向家庭展示如何发布目标并跟进进度,鼓励家庭中的每名成员去完成目标。

给予家庭记录和评估孩子的进步(或他们自己的进步)的方法。举例:

1. 把工作划分为容易测评的步骤。

2. 通过提供好的工作模式,评价难以评判的行为,比如创造性写作。

3. 给予家庭记录表或清单用以跟进进度。

鼓励家庭其他成员有时检查学生行为记录的准确性,并帮助孩子发展自我强化的形式。举例:

1. 当孩子开始学习时予以较多检查,之后逐渐减少。

2. 让兄弟姐妹互相检查彼此的记录。

3. 在适当时候测试学生应在家里发展的技能,并奖励自我评价与测试表现相符的学生。

4. 让学生和家人一起思考当工作完成得好时如何进行奖励。

挑战和批判

在这一部分,我们将讨论对早期行为主义学习方法的一些挑战以及一些重要的批判和警告。

超越行为主义:班杜拉的挑战和观察学习

40 多年前,班杜拉(Albert Bandura,1977)指出,传统学习的行为主义观点有许多局限性。有时班杜拉被定性为新行为主义者,但他已经纠正了这个标签:

> 在我的研究生培训期间,整个心理学领域都是以行为为导向的,几乎全部专注于学习现象。但我从来没有真正认同行为主义的正统性。当时几乎所有的理论和研究都集中在通过强化结果的影响来学习。在我的第一个主要研究项目中,我主张观察学习,而反对把条件作用放在有利于观察学习的首要地位。在观察学习过程中,人们既没有做出反应,也没有获得强化(quoted in Pajares,2008, p. 1)。

在他早期的社会学习理论(social learning theory)①中,班杜拉指出了直接学习和观

①社会学习理论——强调通过观察他人来学习的理论。

察学习之间以及学习和表现之间这两个关键区别。

直接学习和观察学习。班杜拉对直接学习和替代学习(或观察学习)进行了区分。直接学习(enactive learning)①就是通过实践和体验行为后果的学习。这可能听起来像是重复性的操作性条件作用,但事实并非如此,区别在于对行为后果作用的解释不同。操作性条件作用的支持者认为后果会加强或削弱行为,然而,在直接学习中,后果被视为是提供信息。班杜拉强调强化不是"盖住"反应,而是输入对结果的期望——如果我那样做会发生什么? 换句话说,我们对后果的解释会产生期望,从而影响动机和塑造信念(Schunk,2016)。

替代学习是通过观察他人来学习,因此通常被称为观察学习(observational learning)②。例如,在一项关于观察学习的研究中,大学生通过观看一个学生被辅导关于分子扩散的视频学到的知识,与他们自学同一主题而学到的知识一样多(Muldner,Lam,& Chi,2014)。这对行为主义观点"认知因素在解释学习过程中是不必要的"提出了挑战。如果人甚至动物可以通过观察另一个人或动物学习来学习,那么他们必须集中注意力、构建图像、记忆、分析和做出影响学习的决策。因此,在行为发生之前,心理上已经发生了很多事情。第九章将要讨论的认知学徒制就是通过观察他人来进行替代学习的例子。

学习和表现。为了解释行为模型的一些局限性,班杜拉还区分了知识的获得(学习)和基于知识的可观察表现(行为)。换句话说,班杜拉认为我们知道的可能比我们表现出来的更多。在班杜拉的一项早期研究(1965)中就有一个例子。给学龄前儿童看了一部电影,里面有一个榜样在踢打充气玩偶"波波"。一组人看到了榜样由于攻击行为而受到了奖励,另一组人看到了榜样受到了惩罚,第三组人没有看到任何后果。当他们被带到波波玩偶的房间时,那些在电影中看到拳打脚踢被强化的孩子们对玩偶最具攻击性。那些看到袭击受到惩罚的孩子们最没有攻击性。但是,当孩子们被承诺模仿榜样的攻击性行为就会受到奖励时,所有人都证明他们已经学会了这种行为。

———————————

①直接学习——通过实践和体验行为的后果来学习。
②观察学习——通过观察和模仿他人来学习,也叫替代学习。

因此,激励可以影响表现。即使学习可能已经发生,但在情况适当或有激励措施之前可能无法证明。这也许可以解释为什么有些学生不会表现出他们在成年人、同龄人和媒体身上看到的咒骂或吸烟等"不良行为"。个人的后果可能会阻止他们去做这些行为。在其他例子中,孩子们可能已经学会了如何写字母表,但是由于他们精细的运动协调受到限制而表现不好,或者他们可能已经学会了如何简化分数,但是因为他们感到焦虑而在测试中表现不佳。在这些情况下,他们的表现的状况并不能代表他们学习的状况。班杜拉提供了当代行为主义理论的替代方案。他提出了社会认知理论——当今教育心理学中最具影响力的学习和动机理论之一。我们将用第十章来深入研究社会认知理论。

对行为主义方法的批评

本章概述了改变课堂行为的几种策略。但是,你应该意识到这些策略只是工具——它们可以负责任地被使用,也可以不负责任地被使用。那么,你应该记住哪些问题?

设身处地想一想:想象你是我的教师教育项目的毕业生,正在接受你的第一份工作的面试。校长问道:"去年,一位老师用免除学生的家庭作业来让他们在课堂上表现得好一些而惹上了麻烦。你如何看待在教学中使用奖励和惩罚?"你会说什么?

当你思考"停下来想一想"中的问题的答案时,看看"观点与争论:学生应该因为学习而获得奖励吗?"中的两种不同的观点。如果能够运用得恰当的话,本章所提到的方法可以成为帮助学生学业进步和在自信中成长的有效工具。但是有效的工具不一定会产生好的效果,行为策略的实施往往是随意的、不一致的、不正确的或肤浅的(Landrum & Kauffman,2006)。如果不加选择地使用,即使是最好的工具也会导致困难。

就像你必须考虑奖励制度对个人的影响一样,你还必须考虑它对其他学生的影响。有没有可能其他学生为了被列入奖励计划而学"坏"? 关于这个问题的大部分证据表明,如果老师信任这些计划,并且向不参加的学生解释使用它的原因,那么使用奖励计划等个别调整对不参加的学生没有任何不利影响。如果有些学生的行为确实恶化了,当他们的同伴参与特殊项目时,本章中讨论的许多相同的程序应该会有助于他们回到他们之前的适当行为水平(Chance,1992,1993)。

观点与争论:学生应该因为学习而获得奖励吗?

多年来,对于学生是否应该因为课业和学业成就而受到奖励,教育学家和心理学家们一直争论不休。例如,在上世纪90年代初,钱斯(Paul Chance)和科恩(Alfie Kohn)就在《菲·德尔塔·卡潘》(美国教育专业协会会刊)的好几篇文章上交换了意见(Chance,1991,1992,1993;Kohn,1993)。我引用了一些科恩和钱斯的话,因为这场辩论"生动"且发人深省。后来,卡梅伦(Judy Cameron)和戴维(W. David Pierce)在《教育研究评论》上发表的一篇关于强化的文章引起了来自莱珀(Mark Lepper)、基夫尼(Mark Keavney)、德雷克(Michael Drake)、科恩、瑞安(Richard Ryan)和德西(Edward Deci)(Kohn,1996b;Lepper,Keavney,& Drake,1996;R. M. Ryan & Deci,1996)在同一杂志上的批评和驳斥。这些人当中的许多人在1999年11月的那期《心理学报》上交换了意见(Deci,Koestner & Ryan,1999;R. Eisenberg,Pierce,Cameron,1999)。2014年,讨论继续:《奖励:如何使用奖励帮助孩子学习,以及为什么老师不能很好地使用它们》(Rewards:How to use rewards to help children learn and why teachers don't use them well)(Walberg & Blast,2014)。有什么理由呢?

观点: 学生受到奖励的惩罚。

多年前,科恩(1993)认为使用奖励是一种操纵和控制的方式——"一种操控学生而不是和他们合作的方法"(p.784)。他认为奖励是无效的,因为一旦表扬和奖赏停用了,那么行为也就停止了。在分析了128例由外部奖励引起或维持的学习后,德西、瑞安和凯斯特纳(Richard Koestner)得出结论,"在我们所特设的有限的条件下,具体的奖励对学生的内部动机产生了很大的影响。甚至当具体的奖励作为良好表现的标志也通常会减少学生参加有趣活动的内部动机"(pp.658 – 659)。科恩(Kohn)认为:

> 所有这些意味着使孩子把学习当作是获得标签、金星或者是等级——更糟糕的是通过等级得到钱或玩具,等于是用一个外部动机替代另一个外部动机。这很

可能会使学习由目的变成为一种手段。学习成了获得奖励必经的途径。举个令人沮丧的例子,当孩子们读了一定数量的书后,他们会收到换取比萨的证书。伊利诺斯大学的尼克尔斯(John Nicholls)半开玩笑地说,这个程序的可能后果是"一群不爱读书的胖孩子。"(1993,p.785)

另一个可能的问题是沃尔伯格(Herbert Walberg)和布拉斯特(Joseph Blast)(Walberg & Blast,2014)认为千禧一代(出生在20世纪80年代早期到21世纪初之间的人)仅仅因为参与而不管他们的实际表现如何就获得了如此多的奖励,会让他们对进入职场后的认可和晋升抱有不切实际的期望。

对立的观点:学习应该得到奖励。

根据保罗·钱斯(Paul chance):

斯金纳和科恩不同,他认为人们在有反应的环境中学得最好。那些表扬或是奖励学生的老师就提供了这样一个环境……如果说让学生知道他们答对了,拍拍学生的背表扬他们的努力,对他们理解了概念而表示高兴或是通过授予金星或证书来承认他们取得的成就是不道德的,那么把我当作是罪人好了(p.788)。

奖励损害了兴趣吗?艾森伯格(R. Eisenberg)和同事(1999)提出"奖励程序要求特定的高任务绩效,这传达了任务的个人或社会意义,增加了内在动力"(p.677)。甚至像爱德华·德西(Edward Deci)和马克·莱珀(Mark Lepper)这样的认为奖励会损害内部动机的心理学家也同意奖励也可以起积极的作用。当奖励让学生知道他们对某一科目的掌握程度增加了时,或者是奖励表达了对学生完成得很好的工作的赞赏时,奖励就增强了学生的自信,并使他们对任务更感兴趣,特别是那些最初对任务缺少能力和兴趣的学生更是如此。有效的学习能使你在数学或阅读方面快速、自动地反应,这需要广泛的练习,尤其是在早期阶段。没有奖励的学习更困难——没有什么比受到认可的成功更成功的了。适当使用奖励可以帮助学生在面对挑战时坚持不懈(Walberg & Blast,2014)。正如钱斯(1993)指出的那样,如果学生通过奖励学会了阅读和数学,当奖励停止了他们也不会忘记他们所学的东西。没有奖励他们会学吗？一些可能会而一些可能不会。如果一个公司不再付钱给你,尽管你喜欢这份工作,你还会为它工作吗？自由作家科恩会因为得到了报酬和荣誉而对写作失去兴趣吗？

当心"非此即彼"。跨文化研究表明,在西方文化里,奖励和评估会削弱人们的创造力和兴趣,但中国、韩国和沙特阿拉伯等国的集体主义文化里,它们实际上支持了人们的创造力和兴趣。引用亨内西(Beth Hennessey)的话,她总结了这些研究的结果:"奖励可能是复杂的。文化是复杂的。教学是复杂的(2015,p. 25)。"询问任何一位有经验的老师,你就会发现奖励在课堂上占有一席之地。事实上,课堂生活应该是"有奖励的"经历。很多这些奖励都是通过学习和成为课堂社区的一员而自然产生的。但当一些学生需要额外的结构或激励来前进、坚持、练习或抵抗分心时,奖励可能有助于支持他们的努力。

给教师的建议：行为主义方法

学生的学习经历有很大的差异性。你班上的每个人都会带着不同的恐惧和焦虑来找你。有些学生可能会害怕公开演讲或竞技体育失败。其他人会对各种动物感到焦虑。不同的活动或对象可以作为某些学生的强化物,但不能作为其他学生的强化物。一些学生将为取得好成绩而努力,而另一些学生则不那么在意。你所有的学生都将在他们的家庭、社区、教堂或团体中学会不同的行为。

本章介绍的研究和理论应该可以帮助你理解你的学生的学习经历是如何教会他们用手心出汗和心跳加速来自动应对测试的——这可能是经典性条件作用在起作用。他们的学习经历可能因为坚持不懈或抱怨而被强化——操作性条件作用在起作用。在团队中工作的机会对一些学生来说是一种强化物,对另一些学生来说则可能是一种惩罚。请记住,对一个学生有用的东西可能不适合另一个学生。学生可以得到"太多的好东西",强化物如果被过度使用就会失去效力。

即使你的学生有很多不同的学习经历,但有一些共同点——适用于所有人的原则:

1.没有人会急切地重复那些被惩罚或忽视的行为。没有一点进步的感觉,人就很难坚持下去。

2.当行为导致对当事人有利的结果时,这些行为可能会重复。

3.教师往往不能利用强化来识别适当的行为,相反他们会对不恰当的行为做出反应,有时会在这个过程中给予作为强化的注意。

4.为了保持有效性,赞扬必须是对真正成就的真诚的认可。

5.无论他们目前的水平如何,学生们都可以学会更好地自我管理。

总结

理解学习

学习是什么?虽然理论家对"学习"的定义存在分歧,但大多数都同意,当经验使得一个人的知识或行为发生变化时,学习就发生了。学习的一般定义不包括仅仅是由成熟、疾病、疲劳或饥饿而引起的变化。行为主义理论家强调环境刺激在学习中的作用,并且把焦点集中在行为——可观察到的反应上。行为学习包括邻近学习、经典性条件作用、操作性条件作用和观察学习。

早期的学习解释:邻近和经典性条件作用

中性刺激是如何转化成条件刺激的?在由巴甫洛夫发现的经典性条件作用中,先前的中性刺激总是和一种能够引起情绪或心理反应的刺激一起反复出现。接着,这种先前的中性刺激单独引起反应——也就是,这种被赋予条件的中性刺激引起了条件反应。这种中性刺激就转化成了条件刺激。

经典性条件作用的一些日常例子是什么?这里有一些例子——你可以加上你自己的:当你闻到你喜欢的食物时流口水,当你听到牙医钻孔的声音时感到紧张,当你站在舞台上时感到紧张,当你站在飞机上时变得紧张。

操作性条件作用:尝试新的反应

什么情况下后果被定义为强化物?什么时候又被定义为惩罚?根据斯金纳的操作性条件作用的概念,人们通过他们的有意反应的后果来学习。对一个个体来说,一个行为的后果所产生的效果,可以作为强化物,也可以作为惩罚。如果后果增强或是维持了反应,则被定义为强化物;相反,如果结果减少或是抑制了反应,则被定义为惩罚。

负强化经常和惩罚相混淆,它们有什么不同? 强化(包括正强化和负强化)的过程通常会加强行为。一旦期望的行为发生,老师就通过去除令人反感的刺激来加强(强化)期望的行为。因为后果中包含了去除或"减少"一个刺激,这种强化是负强化。而惩罚则包含着减少或压抑一种行为。一种伴有"惩罚"的行为在将来的相似情境中不太可能重现。

你如何鼓励行为的持续性? 比率间隔程式(基于反应次数)鼓励更高的反应速度;变化强化程式(基于变化的反应次数或时间间隔)鼓励反应的持续性。

线索是什么? 线索是一种在特定行为应该发生之前所提供的一个作为前因的刺激。线索在为必须在特定时间发生但很容易被遗忘的行为创造条件时特别有用。

综合考虑:应用行为分析

应用行为分析的步骤是什么? (1)明确要改变的行为和你的目标。(2)观察当前行为水平和可能的原因。(2)运用前因、结果或是两者结合安排一个具体的干预措施。(3)跟踪记录结果,在需要的时候修改计划。

教师怎样才能用好表扬和强化物? 教师注意是一种有力的强化物。如果使用得当,表扬可以支持积极行为,但表扬和忽视策略本身通常不足以改变学生的行为。普雷马克原理指出,高频行为(受欢迎的活动)可以成为低频行为(不受欢迎活动)的有效强化物。为你的学生确定适当的强化物的最好的方法是观察他们在空闲时间都做些什么。对大多数学生来说,聊天、在房间里走来走去、与朋友挨着坐、免除作业或者考试、有玩电脑时间,或玩游戏等,都是受欢迎的活动。

什么时候塑造是适当的方法? 塑造帮助学生一次一点地发展新的反应,所以它对于建立复杂的技能、朝着困难的目标努力和增加毅力、耐力、准确性或速度是有用的。然而,因为塑造是一个耗时的过程,当通过诸如线索一样更简单的方式可以获得成功时,它不应当被使用。

对于团体效应、暂时契约方案和代币强化方案,有哪些管理策略? 利用团体效应包括基于全班的行为对全班进行强化。在暂时契约方案中,教师与每个学生起草一份契约,准确描述学生必须做什么才能得到特定的权利或者奖励。在代币强化方案中,学生凭作业和积极的课堂行为得到代币(分数、检查通过的记号、在卡上穿的小孔、筹码等)。学生可以定期用已经得到的代币来换取一些希望得到的东西。教师必须谨慎使用这些方法,要强调学习而不只是"好的"行为。

使用惩罚时的注意事项是什么? 惩罚本身不会导致任何积极的行为或对他人的同情,而且它可能妨碍与学生建立关爱关系。当你考虑使用惩罚的时候,你应该使它成为双管齐下的一部分。第一个目标是执行惩罚和制止不良行为。第二个目标是明确学生应该做什么,并为那些想要的行动提供强化。因此,在抑制问题行为的同时,积极的替代反应也在加强。

当前应用:功能行为评估、正行为支持和自我管理

如何使用功能行为评估和正行为支持改善学生行为? 在做功能行为评估时,老师研究问题行为的前因后果,以确定行为的原因或功能。然后,正行为支持的设计目的是用新的行为代替问题行为,这些新行为为学生服务的目的相同,但没有相同的问题。

自我管理的步骤是什么? 学生可以把行为分析运用到自己身上来进行自我行为管理,教师可以通过让学生参与目标设定,跟踪学习进步状况,评估成绩以及选择和给出他们自己的强化物来促进学生自我管理技能的发展。

挑战与批判

班杜拉对行为主义学习的挑战是什么? 班杜拉认为传统学习的行为主义观点有很多局限性。尽管他在行为主义学习占主导地位的时期接受教育,但他的观点从未真正认可行为主义为正统。他主张观察学习,即人们在学习过程中既不做出反应也不接受强化。

区分直接学习和替代(观察)学习。 直接学习是通过实践和体验你的行为后果来学习。替代(观察)学习是通过观察来学习,这挑战了行为主义者的观点"认知因素在学习的解释中是不必要的"。在表现和强化发生之前,心理上已经发生了很多事情。按照行为主义观点,强化和惩罚会直接影响行为。在社会学习理论中,看到另一个人、

一个榜样被强化或惩罚对观察者的行为也有类似的影响。社会认知理论将社会学习理论扩展到包括信念、期望和自我认知等认知因素。

学习和表现的区别是什么? 社会学习理论指出了学习和表现之间的区别,换句话说,我们知道的可能比我们表现出来的要多。你可以学到一些东西,但在时机合适之前,你没有表现出来。尽管学习可能已经发生了,但在情况合适或表现的动机之前,它可能不会被证明。

对行为主义方法的主要批评是什么? 误用或滥用行为主义学习方法是不道德的。行为主义方法的批评者还指出了该方法的危险,即强化可能会由于过分强调奖励而降低学习兴趣,并可能对其他学生产生负面影响。教师必须适当地、合乎道德地使用行为学习原则。

关键术语

Antecedents	前因
Applied behavior analysis	应用行为分析
Behavioral learning theories	行为学习理论
Classical conditioning	经典性条件作用
Conditioned response (CR)	条件反应
Conditioned stimulus (CS)	条件刺激
Consequences	结果
Contiguity	接近/邻近
Contingency contract	暂时契约方案
Continuous reinforcement schedule	连续强化程式
Cueing	线索
Effective instruction delivery (EID)	有效指令传递
Enactive learning	直接学习
Extinction	消退
Functional behavioral assessment (FBA)	功能行为评估
Good behavior game	良好行为比赛

Group consequences	团体效应
Intermittent reinforcement schedule	间歇强化程式
Interval schedule	时间间隔程式
Learning	学习
Negative reinforcement	负强化
Neutral stimulus	中性刺激
Observational learning	观察学习
Operant conditioning	操作性条件作用
Operants	操作性反应
Positive behavior supports（PBS）	正行为支持
Positive practice	正练习
Positive reinforcement	正强化
Precorrection	预校正
Premack principle	普雷马克原则
Presentation punishment	呈现惩罚
Punishment	惩罚
Ratio schedule	比率间隔程式
Reinforcement	强化
Reinforcer	强化物
Removal punishment	去除式惩罚
Reprimands	申斥
Respondents	反射
Response	反应
Response cost	反应代价
Self – management	自我管理
Self – reinforcement	自我强化
Shaping	塑造
Social isolation	社会隔离
Social learning theory	社会学习理论
Stimulus	刺激

Stimulus control	刺激控制
Successive approximations	逐步接近法
Task analysis	任务分析
Time out	间歇
Token reinforcement system	代币强化方法
Unconditioned response（UR）	无条件反射
Unconditioned stimulus（US）	无条件刺激

教师案例簿

厌学——他们会做什么？

以下是一些专家老师对这一章开头描述的那个捣蛋学生的反应。

PAULA COLEMERE　特殊教育教师:英语、历史

McClintock High School, Tempe, AZ

如果这是一个长期的问题,我会进行功能行为评估(FBA),并制定一个行为干预计划(BIP)来满足学生的需求。这里的真正问题是学生回避他不想参与的任务。我将与这个学生一起努力,找到一种方法,让这项任务变得不那么艰巨,并试图减轻他的恐惧。如果这个学生像很多学生一样对面对全班发言感到紧张,也许他可以在一个更小的群体面前发言。通过这种方式,学生也是在学习这项技能。我有一些学生害怕在课堂上阅读,我会让他们和我一起练习一小部分文章来建立自信,然后叫他们在课堂上在同学面前阅读。如果这种行为的功能只是逃课,我就会去找一些东西来代替找护士。这将与先完成任务联系起来。例如,"回答完问题后,你可以把它送到办公室。"这为学生完成任务提供了一种奖励。

LINDA SPARKS　一年级教师

John F. Kennedy School, Billerica, MA

每年,我们总有一些"飞行常客"到护士那里。有些人只是需要出去走走,而另一些人则试图摆脱课堂上的不舒服的情境,因为他们觉得自己可能会被取笑、被谈论或被贬低。我一开始总是让他们离开,直到护士或我有时间观察和问不同的问题。我发

现当一个孩子远离这种情况时,他会更乐意分享正在发生的事情。有时候情况很简单,比如他没有完成作业,他害怕会犯错误,或者家里发生了什么事。我有一个学生每天都想让自己生病,这是一种新的行为,我们试图弄清楚发生了什么。我们打电话回家,父母向我们保证没有什么变化。而我们最终发现父母在卖房子,学生无意中听到了他们在电话里谈论搬家和看房子的事。经过几天的努力,他终于和我说,他害怕上学,因为他认为他在学校的时候他的爸爸妈妈要搬家,他到学校的时候会没有人在家。这是另一个需要时间,需要赢得信任,需要同情的例子。

JENNIFER L. MATZ　六年级教师

Williams Valley Elementary, Tower City, PA

学生的这种类型的行为通常是为了寻求注意或回避某种情况。首先,私下和学生交谈。告诉他他好像经常要求见护士,这使他错过了宝贵的教学时间。询问他关于课堂是否有不喜欢的地方。当他敞开心扉时,解释说许多成年人说他们生活中最大的恐惧是当众发言。这表明并不是只有他才有这种情况。可以向他解释,很不幸的是在生活中有时你不得不这样做。可以与他分享你的经验。可以和他解释,一些学生已经想出了一个"信号",当他们知道答案并准备好发言时,他们可以使用。这件事除了你们俩,其他任何人都不会知道。它可以是简单的事情,像拉你的耳垂或触摸你的鼻尖。信号应该是除了你和学生之外对任何人都不明显的东西。但是你首先和他达成协议,他每天必须主动当众发言一次。然后随着他的进步,逐渐增加他一天应该发言的次数。

JENNIFER PINCOSKI　K – 12 年级学习资源教师

Lee County School District, Fort Myers, FL

我们要承认学生对当众发言会存在明显焦虑,惩罚或强迫他参加只会使情况更糟。可以采取措施帮助学生更舒适地进行口头陈述,但同时应为他提供其他活动,以展示他的知识。

为了缓解学生的焦虑,可以做几件事。比如老师可以提前和他见面,检查作业,让他在没有观众的情况下练习。学生可以被分成两两一组,这样他们只需要向另一个人展示。第一次,他甚至可以选择自己的搭档(私下讨论,这样他就不会感到尴尬)。配对可以逐渐增加到三人或四人一组,依此类推。配对和分组可以轮流进行,这样这个学生就可以向所有的同学展示。学生也可以配对完成作业并将其一起呈现。

增强学生对口头陈述的信心这个过程需要时间,耐心和积极的强化是至关重要的。最后,确保他有足够的用于表现自己的学习成果和在内容目标上接受评估的方式,这是非常重要的。

JESSICA N. MAHTABAN　八年级数学教师

Woodrow Wilson Middle School, Clifton, NJ

我将首先单独与学生交谈,并讨论一下我的担忧。我们会让他想出各种解决方法来面对他的恐惧,一起努力找到一种方法。也许这个学生可以从给我做演讲开始,慢慢地,我们可以让更多的人加入这个小组,直到他适应整个班级。或者学生可以录下他的演讲并作为小组演讲的一部分在课堂上播放。如果是一种严重的恐惧症,我会让学校辅导员、行政管理人员、学校精神病医生、学生,当然还有他的父母参与。我们可以一起解决孩子的需求。我觉得奖惩对这种情况没有帮助。学生需要学会如何独立解决问题,一旦任务完成后也并非总是得到奖励。如果任务没有完成,感到被惩罚的压力也是不公平的。目标是让所有学生都有内在的动机,这将反过来帮助他们为现实世界做好准备。

LAUREN ROLLINS　一年级教师

Boulevard Elementary School, Shaker Heights, OH

这个学生在课堂上讲话时显然非常不舒服。为此而惩罚他将是一个巨大的错误!相反,我会和他单独谈一谈。在我们见面的时候,我会告诉他,我注意到他在当众演讲的情境出现时经常去护士那里,我想帮助他克服他的恐惧。我会先向他保证,他的想法对我很重要,并给他机会写下他的回答,而不是大声说出。我也会给他机会,让他私下给我做口头报告。然后,我会慢慢地提高我对他参与课堂的期望——要求他每周大声回答一次,然后两次,以此类推。我将以一种激励的和对他有意义的方式来表扬和奖励他。然后我会继续提高我的这种期望,直到他对成为课堂讨论的参与者感到舒服为止。对于口头演讲,当他一对一地向我做演讲感到舒适时,我会让他邀请一到两个朋友参加,然后再邀请一个小组。我的目标是让他在面向自己选择的一群人演讲时慢慢感到越来越舒服。最终,我对他的期望会和我对他的其他同伴的期望一样。

SARA VINCENT　特殊教育教师

Langley High School, McLean, VA

学生正在表现逃避任务的行为。为了消除学生的行为,首先要对任务进行修改。比如学生可以选择只在老师面前做口头作业,也可以选择在自己觉得舒服的地方录下他的作业。随着时间的推移,学生可以被介绍到一个稍微大一点的小组,并在完成工作时获得奖励。奖励可能会慢慢消失,直到学生对当众讲话感到不再恐惧为止。

PAUL DRAGIN　九至十二年级 ESL 教师

Columbus East High School, Columbus OH

在与护士交谈并确定来回跑没有任何价值之后,我就会与学生交谈,并试图让他开诚布公地说出对课堂活动引发的可能的恐惧。假设是害怕当众讲话,我会提出一些策略,通过修改要求和肯定他的尝试等,使他慢慢融入口头活动中。我会向所有的学生承认,害怕公开演讲是很常见的,并与他们交流为什么在课堂上练习这种技巧是如此重要。

第八章　学习的认知学派观点

概览

构建陈述性知识:建立有意义的联系

惠及每一位学生:使其变得有意义

如果你不得不记住……

给教师的建议:陈述性知识

程序性知识的发展

总结

关键术语

教师案例簿——记忆基础知识:他们会做什么?

教师案例簿

记忆基础知识——你会做什么?

你刚刚批改了今年的第一次大型单元测试。大约三分之二的学生似乎已经掌握了材料内容并理解了关键知识。然而,另外三分之一的学生似乎对此一窍不通。不知道什么原因,他们没能记住基本的词汇和事例——这是他们在进入下一单元更复杂学习之前必须了解的基础知识。这些学生经常过一天或过一周后就会把关键信息忘得一干二净。

批判性思维

- 你如何帮助这些学生记忆和提取必要的信息?

- 对于他们机械记忆的学习方式,你有什么看法吗?

- 你会如何利用学生已经掌握的知识,帮助他们用更好、更有意义的方法学习?

- 这些问题将如何影响你将要任教的年级?

概述和目标

本章从学习的行为主义理论转向认知观点。这意味着从"把学习者和他们的行为看作是环境刺激的产物"转变为把学习者看成"通过计划、意图、目的、想法、记忆和情感的积极参与,选择和建构来自刺激和经验知识的意义"(Wittrock,1982,pp. 1 - 2)。我们从学习和记忆的一般认知方法和了解有关学习的知识的重要性开始本章的学习。为了理解记忆,我们将学习到记忆的早期信息加工模式,以及最近在交叉学科认知领域的发现对这些模式的改进。这些新模式指出了工作记忆、认知负荷和知识的关键加工方式。然后我们便会转向教师怎样帮助学生变得更加博学多知。当你完成本章的学习时,需要做到以下几点:

目标8.1　区分学习的行为主义观点和认知主义观点,了解认知主义在知识领域中的地位。

目标8.2　解释记忆的早期信息加工模式和近期的认知科学模型,包括工作记忆、认知负荷理论和工作记忆的个体差异。

目标8.3　叙述有关长时记忆的现有观点,特别是长时记忆的内容、类型和个体差异,以及从长时记忆中提取信息的过程。

目标8.4　描述有利于学生构建长久性知识的策略。

认知观的基本观点

认知观是心理学中最古老同时也是最年轻的观点。它是古老的,因为关于知识的本质、理性价值和思维的内容讨论至少可以追溯到古希腊哲学家(Gluck, Mercado & Myers,2008)。然而在19世纪初到几十年前的一段时间里,由于行为主义的盛行,认知主义失去了以往的繁盛,行为主义强调通过外部影响和学习法则来改变行为,这种影响和学习法则适用于所有高等动物,而不考虑个体差异(Lee,2016)。但今天,人们对心理加工过程重新产生了兴趣。如今的焦点在于对记忆和认知的科学研究——"理解大脑是如何工作的,对人们如何接受和思考进行实证研究"(Brown et al. ,2014,p. 8)。这种学习的认知观(Cognitive view of learning)①可以被描述为一个普遍认可的取

①学习的认知观——把学习看作是一种获取、记忆和使用知识的积极的心理过程。

向,它认为人类是积极的信息处理器。以前的认知观点强调知识的获取,但新观点强调知识的构建(Mayer, 2011;Ormrad, 2016)。在过去的几年里,对记忆和认知的研究已经进入跨学科领域,通常被称为认知科学(Cognitive science)①——关于思维、语言以及越来越多的对大脑的研究(Radvansky & Ashcraft, 2014)。

大脑和认知学派

人类的大脑由许多不同的模块组成——识别面孔、处理听觉信息、从图片中提取意义、描绘类别和概念、形成新记忆、协调动作等等。所有这些模块一起工作,才会为你的经历与学习赋予新的意义。你的生活始于你先天的基因天赋,但通过学习,你可以形成自己的思维能力和创新能力。在人的一生中,每次学习都会给自己的大脑带来改变(Anderson,2015;Brown et al.,2014)。例如,研究发现,出租车司机大脑海马体的一部分比其他司机更大,而这种增大的尺寸与驾驶出租车的时间长度有关。这是因为大脑变大的功能区在城市路线的导航中更常用。大脑的这一部分也是最早受阿尔兹海默病影响的区域之一,这就可能解释为什么阿尔兹海默病患者即使在熟悉的环境中也会迷路——他们的大脑导航系统正在失灵(Sleek,2015)。

观察和可视化有助于学习,因为大脑对这些类型的刺激会自动做出反应。例如,当观察某些人的动作时,大脑中参与控制动作的区域仅仅通过观察就会被激活——大脑会预演它注意到的另一个人做的动作。这些在感知动作和实际执行动作的过程中同时激活的大脑区域被称为猴子的镜像神经元(因其首先发现于猴类)和人类的镜像系统(mirror systems)②。因为人类激活的区域包含数以百万计的神经元(Anderson,2015;Ehrenfeld, 2011),当你实际观察一个物体时,大脑的某个区域会被激活,仅仅是在脑海中想象这个物体就至少激活了大脑相同区域的三分之二(Canis, Thompson, & Kosslyn, 2004)。

大脑影响认知加工活动并反过来受其影响。当我们经历一件事时,大脑中不同的神经元一起放电。当我们记忆那个事件时,同样的神经元又一起启动。经过反复的激

---

①认知科学——对思维、语言、智力、知识创造和大脑的跨学科研究。
②镜像系统——大脑中既能在知觉别人行动时被激活,又能在自己行动时被激活的区域。

活,这些神经元就会像稳定的网络一样通过海马区——大脑中学习和形成新记忆的关键区域。最后,这些网络变成了储存在大脑皮层(大脑的薄皮层)的记忆。当然,对这些领域的任何损害都会影响学习。例如,几年前,当一个病人的海马体被移除以治疗严重的癫痫时,他可以记住过去的事件和事实,但是除了动作和身体技能,比如使用助行器外,他不能形成新的记忆(Carey, 2015)。

由于大脑的持续发展,尤其是随着前额皮质的成熟,孩子们在 7 岁或 8 岁的时候将过去和现在的经历整合在一起的能力变强。婴儿或蹒跚学步的幼儿会有冲动的反应,但 8 岁的幼儿能够记忆和思考。分析、控制、抽象、记忆空间、处理速度和信息的相互连接使自我调节和持续的认知发展成为可能。许多发育和大脑的变化都涉及知识——这是认知角度的一个关键因素。

知识在认知中的重要性

停下来想一想:快速地列出 10 个与教育心理学相关的术语,并且列出 10 个与陶瓷工程相关的术语。

当你阅读"停下来想一想"时,除非你是在学习陶瓷工程,否则你可能会花更长的时间从该领域列出 10 个术语,而不是从教育心理学中列出。你们中的一些人可能还在问,"陶瓷工程到底是什么?"你的答案取决于你的知识,想想光纤、陶瓷牙齿和骨骼,电脑用陶瓷半导体,航天飞机用隔热瓦片。

知识和认识是学习的结果。当我们学习认知心理学的历史、陶瓷工程的产物或者网球的规则时,我们会学到一些新的东西。然而,知识不仅仅是之前学习的最终产物,它也会指导新的学习。个体能给新的学习环境带来什么是学习过程中最重要的因素之一。我们已有的知识是构建所有未来学习的基础和框架。知识在很大程度上决定了我们将会关注、感知、学习、记忆和遗忘的东西(Bransford, Brown & Cocking, 2000; Sawyer, 2006)。一般来说,已有的知识对新的学习是有帮助的,因为概念的增长和扩展建立在现有知识的基础之上。例如,与对足球知之甚少的四年级学生相比,作为"足球专家"的四年级学生学习和记住的新足球术语要多得多。尽管两组学生学习和记住非足球术语的能力是相同的,不同的是,"足球专家"会利用他们已有的足球知识来组织和聚集足球术语,这些能更好地帮助他们记忆(Schneider & Bjorklund,1992)。但有时,正如我们稍后将看到的,已有的知识并不总是有用的,而是具有误导性的,因为我们对我们正在学习的东西持有错误的观念。在这些情况下,概念的变化而不是概念的增长使理解成为可能(APA,2015;Lucariello et al.,2016)。

一般和具体的知识。认知方面的知识包括专门领域知识和一般知识。专门领域知识(domain - specific knowledge)①与特定的任务或主题相关。例如,知道游击手在二垒和三垒之间是棒球领域特有的打法。另一方面,有些知识是通用的——它适用于许多不同的情况。例如,关于如何阅读或集中注意力的一般知识(general knowledge)②在学校内外都很有用。

当然,一般知识和专门领域知识之间没有绝对的界限。当你第一次学习阅读的时候,你可能学习了关于字母的声音。关于字母的声音的知识是特定于阅读领域的。但是现在你可以同时使用字母发音知识和更常规的阅读能力(Bruning,Schraw,& Norby,2011;Schunk,2016)。在学校学习通常需要专门领域的知识和一般的知识技能。例如,史蒂文·赫赫特和凯文·瓦吉(Steven Hecht & Kevin Vagi,2010)跟踪了四年级到五年级学生的分数学习情况,发现掌握分数的困难程度与缺乏关于分数的具体知识和缺乏关于如何在课堂上自我表现和集中注意力的常规知识有关。

另一种对知识的分类是陈述性、程序性或自我调节知识(Schraw,2006)。在这一章中你将遇到这些术语。

陈述性、程序性和自我调节知识。陈述性知识(declarative knowledge)③是可以通过所有种类的文字和符号系统(盲文、手语、舞蹈或音乐符号、数学符号等等)来进行陈述的知识。陈述性知识的范围很广,你可以知道非常具体的事实(黄金的相对原子质量是196.967),或者一般情况(一些树的叶子在秋天会变色),或者个人喜好(我不喜欢青豆),或者规则(分式、除数或乘法)。陈述性知识的小单位可以被组织为大单位。

---

①专门领域知识——在某种特定情况下或者某个专门的主题中有用的知识。
②一般知识——在许多不同类任务中都有用的知识;可以应用到许多情况下的信息。
③陈述性知识——口头信息;事实;"知道是什么"的知识。

例如,强化和惩罚的原则可以在你的思维中组织成行为主义学习理论。

程序性知识(procedural knowledge)①是知道如何做一些事情,如除以分数或设计一个网站,这是行动中的知识。程序性知识必须用实例证明。复述除以分数、除数和乘法的规则可以显示为陈述性知识。学生可以简单地陈述规则,但必须要通过行动来展示程序性知识。当面对分数的除法时,学生必须正确地使用除法。当学生把一段话翻译成西班牙语,或者正确地区分几何形状,或者制作一个连贯的段落时,他们会展示程序性知识。

自我调节知识(self-regulatory knowledge)②(有时称为条件知识)是知道如何管理自己的学习——知道如何以及何时使用自我的陈述性和程序性知识(Schraw,2006)。要知道什么时候精读文本,什么时候略读,或者什么时候应用克服拖延症的策略,这需要自律知识。对于很多学生来说,这种知识是一个绊脚石。他们有事实作为依据,可以按部就班地进行每一个步骤,但他们似乎不明白如何在恰当的时候应用他们所知道的知识。自我调节知识可以具体到一个学科领域(在几何中什么时候使用面积计算公式,而不是周长计算公式)或更一般性的知识(如何总结关键点或使用图表来组织信息)。

对某件事有所了解就是要长期地记住它,并在自己需要的时候提取它。认知心理学家对记忆进行了广泛的研究,并在此过程中对知识有了更多的了解。让我们看看他们学到了什么。

记忆的认知观

记忆理论有很多,其中最常见的是信息加工模式(Bruning et al. ,2011;Radvansky & Ashcraft,2014;Sternberg & Sternberg,2012)。我们将使用这个已有充分研究的框架来检查学习和记忆。

早期的信息加工(information processing)③处理理论使用计算机作为模型。与计算

①程序性知识——我们完成一项任务的过程中展示的知识,"知道该怎么样"。
②自我调节知识(条件性知识)——"知道什么情况下、为什么"要用陈述性知识或程序性知识。
③信息加工——人头脑中理解、存储和使用信息的各种活动。

机一样,人类的大脑接收信息,对其进行操作以改变其形式和内容、存储信息、在需要时检索信息、并生成对信息的回应(R. C. Atkinson & Shiffrin,1968)。根据这个模型,来自环境的刺激来到感受存储器中,分别对应着看、听、尝等不同的感知模式。一些信息被编码并转移到短期记忆,短期记忆保存信息的时间非常短,它只有与长时记忆中的信息相结合,并通过足够的努力之后,才能将一些信息转移到长时记忆中存储。

这个模型被证明是有用的,但并不完整。在该模型中,信息主要以同一种方式在系统中移动,即从感受存储器到短期记忆到长时记忆,但研究表明,这些过程之间有非常多的相互作用和联系。该模型无法解释无意识记忆或知识是如何影响学习的,也无法解释几个认知过程是如何同时发生的——就像许多小型计算机一起工作一样。

如今,认知科学的观点认为认知是一个非常复杂又互相协调的一个运行机制,它由多个记忆部分组成,且彼此之间交互连接十分迅速(Radvansky & Ashcraft,2014)。这个较新颖的视角保留了以往模型的一些特性,但强调了工作记忆、注意力以及系统元素之间的交互作用,如图8.1所示。这个模型是基于其他几个理论家所提出的模型而得来的(Radavansky & Ashcraft, 2014;Schunk, 2016;Sternberg & Sternberg, 2012)。为了理解这一模型,我们需要考察每一个元素。

感觉记忆

外部环境的刺激(视觉、声音、气味等)不断轰炸我们身体的看、听、闻和感觉等机制。感觉记忆(sensory memory)①是信息加工的最初阶段,感觉记忆识别涌进来的刺激,然后进一步理解。例如对"噢,那声音就是我的门铃"等含义的感知的最初过程(Schunk,2016)。

感觉记忆的容量、持久性和内容。感觉记忆的存储容量是非常大的,比我们一次可处理的信息多得多,但是这些巨大数量的知觉信息在持续时间上是十分脆弱的,它的持续时间不会超过三秒钟,并且大约99%的信息会被丢弃。

停下来想一想:当你直视前方时,在你的眼前前后挥动一支铅笔(或你的手指),看

————————

①感觉记忆——快而粗略地把握感觉信息的一种记忆。

见渐渐消失在物体背后的影像了吗？掐手臂,然后放开,放开后你会有什么感受？

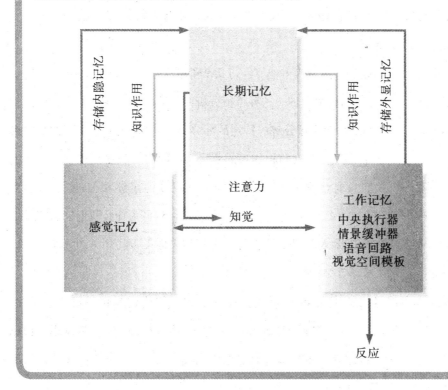

信息加工系统的新版本

　　信息被编码在感觉记忆中,并由知觉和注意选择出工作记忆中对将来有用的信息。在工作记忆中,大脑的执行过程管理着信息的流动,并将新信息与长时记忆中的知识相结合。经过处理和联合的信息成为长时记忆的一部分,当它再次被激活时,就成为工作记忆的一部分。内隐记忆是在无意识的努力下形成的。加工系统中的三个要素相互作用,引导感知,重新发送、组织和解释信息;应用和修改命题、概念、图像、模式和策略;构建知识,解决问题。注意力对这三个记忆过程和它们之间的交互都有影响。

图中文字:存储内隐记忆　知识作用　长期记忆　知识作用　存储外显记忆　感觉记忆　注意力　知觉　工作记忆　中央执行器　情景缓冲器　语音回路　视觉空间模板　反应

图8.1　信息加工系统的新版本

　　在刺激消失后,感觉登记器只能在非常短暂的时间保持输入信息。在真实的刺激被去掉后,你可以看见一支铅笔运动的轨迹,在你松开后,你可以感觉到疼痛。感觉记忆在实际刺激后非常短暂地保存了刺激的信息(Lindsay & Norman,1977)。

感觉记忆的信息内容和来自最初刺激的感觉相似。视觉被简单编码为图像,就像照片一样。听觉被编码成声音模式,类似于回音。其他的感觉也有他们自己的编码。因此在几秒钟内,大量来自感官经验的数据仍被完整保持,在这段时间内我们有机会为将来的加工选择和组织信息。在这个阶段,知觉选择和注意力是至关重要的。

知觉。察觉到一个刺激并赋予其意义的加工称作知觉(perception)①。这种解释的建构基于客观的现实和我们现有的知识,例如在注意这个记号"I3"时,如果你被询问这字母是什么,你会说是 B,如果被询问这数字是什么,你会说这是 13。事实上这个记号是没有变化的,对于他们的知觉含义理解的不同是因为你认识的期望不同,即期望它是字母还是数字。但是对于一个没有相关字母或者数字知识的儿童,要他们去理解这个记号可能是无意义的。

从感官输入到识别物体的过程可能要经历几个阶段。在第一个阶段,物体的特征被提取和分析,形成一个粗略的草图。这种特征分析叫作数据驱动或自下而上信息加工(bottom-up processing)②,信息被分解成特定的部分,并且整合成一个富有意义的模式。例如,字母 A 是由两条以 45 度角相连接的直线和中间的一条横线组成。当我们看到这些特点时,我们只要认识一个"A",就能够认识其他足够相似的字母,包括 A, A, A, A, A 和 A 等(J. R. Anderson, 2015)。这样就可以解释为什么我们能够读其他人手写的单词,以及为什么人类(而不是电脑机器)能填满那些烦人的验证码,比如 smwm。

随着知觉的深入加工,这些特征就被组织成有意义的模式。20 世纪早期德国(以及后来的美国)格式塔主义心理学家研究了这些过程。格式塔(gestalt)③,意思类似德文中的模式和结构,指人们有一种将知觉信息组织成模式或关系的倾向。图 8.2 给出了一些格式塔原则。

①知觉——对感觉信息的解释。

②自下而上信息加工——以各个分离定义的特征为基础去感知,把信息纳入可识别的模式中。

③格式塔——德语中代表模式或整体。格式塔理论学家认为人们把他们知觉到的统合成连贯的整体。

格式塔原则的例子

格式塔关于知觉的原则解释了我们如何在周围世界中"看到"模式

GESTALT PRINCIPLE	EXAMPLE	EXPLANATION
图像—背景		你看到了什么？是两张侧脸还是一个柱子？当你把一个图像定位为图时，另一个就是背景。
接近		你看到这些竖线分为三组，是因为这些竖线邻近排列。
相似		你看到这些竖线仿佛是间隔的、轮流的模式，是因为这些竖线在高度上相似。
接近重于相似		尽管图中一条竖线短、一条竖线长，你仍会认为这些竖线分为四组、每组两条，这是因为每两条不同的竖线邻近排列。
共同趋向		你会看到图案中的元素朝共同的方向运动。
简化		你会倾向看到两个交叉的矩形，而不是五个奇怪的形状。
闭合		你看到的是一个圆圈，而不是稀疏的曲线。

资料来源：Source: Based on Schunk, D. H. (2016). Learning Theories: An Educational Perspective, 7th Ed. Reprinted by permission of Pearson Education, Inc.

图8.2 格式塔原则的例子

　　如果所有的知觉都依赖于特征分析，学习将会非常慢。幸运的是，人类有另一种感觉能力，这种感觉以知识和预期为基础，经常被称为自上而下信息加工（top-down processing)①,为了迅速地识别模式,除了注意特征,我们需要联系上下文和已经知道的知识——关于图片、文字或世界一般的运动方式。一个上下文效应的例子:在系列 ABC 中,I3 是一个字母。但是在系列 12、13、14 中,I3 是一个数字(Anderson,2015;Eysenck,2012)。一个知识效应的例子:你必须知道拉丁字母和阿拉伯数字的知识才能感知一个字母或数字。如图 8.1 所示,知识在感知中的作用由长时记忆(存储的知识)、工作记忆和感觉记忆之间的箭头表示。

注意的作用。任何一种颜色、动作、声音、气味和温度等的变化都会引起我们的注意,否则生活将无法想象。早期,大脑的一个叫作网状激活系统的区域过滤了大量的这些刺激,大部分没有经过任何有意识的努力,所以我们不会被过多的刺激所轰击(Schunk,2016)。然后,随着刺激处理的进行,注意(attention)②变得更加有意识和有选择性。我们所关注的事情,在一定程度上是由我们已经知道的和我们需要知道的所引导的,所以注意被图 8.1 所示的全部三个记忆过程涉及并影响。注意力还会受到同步发生的其他事情、任务的类型和复杂程度、情景所依靠的资源、个人期望、你控制或集中注意力的能力的影响。一些有注意力缺陷障碍的学生往往很难集中注意力,甚至常常忽略相互矛盾的刺激。

注意力需要人的努力,而且是一种有限的资源。在一定的时间我们仅仅能注意到一个需要付出认知努力的任务(Sternberg & Sternberg,2012)。例如在我刚开始学习驾驶的一段时间里,我不能边开车边听收音机。通过一段时间的练习,我可以一边开车一边听收音机了,但在交通紧张的时候我就得关掉收音机。通过几年的练习,我开车的时候可以计划一堂课、打电话或者实时对话。这是因为很多信息加工开始时需要注意,经过练习之后注意越来越不需要意识的主动参与,能自动进行。实际上,这种自动化(automatic)③可能是一个熟练程度的标志,我们不会完全没有意识,但是在我们的

①自上而下信息加工——通过背景和我们已经知道的情况来理解信息;有时被称为概念驱动知觉。

②注意——注意力集中在某种刺激上。

③自动化——完全学会的东西,不需要过多智力努力就能完成的能力。

行为中,或多或少的自动化由我们的熟练程度、当时的情况,以及我们是否有意识地集中注意力指导我们自己的认知过程所决定。例如,即使是经验丰富的司机也会在一场令人眩目的暴风雪中变得非常专心和专注——开车时不应该发短信或打电话。调查显示,开车时发短信、打电话或吃东西会造成很严重的后果,每天大约有 8 人因此死亡、1161 人受伤,即使开免提设备也无济于事(CDC, 2016)。没有人在处理这些分心的事情时能够自动化。

注意力和多重任务。说到分心驾驶,发短信或打电话的司机说他们在进行多任务处理,他们通常认为一切都很好(见"观点与争论")。青少年比以往任何时候都更倾向同时处理多项任务,这可能是因为他们接触了太多的技术。例如,莫雷诺等人(Moreno et al. ,2012)提供了许多大学生做作业方式的实际实时样本(你会觉得这个场景熟悉吗?):

> 一个学生可以同时做作业,在另一个窗口打开 Facebook,向助教发一封电子邮件,询问一个特别有挑战性的作业问题,在学习之余偶尔浏览一下互联网。此外,这些情况表明,无论是在工作中还是在娱乐中,大学生的在线活动通常都涉及多任务处理。

观点与争论:多重任务有什么问题?

你可能正在同时处理多项任务。如果是这样,关闭你的 Twitter、Instagram、Facebook、Vine、Reddit、YouTube、Snapchat 和电子邮件页面,并考虑一下反对和支持多任务处理的理由。

观点:多重任务对大脑有害。

丹尼尔·列维京(Daniel Levitin, 2015)在一篇名为《为什么现代世界对你的大脑有害》(Why the Modern world is Bad for Your Brain)的文章中引用了神经科学家厄尔·米勒(Earl Miller)(世界上最重要的分离注意科学家之一)的观点。米勒提醒说,我们的大脑"并没有连接得好到能进行多任务处理……当人们认为自己在同时处理多项任务时,他们实际上只是在快速地从一项任务切换到另一项任务。每次这么做,他们都花费了一定的认知精力"(Levitin, 2015, p. 2)。列维京说,尽管我们认为我们已经完成了很多事情,但实际上我们的效率更低、压力更大,而且基本上是被过度刺激的。多任务处理创造了一个像上瘾一样的反馈循环。通过转换任务产生的新颖感会释放多巴胺,使我们想要更多的新鲜感,导致更多地进行多任务处理。在不同的任务间切换会得到一阵类鸦片的奖励——大脑糖果——虽然没有学习,但感觉确实很好。另外,转移注意力消耗的正是大脑中保持注意力集中所需要的葡萄糖燃料。所以多任务处理会很快耗尽你的精力,让你感到疲惫、焦虑,甚至有攻击性。

另一项研究表明,如果你在一心多用的时候学习,新的信息就会进入大脑的错误部位,而不是可以将记忆组织成长久记忆的海马区(Foerde, Knowlton, & Poldrack, 2006)。一旦你把注意力转移到别的事情上,大脑就会开始与你正在思考的东西失去联系,比如你数学作业中问题4的答案。再次寻找大脑路径意味着重复你在第一个地方已经找到了的路径,所以找到问题4的答案需要更多的时间。事实上,如果你同时处理多项任务的话,做一个家庭作业可能要多花400%的时间(Paulos, 2007)。

对立的观点:多重任务对少数人来说是可能有效的。

多任务处理很常见,而且很可能会奏效,至少对于那些被詹森·沃森(Jason Watson)和大卫·斯特雷耶(David Strayer, 2010)所称的"超级任务处理者"来说是这样。研究人员在驾驶模拟器中对200名大学生进行了测试。除了专注于驾驶,他们还通过学习一串单词和同时进行心算来进行多任务处理。对于绝大多数司机来说,驾驶和学习的表现都在他们同时处理多项任务时受到了影响。但是对于一小部分(2.5%)人,任务处理效果并没有受到影响。一项针对高中生的研究发现,大约15%的参与者听音乐、用手机,并被告知要接收一些电子邮件时在简单任务上表现得更好。不过要注意的是——这些都是非常简单的任务,比如确定电脑屏幕上某个特定的彩色矩形是否移动了,而不是微积分作业。此外,85%的高中生在一心多用时表现更差,甚至在这些简单的作业上也是如此(Reddy, 2014)。

特里·贾德(Terry Judd, 2013)总结了多任务处理对大多数人的影响:"尽管有证据表明,多任务处理的效率,也就是多任务处理的结构,会通过练习得到改善(Dux et al.,2009),但这点好处似乎会被将多任务处理中获取的信息编码进短时、长时记忆中的损失而大大抵消掉(p.366)。然而,在多媒体环境下长大的青少年真的有可能学会有效地同时处理多项任务吗?"

当心"非此即彼"。我们能有效地多任务处理吗?密歇根大学(University of Michigan)的大脑、认知和行动实验室(Brain,Cognition,and Actions Laboratory)的研究表明,这要视情况而定(Hamilton,2009)。任务的内容会对任务完成产生影响。有一些简单的任务,比如行走和咀嚼口香糖,需要不同的认知和简单的动作技能,而且走路和咀嚼都是很自动化的动作。但其他复杂的任务,例如开车和打电话,需要一些同样的认知资源——注意交通,注意对方在说什么。多任务处理的问题来自试图同时做复杂任务(Hamilton,2009)。尤其是开车,集中注意力是至关重要的。记住,每天大约有8个人死于分心驾驶。即使是超级任务处理者也不应该冒着自己和他人的生命危险去尝试。

电子邮件、短信、社交网站和无处不在的手机都分散我们的注意力。一心多用似乎是对这些要求的唯一合理回应。但是多任务处理是个好主意吗?和往常一样,这要视情况而定。

注意力和教学。有意识学习的第一步是集中注意力。学生不能处理一些他们没有意识到或觉察到的事情(Lachter,Forster & Ruthruff,2004)。但是信息处理的成功与否取决于很多事情,而不仅仅是注意力。有些任务资源有限,如果我们给这些任务多分配些资源,这些任务的执行情况将会改善。例如,关掉电话,把自己全部的注意力交给一场复杂的演讲。其他一些任务的数据是有限的,这意味着成功的处理取决于可用数据的数量和质量。如果可用信息的质量不高,那么无论我们多么努力地集中注意力,我们都不会成功。例如,如果你只是听不清演讲内容,或者演讲中用到的术语你只知道很少的一部分,那么集中注意力就无法帮助你理解。我们已经讨论了第三种任务——自动化——我们即便不在它上面花费很多注意力也可以发生的,因为我们已经非常彻底地练习过了。例如,一个专业的音乐家在吉他弦上移动手指的方式就是一个自动化的过程(Bruning et al.,2011)。

课堂上的许多因素影响着学生的注意力。明亮的颜色、下画线、突出的书面或口头的词、点到学生的名字、惊喜事件、有趣的问题、任务和教学方法的多样性、音调的变化、灯光或走动等都可以用来吸引注意力。但是接下来学生必须保持注意力,必须把注意力集中在学习环境的重要特征上。

"指南:获得和保持注意力"为吸引和保持学生的注意力提供了思路。

指南:获得和保持注意力

使用信号。举例:

1. 发出某种信号,表示让学生停下自己正在做的事情,把注意力集中到你这里来。有些是走到教室里的某个特定的地方,咯哒一声打开灯,敲击桌子,或者按一下教室钢琴的一个键。可以混合视觉和听觉信号。

2. 不要使用干扰性行为,比如在桌子上敲铅笔,这样会干扰学生对信号的学习和注意力。

3. 在任务开始前给学生一些短暂的、明确的说明,而不是中间或过渡中给出说明。

4. 和年幼的孩子玩耍:使用戏剧性的声音,引人注意的帽子,或者拍手游戏(S. A. Miller, 2005)。

主动接触而不是大声叫喊(S. A. Miller, 2005)。举例:

1. 走向孩子,看着他或她的眼睛。

2. 用坚定但不具威胁性的声音说话。

3. 在和孩子交谈的过程中称呼他们的名字。

确定学生已经明确这堂课或者这次作业的目的。举例:

1. 把目标写在黑板上,开始之前和学生一起讨论,并且在上课前和学生一起讨论。让学生总结或复述目标。

2. 解释学习目标及原因,让学生对如何运用这些材料举出例子。

3. 把新课和先前学过的课程结合起来——以纲要或者示意图的形式向学生展示新课和先前所学的关系,以及和以后要学到的内容之间的关系。

把多样性、好奇心和惊喜结合起来。举例:

1. 用"如果……的话，会发生什么呢?"这样的问题引起学生的好奇心。

2. 引入想象不到的事件，比如交流课之前组织一场气氛热烈的辩论。

3. 改变课堂的物理环境，可以通过变化教室的布置或移到一个不同的环境中等。

4. 讲课过程中，变化学生接收信息的感觉渠道，让学生摸、闻或品尝实物。

5. 利用动作、手势或噪音的变化——在教室里巡回、指点，说话开始时柔和到语气加强。(我的丈夫在大学里教课的时候，就曾因为跳上他的讲桌强调一处重点而出了名!)

提问和提供答案的框架。举例:

1. 问学生这些材料的重要之处在什么地方，他们要怎么学，会使用哪些策略。

2. 给学生一些自我检查和修正的引导，集中解决常见错误，让学生之间结对进行学习与修正，共同提高他们的作业水平——因为有时候学生很难发现自己的错误。①

工作记忆

纳尔逊·考恩(Nelson Cowan)将工作记忆(working memory)②定义为"可以被存储在记忆中并能够在认知任务中被应用的小部分信息。它与长时记忆不同，长时记忆是一个人一生中储存的大量信息"(2014，P197)。工作记忆是记忆系统的"工作台"，是暂时保存新信息，并与长时记忆知识相结合，以进行解决问题或理解讲座等认知任务的界面。例如，当你看到 $45 \times 72 = ?$，你必须检索信息，回忆×符号是什么意思以及算出这道题所需的算术知识。所以工作记忆能维持你当下正在思考与运用的东西。(Cowan，2014；Demetriou，Spanoudis，& Mouyi，2011)。短时记忆不同于工作记忆。短时记忆(short-term memory)③通常只意味着存储，是一种对新信息的瞬时记忆并且会快速消失。但是工作记忆同时包括暂时的保存和主动的处理——这就是为什么把它比作工作台——在这里，新的输入和长时记忆中的知识都需要积极主动的脑力劳动。

---

①想要查找吸引学生注意力的方法，请访问 atozteacerstuff.com 并搜索"吸引学生注意力"。

②工作记忆——为完成诸如语言理解、学习和推理等复杂认知任务而对信息进行临时保存和处理的大脑系统;在某个时间个体所聚焦的信息。

③短时记忆——存储信息约 20 秒的内存系统组件。

工作记忆容量。与感觉记忆或长时记忆不同的是,工作记忆容量是非常有限的——许多教授似乎都忘了这一点,他们快速地推进着讲座,而你却在费力地同时理解他的话和他的幻灯片。早期的实验表明,工作记忆的容量是"神奇的 7"加减 2 个(即介于 5 和 9 之间的)独立的新条目(G. A. Miller, 1956)。稍后,我们将看到这个限制可以通过使用一些技巧来突破,例如分块或分组,但是 5—9 的限制在日常生活中普遍适用,至少对于没有任何特定含义或上下文的信息是适用的,例如不相关的数字字符串。在你要打电话时,记住一个在网上找到的新的电话号码是很常见的。但如果你要接两个电话怎么办? 两个新的电话号码(14 位)可能不能同时记住。

艾伦·巴德利(Allan Baddeley)和他的同事们负责一个共同的工作记忆模型,这个模型对目前我们对人类认知的理解至关重要。(Baddeley, 2007; Eysenck, 2012; Fenesi, Sana, Kim, & Shore, 2015; Jarrold, Tam, Baddeley, & Harvey, 2011)。在这个模型中,工作记忆至少由四个元素组成:控制注意力和其他脑力资源(工作记忆的"工人")的中央执行器,保留言语和听觉信息的语音回路,保存视觉和空间信息的视觉空间模板,以及来自语音回路、视觉空间模板和长时记忆的信息结合并创造出基于这些资源的有意义表征的场所——情境缓冲器。

语音回路和视觉空间模板是声音和图像的短期存储场所,它们很像早期信息处理模型中的短期记忆。语音回路、视觉空间模板和情景缓冲器为中央执行器做了一些较低层次的工作,为中央执行者保留并且组合信息。巴德利还说,可能还有处理其他信息的其他较低级别的工作/存储系统,比如处理气味或味道信息,但我们知道的是语音回路、视觉空间模板和情景缓冲器,下面的图 8.3 展示了工作记忆系统。

让我们来体验一下工作记忆系统的工作吧!

停下来想一想:用心算解决这个来自阿什克拉夫特(Ashcraft)和拉德万斯基(Radvansky)的问题,同时要注意你解决问题的心理过程:

$$[(4+5)*2]/[3+(12/4)]$$

工作记忆的三个部分

中央执行器是集中注意力、推理和理解等认知活动的记忆资源库。语音回路保存语言和声音信息，视觉空间模板保存视觉和空间信息。情境缓冲器集成了来自语音回路、视觉空间模板和长时记忆的信息。这个系统是有限的，如果有太多的信息或信息太困难，这个系统可能会超负荷。工作记忆各组成部分之间的互动实际上发生在长时记忆中，在长时记忆中，视觉空间模板激活视觉意义（语义），语音回路激活言语意义（语言），对事件和事件的长时记忆整合了所有这些视觉和言语信息。

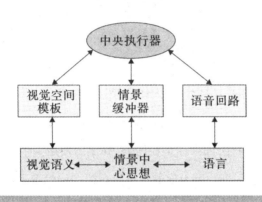

图 8.3　工作记忆的三个部分

中央执行器。当你在"停下来想一想"中解决这个问题时,你工作记忆的中央执行器会把你的注意力集中在你需要的事实上(4 + 5 是多少？12/4 是多少?),从你的长时记忆中检索出首先要先做哪一步的规则,并回忆如何分组。正如你在图 8.3 中看到的,中央执行器(central executive)①监管着注意力,制定计划,推断、排除不相关的想法,决定检索什么信息以及如何分配资源。

语音回路。语音回路(phonological loop)②短暂地保持了语音/声音信息,并通过保持它"在循环中"来使它处于活跃的状态——复述和注意信息。语音回路的短期存储

————————————

①中央执行器——工作记忆中负责监管和指导注意力以及其他心理资源的部分。

②语音回路——工作记忆中的一部分。一个和语音语言相关的用于在短期记忆中保存和复述(更新)话语和声音 1.5 ~ 2 秒的系统。

就是你在计算 3 +(12/4)时把"18"(4 + 5 = 9;9×2 = 18)从问题的标题移到问题的底部的地方。巴德利(Baddeley,2001,2007)提出,我们可以在语音回路中保存相当于我们在 1.5 到 2 秒内能复述(对自己说)出来的那么多的信息。7 位数的电话号码符合这个限制。但是,如果你要试图将这 7 个单词牢记于心呢:disentangle appropriation gossamer anti – intellectual preventative foreclosure documentation(Gray,2011)这些词不仅拗口,还需要 2 秒以上的时间来复述,所以在工作记忆中,它们比 7 个一位数或 7 个简短的单词更难记住。此外,有些词可能是你不熟悉的,这让它们更难复述。

记住,我们正在讨论暂时保留新信息,即进入你的工作记忆的信息。在日常生活中,我们当然可以同时保存 5 到 9 位或 1.5 秒以上的信息。当你在输入那个你刚刚查过的 7 位数字的电话时,你应该会有其他事情"在你脑子里"——也就是在你的记忆中——比如怎么用电话,你要打给谁,你为什么要打这个电话。你不是必须注意这些事的;它们不是新知识。这里面的一些过程是自动化的任务,比如操作手机的触屏。但是,由于工作记忆的局限性,如果你是在国外,并试图使用一个陌生的公共电话系统,你很可能难以记住电话号码,因为你的中央执行器在同时搜索用这个电话系统的方式。如果新信息非常复杂、毫无意义或不熟悉,或者需要你整合多个元素来理解某个情况,即使是很少的新信息也可能会显得非常多(Sweller, van Merrienboer,& Paas, 1998)。

视觉空间模板

停下来想一想:如果你把 d 顺时针旋转 180 度,你会得到一个 b 还是一个 p?

大多数人会通过创建一个 d 的视觉图像并旋转它来回答这个问题。视觉空间模板(visuospatial sketchpad)①是在你的脑海中你操纵图像的地方(当然是在你的中央执行器检索到"180 度"和"顺时针"的意思之后)。你可以同时使用你的语音回路和你的视觉空间模板,但每一个模板都会很快被填满,并且很容易超载。每一种任务——无论是语言的还是视觉的——似乎都发生在大脑的不同区域,而且这些系统的能力也存

---

①视觉空间模板——工作记忆的一部分,视觉和空间信息的维持系统。

在个体差异（Gray，2011；Radvansky & Ashcraft，2014）。

情景缓冲器。如果说工作记忆是记忆的工作台，那么情境缓冲器就是工作记忆的工作台。情景缓冲器（episodic buffer）①是在中央执行器的监管下，把来自语音回路、视觉空间模板和长时记忆的信息整合在一起，形成更复杂的记忆的工序，如存储电影中演员的外表、声音、言语和动作，以创造一个完整的角色。

工作记忆的保存时间和内容。很明显，工作记忆系统中信息的保存时间是短的，也就 5 到 20 秒，除非你一直复述这些信息或者以其他方式处理它们（Baddeley，2001）。可能在你看来，一个 20 秒的记忆系统并不是很有用，但是如果没有这个系统，在你读到最后几个单词之前，你可能已经忘记了你在这句话的第一部分所读的内容。这显然会使理解句子变得困难。

工作记忆中信息的内容可以是声音和图像这些形式存储，类似于感觉记忆的表征，或者这些信息可能会基于意义进行更抽象的分类。

认知负荷和保持信息

认知负荷是一个指代心理资源多少的术语，认知负荷（cognitive load）②是一个术语，指执行某项任务所需的脑力资源，主要用于记忆。这个概念对老师来说非常重要，因为认知负荷理论的中心思想是"在设计教学时，应该考虑到人类认知结构——尤其是工作记忆的局限性"（Leppink，Paas，van Gog，van der Vleuten & van Merrienboer，2014，p32）。这让我们想到了那位教授，他快速地讲了一节课，过度消耗了你的工作记忆。我猜教授不理解认知负荷理论。有些任务比其他任务对工作记忆的要求更高。

两种认知负荷。一个任务的认知负荷不一定是"负担"。在一个给定的情境中，实际的认知负荷取决于很多事情，包括人们对任务的了解程度和可用的教学支持（Kalyuga，Rikers，& Paas，2012）。认知负荷有很多种，但其中两种对教学尤为重要。

---

①情景模拟器——在中央执行器的监控下把来自语音回路、视觉空间模板和长时记忆的信息放在一起并且经过整合的工序。
②认知负荷——完成一个任务所需要的资源。

一个是学习不可避免的,另一个则会妨碍学习。

内在认知负荷(intrinsic cognitive load)①是不可避免的——它是解决材料所需的认知处理量。这个数量取决于你一次性要考虑多少个元素(表格、图形、文本、演讲、幻灯片、图片、网络信息……),元素之间的交互有多复杂,以及你在这个主题上的专业水平(Leppink 等,2014)。即使工作记忆可以容纳 5 到 9 节新的信息,它有时候可能只能同时处理 2 到 4 个新信息,所以如果你必须了解有多少单独的元素在一个复杂的系统中交互,比如通过阅读文本和看图表来把握 DNA 的结构和功能,你将会遇到困境,除非你已经理解了一部分相关内容:词汇、概念、程序等等(van Merrienboer & Sweller,2005)。内在认知负荷对完成任务而言至关重要——它是无法消除的。但是好的指导可以帮助管理内部负荷。

外在认知负荷(extraneous cognitive load)②是你用来处理与学习任务无关的问题的认知能力,比如试图让同房间的人(配偶、孩子)停止打扰你,或挣扎着去理解一场没有条理的讲座或一本写得很糟糕的教材(当然不是这一本!)。一些教育心理学家也谈到了与认知负荷或资源有关的第三个因素,即你在努力学习时如何分配工作记忆资源(Choi, van Merrienboer,& Paas, 2015;Tricot & Sweller, 2014)。

良好的教学设计和良好的教学目标是为了控制内在的负荷(保持它刚好适合学生的能力——在他们的最近的发展区域)并且减少外在的负荷(尽可能地清除)。例如,教师可以提供相关案例和其他支持工作,引导学生把注意力集中在主要思想上,或者普遍提供支架(见第二章)。教师也可以让学生给彼此或给自己解释材料,画图表帮助他们理解,写下有用的笔记,并应用其他在接下来的几章中我们将讨论的策略(Berthold & Renkl 2009;Mayer,2011;van Gog et al. ,2010)。表 8.1 总结了这两种认知负荷。

---

①内在认知负荷——任务本身所需要的资源,不包括其他刺激。
②外在认知负荷——处理与任务无关的刺激所需的资源。

表8.1 两种认知负荷

在学习过程中需要有两种认知负荷,它们有不同的成因和结果。

认知负荷类型	定义	成因	举例	解决方式
内在	不可避免的:注意并理解材料所需的重要步骤	由任务的内在复杂性导致(有多少要素和相互作用):任务越复杂,越需要基本的步骤	识别并且组织处理一个复杂任务,如新手解二次方程式,需要更多内在过程	确定任务是适合学生的能力和目前的知识储备;关注主要观点;经常检查;给出多样的例子,包括已经解决了的例子
外在	可避免的或可控制的:用于处理与学习任务本身无关问题的无用过程	由错误的学习策略、注意力分散、错误的指示、背景知识不足导致的	学生在文本和图表前后浏览,但不知道如何读这个图表或如何结合视觉和言语信息	减少分心:教授需要用到的关键词汇/概念;让学生互相讲解;教授并且训练合适的学习策略

资料来源:Bruning, R. H., Schraw, G. J., & Norby, M. M. (2011). Cognitive Psychology and Instruction (5th ed.). Boston, MA; Pearson, Mayer, R. E. (2011). Applying the Science of Learning. Boston, MA; Pearson

在工作记忆中保持信息。工作记忆中的信息必须保持激活状态,才能被轻松地检索出来。只要你专注于信息,激活程度就会很高;但是当你的注意力转移到别处时,激活作用会迅速衰减或消失。在工作记忆中保存信息就像马戏团的表演者在几根杆子上不停地旋转着一些盘子。表演者让一个盘子旋转,然后一个接一个,但不得不在第一个盘子减速过多并且从杆子上落下前让注意力回到第一个盘子那里。如果我们在工作记忆中不保持信息的"旋转"——保持它的激活状态——它就会"掉落"(Anderson,1995,2015)。当激活作用逐渐消失时,遗忘随之而来。

为了保持信息的活跃,大多数人会继续在心里复述这些信息。复述有两种类型。保持性复述(maintenance rehearsal)①是指重复你语音回路中的信息或刷新你视觉空间

---

① 保持性复述——一遍遍重复给自己,来保持工作记忆中的信息。

模板上的信息。只要你重新审视(重复、重新想象)这些信息,它就可以在工作记忆中无限期地占据主要地位。保持性复述对于记住你计划使用但过了一会又忘记的东西很有用,例如电话号码或地图上的一个位置。

精细复述(elaborative rehearsal)①是指把你想要记住的信息与你已经知道的东西联系起来——这些东西都是来自长时记忆的知识。例如,你在一个聚会中遇到一名跟你哥哥名字相同的人,你不必通过不断地重复这个名字来记住它,你只需联想一下。这种复述形式不仅能使信息保留在工作记忆中,还可使信息从工作记忆中转入长时记忆中。因而复述是一个被中央执行器控制的过程,它对信息通过信息加工系统时的流动产生影响(Radvansky & Ashcraft, 2014)。

信息加工水平的理论。克雷克和洛克哈特(Craik & Lockhart, 1972)最先将他们的信息加工水平理论(levels of processing theories)②(有时被称为深度加工水平理论)作为短/长时记忆模型的替代物提出,加工水平理论跟上面所说的精细加工的观念高度相关。克雷克和洛克哈特认为信息的保存时间取决于信息分析和与其他信息联系的完全程度,信息加工越完全,就越有利于我们记住它。比如:根据加工水平理论,如果我们要你按狗的衣服颜色整理它们的照片,你记住的内容可能不多。但是如果我要求你按照在你缓步前进时,按照它追赶你的可能性给狗定等级,你必须注意图片中的细节,把它们的特征和危险联系起来,记住你们相处的经历等等。这个评分程序需要精细化复述(把信息和你已经知道的联系起来),所以处理过程更深入,更专注于照片的含义,而不是表面特征。信息加工水平理论有一定的问题,但它确实是有意义的。当我们投入努力时,我们将比粗略浏览表层内容时学到并记住更多(Brown et al., 2014)。

工作记忆容量的有限性也可以通过组块(chunking)③的方法来规避。因为信息的单位数是工作记忆的限制,而不是每个单位的大小,如果可以把分散的信息分组的话,

---

①精细复述——和其他已知的相联系,来保持工作记忆中的信息。
②信息加工水平理论——回忆信息的基础是当时对信息加工的深度。
③组块——把分散的数据位数分组形成更大的有意义单元。

你将记住更多的信息。你尝试记住下面这些字母,可体会到组块效应:

HBOUSACIALOLATM

现在再试一下:

HBO USA CIA LOL ATM

你只是用组块方法把一串字母组合成可记忆的(有意义的)组块,这样你就可以记得更多。同时,你对世界的知识需要记忆,组块法可以帮助你记住密码或社交信息安全号码。

遗忘。由于受干扰(interference)①或消退,信息可能从工作记忆中遗失。干扰当然是直接的:记忆新信息时会干扰对旧信息的记忆或两者相互干扰。旧的思想总会被新的思想所代替。当新的思想积累时,旧的信息就在工作记忆(暂时记忆)中丢失了。信息也随着时间而衰退(Decay)②、丢失,如果你没有继续去注意这些信息,那么它活跃的水平将衰退(减弱),最后降低到那些信息不能被重新恢复活力——它们一起消失了。然而,一些新的研究表明,有一种记忆看上去是被遗忘了,但实际上只是被"搁置"——记忆的神经痕迹"睡着了",但是当遇到正确的刺激时将可能被唤醒(Pinker,2017；Rose et al,2016)。

实际上,遗忘是非常有用的。没有遗忘,工作记忆的能力很快就会超负荷,学习也会随之停止。如果你把你看过的每一句话都永久地记住的话,这会是一个严重的问题。在所有海洋般的知识中查找特定的知识是不可能的,有一个提供暂时储存的系统是非常有用的。

工作记忆的个体差异

工作记忆可以很好地预测一系列认知技能,包括语言理解、阅读和数学能力、流体智力。正如你可能认为的那样,工作记忆既存在着发展的差异,也存在着个人的差异。让我们稍微来看一下。

发展性差异。工作记忆的所有组成部分都在 4 岁左右形成。工作记忆任务的表

---

①干扰——由于其他信息的出现,记忆某种信息受到阻碍的过程。
②衰退——指一段时间里记忆力衰弱和逐渐消失。

现在小学和中学阶段稳步提高,但视觉和空间记忆发展得更早。记忆的三个基本方面包括记忆跨度或工作记忆中可保存的信息量、记忆处理效率和处理速度,这三个方面随着时间的推移而改进,并且这三种基本能力共同作用、相互影响。例如,更高效的处理允许更多的数量存储在记忆中(Demetriou,Christou,Spanoudis,& Platsidou,2002)。当你通过将字母分成 HBO USA CIA LOL ATM 而记住 HBOUSACIALOLATM 时,你体验到了高效处理的效果。更高效、更快速处理可以扩展你的记忆范围。

幼儿的策略较少,知识较少,因此记忆时遇到的麻烦更多。但随着年龄的增长,孩子们能够开发出更有效的记忆信息策略。大多数孩子在 6 岁左右自发地发现复述并继续使用这种策略。同样在 6 岁左右,大多数孩子发现使用组织策略的价值,而在 9 岁或 10 岁时,他们会自发地使用这些策略。所以,让孩子学下面的词:

沙发,橘子,老鼠,灯,梨,山羊,香蕉,地毯,菠萝,马,桌子,狗。

年龄大的儿童或成人可能就分之为三组:家具、水果、动物。幼儿可以被引导用这种组织方法来改进记忆,但是这种策略的应用也是建立在被提醒的基础上的。儿童会随着身心的成熟而形成出更为精确的策略。但是这种策略只能在儿童晚期得以发展。编制形象或故事来记忆信息,小学高年级或青春期儿童更有可能这么做(Siegler,1991)。

因此,通过大脑的变化、更快的信息处理、策略的开发和自动化以及增加的知识,工作记忆从 4 岁到青春期不断增加(TP Alloway et al. ,2006;Gathercole,Pickering,Ambridge,& Wearing,2004)。年龄在 10 到 11 岁之前的儿童,他们有着成人般的记忆(Bauer,2006)。

个体差异。除了发展性差异外,工作记忆还存在其他个体差异,这些差异对学习有影响。

停下来想一想:一次大声读出以下句子和单词:

多年来,我的家人和朋友一直在农场工作。SPOT

因为房间很闷,鲍勃到户外呼吸新鲜空气。TRAIL

我们离视线的尽头 50 海里。BAND

现在把句子遮盖起来并回答这些问题(说实话):

说出全部大写的单词。谁在闷热的房间里?谁在农场工作过?

你刚刚做的是工作记忆范围测试中的一些题(Engle,2001)。测试要求你处理和存储处理句子的含义并存储单词。你是怎么做的?

越多的教育心理学家研究工作记忆,我们越能意识到它在每个年龄段的学习和发展中的重要性(T. P. Alloway, Banner, & Smith, 2010; Welsh, Nix, Blair, Bierman, & Nelson, 2010)。对于青少年和成年人,工作记忆范围测试的分数(如你刚刚在"停下来想一想"练习中所做的那样)与学术评估测试(SAT)的口语表达分数之间的相关性约为 0.59。但是 SAT 和简单的短期记忆范围(重复数字)之间没有相关性。对于小学生来说,工作记忆的增长(但不是简单的短期记忆)与阅读能力和阅读理解有关,工作记忆的问题与阅读障碍有关。工作记忆与数学、阅读、书面语言和第二语言学习的学业成就有关,根据研究,这个相关性在 0.3 到 0.9 之间(Fenesi et al., 2015; Peng, Namkung, Barnes, & Sun, 2016)。对于幼儿来说,学前班的工作记忆和注意力控制的增长预示着新生的识字和数字技能。但要注意:工作记忆表现可能在整个上学日和上学周期间有所不同,因此你的学生可能有学习的好日子和坏日子(Dirk & Schmiedek, 2016)。

工作记忆范围也与智力测验的分数有关(Swanson, 2014)。有些人似乎比其他人有更高效的工作记忆(Cariglia-Bull & Pressley, 1990; DiVesta & Di Cintio, 1997; Jurden, 1995),工作记忆的差异也可能与数学和语言领域的天赋有关。

工作记忆真是独立的吗?

最近,一些心理学家提出工作和长时记忆不是两个独立的记忆存储的观点。相反,工作记忆是长时记忆的一部分,用于处理当前激活的信息。工作记忆和长时记忆之间的差异在于特定记忆当前的状态是在使用或"被激活",工作记忆是长时记忆中目前的"关注焦点"(Cowan, 2008, 2014; Fenesi et al., 2015; Schweppe & Rummer, 2014)。

无论工作记忆是独立于长时记忆还是长时记忆的一部分,形成和寻找长时记忆都是学习的关键。这对教师来说是一个非常重要的话题,我们将花费相当多的时间来探讨这个问题。

长时记忆

工作记忆中储存的信息是当前正激活的信息,比如,你刚查到的将要拨出的电话号码。长时记忆(long – term memory)①中储存的信息是已经很好地掌握的,就像其他你记得的电话号码。熟练掌握的信息记得最牢,也最持久。

长时记忆的容量和持续时间

你可以看到工作记忆和长时记忆有许多不同之处。信息进入工作记忆非常快,但是把信息移入长时记忆中却需要更多的时间和大量的努力。工作记忆的容量很小,但长时记忆对于所有的实践目的几乎有着无限的容量。另外,一旦信息被牢固地存储在长时记忆中,它将永久地存在那里。就理论上讲,我们想记住多少就能记住多少,想记住多久就能记住多久。当然,问题是当我们有需要时怎么提取最合适、最准确的信息。我们联通工作记忆中的信息是非常快的,因为我们这个时候正在思考这些信息。但要联通长时记忆中的信息却需要时间和努力。

大多数认知心理学家认为有两种长时记忆——外显记忆(explicit memory)②和内隐记忆(implicit memory)③——每个类别下的细分如图8.4所示。外显记忆是来自长时记忆的知识,可以有意识地回忆并表达出来(因此这基本上是陈述性知识,正如我们之前所定义的——你还记得,对吗?)。我们意识到这些记忆,我们知道我们记得它们。另一方面,内隐记忆是我们没有意识到就能回忆、不需要意识的参与就能影响我们的行为或思想的记忆。这些不同类型的记忆与脑的不同的部分相关联(Radvansky & Ashcraft,2014;Gray,2011)。这两种记忆都是长时记忆的内容。

---

①长时记忆——知识的永久性储存。
②外显记忆——故意或有意识回忆的长时记忆。
③内隐记忆——我们没有意识到但是影响了我们的行为或思想的记忆。

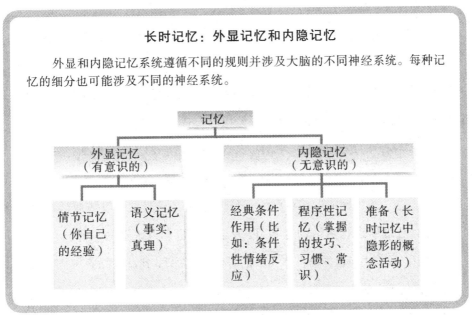

资料来源：Psychology by Peter Gray. Published by Worth Publishers. Copyright.©1991, 1994, 1999, 2002, 2011 by Worth Publishers. Adapted with permission from Worth Publishers.

图8.4　长时记忆：外显记忆和内隐记忆

长时记忆的内容：外显（陈述性）记忆

外显记忆是我们通常认为的知识——我们知道并且可以陈述出来的事物，所以这种类型的记忆有时被称为陈述性记忆。在图8.4中，你可以看到外显（陈述性）记忆也可以表达语义（基于意义）或情节（基于事件的顺序，如你自己的经验的记忆）。

语义记忆（semantic memory）在学校非常重要，是对意义的记忆，包括文字、事实、理论和概念。这些记忆并不依赖于特定的经历，而是作为命题、图像、概念和图式进行表征和存储（J. R. Anderson，2015；Schraw，2006）。

命题和命题网络。我们如何在记忆中表征句子和图片的含义？一个答案是连接成网络的命题。命题是能得出正确或错误判断的最小信息单元。约翰·安德森（John Anderson，2015年，p104–105）给出了一个有三个命题的陈述句例子："林肯在一场激烈的战争中担任美国总统，释放了奴隶。"三个基本命题是：

1. 林肯在战争期间担任美国总统。

2. 战争很激烈。

3.林肯释放了奴隶。

表达相同信息的命题连接起来形成认知心理学家口中的命题网络(prepositional networks)①。在网络里存储的是意义而不是词或词序。同样的命题网络可以应用到这些句子中:"奴隶被林肯释放,林肯在激烈的战争期间担任美国总统。"它们的意义是相同的,这些意义作为一系列相关关系存储在记忆中。

大部分信息可能是以命题的网络的形式存储和表征的。当我们回忆一条信息的时候,我们可能会把它的意义(命题网络表征的)转化成熟悉的短语或句子,或者心理图画。而且,因为是以网络形式存在的,记起其中一条信息能引发或激活其他信息。我们并没有意识到这些网络的存在,因为它们不是意识记忆的一部分(Anderson,2015)。同样,我们用自己的语言作句子的时候,也意识不到潜在的语法结构,我们没有必要在说句子之前把句子图解。

表象。表象(images)②是基于知觉的表征——关于信息的结构或者外观(Anderson,2015)。建立表象的时候,我们会尽力记住或者再造信息的物理特征和空间结构。例如,当被问到镇上某个特定十字路口的星巴克旁边有什么商店时,很多人会用"他们的头脑"来观察十字路口然后"看"星巴克旁边的商店。研究者们在具体表象是如何存储在记忆中的这个问题上并不能达成一致。一些心理学家认为表象以形象的形式存储,其他一些心理学家认为我们把命题存储在长时记忆中,需要的时候,再在工作记忆中把命题转化成形象。争论仍在继续(Sternberg & Sternberg,2012)。

可能每一种加工过程都有各自的特点——有些记忆加工图像,有些记忆加工与图像有关的言语或命题描述。在"思维的眼睛里"看到的表象和看到的实际图像并不完全一样,在头脑里形成心理表象的复杂转换比对真正的形象进行转换要困难得多(Matlin & Foley,1997)。不过,做一些实际决定的时候,形象非常有用。如果你的冰箱上有"d"形的塑料磁铁,你可以非常快速地旋转它,但是心理上的旋转对多数人而言需要时间。不过,做一些实际决定的时候,形象非常有用。比如,起居室里的沙发看起来

---

①命题网络——长时记忆中一系列互相连接的概念或者关系。
②表象——以物理属性为基础的表征,基于信息的外观。

应该是什么样子的,或者怎么把高尔夫球杆排列整齐。形象也有助于抽象推理。比如,物理学家法拉第和爱因斯坦面对复杂新问题时,曾报告自己在头脑里创造表象去推理。爱因斯坦声称,当相对论的概念出现时,他正在想象追逐一束光并追上它(Kosslyn & Koenig,1992)。

两个比一个更好:词语和表象

艾伦·派维奥(Allan Paivio , 1986,2006; J. M. Clark & Paivio,1991)的双重编码理论(dual coding theory)①表明,信息作为视觉图像或语言单元存储在长时记忆中。同意这种观点的心理学家认为,在视觉和口头上编码的信息最容易学习(Butcher,2006)。这可能是为什么用文字解释一个想法,然后在图中将其可视化的原因之一,正如我们在教科书中所做的那样,这已经证明对学生有帮助(Eitel & Scheiter,2015)。

停下来想一想:是什么让杯子变成杯子? 列出杯子的特征。什么是水果? 香蕉是水果吗? 番茄是水果吗? 壁球怎么样? 一个西瓜? 一个红薯? 橄榄? 椰子? 你是怎么知道什么使水果变成水果的?

概念。我们对杯子和水果以及世界的了解大多涉及概念和概念之间的关系(Eysenck,2012; Radvansky & Ashcraft,2014)。但到底什么是概念呢? 概念(concept)②是用于将类似事件、想法、对象或人员分组到类别中的心理表征。当我们谈论一个特定的概念,如学生时,我们指的是一类彼此相似的人的心理表征:他们都学习某个东西。这些人年纪有大有小,有的在学校也有的不在学校,他们也可能正在学习篮球或巴赫,但他们都可以归类为学生。概念是抽象的,它们不存在于现实世界中。概念帮助我们将大量信息组织到可管理的单元中。例如,大约有750万种可区别的颜色差异,我们通过在心理上将这些颜色分类为 l 几个组来更好地处理这种多样性(Bruner,1973)。

在早期研究中,心理学家假设人们基于定义属性(defining attributes)③或特征来创建概念。"猫"的概念可能包括以下定义属性,如圆圆的脑袋、三角形耳朵、胡须、四条

---

①双重编码理论——将信息作为可视图像或口头单元,或两者都有,存储在长时记忆中。
②概念——用于对类似事件、想法、对象或人员进行分组的类别。
③定义属性——将一组事物连接到特定概念的属性。

腿和毛皮。这个概念使你能够识别猫是布偶猫或暹罗猫,而不会在每次遇到新猫时重新学习"猫"。概念的定义属性理论表明,我们通过注意关键的必需特征来识别具体的例子。

然而,自 1970 年以来,关于概念性质的这些观点受到了挑战(Radvansky & Ashcraft,2014)。虽然一些概念具有明确的定义属性,例如等边三角形,但大多数概念都没有。以"派对"的概念为例,它有哪些定义属性? 你可能难以列出这些属性,但是当你看到或听到某个派对时,你可能会识别出来(当然,除非我们在谈论政党,或者是诉讼中的另一方,该词的发音可能无法帮助你识别)。"鸟"的概念呢? 你的第一个想法可能是鸟类是飞行的动物。但是鸵鸟是鸟吗? 企鹅呢? 蝙蝠呢?

原型、样例和基于理论的分类。目前对概念学习的一种看法表明,我们的脑海中有一个派对或鸟类的原型,或者说一个捕捉每个概念本质的图像。原型(prototpe)①是其类别的最佳代表,是具有该类别最重要的"核心"特征的示例。例如,许多北美人的认知中,"鸟类"的最佳代表可能是知更鸟(Rosch,1973)。该类别的其他成员可能在某些方面与原型(麻雀)或类似物非常相似,但在另外的方面(鸡、鸵鸟)则不同。在类别的边界处,可能难以确定特定实例是否真正属于该类别。例如,电视是"家具"吗? 电梯是"车辆"吗? 橄榄是"水果"吗? 某些东西是否属于某一类别是一个程度问题或等级问题。因此,类别具有模糊边界。一些事件、对象或想法只是概念的相比之下的一个更好的样例(Eysenck,2012;Radvansky & Ashcraft,2014)。

概念学习的另一种解释是,我们通过参考样例来识别一个类别的成员。样例(examplars)②是我们对特定鸟类、派对、家具等的实际记忆,我们用它们与相关项目进行比较,看看该项目是否与我们的样例属于同一类别。原型可能是根据许多样例的经验构建的。这种情况很自然地发生,因为特定事件(情节记忆)的记忆往往会随着时间的推移而模糊在一起,人们由此从所有见到的沙发样例中创造出一个一般的或典型的沙发原型(E. E. Smith & Kosslyn,2007)。

---

①原型——类别的最佳示例或最佳代表。
②样例——特定对象的实际记忆。

原型和样例理论存在一些缺点。例如,如果你还没有鸟类概念,你如何知道一些模糊或泛泛的"鸟类经历"来创建鸟类概念? 一个答案是,我们的分类基本上是基于理论(theory-based)①的,是关于我们为了理解事物而创造的关于世界的观念。因此,如果类别是"在没有锤子的情况下可以用来敲钉子的东西",那么砖块、岩石和鞋子属于同一类别。我们对哪些东西可以用来敲钉子的理论创造了"可以敲钉子的东西"的类别。用于创建基于理论的概念的知识可能是隐性的或没有意识的。例如,"好音乐"是什么——只有我听到的时候我才知道(Radvansky & Ashcraft,2014;Sternberg & Sternberg,2012)。

雅各布·费尔德曼(Jacob Feldman,2003)提出了概念形成的最后一个方面——简单性原则。费尔德曼说,当人类遇到例子时,他们会引出最简单的类别或规则来试图涵盖所有例子。有时很容易想出一个简单的规则(三角形),有时它更难(水果),即人类寻求一个简单的假设来收集一个概念下的所有例子。费尔德曼认为,这种简单原则是认知心理学中最古老的思想之一:"有机体通过将传入的信息简化为更简单、更连贯、更有用的形式来寻求理解其环境"(p231)。这是否让你想起了格式塔的感知原则?

概念教学。在概念教学中,提供概念的名称和定义,但不要止步于此。学生还需要描述相关和不相关的属性以及示例和非示例。他们需要指导才能找到概念的"模糊边缘"。要确保一些例子是原型,即概念类别中最明显的成员(鸟类的知更鸟或麻雀;水果的苹果或橙子),还要包括模糊边缘附近的例子(鸟类的鸵鸟或企鹅;水果的橄榄或番茄)。也要向学生介绍具体和抽象的例子,例如在数学中使用操作来解决单词问题,然后使用这些具体材料将找到的答案连接到抽象数字和公式,以解决问题。指出具体与抽象的关系(Pashler,2007)。请参阅表8.2,了解如何教授"椅子"的概念。当然,这不是某个部门的"主席"或赋予"主席"教授职位或"主持"会议——如果你的第一语言不是英语,简单的概念可能会令人困惑。

---

①基于理论——概念形成的一种解释,认为我们的分类是基于我们为了理解事物而创造的关于世界的观念。

为了练习这个概念,可以让学生将例子分为示例或非示例,然后向合作伙伴解释他们做出选择的原因。此外让学生将概念放入称为图式的更大的知识网络中。

表 8.2 教授椅子概念

这是教授椅子概念时的基本要素。

教学步骤	举例
名称概念	椅子
定义概念	为人准备的、有靠背的座位
描述相关的(定义)属性	座位、靠背
描述不相关的属性	腿、大小、颜色、材料、设计
举例子	安乐椅、餐桌椅、躺椅、高脚椅、桌椅(模糊的例子:飞机座椅? 电影座椅?)
举反例	长凳、凳子、桌子、沙发

图式。命题和表象都能很好地表征单一的概念和关系,但通常我们关于某个主题的知识结合了命题和表象的表征形式。为了解释这种复杂的知识,心理学家提出了图式的概念。图式(schemata)①是把大量知识组织起来的一种抽象的知识结构。一个图式(单一形式)是理解一个事件、概念或者技能的模式或指南(Sternberg & Sternberg,2012)。图 8.5 是有关强化的图式的部分表示。

该图式告诉你哪些特征是典型的类别,对对象或情况有什么要求。当我们在特定情况下应用图式时,图式具有填充有特定信息的"槽"。图式是个人的。例如,我的"强化"图式不像斯金纳的图式那么丰富。在第十一章的皮亚杰认知发展理论的讨论中,你遇到了一个非常相似的图式概念(有组织的行动和思想系统)。

当你听到这句话时,"在一场激烈的战争中担任美国总统的林肯,解放了奴隶",你知道它是超过三个命题的。根据"激烈"的图式,你可能可以推断,在战争结束后重新统一国家是很困难的。你的"奴隶"图式让你对他们被解放前生活有所了解。这些信息均未在句子中明确说明。

---

①图式——单元,组织信息的基本结构;概念。

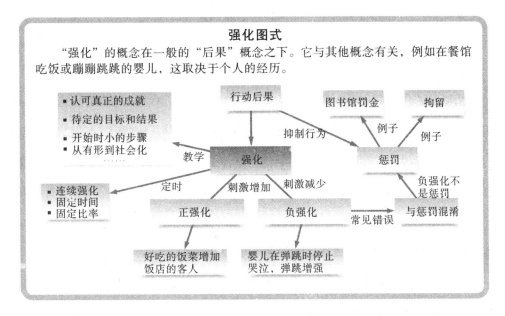

图8.5　有关强化的部分图式

　　图式知识有助于我们形成和理解概念。我们怎么知道假币不是"真正的"钱,即使它完全符合我们的"钱"原型和样本,看起来像真钱? 因为我们知道它的历史,"错误"的人打印了这笔钱。因此,我们对金钱概念的理解与犯罪概念、伪造、联邦财政部以及在"金钱"的更大图式中的许多其他概念有关。

　　另一种类型的图式,故事语法(story grammar)①(有时称为文本或故事结构的图式),帮助学生理解和记忆故事。谋杀之谜的特定故事语法可能是这样的:发现谋杀,寻找线索,发现凶手的致命错误,设置陷阱诱骗嫌疑人坦白,凶手接受诱饵……谜团揭开! 为了理解故事,我们选择一个看似合适的图式。然后,我们使用此框架来确定哪些细节很重要、要查找哪些信息以及要记住什么,就好像图式是关于故事中应该发生什么的理论。该图式指导我们"询问"文本,指向我们期望找到的特定信息,以便使故事有意义。如果我们激活我们的"谋杀之谜图式",我们可能会警惕任何线索或凶手的可能犯的错误。没有适当的架构,尝试理解故事、教科书或课堂教学将是一个非常缓慢而又困难的过程,如同在没有地图或GPS的情况下找到通过新城镇的路。由于图式

---

　　①故事语法———一类故事的典型结构或组织。

存在文化差异,学生可能会将不同的图式用于阅读,因此可以将不同的含义"读"到同一文本中。意义不仅仅在文本中,它是基于他或她用来理解文本的图式的读者解释(Lee,2016)。

情境记忆。与特殊地点、特殊时间相联系的记忆信息,特别是有关你个人生活的插曲事件,这样的记忆就叫作情境记忆(episodic memory)①。情境记忆与我们所经历过的事件有关,因此,我们通常都能解释这些事件是何时发生的。相对来说,我们通常都无法描述自己何时获得语义的记忆。例如,你很难想起自己什么时候学会并记住"不公平"这个词,但是,你很容易记起自己什么时候受到过不公平的待遇。情境记忆能提供事件发展的线索,所以它也是存储笑话、谎言或者电影情节的好地方。

对生活中戏剧性或情感时刻的回忆被称为闪光灯记忆(flashbulb memories)②。这些记忆是生动而完整的,好像你的大脑要求你"记录这一刻"。在压力下,大脑皮层会产生更多的能量以促进大脑活动,而诱导压力的激素会向大脑发出重要事情的刺激(Myers,2005;Sternberg & Sternberg,2012)。因此,当我们有强烈的情绪反应时,记忆会更强烈、更持久。许多人对学校中非常积极或非常消极的事件有生动的记忆,例如获奖或被羞辱。60岁以上的人对约翰·肯尼迪被暗杀的那一天记忆犹新:"我们整个学校的人都走到得克萨斯州沃思堡郊区的主要街道,在他的车队开往机场前往达拉斯的途中而鼓掌。当我回到几何课堂时,我们听到了他在达拉斯被枪杀的消息。我那位早上和他共进早餐的朋友因此受到了很大的打击。"

长时记忆的内容:内隐记忆

回顾图8.4,你会看到有三种内隐记忆或无意识记忆:经典性条件作用、程序记忆和启动效应。在经典性条件作用中,正如我们在第七章中看到的,一些无意识的记忆可能会让你在测试时感到焦虑,或者当你听到牙医的牙钻或警笛声时心跳加速。

---

①情境记忆——长时记忆中,和特定时间、地点相关的信息,尤其是个人生活中的事件记忆。
②闪光灯记忆——对生活中情感重要事件的清晰的、生动的记忆。

内隐记忆的第二种是程序性记忆(procedural memory)①,即对技能、习惯和如何完成任务的记忆。换句话说,程序性记忆就是对程序性知识的记忆。这可能需要花一点时间学习程序——比如滑雪、解方程或者设计一个教学档案——一旦学会,就能记忆很长一段时间。程序性知识表现为脚本和产生式。

脚本(script)②是动作序列或记忆中储存的动作计划(Schraw,2006)。我们都有很多类似在餐厅点餐这种事件的脚本,而这些脚本因餐厅是四星级酒店或者是汽车快餐店而有所不同。即使是年幼儿童,也有在幼儿园里的点心时间、在朋友的生日派对和在餐厅里分别如何表现的脚本。在餐厅如何表现的脚本如图8.6所示。事实上,对于非常年幼的儿童来说,脚本似乎是用来帮助他们组织和记忆在他们世界中可预知的方面。这节省下了一些工作记忆来学习新东西,并在情境中某些事物消失时将他们识别出来。对人类生存方面来说,脚本对记住什么可能会发生以及察觉某物在某时消失或许是有用的。

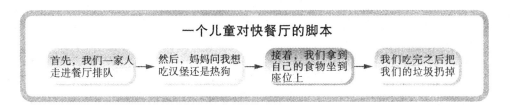

图8.6　一个孩子对快餐厅的脚本

产生式(productions)③详细说明一个条件的下一个步骤应该是什么:如果事件 A 发生,则要执行步骤 B。一个产生式可能与下面的例子有些相似:"如果你想加快滑雪速度,那么就把身体稍稍后仰","如果你的教学目标是提高学生的注意力,并且学生们集中注意力的时间比平常有所延长,那就奖励他们"。人们不可能说出他们所有的脚本和产生式,然而却经常执行它们。练习的次数越多,反应的自动化程度就越高,记忆也越内隐(J. R. Anderson,2015;Schraw,2006)。

———————————————

①程序性记忆——关于怎么做事情的长时记忆。
②脚本——对类似买生活用品或订比萨这类日常事件的步骤顺序的图式或理想计划。
③产生式——程序性记忆的内容;关于特定条件下采取何种行动的规则。

停下来想一想：填空：MEM

最后一种内隐记忆涉及启动(priming)①，或者说是通过一些无意识过程激活长时记忆中的信息。你或许可以在"停下来 & 想一想"填空问题中见到启动的例子。如果你写出了 MEMORY 而不是 MEMOIR 或者 MEMBER 或者其他 MEM 开头的词，那么大概就是启动的作用，因为"memory"该词在这一章节出现很多次。在联结被激活的过程中，启动或许是提取的基本过程，因为启动可以激活联结并在记忆系统里传导(Radvansky & Ashcraft，2014)。

在长时记忆中提取信息

本章的最后一节将会深入研究你必须做什么来永久"保存"信息——即创造外显和内隐记忆。在这里我们将要考虑一些关于从长时记忆中提取和遗忘信息的一般概念。当我们需要用到长时记忆中的信息时，我们就会搜索它。有时搜索是有意识的，就像当你看到一个朋友走过来时搜索她的名字一样，在其他时候，寻找和使用长时记忆中的信息是无意识的，就像你不需要经过逐步思考就可以输入一个电脑密码或者在看到 MEM___ 这个填空时"memory"一词就会出现在你的脑海中一样。把长时记忆想象成一个大的装满了工具(即技能、程序)和供应物(即知识、概念、图式)的架子，这些工具和供应物随时都可以拿到工作记忆这个工作台上去完成一项任务。这个架子(长时记忆)有着数量惊人的储存，但是可能很难迅速找到你所寻找的东西。工作台(工作记忆)很小，但是上面的任何东西都可以立即被利用，当然，由于它很小，当工作台已经超载，或当一条信息覆盖或干扰了另一条时，这些供应物(信息)也有可能会丢失(E. Gagne，1985)。这时，你当然就不得不穿过注意之门进入房间，来到工作台和架子前(Silverman，2008)。

激活扩散。长时记忆的网络是非常庞大的，但是每次都只能激活一个很小的区域——事实上，正如你在前文看到的，一些心理学家说长时记忆中这些被激活的小部分记忆就是工作记忆。网络中的信息提取是通过这种激活扩散(spreading activation)②进行的。当一个特定的命题或表象在活跃的时候(即当我们思考它的时候)，其他与之

---

①启动——激活记忆中的一个概念，或从一个概念扩展激活另一个概念。

②激活扩散——提取信息的基础是当前信息与其他信息的相关。记住一点信息可以激活许多其他相关信息。

联系紧密的知识也会活跃起来,而且这种活跃可以在网络中传播(J. R. Andrson,2015)。这样,当我的注意力集中在这样的命题"我想开车去看落叶"的时候,与之相联系的观点,比如"我得寻找叶子"、"汽车需要换油了"等也会出现在脑中。当活跃的部分从"汽车旅行"传播至"换油"的时候,由于有限的空间,原先的想法或者说活跃记忆就从工作记忆中消失了。因此,长时记忆中的信息的提取(retrieval)①是通过记忆网络中活跃点从一条信息向与之相关联的信息的蔓延进行的。

重构。在长时记忆中的信息不活跃甚至你并没有思考它的时候,它依然可以被利用。如果四面传播的激活没有找到我们要搜寻的信息,那么我们仍然可以通过重构(reconstruction)②,一种认知工具或者说问题解决方法,利用逻辑、线索和其他知识来填补缺失部分,从而建构一个合理的答案(Koriat,Goldsmith,Pansky,2000)。有时,这种重新构造而回想起来的事物是不对的。例如:1932 年,巴特利特(F. C. Bartlett)实施了一系列针对记忆故事的著名研究。他在剑桥大学给学生们读了一个复杂的、不同于美国本土的传说,然后在不同长度的时间之后,让学生们回忆这个故事。学生们回忆出的故事大都比原故事短,而且被转换为剑桥学生自己文化下的语言和概念表述出来。比如说,原故事讲的捕猎海豹的事,但是很多学生都记成(重构成)钓鱼——一种和他们的生活经验非常接近,与他们已形成的图式一致的活动。

遗忘和长时记忆。100 多年前,研究语言信息记忆的先驱赫尔曼·艾宾浩斯(Herman Ebbinghaus,1885—1964)曾简单地说过:"各种想法,如果任其自生自灭,都会逐渐被遗忘。这是众所周知的事实。"(p. 62)在长时记忆中的信息会因时间衰退和干扰而出现信息丢失。比如说,在一个人结束了西班牙语课程之后的 3 年期间,他记忆的西班牙语词汇会减少,然后会保持一定的水平约 25 年,在接下来的 25 年中会再次减少。关于这种下降趋势我们可以这么解释——神经连接如果不用的话,就会像肌肉萎缩一样变弱。25 年以后,那些记忆也许仍在大脑的某个地方,但是他们太弱以致不能被提取激活。此外,随着年龄的增长,生理上的退化可能会导致后期记忆衰退,因为一

---

①提取——长时记忆中信息的搜索和发现过程。
②重构——利用记忆、预期、逻辑和已有的知识重塑信息。

些神经元会死亡(J. R. Anderson,2015)。最终,新的记忆会干涉或覆盖旧的记忆,旧的记忆会被新的材料所妨碍和干扰。

但即使在衰退和干扰下,长时记忆也是很了不起的。工作记忆中的信息可能会丢失或遗忘,但长时记忆中存储的信息在很成一段时间内都是可用的,只要有正确的提示(Erdelyi,2010)。在学习初期,能鼓励学生参与、更深入处理信息并带领学生达到更高的水平的教学策略与长时记忆相关联。以下是一些教学策略示例:

- 频繁的复习和测验;

- 详细的反馈;

- 高标准;

- 掌握学习;

- 参与度高的学习项目。

长时记忆的个体差异

影响长时记忆的主要个体差异是知识。就如我们之前看到的四年级足球专家事例一样,当学生具有更多的专业领域和程序性知识时,他们更易学习和记忆这个领域的相关材料(Schunk,2016)。想一想当你读一本非常专业的但自己不甚了解的书时,你是什么感受?每一行对你都是那么难懂,你不得不时常停下来查一下单词的意思或返回去重温一下搞不懂的概念。之所以理解你手上的材料存在困难,是因为你试图同时弄懂并记住它。如果具有一个好的知识基础,学习和记忆就容易得多了。你懂得愈多,就愈易弄懂更多的东西。这或许是你专业之内的课程看起来比专业之外的必修课更容易的原因。另一个因素是兴趣。要在一个领域发展专长的理解力和回忆能力,要求的是"技能(即知识)和兴奋(即兴趣)的不断相互作用"。(Alexander,Kulikowich,Schulze,1994,p334)

现在就让我们转向真正重要的问题:教师如何促进持久知识的发展?

为深入而持久的知识而教学:基本原则及应用

我们怎样才能最有效地利用我们几乎无限的学习和记忆能力呢?几十年来,认知心理学家一直致力于构建持久的陈述性、程序性和自我调节知识。我们将分别讨论陈述性知识和程序性知识的发展,但要记住,真正的学习是这些要素的组合和整合。在下一章讨论元认知时,我们将讨论第三种类型——自我调节知识的发展。

构建陈述性知识:建立有意义的联系

让我们从一些适用于所有情况的基本原则开始说起。你最初学习信息的方式会强烈地影响你之后对该信息的回忆。构建持久知识的一个重要的要求是,你构建自己的理解时,要将新信息与已有知识(即你已经知道的知识)结合起来。在此,精细加工、联想、意象、语境、必要的困难和有效的实践发挥着重要的作用。

精细加工。精细加工(elaboration)①就是用新的信息补充和丰富原有的知识。换句话说,我们利用自己的图式和已有的知识去建构一个新的理解。我们经常按上述过程更改已有的知识,就如皮亚杰几年前说的那样。我们经常自动地进行精细加工。例如,一篇关于古罗马某个有影响的历史人物的文章会激活我们关于那个时期的已有知识。我们会用原有的知识来理解新的知识。

初学时经过精细加工的材料,之后能更容易地被回忆起来。首先,就像我们前面说到的一样,精细加工就像是一种排练,它可以实现更深层次的信息处理,因为信息会被彻底分析并与已有信息建立联系(Craik & Tulving, 1975)。其次,精细加工为原有知识建立新的联系。一条信息或一个知识能与其他知识建立尽可能多的联系,那么,顺着这样的路线返回原始信息的可能性就更大。也就是说,你有几种"手段"或者说启动或提取的线索,通过这些线索你就能再认或再现你所需要的信息(Bruning et al., 2011)。

学生拥有越多新的精细加工观点,他们越能够"让这些观点变成他们自己的",他们的理解也越深入,知识记得也越牢固。当学生不得不创造他们自己的回答,而非只是再认或回忆教材和老师的答案时,学习就实现了进步(Brown, Roediger, & McDaniel, 2014)。我们可以通过以下办法帮助学生来精细加工和创造:

---

①精细加工——把新信息和已有知识联系起来,增加和拓展新信息的含义。

- 翻译成自己的话;

- 创建例子;

- 给同伴解释;

- 创造比喻;

- 画情景图;

- 理清关系;

- 在新问题中应用信息。

当然,如果学生通过做出错误的解释来精细加工新信息,这些错误的概念也会被记忆,因此,老师的指导、反馈和反复测试很关键。

组织。组织(organization)①是推进学习过程的第二个要素。系统的组织过的材料比一条条零散的信息更容易学习和记忆,特别是复杂而广泛的信息。组块化是组织的一种类型,即把一些小块的信息放到更大的更有意义的组块中。概念结构化有利于学习和记忆一般的定义及特殊的例子。当需要的时候,这个结构就会像向导一样带你找回所需信息。例如,表8.1整理了关于各种认知负荷类型的信息;表8.5整理了关于强化的知识。"指南:与家庭和社区形成合作伙伴关系"提供与家庭合作的想法,来为你的所有学生提供更多支持并实践组织化学习。

指南:与家庭和社区形成合作伙伴关系——组织学习

给家庭列举一些帮助孩子练习和记忆的特定策略。举例:

1. 制定"超级学习者"家庭作业,其中包括要学习的材料和一张写有一个适用该材料的简单记忆策略的"家长指导卡片",让父母可以教导他们的孩子。

2. 提供一些检查理解的问题,让每个家庭成员都能重温作业,共同检查孩子的理解情况。

3. 描述分散式练习的价值,并给家庭成员提供关于如何和何时在家庭谈话和活动中进行技能练习的点子。

---

①组织——将信息和经验组织成心理系统或分类的持续过程。一种有序并有逻辑的关系网络。

要求家庭成员分享他们组织和记忆的策略。举例：

1. 建立一个家庭日历。

2. 鼓励计划使家庭成员能够帮助学生将大任务分解成小任务、确定目标、寻找资源。

讨论学习时注意力的重要性。举例：

1. 鼓励家庭创造远离打扰的学习空间。

2. 确保家长知道作业任务的目标。

如果要寻找致力于提供高中学习技能来帮助家长的网页，请看 mtsu. edu 并搜索获取学习技能。

图像化。你可能记得，记忆的双重编码理论表明，视觉和言语两种信息的编码是最容易学习的（Butcher, 2006；Paivio, 2006）。如果要学的信息可以表现为图像形式，那么将非常有助于记忆。例如，至少对我来说，相比内燃机，我的头脑中更容易形成一个汽车的图像。形成和使用心理图像的能力也存在个体差异，一些人本身就是比其他人在此类任务上表现更好（Bruning et al. , 2011）。

这是说，在教学当中一张图片抵过千言万语？理查德·迈尔（Richard Mayer, 2001, 2005, 2011）花了数年的时间来研究这个问题，发现图片和文字的合理组合对学生学习有很大帮助，至少对大龄学生是这样的。迈尔的多媒体学习认知理论包括你现在应该熟悉的三个观点：

● 双重编码：视觉和言语材料在不同系统加工（Clark & Paivio, 1991）。

● 有限容量：言语和视觉材料的工作记忆容量很有限。认知负荷必须得到管理（Baddeley, 2001；van Merriënboer & Sweller, 2005）。

● 生成性学习：当学生关注相关信息并产生或建立联结时，有意义学习就发生了（Mayer, 2008, 2011）。

问题是，在有限的工作记忆条件下，如何从视觉（图片、表格、图形、动画、电影）和言语（文本、讲义）来源整合信息，建构复杂理解？解决方法：确保信息在同一时间或在集中的一小段时间内可用。迈尔和加利尼（Mayer & Gallini, 1990）给了一个例子。他们使用三种材料来解释自行车打气筒是如何工作的。一个教材只使用单词。第二个包含图片,只展示了打气筒系统和步骤的一部分。第三个(这个改进了学生学习和记忆)展示了打气筒"开"和"关"的状态,在插图的右侧有打气筒工作过程每一步的标注,如图8.7所示。

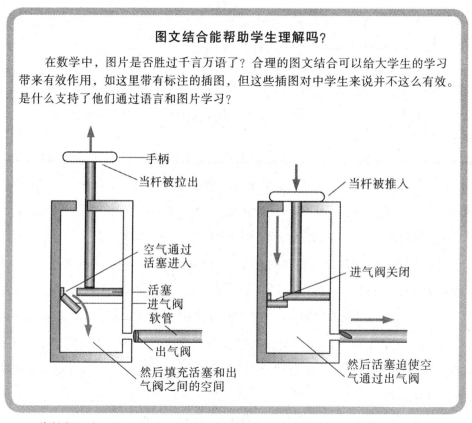

图文结合能帮助学生理解吗?

在数学中,图片是否胜过千言万语了?合理的图文结合可以给大学生的学习带来有效作用,如这里带有标注的插图,但这些插图对中学生来说并不这么有效。是什么支持了他们通过语言和图片学习?

资料来源: Based on Mayer and Gallini (1990).

图8.7 图文结合能帮助学生理解吗?

但是,请谨慎使用多种表征来教学。在迈尔研究中的学生都是大学生。艾林·麦克泰格(Erin McTigue,2009)尝试以中学生为研究对象在生命与物理科学领域重现这类结果时发现,带有标签的图片能使学生对生命科学教材的理解有较少的提升,但对物理教材的理解并没有提升。因此研究表明,仅使用多种表述形式(文字、图片、示意图、图表、动画等)并不一定学得更好。对于学生,特别是年龄小的学生,老师需要诸如利用颜色标记的支持来把注意力集中到图片和图标的相关关系上,或者需要经常检查理解是否正确,如果形成错误概念就要更正(Berthold & Renkl, 2009)。上述故事想要表达什么呢? 应为学生提供多种理解的方法,包括图片和解释。但不要超过工作记忆的负荷——把视觉和言语信息一起"打包"成"一口大小"(或记忆容量大小)的片段中,并直接教学生如何从插图中学习或如何自己独立画出插图。

背景。背景(context)①是影响学习的第四个加工元素。物理背景和情感背景方面(地点、房间、心情、和谁在一起)与其他信息一起被感知。之后,当你试图回忆信息,如果当前背景与初始环境相似,则更容易回忆起来(Radvansky & Ashcraft, 2014)。背景能够启动信息激活的过程。例如,在一个经典研究中,在水下学习一系列单词的潜水员,相比于在旱地上回忆,在水下测验能回忆出更多单词(Godden & Baddeley, 1975)。在另一个研究中,那些在一定类型的房间里学习过的学生在相似的房间里比在一个完全不同的房间里的考试成绩要好(S. M. Smith, Glenberg, & Bjork, 1978)。因此,在模拟测验的情境中学习(例如,不在麦当劳)有利于提高成绩。当然,你不能总是依靠回到相同或相近的地点来回忆事情,但是你可以想象背景、时间、你的伙伴,或许你可以最终找到所需要的信息。

合理难度。合理难度(desirable difficulty)②是加工的第五个元素。这听起来似乎是一个悖论,但是记住某事需要越多的努力(意味着你在重学信息),你就会学得更好,记忆也会更牢固——当然,努力需要是成功的。这可能会花更长的时间来学习,但长期来看回忆会更加牢固并快速。合理难度导致深度加工。下面是一个令人惊讶的例子。当演讲的提纲和阅读材料的提纲不一样时,主要观点的记忆会更好。一个原因是要努力找出主要观点,整合和融合相同材料的两个不同解释帮助学习者更好地理解观点,并内化为他们自己的观点(Brown et al., 2014)。当学生进行轻松地阅读或回答太

---

①背景——与个人形成发展和学习的思想、感受、行为相互作用的内部和外部环境。与事件相关的物理或情感背景。

②合理难度——记住某物所需要的努力越多,你会学得越好,记忆会越牢固——只要努力得到了成功。

容易的问题时,他们可能产生一种他们了解内容的幻觉——这很明显。但如果没有文本材料,获取知识就不容易,学生不能真正用自己的话来解释这些材料。

有效练习。学习和记忆的最好方法之一是提取练习(retrieval practice),通常被叫作测验效果(testing effect)①。重复学习的研究表明,通过回溯信息来练习,相比仅仅重复学习或重复阅读,有更好的效果。重复回忆能够帮助巩固大脑中的记忆,并且它强化了神经通路,因此也更容易发现和提取知识。正如 Peter Brown 和他的同事们(2014)所说,"回溯为记忆打了结,反复提取使它更紧密,并加了个环来加速"(p.28)。

下面是另一种有效练习。孩子们要把沙包扔进 3 英尺外的水桶中,一些孩子在 3 英尺的距离练习,另一些在 2 英尺和 4 英尺处,你认为在 3 英尺处练习的孩子会扔得更准吗?令人惊讶的是,只在 3 英尺处练习的孩子扔得更不准(Brown et al. 2014)。交错练习(interleaved practice)②是混合练习,例如在 3 英尺测试之前,在 2 英尺处和 4 英尺处练习。(这是否意味着篮球运动员应该练习不同距离的罚球呢?这是一个有趣的问题!)另一个例子是做家庭作业,解决数学问题需要采用不同的策略。混合不同类型的问题,以便学生不得不决定他们解决问题使用的策略,并应用这些策略,而非每个问题都可以用单一计算百分比或应用毕达哥拉斯定理的方式解决。这使得练习更像现实生活,你必须决定实际问题是什么,然后回答它(Rohrer,Dedrick,& Stershic,2015)。

通过使每节课尽可能有意义,我们能够纳入许多策略。

惠及每一位学生:使其变得有意义

有意义的课程是用对学生有意义的词汇来讲授的。新术语通过与更熟悉的词语和想法联系而变得更加稳固。有意义的课程是经过良好组织的,课程的不同元素之间会有清晰的联系。最后,有意义的课程会通过例子或类比,自然地利用旧信息来帮助同学们理解新信息。

---

①提取练习/测验效果——通过从记忆中提取信息而不是重读或者重新学习来练习会更有效,因为提取似乎可以帮助记忆在大脑中巩固,并加强神经通路,使知识之后更容易被找到。

②交错练习——通过解决不同类型的问题或练习不同的词汇来将练习综合起来,例如测试 3 英尺投掷前先从 2 英尺和 4 英尺处抛起。

"停下来 & 想一想"中强调了有意义的课程的重要性——这是史密斯(F. Smith, 1975)多年前提出的一个例子。

停下来想一想:看看下面的三行文字。从遮住其他行只看第一行开始。看它一秒,合上书,写下你记住的所有字母。然后对第二行和第三行重复这个过程。

1. KBVODUWGPJMSQTXNOGMCTRSO

2. READ JUMP WHEAT POOR BUT SEEK

3. KNIGHTS RODE HORSES INTO WAR

每一行都有相同数量的字母,但你很可能会记得第三行中的所有字母,记住一部分第二行的字母,第一行的字母则记得很少。第一行的字母没有什么意义,简单地看一下是无法组织好它的。工作记忆不能快速保存并加工所有这些无意义的信息。第二行的字母具有一定的意义,你不用关注到每个字母,因为你的长时记忆把先前的拼写规则和词汇知识带进了当下任务中。第三行是最有意义的。瞥一眼就能记住所有的字母,因为你带进任务的先前知识不仅有拼写和词汇,而且还有句法、一些关于骑士的历史信息(他们肯定没有坐在坦克上)。这个句子是有意义的,因为你用已经存在的图式同化了它(Sweller, van Merriënboer, & Paas, 1998)。

教师的挑战是要上出像第三行字母排列顺序那样的课,而不是像第一行的课。虽然这看似显而易见,但想一下这个情景:你在教材中读了一个句子,或者从教授那里听了一个解释,这个句子或解释类似于KBVODUWGPJMSQTXNOGMCTRSO。但要注意,试图改变学生习惯的学习方式——从记忆到有意义——并不总是受到学生的热情欢迎。学生可能会比较在意自己的成绩,至少使用这样的记忆方法可以得到 A 时,他们才会期望如此。有意义的学习可能更加有风险和挑战性。在第九章、第十章和第十一章中,我们将研究多种方式,通过这些方式教师可以支持有意义的学习和理解。

当学生没有良好的知识基础时,你能做什么? 记忆术是入门的记忆策略。

记忆术。记忆术(mnemonics)①是改善记忆的系统程序(Rummel, Levin, &

---

①记忆术——记忆的技术;记忆的艺术。

Woodward, 2003；Soemer & Schwan, 2012）。当信息没有内在含义时，记忆术策略通过把将要学习的和已有的单词或图片联系起来，帮助建立意义。

场所法（loci method）①的名字来自拉丁语 locus 的复数形式，意思是"地方"。要使用场所法，你必须首先想象一个非常熟悉的地方，比如你自己的房子或公寓，并选择特定的位置作为"挂钉"来"挂"记忆。例如，假设你想要记住要去商店购买牛奶、面包、黄油和麦片。想象一下，一个巨大壶的牛奶堵住了入口大厅，一条懒散的面包睡在客厅的沙发上，一块黄油在餐桌上融化，麦片覆盖着厨房的地板。当你想要回想这些物品时，你所要做的就是想象一下你的房子。

如果需要长时间记住信息，首字母缩略法是一个很好的途径。首字母缩略法（acronym）②是一种缩写形式——一个单词由其他单词的首字母组成，例如，用 HOMES 来记住五大湖（Huron，Ontario，Michigan，Erie，Superior）。另一个方式是在每个词的首字母或列表中的项目基础上，形成短语或句子。例如，用 Every Good Boy Does Fine 这句话来记住 G 谱号——E、G、B、D、F。因为单词必须作为一个句子来产生意义，这种方法也具有链记法（chain mnemonics）③的一些特征：第一个要记的和第二个连接，第二个和第三个连接，依此类推。一种链记法中，列表中的每个项目通过一些视觉联想或故事，和下面一个项目连接上。另一种链记法是将所有要记忆的项目合并到一个押韵段子中，例如"i before e except after c"。

在教学中最广泛研究的记忆术系统是关键词法（keyword method）④。乔尔·莱文（Joel Levin）和他的同事使用记忆术（3R）来教授关键词记忆术方法：

- 将要学习的词汇项重新编码为更熟悉、具体的关键词——这就是所谓的关键词。
- 通过句子将关键词线索与词的意义联系上。
- 提取所需的词的含义。

---

①场所法——将事件与特定位置关联的技术。
②首字母缩略法——利用词组中每个单词的首字母来形成一个新的易记忆的单词的记忆技术。
③链记法——将一个元素和下一个元素联系成为一个系列的记忆策略。
④关键词法——将新单词或新概念与听起来相似的提示词和图像联系起来的系统。

关键词法已广泛用于外语学习。例如,西班牙语单词 carta(意思是"字母")听起来像英文单词 cart。购物车成为关键词:你想象一个装满字母的购物车正在去邮局的路上的情境,或你造个句子,例如"装满字母的购物车倒了"。类似的方法已被用于帮助学生把艺术家和他们绘画的特点联系起来。例如,学生被告知要想象 Rouault 绘画的浓厚黑线是用蘸着黑色油漆的 ruler(Rouault)画出来的(Carney & Levin,2000,2002)。

如果关键词是老师提供给学生的,而不是学生被要求使用与自己相关的关键词,那么用关键词学习的词汇很容易忘掉。如果老师提供记忆联结,这些联想可能并不合适学生已有知识,因此也容易忘掉或者搞混,记忆过程就会很累(Wang & Thomas,1995;Wang, Thomas, & Ouellette, 1992)。年纪小的学生很难形成自己的想象。对于他们来说,依赖于听觉线索的记忆辅助更有效,例如类似"Thirty days hath September"的韵律(Willoughby, Porter, Belsito, & Yearsley, 1999)。在学习者掌握一些知识来指导他们的学习之前,使用一些记忆术方法来建立词汇和事实会有所帮助。

教师面临的最大挑战是帮助学生思考和理解,而不仅仅是记忆。不幸的是,许多学生认为学习和机械记忆(rote memory)①是一回事。尽管如此,有时记忆对于一开始学习没意义的新信息是有用的。

如果你不得不记住……

每个学科都有它自己的术语、名称、事实和规则。作为成人,我们希望同那些熟知对付某种感染所需药物种类的医生们一块工作。当然,他们有时也需要查阅信息或是研究特定情况,但是他们知道从哪儿入手。我们想要同那些给我们关于新税制密码的准确信息的会计们合作,那些信息是他们可能不得不去记住的,因为这些信息常常是以不那么合理或者有意义的方式年年变化的。我们想要同能记住库存,并且准确地知道哪种打印机能与我们的电脑适配的计算机销售人员们打交道。因为通过记忆习得的东西并不表示它就是浅显的或者是不重要的知识。真正的问题在于你能否灵活并且有效地运用这些信息来解决新问题。

---

①机械记忆——只凭重复而不对信息的意思进行必要的理解的信息记忆方法。

有时候记忆是一项必要且有效的手段。例如,瓦·托马斯和奥莱特(Alvin Wang, Margaret Thomas, and Judith Ouellette,1992)比较了用机械记忆和把新词汇与现有的词汇、概念相联系的关键词法这两种学习 Tagalog(菲律宾人的本土语言)的方式。在他们的研究中,尽管关键词法在开始阶段可以带来更快更好的学习,但是使用关键词法的学生比用机械记忆学习的学生在长期的遗忘上更严重。另外,我们有时候不得不逐字记忆一些东西,比如歌曲、诗歌或戏剧中的台词。这时候你怎么办呢? 如果你试图记住一系列条目彼此相似的清单,那么你可能会发现你往往记住开头的和结尾的条目,却忘记了中间的那一部分。这种现象被称为序列位置效应(serial-position effect)①。把事物分成更小的部分的部分学习法(Part learning)②可以避免这个效应,因为把一个列表分成数个更小的条目意味着将会有更少的中间部分被遗忘。

另一个记忆长段落或条目的策略是使用分散学习/练习(distributed learning/practice)③,自从 19 世纪 80 年代后期以来分散练习便为教育心理学家所知晓(Ebbinghaus, 1885/1964)。用一周时间背诵哈姆雷特内心独白的一个学生将比在周日晚上努力记住整个演讲稿的学生要表现得好得多。长时间持续的学习被称为集中学习。集中学习(Massed practice)④会导致认知超载、疲劳以及动机滞后。分散学习为更深层次的信息加工提供了时间并且加强了大脑中神经网络的联结。在一次会话后遗忘的东西可以在下一次分散练习中重新学习。(Agarwal, Bain, & Chamberlain, 2012; Karpicke & Grimaldi, 2012; Pashler et al. , 2007; Son & Simon, 2012)。然而,值得注意的是,一直以来研究表明尽管分散练习可以提高学习和记忆能力,学生(包括成年人)却更喜欢集中学习——这说明我们最喜欢的(例如我常考虑把蘸着奶酪和墨西哥胡椒的玉米片作为深夜的点心)可能不是最适合的。

为了将分散练习运用到你的课堂中去,你需要确保学生至少两次接触到关键概

---

①序列位置效应——记住列表中开头和结尾的条目,却遗忘中间条目的倾向。
②部分学习法——把一个列表中的一组条目变成几组短的,再进行记忆。
③分散学习/练习——休息间隔之间做短时期的练习。
④集中学习——单一的长时间练习。

念、术语和技能,这两次的时间间隔为几周甚至几个月,并利用家庭作业和考试来促进间断时间内的复习。将先前的单元里的技能穿插到即时的家庭作业和考试中从而进行交叉练习。学生们得到足够的分散学习与训练以及伴随着掌握感而来的动力——那些早期的问题在现在看来是多么容易(Pashler et al.,2007)。夏娜·卡朋特(Shana Carpenter)和她的同事们也建议老师们:

1.每隔几周复习重点知识——持续用最近的知识与旧知识建立连接。

2.让学生在家庭作业中再次回顾这些重点知识,甚至在他们第一次学习材料的几周后。

3.给予累积的测试,学生们将被激励着去自主复习并且把他们的学习时间分散。

给教师的建议:陈述性知识

在学习陈述性知识的研究中,关于教师和教学至少有两个明确的启示。第一个启示是连接的重要性,包括与学生已有的知识相联系,将图片和言语相联系来促进理解,将概念的不同例子联系起来理解抽象概念,与第一次学会知识时的背景相联系。第二个启示是深层加工的能力,包括通过详细说明新信息来加工,通过构建表象来加工,通过一段时间后的复习来加工,通过处理困难和坚持来加工,通过质疑来加工。

程序性知识的发展

从阅读到医学诊断,在各个领域辨别新手和专家的一个特征是专家的陈述性知识已经程序化,也就是说,在纳入常规以后,专家们就可以自动应用知识,而不需要对工作记忆提出太多要求。外显记忆变成了内隐记忆,专家们不再意识到它们。在无意识状态下被应用的技能被称为自动化基本技能(automated basic skills)①。一个实例便是在一个标准的传送车里换挡。一开始,你不得不考虑每一个步骤,但随着你变得越来越专业(如果你确实是这样的话),这个过程便变得自动化。但甚至对于某一特定领域的专家们而言,也并不是所有的过程都可以变得自动化。例如,不论你多么擅长驾驶,你仍然需要有意识地留意周边的交通环境。这种有意识的过程被称为专门领域策略。

———————————

①自动化基本技能——不需要有意识地思考就能被应用的技能。

自动化基本技能和专门领域策略是通过不同方式来习得的(Gagné, Yekovich, & Yekovich, 1993)。

自动化基本技能。大多数心理学家确定了自动化技能发展的三个阶段,即认知阶段、联结阶段和自动化阶段(J. R. Anderson, 2015; Fitts & Posner, 1967)。在认知阶段,当我们第一次学习的时候,我们依赖于陈述性知识和一般的问题解决策略来实现我们的目标。例如,为了学习如何组装一个书架,我们会努力按照安装手册上的步骤来操作。当我们完成每一个步骤时,都会在旁边做一个标记来记录进程。在这个阶段,我们需要思考每一步,也许还需要参考零件的照片来看看一个4英尺的带锁紧螺母的金属螺栓是什么样子的。工作记忆上的认知负担是非常重的。在这个阶段可能会有相当多的试误式学习,例如我们选择的螺栓尺寸不合适。

在联结阶段,一个过程的单个步骤被组合或者"组块"成更大的单元。我们伸手去拿合适的螺栓,把它放入合适的孔里。每一步都顺利地引出下一步。通过练习(又一次出现了这个词),联结阶段转换成自动化阶段,整个流程都可以在不投入太多注意的情况下完成。因此,如果你组装了足够多的书架,你就可以在组装的同时进行生动的对话,而不用在组装任务上花费太多的注意力。这种从认知到联结,再到自动化阶段的转变过程适用于任何领域基本认知技能的发展,但在科学、医学、国际象棋和数学领域的研究最多。有一件事情是明确的,要花费很多小时的成功的练习才能使技能自动化。另外,为了成为某项技能的真正专家,必须要进行刻意训练。刻意练习(deliberate practice)①意味着把你的表现和高标准进行比较,监督自己的操作,寻找和利用反馈,并且关注需要改进的地方。仅仅重复你已经知道如何去做的事情不会让你成为一个专家(Ericsson, 2011)。

教师可以做些什么来帮助他们的学生通过这三个阶段并成为更专业的学者?通常来说,似乎有两个关键因素:必备知识和反馈练习。首先,如果学生们没有基本的先前知识(概念、图式、技能等),工作记忆上的认知负担就会变得特别重。其次,反馈练

---

①刻意练习——将你的表现和高标准相比较,监督你做得有多好,寻找和利用反馈,并且关注需要改进的地方。

习可以让你形成联结,自动识别线索,并将各个步骤组合成更大的产生式。甚至从最初的阶段开始,其中一些练习应该在真实环境下包含整个流程的简化版本。在真实环境下的训练不仅帮助学生学习如何去做一项工作,并且还帮助学生学习为什么以及什么时候使用这项技能。(A. Collins, Brown, & Newman, 1989; Gagné, Yekovich, & Yekovich, 1993)。当然,正如每个体育教练都知道的那样,如果某个特定的步骤、组成成分或者过程出现问题,这个因素就会被单独训练直到它变得更加自动化,然后才被重新放回整个流程中,以便减少工作记忆的认知负担。(J. R. Anderson et al., 1996; A. Ericsson, 2011)。

专门领域策略。像我们先前看到的那样,一些程序性知识并非自动化的,例如开车时注意交通,因为情况是不断变化的。一旦你决定变换车道,这个动作可能是相当自动的,但是这个变换车道的决定是有意识的,这取决于你周围的交通情况。专门领域策略(Domain-specific strategies)①是有意识地运用技能组织思想和行为来达到目标的知识。为了帮助学生运用这种策略,老师需要提供在不同情景下练习的机会——例如,练习阅读包装标签,杂志、书籍、信件、操作手册、网页等等。在下一章关于问题解决和学习策略的讨论中,我们将会研究其他帮助学生发展专门领域策略的方法。现在,让我们在"指南:帮助学生理解和记忆"中总结这些发展陈述性和程序性知识的思想。我们在下一章将会花大量时间在讨论自我调节性知识上。

指南:帮助学生理解和记忆

确保你能引起学生的注意。举例:

1.建立一个告诉学生们停止手头上的事并且将注意力集中到你身上的信号。确保学生们对信号做出反应——不要让他们忽视它。练习使用信号。

2.在教室内四处走动,使用手势并且避免用一成不变的音调说话。

3.通过问一个可以激发对这节课主题的兴趣的问题来开始一节课。

4.通过走近学生,叫他们的名字,或者问他们一个问题来重新获得个别学生的

---

①专门领域策略——有意识地运用技能以达到特定主题或问题的目标。

注意。

帮助学生区分重要的和不重要的细节并专注于最重要的信息。举例:

1.总结教学目标,指出学生应该学习什么。在教学过程中,将你所展示的材料和你的教学目标联系起来:"现在我将准确解释你如何找到你需要的信息来完成黑板上的目标——确定故事的基调。"

2.当你讲授重要的知识点时,停顿、重复、请学生复述课文、在黑板上用彩色粉笔把信息标注出来,告诉学生在笔记或者书中给这些知识点加上重点符号。

帮助学生们把新信息与已知的信息联系起来。举例:

1.进行必要的复习、回顾,帮助学生们记住理解新知识时所需的信息:"谁能告诉我们四边形的定义? 什么是菱形? 正方形是四边形吗? 正方形是菱形吗? 我们昨天讲了哪些区分正方形和菱形的知识? 今天我们将要看一些其他的四边形。"

2.使用大纲或者图表来显示新信息如何嵌入正在构建的知识框架。例如:"既然你已经知道了联邦调查局的职责,那么你希望在这张美国政府部门分支图的哪里找到联邦调查局呢?"

3.布置一项作业,明确要求使用新信息以及已经学过的信息。

留出学习空间,提供信息的重复与复习。举例:
1.通过对家庭作业的快速复习来开始一节课。
2.给予频繁的小测试。
3.在游戏中进行练习和重复,或者让学生和同伴一起学习来进行互测。

以清晰、有条理的方式来呈现材料。举例:
1.明确指出课程目标。
2.给学生一个简要的大纲。把同样的一份大纲投影在前面,以便使自己可以保持在正常的教学轨道上。当学生们提问或者评论时,把它们和大纲的对应部分联系起来。
3.在课程的中间和结尾部分进行总结。

管理认知负荷。举例:
1.在一开始,删除会使学生从主要思想中分心的细节或装饰。
2.给学生一些策略,让他们在学习过程中能够跟上新内容的学习——建立关系、定义关键术语或写一分钟的总结。

3.请注意,一些学生可能需要使用耳塞,或者待在房间中那些不会因为移动而分心的地方。

专注于意义,而不是记忆。举例:

1.在教新单词的过程中,帮助学生们把新单词和他们已经理解的相关词联系起来:"enmity(敌意)与 enemy(敌人)是同根词。"

2.在关于余数的教学中,让学生将 12 个物体分成 2、3、4、5、6 组,让他们数出每种情况下的"剩余物"。

3.鼓励学生们提出自己的答案和例子,并且提出他们自己的问题。

使用多个例子、案例和故事来教学。举例:

1.分别给出新概念的抽象和具体的例子,例如加上具体的事物以及加上数字和公式。

2.让学生创造故事和案例,展示对于他们正在学习的概念的应用。

记住练习的力量。举例:

1.交错练习——将问题的类型、身体技能或者相关概念混合在一起。

2.分散练习——至少在两周内重复和复习。

3.进行刻意练习——监督与高标准相关的行为并且关注所需的改进。不要一直练习你已经做得很好的事。

总结

认知观的基本观点

在认知过程中大脑的角色是什么样的? 人类大脑是由很多具有特殊功能的模块组成的,通过所有模块的共同工作,你可以感知你正在进行的经历以及学习。一生中,你每一次的学习都会导致大脑的变化。例如,经常完成出租车驾驶等任务的人比那些不参与这些活动的人大脑的某些特定区域发育得更快。因为大脑的持续发展,尤其是当前额皮质成熟的时候,即在 7 岁或 8 岁的时候,孩子们开始参与复杂的任务,比如整合过去和现在的经历。

知识如何影响学习？认知方法表明,学习过程中最重要的因素之一是个体给学习情景带来的知识。我们已经知道的东西在很大程度上决定了我们将会关注、察觉、学习、记忆以及遗忘的东西。知识可以分为专门领域知识(与特定主题相关)或者一般知识,也可以分为陈述性知识、程序性知识和自我调节知识。陈述性知识是可以被陈述的知识,通常用文字或者其他符号来表示。陈述性知识就是知道某件事情是什么。程序性知识就是知道如何去干某件事,必须通过演示表现出来。自我调节知识就是知道什么时候以及为什么要应用陈述性知识和程序性知识。

记忆的认知观

描述从感官输入到识别物体的路径。感觉记忆的容量很大,但是信息在感觉记忆中存在的时间很短——大约只有 3 秒。在这短暂的时间里,识别物体的过程的第一个阶段是特征分析,或自下而上的处理,因为刺激必须被分析成特征或组成成分并形成有意义的模式。格式塔原则是关于特征如何被组织成图案的一个解释。除了注意特征和格式塔原则,为了更快地识别图案,我们利用已知的关于情景的信息、从背景上获取的信息,以及我们对于原型或者最佳例子的了解。

注意扮演了怎样的角色？我们所关注的事情在一定程度上是由我们已经知道的和需要知道的来进行引导的。所以注意是影响并且受到在图 8.1 中所显示的这三个记忆过程的影响。在开始阶段获得更多注意力的事情通过训练可以变得更加自动化。一些人认为自己可以分散注意力,例如一边发短信一边开车,但研究表明只有极少数的人擅长同时处理多项任务。一些学生存在注意力问题,但老师必须努力获得和保持每个人的注意力来教学。

工作记忆是什么？工作记忆位于中央执行器的指导下,在情境缓冲器中进行处理,是语音回路和视觉空间模板的短期存储处——它是被意识到的工作台。为了使工作记忆中的信息保持在 20 秒以上的活跃状态,人们使用保持性复述(在心里重复)和精细复述(和长时记忆中的知识相联系)。精细复述也帮助个体将新信息转移到长时记忆中。工作记忆的有限容量也会在一定程度上被组块的控制过程所限制。在工作记忆上存在个体差异,并且工作记忆的广度与需要更高层次思维和注意控制的任务表现有关,比如智商测试和SAT。一些心理学家认为工作记忆和长时记忆不是两个独立的记忆存储位置。相反,工作记忆是长时记忆的一部分,对当前激活的信息起作用(加工)。

什么是认知负荷以及它是如何影响信息加工的? 认知负荷是指认知资源的数量,包括执行任务所必需的知觉、注意力和记忆。这些资源不仅要用于组织和理解任务,还要用于分析解决方案和忽视无关刺激。如果认知负荷过高,它会降低甚至抑制一个人执行任务的能力。良好的教学设计和教学过程的目标是管理内在负荷(将它保持在和学生能力相适应的水平上——在他们的最近发展区)以及减少外在负荷(尽可能多地清除它们)。

长时记忆

比较外显记忆和内隐记忆。 长时记忆的容量是很大的并且信息可以永久地保存在长时记忆中。关键是要在需要的时候找到它。记忆可能是外显的(语义的/陈述性的或者情境性的)或内隐的(程序性的、经典条件作用或者启动性的)。

信息在外显的长时记忆中是如何表示的? 图式扮演了怎样的角色? 在显性的(语义的)长时记忆中,信息可以存储在命题网络、表象、概念和图式中并加以关联。双重编码理论认为,通过语言和视觉(使用表象)编码的信息更容易记住。很多信息是以概念的形式进行存储的,概念是对类似事件、想法、对象或人的类别的一种心理表征,它使人们能够确定和识别群体中的成员,例如书籍、学生或猫。概念提供了一种组织群体成员多样性的方式,概念通常由原型(一种理想的示例)和样例(代表性记忆)表示。概念也可能是基于理论的,也就是说,基于我们对世界及其运作方式的看法。为了组织命题、表象和概念,我们具有允许我们表示大量复杂信息、进行推断并理解新信息的数据结构的图式。在显性的情境记忆中的事件,信息以事件的方式储存,尤其是在你自己的生活中的事件,甚至可能包括生动的闪光灯记忆。

什么是内隐记忆? 内隐记忆是无意识的记忆,但仍然会影响思维和行为。有三种类型的内隐记忆:经典条件作用、程序性记忆和启动效应。我们在第七章讨论了生理和情绪的自动化反应的经典条件作用。程序性记忆包括技能、习惯和脚本——如何执行任务——换句话说,程序性知识的记忆。启动是通过一些无意识的过程来激活已经存在于长时记忆中的信息。启动可能是检索的基本过程,因为联结被激活并通过记忆系统传播。

我们为什么会遗忘? 从工作记忆中丢失的信息确实会消失,但长时记忆中的信息还是可用的,只要可以提供正确的线索。随着时间的衰减(神经连接像肌肉一样,不使用就会衰弱)与干扰(新的记忆可能会掩盖旧的记忆,而旧的记忆可能会干扰新材料的记忆),信息似乎会从长时记忆中消失。

为深入而持久的知识而教学:基本原则及应用

是什么支撑着陈述性知识的发展? 你学习信息的最初的方式会影响你后来的回忆。一个重要的要求是使用精细化、组织、表象、背景、合理的难度和有效的练习(间隔学习和交叉训练)将新材料与已经存储在长时记忆中的知识结合起来。双重编码理论认为,经过语义编码和视觉编码的信息更容易记忆。图片和文字可以帮助学生们学习,只要它们被有效组织并且不超出工作记忆的负载。另一个关于记忆的观点是加工水平理论,在这个理论中,信息的回忆取决于它被加工的完全程度。

描述发展陈述性知识的三种方式。 当我们将新信息与现有的理解相结合时,陈述性知识就会得到发展。使记忆中的信息有意义是很重要的,对老师来说这也是最大的挑战。其次,记忆术是记忆辅助手段,包括场所法、首字母缩略法、链记法和关键词法。机械记忆是一种强大但是受限制的记忆方式,它可以通过部分学习和分散练习来得到最好的支持。综上所述,在学习陈述性知识的研究中,对于教师和教学至少有两个明确的启示。第一个是联结的重要性——和学生已经知道的东西相联系,将图片和话语相联系来支持理解,将不同的概念的具体例子相联系来理解抽象的观念,连接到信息最初被学习时的背景。第二个是深层加工的作用——通过详细阐述新信息来进行加工,通过形成表象来进行加工,通过长期的复习来进行加工,通过处理困难和坚持来进行加工,通过质疑来进行加工。

描述一些发展程序性知识的方法。 自动化基本技能和专门领域策略——两种类型的程序性知识——是通过不同的方式来习得的。在自动化技能的发展中有三个阶段:认知阶段(遵循陈述性知识指导的步骤或方向)、联结阶段(将单个步骤组合成更大的单元)

和自动化阶段(整个过程可以在没有太多注意力的情况下完成)。必备知识与反馈练习帮助学生们通过这些阶段。专门领域策略是有意识地组织思想和行动以达到目标的应用技能。为了支持这种学习,教师们需要提供在不同情境下练习与应用的机会。

关键术语

Acronym	首字母缩略法
Attention	注意
Automated basic skills	自动化基本技能
Automatic	自动化
Bottom - up processing	自上而下信息加工
Central executive	中央执行器
Chain mnemonics	链记法
Chunking	组块
Cognitive load	认知负荷
Cognitive science	认知科学
Cognitive view of learning	学习的认知观
Concept	概念
Context	背景
Decay	衰退
Declarative knowledge	陈述性知识
Defining attribute	定义属性
Deliberate practice	刻意练习
Desirable difficulty	合理难度
Distributed learning/practice	分散练习
Domain - specific knowledge	专门领域知识
Domain - specific strategies	专门领域策略
Dual coding theory	双重编码理论
Elaboration	精细加工
Elaborative rehearsal	精细复述

Episodic buffer	情境缓冲器
Episodic memory	情境记忆
Exemplar	样例
Explicit memory	外显记忆
Extraneous cognitive load	外在认知负荷
Flashbulb memories	闪光灯记忆
General knowledge	一般知识
Gestalt	格式塔
Images	表象
Implicit memory	内隐记忆
Information processing	信息加工
Interference	干扰
Interleaved practice	交叉练习
Intrinsic cognitive load	内在认知负荷
Keyword method	关键词法
Levels of processing theory	加工水平理论
Loci method	场所法
Long – term memory	长时记忆
Maintenance rehearsal	保持性复述
Massed practice	集中学习
Mirror systems	镜像神经系统
Mnemonics	记忆术
Organization	组织
Part learning	部分学习法
Perception	知觉
Phonological loop	语音回路
Priming	启动
Procedural knowledge	程序性知识
Procedural memory	程序性记忆
Productions	产生式

Propositional network	命题网络
Prototype	原型
Reconstruction	重构
Retrieval	提取
Retrieval practice/testing effect	提取练习/测试效果
Rote memory	机械记忆
Schemas（singular, schema）	图式
Script	脚本
Self – regulatory knowledge	自我调节知识
Semantic memory	语义记忆
Sensory memory	感觉记忆
Serial – position effect	序列位置效应
Short – term memory	短期记忆
Spreading activation	激活扩散
Story grammar	故事语法
Theory – based	基于理论
Top – down	自上而下信息加工
Visuospatial sketchpad	视觉空间模板
Working memory	工作记忆

教师案例簿

记忆基础知识——他们会做什么?

以下是一些专家老师对这一章开头的情况的反应,这一章讲的是那些经常在一天或一周内记不住关键信息的学生。

PAULA COLEMERE 特殊教育教师、英语、历史教师

McClintock High School, Tempe, AZ

我总是评估我的测试结果,看看学生的错误是否是由于一个写得不好的问题。如果很多学生在同样的考试题上出错,我就会检查答案,看看哪里出错了。这有助于我看看我是否需要改变我的测试或改变我的教学。作为一名老师,我经常反思我的成功

和失败的教学经历。我在每个单元的开始设定了学习的目标吗? 我所设置的新知识和先前知识有联系吗? 在进行单元测试之前,这个过程中是否有足够的形成性评估? 在课堂上集中注意力,看看学生理解了什么,在什么地方需要更多的指导会更有意义。对于那些在这一学习过程中苦苦挣扎的学生,我会在一个概念上多花一点时间,在午餐或放学后提供额外的帮助,帮助他们获得更好的理解。我会教他们如何组织信息、如何学习。信息分块是另一个用来帮助学习吃力的学生的好策略。我还教授应试技巧,帮助学生建立对应试能力的信心。

LAUREN ROLLINS 一年级教师

Boulevard Elementary School, Shaker Heights, OH

我在课堂上推广不同的教学方式。然而,我通常使用机械记忆的方法来呈现一些材料,比如词汇、数学题和常用字。在这种情况下,这种方法似乎对大多数学生有效,但并不是对所有学生都有用的。因此,作为老师,我的工作就是为这些学生创造机会,让他们以不同的方式使用材料。在词汇表的例子中,我将帮助学生创建他们自己的词典,在词典中他们将以一种对他们有意义的方式定义每个单词,并提供他们会记住的例子。一旦词汇对他们来说变得更有意义,他们就会更容易记住。在我的课堂上,我试图为学生提供各种方法来实践这些类型的概念。我把着色页面、搭配练习、寻找单词/数字、密码、游戏、书籍等等都提供给我的学生们,以便帮助他们每天练习常见词和数学题。我鼓励我的学生担任同伴导师,并且还争取家长与学生一对一地进行工作。每一个小小的举动都会有帮助!

SARA VINCENT 特殊教育教师

Langley High School, McLean, VA

每个人的学习方式都不一样。在这种情况下,老师应该首先花时间来确定学生如何有效地学习材料。他们无法掌握材料可能是由于记笔记的问题。学生们可能会从完成笔记的形式中获益更多,而不是试图去解释什么信息是重要的。在期末考试前,教师应该更频繁地进行小范围的评估,以确定所有学生是否都掌握了信息。然后,老师可以为那些仍在努力学习材料的学生提供补习。每一天,老师都应该评估她关于信息的表达。她还应该评估学生是否正在学习材料。换句话说，没有人能成为一个完美的老师，有效的教学工作总是在路上。

JESSICA N. MAHTABAN 八年级数学教师

Woodrow Wilson Middle School, Clifton, NJ Eighth – Grade Math

思维导图是帮助学生记住和检索信息的一个很好的工具。这是一种用来记录视觉笔记的快速和有趣的方式，培养了学生的视觉思维能力，使学习有意义。图形组织者是另一个非凡的工具，用来引导学生远离仅仅只是记忆事实的学习方式。一个图形组织者可以拓展学生更高层次的思维技能，帮助他们建立联系。学生的先前知识帮助他或她利用课堂与新信息建立联系。当一个学生能够与内容产生共鸣并建立有意义的联系时，一个全新的课堂就诞生了！

下一步是教学生如何理解材料，而不仅仅是记住材料。教师需要为学生提供他们可以用来理解所有科目的策略。此外，教师需要为学生提供大量的模型！建立学生可以用来理解材料的所有的策略的理论模型将最有益于学生！

JENNIFER L. MATZ 六年级教师

Williams Valley Elementary, Tower City, PA

我每天在课程的开始阶段就复习词汇，这只需要花费几分钟的时间。我的学生会制作翻页书来学习词汇，这比抽认卡更好，因为学生可以自主进行测试，并且抽认卡可能会丢失。我们写出单词的定义，但之后我们也会用孩子的语言再写一遍。我要求学生用自己的话来解释词语或事件。

一些关于复习的点子：做两组卡片——一组用单词，另一组用定义。将两组卡片分发给班上同学，并且要求拿到卡片的同学找到与自己相匹配的定义。另一种方式是让一个学生站到前面来并且遮住眼睛。把单词写在黑板上，并且让全班同学给他线索。他们可能不会说出这个单词——他必须猜出来。

编一些歌曲来帮助学生们记忆信息。当我教二年级的时候，我们有一系列的语法歌曲和押韵诗来记住名词、代词等等。你也可以把掌握了材料的学生和没有掌握材料的学生配对互助。学生们往往有比我们教他们的更好的记忆方式。

KELLY L. HOY 五年级文科教师

Katherine Delmar Burke School, San Francisco, California

作为一名教师,我发现帮助学生理解他们的学习方式是一件很有挑战性的事情,但同时也是非常有益的。每个学生都是一个独特的谜题,创造一个安全的空间是很重要的。在这个空间里,学生们可以轻松地承担风险,尝试新技术,交流他们的成功和失败。在我五年级的课堂上,我吹嘘说:"这与年级无关,这是关于学习本身的。"我要让孩子们记住,我们是一个学习者的家庭,并引出使得他们掌握材料的策略或技巧。关于分享我们学习方式的想法可以在测试后,在单元的开始,或为即将到来的单元测试做准备时直接完成。

我帮助那些正在努力记忆基本词汇的学生的第一种途径是抽出时间与每个学生见面,与孩子们的交谈在很多层面上都是珍贵的。我很想知道他们花了多少时间研究这些材料;他们是如何学习的或者他们用什么方法来学习信息的;在他们过去的学习经历中,成功的是什么? 伴随着学生们可以迅速使用的信息技术的发展,我想知道他们是否正在从手头的任务中分心(我当然对我被社交媒体分散注意力感到内疚)。我可能会建议学生们自己安排时间,在学习期间休息一下。这次一对一的谈话很可能会引发一场关于学生们认为自己如何学得最好的讨论。

在与学生们交谈并探究他们如何学习之后,我会给他们一些不同于死记硬背的方式的选择。一种是查找词汇的词根和词源。这有时可以帮助学生对单词进行分类,并显示它与其他单词的关系。另一种记忆单词的方法是创建一个图形管理器,让学生将纸折叠成四个象限,中间是单词。在每个象限中,学生写出同义词,画一幅图来表示单词,创建一个孩子易理解定义,写下"和定义无关"的东西。孩子们可能需要听到这个词,这样他们就可以录下自己说这个词的声音,并根据它的意思来玩。他们可以参与字谜游戏,或者画出定义、让人们猜词,这些可能是另一种用来学习单词意思的有趣方式。孩子们可以创作一本漫画书或创造以一种有意义的方式使用词汇的图形。另一种学习相关词汇的方法是使用技术,用上所学词汇来创建"播客"或"推特"。在老师的指导下,学生们运用互动的方式,创造性地使用各种策略来学习词汇和掌握基础知识。

第九章 复杂的认知过程

概览

教师案例簿

非批判性思维——你会做什么?

今年上课的情况比你上过的任何一年都差。你布置了一份研究报告,却发现越来越多学生使用网络来获取报告中的所有信息。使用网络本身并不坏,但学生们似乎对他们在互联网上找到的东西完全不加批判地使用。"如果它在网上出现了,那一定是正确的",是大多学生的态度。他们的初稿似乎引用了一些文献,但并没有注明引用或列举的来源。你担心的还不只是学生不知道如何引用文献,你更担心他们不能批判性地看待他们所阅读的内容。他们阅读的仅仅是互联网的内容!

批判性思维

- 你如何帮助你的学生评估他们在网上找到的信息?

- 除了这个迫在眉睫的问题,你将如何帮助学生批判性地思考你所教授的课程?

- 当你支持学生的批判性思考时,你会如何考虑他们的文化信仰和价值观?

概述与目标

在上一章中,我们关注的是知识的发展——人们如何理解与记住信息观念。在本章中,我们将讨论理解的复杂认知过程。理解不仅仅是记忆,也不仅仅是用你自己的话复述。理解包括适当地转换和使用知识、技能和思想。这些理解在一个常用的教育目标体系中被认为是"更高层次的认知目标"(L. W. Anderson & Krathwohl, 2001;B·S·Bloom, Engelhart, Frost, Hill, & Krathwohl,1956)。我们将重点讨论认知理论对日常教学实践的影响。

由于认知视角是一种哲学取向,而不是一种统一的理论模型,由此衍生出来的教学方法是多种多样的。在本章中,我们将首先考察元认知的复杂认知过程——使用关于学习、动机和你自己的知识和技能来计划和规范你自己的学习。接下来,我们将探讨认知理论对学习和教学提出建议的四个重要领域:学习策略、问题解决、批判思维、论证。然后,我们将考虑如何鼓励学习从一种情况迁移到另一种情况,使学习更有用的问题。最后,我们将通过思考教学如何促进稳固的知识和复杂的学习从本章中总结出许多重要的观点。

当你读完这一章的时候,你应该能够:

目标9.1 讨论元认知在学习和记忆中的作用。

目标9.2 描述几种帮助学生发展元认知能力的学习策略。

目标9.3 解释解决问题的过程和影响成功解决问题的因素。

目标9.4 确定影响学生批判性思维、形成和支持论点的能力的因素。

目标9.5 讨论如何、为何以及在何种情况下所学到的知识可以应用于新的情况和问题。

目标9.6 解释稳固知识的特征,如何识别它以及教学中如何发展这种知识。

在这一章中,我们将检验复杂的认知技能,它将带领我们超越更简单、更基本的感知、表征、记忆过程(尽管在阅读了第八章之后,你可能会认为这些并不怎么简单)。我们在这一章中所考虑的很多东西都被描述为"高阶"思维,也就是说,这种思维超越了记忆或重复事实和想法,而真正理解、解剖和评估这些事实,甚至创造你自己的新概念和想法。杰罗姆·布鲁纳(Jerome Bruner, 1973)曾写过一本关于这方面的书,书名为《超越信息的给予》(Beyond the Information Given)——描述更高层次思维的好方法。正如布鲁纳(1996)后来指出:

> 能够"超越信息"去"解决问题"是生活中为数不多的不可磨灭的乐趣之一。学习(和教学)的最大成就之一就是在头脑中组织信息以便让你所知道的比你"应该"知道的多。这需要反思,思考你知道的到底是什么。

在第十四章中,我们将使用布鲁姆分类法,从较低层次的记忆、理解和应用,到分析、评价和创造的高度层次,对层次结构中的思维水平进行分类。当然,如果不知道思维的基础,就很难确切地知道一个学生在想什么。一个学生鹦鹉学舌地背诵课本上的平衡原则可能听起来具有"更高层次",但这种想法只是较低层次的死记硬背。我想起来电影《心灵捕手》(Good Will Hunting)的酒吧场景,自命不凡的研究生试图通过深刻的历史分析让马特·达蒙的朋友难堪,当达蒙揭露他自认为的创造性分析其实都是来自教科书——干得漂亮! ——他大为震惊。在这一章中,我们将探讨学生如何真正进行深入、复杂的思考。

元认知

在第八章中,我们讨论了一些执行控制过程(executive control processes)[1],包括注意、复述、组织、意向、阐述和实践。这些执行控制过程有时被称为元认知技术,因为它们可以被个体用于有意地调整自己的认知。

元认知的知识和规则

元认知(metacognition)[2]字面上说就是认知中的认知、思考中的思考。在布鲁纳早

---

①执行控制过程——例如选择性注意、复述、精细加工与组织等过程,影响着信息的编码、存储和提取。

②元认知——关于我们自己的思维过程的知识。

先的引文中,元认知解释为"反思、沉思你所知道的事物"。科得拉·阿尔特和沃尔夫冈·施耐德(Cordula Artelte & Wolfgang Schneider, 2015)将元认知描述为知识和技能的组成——关于自己的信息处理能力、面对的认知任务、应付这些任务所需的策略、应用这些策略的技巧。所以元认知是关于你自己的思维以及你运用这些知识去整合自己的认知过程的高阶知识——例如理解或解决问题(Barzilai & Zohar, 2014)。

有很多关于元认知和技能的例子,包括知道什么时候浏览和什么时候仔细阅读,知道一天中你最具创造性的时刻,决定在哪里集中注意力,判断你是否明白自己刚刚阅读的部分,制定和修订计划,使用例如记忆法的策略,确定你的阅读是否足以通过测试,决定寻求帮助,以及整体地安排你达到目标的认知能力(Caselet et al., 2011;Meadows, 2006)。在学习第二语言时,你需要专注于新语言的重要因素,忽视干扰信息,并抑制你在第一语言中学习到的干扰或迷惑你学习第二语言的信息(Engel de Abreu & Gathercole, 2012)。

元认知包括我们前面讨论的三种知识:(1)关于你作为一个学习者的陈述性知识,影响你学习和记忆的因素,以及完成一项任务所需的技能、策略和资源——知道要做什么。(2)程序性知识或知道如何使用策略。(3)确保完成任务的自我监管知识——知道现有条件、如何和为何、应用这些程序和策略(Bruning et al.,2011)。元认知是陈述性、程序性和自我调节知识去实现目标和解决问题的战略性应用(Schunk,2016)。元认知还包括认识到在学习中应用认知策略的价值(Pressley & Harris,2006)。

有三种基本的元认知技能:计划、监控和评估(A. Brown,1987;T. O. Nelson,1996)。计划包括决定给一个任务多少时间,使用什么策略,如何和从哪里开始,收集什么资源,遵循什么顺序等等。监控是对"我们做得怎么样"的实时意识。监控是在问:"这有意义吗?我们是不是想太快了?我们应该记笔记吗?"评估包括对思考和学习的过程和结果做出判断。"我应该寻求帮助吗?现在放弃吗?这项作业(绘画、模型、诗歌、计划等)写完了吗?"在教学中反思的概念——回想课堂上发生了什么、为什么发生,并展望你下次可能做什么——是在教学中真正关于元认知的认识(Barzilai & Zohar, 2014;Sawyer,2006)。

当然,我们不需要一直保持元认知。有些行动变成了日常或习惯。当任务有挑战性但不太困难时,元认知是最有用的。甚至当我们计划、监控和评估时,这些过程也不一定是有意识的,尤其是对成年人来说。我们可能会自动且毫不费力地使用它们(Perner,2000)。某一特定领域的专家将计划、监控和评估作为第二天性,他们很难描述他们的元认知的知识和技能(Pressley & Harris,2006;Reder,1996)。

元认知的个体差异

人们在使用元认知策略的优劣和难易程度上存在差异。元认知能力的一些差异是发展的结果。例如,年龄较小的小孩可能不知道学习的目的——他们可能简单地认为重点只是完成。他们可能也不擅长衡量任务的难度——他们认为为了乐趣而阅读和阅读一本科学书籍是一样的(Gredler,2009b)。随着孩子的年龄增长,他们更能对策略进行执行控制。例如,他们更能确定他们是否了解指令,或者他们是否学习了足够多的知识来记住内容。元认知能力在 5 到 7 岁开始发展,并在学校学习中不断提高(Flavell,Green, & Flavell,1995;Woolfolk & Perry,2015)。但是正如我们会在书中看到很多次,知道和做是不一样的。学生们可能知道、定期学习比较好,但仍然希望"突击背诵这次会有用"。

并非所有元认知能力的差异都与年龄或成熟有关(Lockl & Schneider, 2007;Vidal-Abarca, Mañá, & Gil,2010)。一些元认知能力的个体差异可能是由生理或学习经验的差异造成的。许多被诊断为有学习障碍的学生在监控他们的注意力上有问题(Hallahan, Kauffman, & Pullen,2015),尤其是在长期的任务上。对于那些经常在学校学习中遇到困难的学生来说,努力提高元认知技能尤其重要(Schunk,2016;H. L. Swanson,1990)。

给教师的建议:发展元认知

就像任何知识或技能一样,元认知的知识和技能可以学习和提高,正如你接下来看到的这样。

青少年学生元认知的发展。在位于纽约皇后区的二年级教室里,达里克·德索泰尔(Daric Desautel, 2009)主要和拉丁美洲和亚洲学生打交道。作为教学文化的一部分,德索泰尔决定关注学生元认知知识和技能,例如设定目标、计划、评估成就、自我反省,以帮助学生养成"深刻认识"自己思想的习惯。他还把自我反思包括在内,以帮助

学生评估自己的写作,并深入了解自己作为读者和作者的角色。例如,一个自我反省包括如下内容:

- 你是否选择了一个你非常了解的话题?
- 你是否写了一个特别的开头,让读者更想要读下去?
- 你是否整理了你的想法并制作一个目录表?
- 你是否选择了一种合适的写作方式并能清楚地说明你写的文字?
- 你是否重读你的作品来检查声音、感觉、秩序和错误?

德索泰尔成功地帮助了他所有的学生发展元认知识,而不仅仅是最具语言天赋和能力最强的学生。一位学生在反思中写道:"我努力工作并尽我最大的努力写好了这本书。比起故事,我更喜欢非小说类书籍。下一次,我会写一种不同的运动"。(p. 2011)

南希·佩里在一年级与二年级学生的研究中发现问学生两个问题更有助于他们使用元认知。问题是:"作为读者/作者,你从自己身上学到什么?"以及"你学到了什么可以重复运用的东西?"当老师在课堂上定期地问这些问题时,即使是年龄小的学生也表现出相当复杂的元认知理解和行动水平。

与我合作的许多老师通常都运用一种名为 KWL(know-want-learn)①的策略来指导非小说类阅读和调查。这个通用框架可以用于大多数年级。步骤是:

K 我对这个作品已经知道了有了什么?

W 我想要知道什么?

L 当阅读和探究的结束时,我学到了什么?

KWL 框架鼓励学生去"审视内心"并分辨他们对学习情况已知什么,他们想到哪里去,他们最终实现了什么——一种非常元认知的学习方法。看看图 9.1,让我们考虑学习"鳄鱼"的例子(Gillet, Temple, Temple, & Crawford,2017)。在 K 的步骤中,老师引导学生进行头脑风暴——关于鳄鱼,你已经知道(或自以为知道)什么? 接下来,在

---

①KWL——一种引导阅读和探究的策略:我已经知道了什么? 我想要知道什么? 我学到了什么?

W 步骤中,你对什么感到好奇? 你想学什么? 你对什么感兴趣? 学生们要写下关于自己回答的具体问题,这样他们就对自己的答案有承诺感。其次,考虑到你所知道的和想要学习的内容,你希望在阅读时能找到哪些信息? 作者会如何组织材料——使用什么类别或主要分类方法(Vacca, Vacca, & Mraz,2014)? "我所预想的分类信息"将成为正如你在图 9.1 中看到的策略表。最终,在阅读结束后,学生通过写下他们所学习(提取练习)的东西完成 L 步,然后检查他们是否回答了问题。学生应该分享答案,也许可以对分歧进行辩论。一些老师鼓励他们的学生使用 KWL 策略来组织阅读笔记。有些老师在 W 步后会有一个附加的步骤——H——我是怎样知道我想知道什么? 图9.2 是一个关于健康课程的 KWHI 策略表的例子。

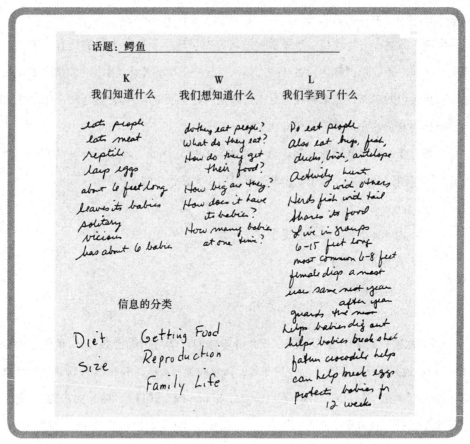

资料来源: Gillet, J. W., Temple, C., Temple, C., & Crawford. A. (2017), Understanding Reading Problems (9th ed.). Boston: Pearson, p. 140. Reprinted and Electronically Reproduced by Permission of Pearson Education, Inc., New York, NY

图9.1 一张关于鳄鱼学习的 KWL 学习单

中学生和大学生（比如你）的元认知发展。对于年龄较大的学生，老师可以在他们的课程、讲座和作业中加入一些关于元认知的问题。例如，大卫·乔纳森（2011，p. 165）提出，教学设计师将这些问题融入多媒体学习环境将帮助学生更能自我反思：

我智力上的强项和弱项是什么？

在我需要学习的时候，我应该怎么激励自己？

我有多善于判断我是否理解某样东西？

我如何关注新信息的意思和意义？

在我开始一项任务之前，我如何设定具体的目标？

在开始之前，我应该问些关于材料的什么问题？

当我完成学习时，我的目标实现得怎么样？

当我完成一项任务时，我是否学到了我能学的最多知识？

我在解决问题后是否考虑过所有的选择？

元认知包括在学习中使用许多策略的知识——我们的下一个话题。

关于健康课程的K–W–L–H工作表

高分子	我们知道什么？	我们想知道什么？	我们如何找到我们想学的东西？	我们学到了什么？
蛋白质	·一种你可以吃的东西 ·身体的一部分	·这个分子对身体有什么作用	·教科书 ·网络 ·健康杂志	·蛋白质是由氨基酸组成的
脂质				
多糖				
核酸				

资料来源：e: Vacca, R. T., Vacca, J. A. L., & Mraz, M. (2017), Content Area Reading: Literacy and Learning Across the Curriculum (12th ed.). Boston: Pearson, p. 185. Reprinted and Electronically Reproduced by Permission of Pearson Education, Inc., New York, NY.

图9.2　关于健康课程的 K-W-L-H 工作表

学习策略

大多数老师会告诉你，他们希望学生"学会如何学习"。多年的研究表明，使用好的学习策略有助于学生学习,而且这些策略是可以传授的(Hamman, Berthelot, Saia, & Crowley, 2000；Pressley & Harris,2006)。但你学过"如何学习"吗? 强大而复杂的学习策略和学习技巧在高中甚至大学以前很少被直接传授,所以大多数学生很少使用它们。相反,在早期,学生通常会自己发现重复和死记硬背的学习策略,所以他们对此有广泛的实践经验。但不幸的是,一些老师认为记忆就是学习(Beghetto,2008；Woolfolk Hoy & Murphy,2001)。这也许可以解释为什么许多学生坚持使用记忆卡片和死记硬背——他们不知道还能做什么(Willoughby, Porter, Belsito, & Yearsley, 1999)。

正如你在第八章所看到的,我们第一次学习的方式会极大地影响我们记忆信息的快慢,以及以后如何恰当地应用知识。首先,学生必须用认知参与学习;他们必须把注意力集中在材料的相关或重要方面。其次,他们必须付出努力、建立联系、精细加工、翻译、发明、组织、重组、练习提取,来思考和深入处理——练习和处理得越深入,学习就越有效。最后,学生必须规范和监控自己的学习——跟踪什么是有意义的并是否需要使用新的方法;它们必须是元认知的。今天的重点是帮助学生获得有效的学习策略,让他们能够集中注意力和精力,深入处理信息,并监控理解程度(Brown et al. ,2014)。

学习要讲求策略

学习策略(Learning strategies)①是一种特殊的程序性知识——知道怎么做某事。有成千上万种策略。有些是通用的,学校会教,例如总结或做提纲。还有一些是某一学科特定的,比如使用记忆术来记住行星的顺序:"我受过良好教育的母亲刚刚给我们准备了玉米脆饼"(My Very Educcted Mother Just Served Us Nachos),这个句子包括水星(Mercury)、金星(Venus)、地球(Earth)、火星(Mars)、木星(Jupiter)、土星(Saturn)、天王星(Uranus)和海王星(Neptune)。其他的策略可能是独特的,比如由个人发明的学习汉字的方法 。学习策略可以是认知的(概括、确定主要思想),是元认知的(监控理解程度——我理解吗?) ,行为的(设置一个计时器直到时间结束)(Cantrell, Almasi,

————————

①学习策略——一种特殊的程序性知识,即知道用什么方法学习任务。

Carter, Rintamaa, & Madden, 2010)。所有这些都是完成一项学习任务的方法,且通常在一般方法没有奏效并需要策略性的努力的时候(K. R. Harris, Alexander, & Graham, 2008)。随着时间的推移,当你越来越擅长使用这些策略时,你就不需要刻意的努力了。最终你可能会变得更自动地应用这些策略;换句话说,这些策略将成为你完成这类任务的通常方式——直到它们不起作用和你需要新的策略。

熟练的学习者有广泛的学习策略且可以相当自如地应用。使用学习策略和学习技巧与在高中更高的平均绩点(GPAs)和大学学习的持续性有关(Robbins et al., 2004)。研究人员已经确定了几个重要的原则:

1.学生必须接触许多不同的策略,不仅是一般的学习策略,还有针对不同学科非常具体的策略,例如本节后面将描述的图形策略。

2.学生应该学习关于什么时候、在哪里以及为什么要使用各种策略的自我调节(有条件的)知识。虽然这可能看起来很明显,但是老师们经常忽视这一步。如果学生知道什么时候、在哪里以及为什么要使用策略,那么这种策略就更有可能得到维持和使用。

3.学生可能知道什么时候和如何使用策略,但除非他们也拥有想要运用这些技能的意愿,否则总体学习能力不会提高。请记住,在没有老师指导时,许多学生,包括成年学生,即使知道如何使用更有效的策略,也会依赖于舒适但无效的策略(Son & Simon,2012)。有一些学习策略项目还包括对动机的培训。

4.学生们需要相信他们可以学习新的策略,这种努力会有回报,他们可以通过运用这些策略"变得更聪明"。

5.学生在学习领域中需要背景知识和有用的图式,以了解学习的材料的意义。例如,如果你对鱼不太了解的话,很难在一段关于鱼类学的文章中找到主旨。因此,学生可能需要在关键内容知识中得到直接指导和策略培训。表9.1总结了几种学习策略。

表9.1 学习策略举例

学习策略	举例
计划和集中注意力	制定目标和时间表 强调和突出 浏览、寻找标题和主题句
组织和记忆	做组织图表 创建流程图、维恩图 使用记忆术、图像 用类比构建知识结构(你正在学习的东西像树、小镇,还是地图呢?)
理解	创建概念图、概念网 总结、做提纲和做笔记 举例子 向同伴解释
认知监控	做预测 识别没有意义的东西
实践	使用部分练习 使用整体练习 使用提取练习:自我测试和自我提问

决定什么是重要的。从表9.1的第一项可以看出,学习是从集中注意力开始的——决定什么是重要的。但是,将主要思想与不那么重要的信息区分开来并不总是容易的。学生们通常会关注"引人注意的细节"或具体的例子,也许是因为这些更有趣(Gardner,Brown,Sanders, & Menke,1992)。你可能有在演讲中记忆一个笑话或一个有趣的例子,但不清楚教授想要表达的更重要的观点的经历。如果你对某一领域缺乏事先的知识,而且所提供的新信息非常广泛,那么要找到中心思想就非常困难。教师可以让学生练习在文本中使用符号,如标题、粗体字、提纲或其他标识来分辨关键概念和主要思想(Lorch, Lorch, Ritchey, McGovern, & Coleman, 2001)。

摘要。写摘要可以帮助学生学习,但学生必须被教会如何总结(Byrnes,1996;Palincsar & Brown,1984)。珍妮·奥姆罗德(Jeanne Ormrod 2016)总结了这些帮助学生写摘要的建议。要求学生:

- 为每个段落或段落找到或写一个主旨句。

- 确定涵盖几个具体观点的概括性观点。

- 为每个概括性观点找到一些支持信息。

- 删除任何多余的信息或不必要的细节。

从做简短、简单、结构清晰的文章的总结开始,逐步引入较长的、较无组织的且较难的段落。最初,提供一个类似这样的框架可能是有用的:这一段是关于＿＿＿＿和＿＿＿＿。它们在这些方面也是一样的:＿＿＿＿,但在以下方面有所不同:＿＿＿＿。要求学生们比较他们的摘要,讨论他们认为什么观点是重要的和为什么重要——他们应该确保能提供证据。

另外两种基于识别关键思想的学习策略是划线和做笔记。

停下来想一想:当你阅读时,你是如何做笔记的? 回顾本章的前几页。你的高亮标识是黄色还是粉色? 空白处是否有记号或图画? 如果有,这些笔记是属于某一章节的,还是杂乱的清单和乱涂乱画?

强调和突出。你会在课本上画出或标出重点句吗? 下画线和记笔记可能是大学生最常用但最无效的策略。一个常见的问题是,学生们过多地画下画线或标记,而那些标记通常让很多的学生学得更少。所以,仔细考虑一下你为什么要标记某一段落,并向自己证明你的选择是正确的。然后当你重读的时候,再考虑下这些问题——为什么要强调这点? 为什么它很重要? 问自己这些问题会激发两个有效的学习过程:更深入的处理和检索实践(Yue,Strom,Kornell, & Bjork,2015)。除了要有选择性,你还应该在画线或做笔记的时候,积极地把信息转换成你自己的语言。不要依赖书本上的文字。注意你读到的东西和你已知的其他东西之间的联系。画图表来说明关系。最后,在材料中寻找组织模式,并用它们来指导你的画下画线或做笔记。

记笔记。做好课堂笔记不是一件容易的事。你必须将课程信息保存在工作记忆中;在信息"脱落"之前,选择、组织和转换重要的思想和主题;在你还在听讲座的时候,写下你的想法和主题。当你在笔记本里填满单词并试图跟上讲师的步伐时,你可能会想记不记笔记会有什么区别。如果这个策略运用得好,它确实会有效。让我们看看研究是怎么说的(Armbruster,2000;Bui,Myerson, & Hale,2013;Kiewra,2002;kobayashi, 2005;Peverly et al. ,2007;Peverly,Brobst,Graham, & Shaw,2003)。

• 课堂上记笔记能集中注意力。当然,如果记笔记会分散你的注意力,让你无法真正理解课程,那么记笔记可能就没有效果。

• 做有组织的笔记对有工作记忆不足的学生很有效,而不是用笔记本电脑转录讲课内容,至少在短期内是如此。

• 做有组织的笔记会让你从你所听到、看到或读到的东西中构建意义,所以你可以精细加工、翻译成你自己的话、提取并记忆。即使学生们在考试前没有复习笔记,当初起笔记似乎也有助于学习,尤其是对于那些在某个领域缺乏先前知识的人来说。

• 记笔记提供了允许你返回和复习的外部存储。用自己的笔记来学习的学生在考试中往往表现得更好,特别是如果他们有很多高质量的笔记——越多越好,只要你抓住了关键的想法、概念和关系,而不仅仅是有趣的细节或笑话。

• 专业的学生将笔记与他们预期的使用相匹配,并在测试或作业后修改策略;使用个人代码标记不熟悉或有困难的材料:通过查阅相关资料(包括课堂上的其他学生)来填补漏洞;只有当需要逐字逐句的答复时,才逐字记录信息。换句话说,他们有策略地记笔记和使用笔记。

即使有这些优势,请记住前面提到的警告。对于有较强工作记忆能力的学生来说,做有条理的并在课堂上抓住重要的思想的笔记更容易。当学生的工作记忆比较有限时,他们可能需要集中精力理解老师,尽可能多地转录,只要他们打字很快。此外,使用有策略性笔记格式的有学习障碍的中学生和高中生(参见 www.ldonline. org 并搜索"记笔记"为例)回忆和理解科学讲座中的关键思想的程度明显优于使用传统记笔记方法的对照组学生(Boyle,2010a,2010b; Boyle & Weishaar,2001)。

图 9.3 是一种可用于多种笔记情况的通用格式。将文章拆分是康奈尔笔记的一种方法,由康奈尔大学的在 20 世纪 50 年代撰写了经典指南《如何在大学学习》的沃尔特·波克发明的。这个方法仍然是可用的(Pauk & Owens,2013)。这个格式对任何一个在做笔记时需要额外指导的学生都有用。

一种更有策略地记笔记的形式	
标题:	关于这个话题我已经知道了什么?
关键点/关键词	笔记

总结:写3到5句话,抓住中心思想:

1.
2.
3.
4.
5.

问题:什么仍然令我困惑或不清楚?

资料来源:: Based on ideas from Pauk, W., Owens, Ross J. Q. (2010). How to Study in College (11th ed.).(Original work published 1962) Florence, KY: Cengage Learning; and http://lsc.cornell. edu/LSC_-Resources/cornellsystem.pdf

图9.3 一种更有策略地记笔记的形式

用于组织的可视化工具

要有效地使用下划线和记笔记,你必须确定主要思想。此外,你必须了解课文或讲座的组织结构——思想之间的联系和关系。一些视觉策略已经被开发来帮助学生使用这个关键的组织元素(Van Meter,2001)。概念图(concept maps)①是一种图形工具,用于组织和表示特定领域或特定主题中的知识和关系(Hagemans,van der Meij & de Jong,2013;van der Meij,2012)。图 9.4 是一个网站的概念图,该网站来自人类和机器认知学会 Cmap(图 9.4 所示的网站上的免费下载工具)工具,用于创建概念图。你可能把这些相互联系的思想称为"网络"。

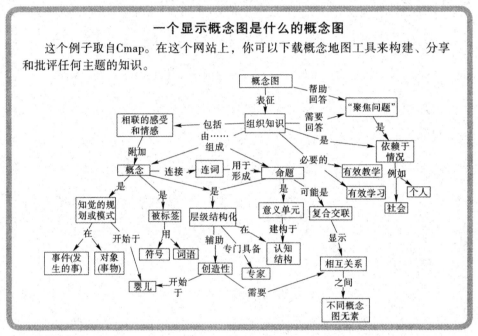

资料来源: Institute for Human and Machine Cognition Cmap Tools. Retrieved from http://cmap.ihmc. us/docs/conceptmap.php. Reprinted with permission from the IHMC.

图 9.4 一个显示概念图是什么的概念图

在一组 55 个针对从四年级到研究生院学生、主题从科学、统计到护理的研究中,约翰·内斯比特和奥卢索拉·阿代斯普(2006)得出,"与阅读文本段落等活动相比,参加讲座、参与课堂讨论、概念图学习活动可以帮助学生更有效地获得知识保留并迁移"(p.434)。

让学生通过记录因果关系、比较/对比关系和例子来"图解"关系,可以提高记忆能

①概念图——描绘思想之间关系的图画。

力。我在俄亥俄州立大学的一名博士生甚至使用 Cmaps①(图9.4所示的网站上的免费下载工具)来计划他的论文,并为他的博士考试安排所有的阅读。计算机的 Cmaps 可以连接到互联网,世界各地不同教室和学校的学生可以在上面进行合作。学生应该比较他们填入的"地图",并解释他们思维的差异。解释是另一种很好的学习策略,它鼓励更深入的加工和提取练习——这是一种强大的学习策略,你很快就会看到。

教师提供的地图可以作为学习的指南。梅克·哈格曼(Mieke Hagemans)和她的同事(2013)发现彩色概念地图帮助高中物理学生掌握复杂的概念。概念地图是计算机程序的一部分。当学生们在地图的这一部分完成学习时,地图的颜色发生了变化,因此学生们有一个框架来指导他们阅读和做作业,甚至提醒他们。例如,他们在"速度"的学习中没有花足够的时间在"加速度"的作业上。最后,概念地图是一种有效的练习形式。阅读一些文本或听一场讲座后,通过绘制概念图来表示信息以回顾关键思想(Blunt & Karpicke,2014)。

还有其他可视化组织的方法,比如维恩图,它展示了想法或概念如何重叠。还有树图,它展示了想法如何分支。按时间线顺序组织信息,在历史或地质学等课程中很有用(Rau,Aleven,& Rummel,2015)。

提取练习:功能强大但未得到充分利用

如前所述,最强大的学习策略之一是提取练习(retrieval practice)②,也称为测试效果或主动检索(Pashler et al.,2007)。你第一次遇到这个概念是在第八章,当时我们讨论了"为深入、持久的知识而教学"。在几十年的研究中,研究人员发现,尝试从阅读中积极回忆关键思想——测试自己在课堂上所读或听到的内容——比重读材料或其他学习方式更有效(Dunlosky et al.,2013)。为了从这个强大的策略中获益,学生可以通过列出关键想法、绘制概念图、向朋友解释、教另一个学生、完成 KWL 工作表、进行自

---

①Cmaps——由人类和机器认知研究所开发的概念图解工具,连接到互联网上的许多知识地图和其他资源。

②提取练习/测试效果——通过从记忆中提取信息来练习,而不是重读或重新学习——这更有效,因为提取似乎有助于记忆在大脑中巩固,并加强神经通路,以便以后更容易找到知识。

我测试或其他任何需要主动提取知识的事情来练习回忆所学知识。频繁的测试和测验,甚至是不打分的,都是一种提取练习。不幸的是,这些策略很少被使用,部分原因是学生不喜欢它们。一项针对大学生的研究(再次)发现,主动提取比重读一篇关于萨尔瓦多·达利的文章更有效,但学生仍然更喜欢重读(Clark & Svinicki, 2015)。

阅读策略

正如我们前面看到的,有效的学习策略应该帮助学生集中注意力、投入精力(连接、阐述、翻译、组织、总结),以便他们深入加工信息,监督他们的理解,然后通过提取练习巩固学习。许多策略有助于这些阅读过程。许多策略使用助记符帮助学生记住所涉及的步骤。例如,一种可以用于小学以上任何年级的策略——READS①:

R　检查标题和副标题。

E　检查粗体字。

A　问:"我期望学到什么?"

D　去做吧:阅读!

S　用自己的话总结(Friend & Bursuck, 2015)。

一种可以用于阅读文学作品的策略——CAPS②:

C　谁是主要人物?

A　故事的主题是什么?

P　发生了什么矛盾?

S　矛盾是如何解决的?

这些策略之所以有效,有几个原因。首先,遵循这些步骤可以让学生更了解给定章节的组织结构。你有多少次完全跳过阅读标题而忽略了信息组织方式的主要线索?接下来,这些步骤要求学生学习章节,而不是一次学习所有的信息。这利用了分布式实践。回答有关材料的问题迫使学生更深入地处理信息。

---

①READS——五步阅读策略:复习标题;检查黑体词;问:"我期待学习到什么?";用自己的话来总结

②CAPS——一种可以用于阅读文学的策略:人物、故事的目的、问题、解决方案。

无论你使用什么策略,学生们都必须学会如何使用它们。直接的教学、解释、建模和反馈练习是必要的,对于学习有困难的学生和母语不是英语的学生尤其重要。

运用学习策略

在学习策略研究中最常见的结果之一是产出不足(production deficiency)[1]。学生学习了策略,但在能够或者应该应用时,他们却没有这样做(Schunk, 2016;Son & Simon,2012)。有学习障碍的学生尤其如此。对于这些学生来说,他们往往难以执行控制过程(元认知策略)如计划、组织、监控进度,以及做出适应(Kirk, Gallagher, Anastasiow, & Coleman,2006)。直接教学这些策略是有意义的。为了确保学生能够实际用到他们学到的策略,必须满足几个条件。

适当的任务。首先,当然,学习任务必须是要适当的。当老师设计的任务是"学习并重复"在课文或者讲座的具体单词时,为什么要学生会用更复杂的学习策略?通过这些任务,老师给予记忆,而最好的策略包括分布式练习和记忆术(在第八章中描述)。但是我们希望当代的老师少使用这类任务。那么如果这个任务是理解而不是记忆,需要什么其他的策略呢?

重视学习。使用复杂策略的第二个条件是学生必须在乎学习和理解,并相信学习策略将会帮助他们到达这些目标(Zimmerman & Schunk,2001)。在某学期的教育心理学课时,我满腔热情地分享一篇《今日美国》报纸上关于学习技巧的文章。这篇文章的主旨是学生在课堂上不停地修改和重写他们的笔记,这样到最后,他们所有获得的理解被浓缩至一到两页。当然,这要点上的大部分知识被重新组织并与其他的知识很好地连接。"看,"我告诉全班同学,"这些观念是真实的,不只是死的文字。它们可以帮助你更好地在学校学习。"经过激烈的讨论观念,最好的学生之一气愤地说,"我背了18个小时,我没有时间学习这些东西!"她不相信使用费时的学习策略能够实现她通过苦熬18小时达到的目标,而且她可能是对的。

努力和效能感。我的学生也很关心努力。应用学习策略的第三个条件是学生必

---

[1]产出不足——学生学习了解决问题的策略,但在他们能够或应该应用时却没有应用。

须相信学习策略所需的努力和投入是合理的,是有可能得到回报的(Winne,2001)。当然,学生必须相信他们有使用策略的能力,他们必须有自我效能感来使用这些策略去学习所学的材料(Schunk,2016)。这与另一个条件有关:学生必须有基础的知识和/或者该领域的经验。没有学习策略会帮助学生完成超出当前理解的任务。

惠及每一位学生:教他们如何学习

阅读是在学校所有学习的关键。策略教学能够帮助很多有困难的读者——并且学生越早学习有用的策略越好。当然,你要做的不只是告诉学生更多的策略——你必须教他该策略。米迦勒·普莱斯利和维拉·沃洛希(1995)开发的认知策略模型同样地指导了教导学生改善他们的元认知策略。表9.2描述了这些策略的教学步骤。

表9.2 促进学生元认知知识和技能的教学策略

这八个指导方针取自普雷斯利和沃尔肖恩(Pressley & Woloshyn,1995),应该有助于教授任何元认知策略。

- 一次教几个策略,在课程教学中分散和集中进行。
- 示范和解释新的策略。
- 如果学生不理解策略的某些部分,重新示范,并就那些令人困惑或误解的方面重新解释。
- 解释学生在哪里以及何时使用策略。
- 提供大量的练习,尽可能多地让学生使用适当的策略。
- 鼓励学生在使用策略时监控自己的行为。
- 通过增强学生"正在获得有价值的技能"的意识来提高学生使用策略的积极性,这些技能是胜任工作的核心。
- 强调反思性加工,而不是快速加工;尽一切可能消除学生的高度焦虑;鼓励学生防止自己分心,以便他们能够完成学业任务。

资料来源: Based on Pressley, M., & Woloshyn, V. (1995). Cognitive Strategy Instruction That Really Improves Children's Academic Performance. Cambridge, MA: Brookline Books.

问题解决

设身处地想一想:你作为一名学校心理学家正在接受当地负责人的面试,这位负责人因为非同寻常的面试问题而闻名。他递给你一沓纸和一把尺子,然后说:"告诉我,一张纸的确切厚度是多少?"

这是真实的故事。几年前,我在一次面试中被问到了纸张厚度的问题。其答案是测量整个一沓纸的厚度,并除以这沓纸的纸张数量。我得到了答案和工作,但那是多么紧张的时刻。我想负责人对我在压力下解决问题的能力很感兴趣。

问题(problem)①当你在寻找达到目标的途径时,问题总在路上。在向最终目标靠拢的过程中,人们常常需要设置和达到子目标。比如,如果你的目标是开车到海滩,但过十字路口时,在第一个停车标志,刹车打滑了。也许在到达最终目标之前你得完成这样一个子目标、停车把刹车修好(Schunk,2016)。当然,问题有结构良好的,也有结构不良的,这取决于目标清晰度和问题的结构程度。许多学术问题都是结构良好的,但找到合适的大学专业是结构不良的——许多不同的解决方案、途径都是可能的。生活中有许多结构不良的问题(Belland,2011)。

问题解决(problem solving)②经常被界定为寻找新解答,超出对以前学过的规则的简单的应用以达到目的。问题解决是当不清楚怎么解决该问题时问题就出现了——比如,你不能承担轿车新的刹车装置的费用,它在开往沙滩的路上打滑了,问题就出现了(Mayer & Wittrock,2006)。一些心理学家认为人类大多数的学习都包含问题解决,帮助学生去更好地去成为问题解决者是教育界最大的挑战之一(Anderson,2015;Greiff et al,2013)。

有一个关于问题解决的争论。大多数的心理学家相信能起作用的问题解决策略是针对问题方面。例如,一些心理学家认为问题的有效解决是直接指向问题领域,这就是说数学中的问题解决策略只是针对数学的,艺术中的解决问题的策略也只是针对艺术的等等(Tricot & Sweller,2014)。争论的另一方认为有些一般的问题解决策略在许多领域中都可以应用,譬如使用模拟推理或者手段—目的分析(稍后讨论)。

争论的双方都持有各自的根据。实际上,根据问题情景和个体的专门知识和技能的掌握水平,人们既使用一般方法,也使用特殊策略。起初,我们可能对于问题所涉及的领域了解不多,更多的是依靠一般知识和问题解决策略来理解问题情景。当我们获

①问题——任何情况下,你试图达到一些目标,必须找到一种手段来做到这一点。
②问题解决——创造解决问题的新方法。

得了更多的专门领域的知识（尤其是这个领域中关于如何做的一些程序性知识）后，就会有意识地少用一般问题解决策略，问题解决模式更加地自动化。所以，要成为某个领域的专家问题解决者，获得领域相关的能力是最重要的（Bokosmaty et al.,2015；Tricot & Sweller,2014）。

在任何的问题解决情况下，第一步关键在于发现问题的存在（而且可能要把问题看作机会）。

识别：发现问题

问题解决往往不是一帆风顺、一旦了然的。这儿有个小故事。一个房客愤怒至极，缘由是楼里的电梯速度太慢。于是就找来专家来"解决这个问题"，结果专家报告说这栋楼的电梯并不比一般的电梯慢，要提速需要很大一笔开销。一天，该楼的管理人员巡查的时候，看到人们在不耐烦地等电梯，他意识到不是电梯慢的问题，而是人们等电梯的时候没什么可做的，感到太无聊了。人们等电梯无聊的问题确定并将其视为提升"等候经历"的机会后，在每个楼层的电梯口安一面镜子这样简单的解决办法就消除了人们的抱怨。而现今人们只会拿出他们的电话来对付无聊！

发现问题是很值得谈论和关注的一步，研究实验证明人们往往忽略、轻视第一步，用当下即刻想到的内容（电梯太慢了）确定问题的性质。某个领域的专家往往会多用一些时间来思考问题的本质（Bruning,Schraw & Ronning,1999）。发现一个现实性问题然后将其变成一种机会是很多发明之序曲，比如圆珠笔、垃圾处理、设备计时器、闹钟、自动清理烤箱等等。

一旦确定一个实际问题之后，接下来要做什么呢？

确定目标并表征问题

让我们先来看一个现实问题：西红柿采摘机会破坏果实，怎么办？如果我们把问题定位在机器的设计不良，那么解决问题的重点落在怎么改进机器上；如果问题在西红柿上，那么就去改良西红柿的品种。这样问题的解决就有了两条不同的思路，取决于思维方式以及解决目标的选择（Bransford & Stein,1993）。要重新表征问题和设定目标，就需要集中注意相关信息，理解问题中的表述，建立正确的图式以全面理解问题。

停下来想一想：

假如你的抽屉里有一些黑袜子和白袜子,以 4 比 5 的比例混在一起,要确定拿出的袜子是同种颜色的一双袜子,需要拿几次?（改编自 Sternberg & Davidson, 1982）

注意力聚焦于相关信息。 陈述问题往往需要寻找相关信息,忽略无关细节。例如,要解决"停下来想一想"中的袜子问题需要哪些相关的信息? 你意识到关于黑袜子对白袜子的4:5比率的信息是无关的吗? 如果你只有两种不同颜色的袜子在抽屉里,在给两只配对的时候,你只要将三只袜子拿出来就可以了。

理解文字。 陈述问题的第二个任务就是理解问题中的单词、句子和真实的信息的含义。所以,问题解决需要理解问题中的语言和关系。数学语言问题还涉及指定的数学运算符号(加法,除法等)数字之间的关系(Jitendra et al. ,2009；K. Lee, Ng, & Ng, 2009)。这些所有都对工作记忆提出了要求。例如,在许多应用题和关于分数的问题中,主要的绊脚石是学生对部分—整体关系的理解(Fuchs et al. ,2013)。学生在指出什么是什么的一部分中存在的问题,在下面一个老师和一个一年级学生的对话中很明显地表现出来:

老师:皮特有 3 个苹果。安也有一些苹果,皮特和安一共有 9 个苹果,安有几个苹果?

学生:9。

老师:为什么?

学生:因为你刚刚这样说。

老师:你能重复一下这个故事吗?

学生:皮特有 3 个苹果,安也有一些苹果。安有 9 个苹果。皮特也有 9 个苹果。(改编自 De Corte & Verschaffel,1985,P. 19)

这个学生将"总共"(整体)解释为"每一个"(部分)。

对于年长的学生来说,一个较常见的困难是理解比例和比例之间的问题是基于乘法关系,而不是基于加法关系。(Jitendra et al. ,2009)所以要解决

$$2 : 14 = ? : 35$$

许多学生用减法发现2和14之间的差距(14－2＝12),然后从35减去13得出23,给出(错误的)答案:

$$2:14 = 23:35$$

真正的问题是关于2和14之间的比例关系。14是2的几倍? 答案:7倍——一个乘法关系. 所以实际的问题是"35是7的几倍"答案是5 (7 ＊ 5 ＝ 35)。所以:

$$2:14 = 5:35$$

理解整个问题。描述一个问题的第三个工作是收集所有相关信息和句子。将其变为对整个问题准确的理解和翻译。意思是学生需要形成一个问题的概念模型,他们必须理解问题真正问的是什么。考虑一下在"停下来 & 想一想"中火车站的例子。

停下来想一想:

两个火车站相距50英里,在一个星期六的下午两点,两列火车相向开出。当两列火车开出车站时,一只鸟在第一列火车的前面飞,并且飞到第二列火车的前方。当这只鸟到达第二列火车时它掉头并朝着第一列火车飞。这只鸟不断地这样飞,直到两列火车相遇。如果两列火车的速度都是25英里/时,鸟的速度是100英里/时,在两列火车相遇时,这只鸟飞了多少英里?（Posner,1973）

你对这个问题的解释被称作转化,因为你将问题转化成你理解的图式。如果你将这个问题作为一个距离问题转化("我必须算出这只鸟在它遇见那列接近的火车并且转弯前飞了多远,然后在它再次转弯时,它又飞了多远,最后将来回的全部路程加起来")然后你的手头上会有一个非常困难的工作。但是有一种更好的方法去表征这个问题,你能将鸟在空中表征成一个时间和中点相遇问题,解决方法可以这样陈述:

两列火车以相同的速度行驶,所以它们将在中点相遇,即距离两个车站25英里处。因为它们的速度是25英里/时,所以将用1个小时。在这1个小时中,这只鸟将飞100英里,因为它的飞行速度是100英里/时。简单!

研究表明:学生倾向对所问的是一个什么样的问题过快决定。一旦一个问题被加以分类——"啊哈,这是一个距离问题!"——一个特殊的图式被激活了。这个图式引导学生注意相关的信息并且为正确答案建立预期。例如,如果你在上述的问题中使用距离图式,那么答案看起来像是把许多小的距离累加计算(Kalyuga,Chandler,Tuovinen,& Sweller,2001;Reimann & Chi,1989)。

当学生没有必要的图式来表征问题时,他们往往只依赖事物的表面特征,错误地表征问题。正如学生写出"15 + 24 = 39"并认为它是问题"约翰有 15 支圆珠笔,刘易斯有 24支,刘易斯多出多少支呢?"的答案,是因为这个学生看见两个数字和"多"字,所以他就运用相加得到更多的加法规则。当学生被教导要搜寻关键词时(更多、更少、更大,等等)他们经常专注于事物的表面特征,在关键词的基础上选择一个策略或者公式(更多的手法是"加起来"),并应用公式。实际上,只专注于问题表面的特征会形成妨碍整个问题的概念性理解和妨碍使用正确的方法(Fuchs et al.,2014;Karp & Bay Williams,2010)。

当学生使用了错误的图式时,他们会去使用无关的信息从而忽略了关键的信息,甚至可能误读或记错关键信息,以便符合图式。但是,当学生使用了恰当的图式来表征问题时,他们不太可能被不相关的信息或者难懂的措辞所迷惑,例如"多"字出现在实际上要用减法的问题中(Fenton,2007)。图 9.5 给出了学生表征一个简单的数学题可能会用不同方法的例子。

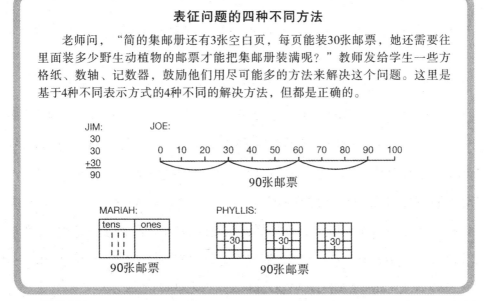

资料来源:Riedesel, C. A. & Schwartz, J. E. (1999). Essentials of Elementary Mathematics (2nd ed.). Reprinted by permission of Pearson Education, Inc. Upper Saddle River, NJ.

图 9.5 表征问题的四种不同方法

接触不同的表征和解决问题的方式有助于发展数学理解(Star & Rittle-Johnson,2009)如何才能提高学生的转化和图式选择能力? 为了回答这个问题,我们常常不得不从一般的问题解决策略转移到具体的问题解决策略上,因为图式是特定于某个内容领域的。

转换和图式训练:针对图式的直接教学。面对相关知识很少的学生,老师可以先通过展示、示范和"大声思考"的教学方法来教给他们必要的图式。

> 本周末,埃内斯托和黎明分别就他们的社会学研究项目开展工作。埃内斯托花费在项目上的小时数与黎明花费在项目上的小时数之比为2:3。如果埃内斯托在这个项目上花了16个小时,那么黎明在这个项目上花了多少个小时? (Jitendra et al. ,2009,p. 257)

老师用"大声思考"这种方式来让学生聚焦在解决这个问题的关键图式(这个例子中是部分—部分比例图式),所以她说:"首先,我认为这是一个比例的问题,因为他把埃内斯托的工作时长和黎明的工作时长做比较。这是想告诉我们关于埃内斯托和黎明工作时间的乘法关系(2:3)的部分—部分比例。"老师接着大声说:"接下来,我是这样表征问题的……最后,我们使用等值分数策略和……"

通过大声思考作为示范能够给学生提供许多工作实例。在数学和物理学的早期阶段,学生似乎受益于看到许多不同类型的例题来算出正确的答案(Moreno, Ozogul, & Reisslein,2011;Pashler,2007)。但是在我们在下一部分探索实例之前,我们要注意。知识储备优异的学生在解决新问题时会进步,而不是专注于已经解决的问题。已经解决的问题实际上会干扰专家的学习,因为专家早就已经理解它们,因此不需要它们堵塞工作记忆空间。这被称为专家颠倒效应,因为对专家有用的却对初学者无用(Bokos - maty, Sweller,& Kalyuga,2015;Kalyuga, Rikers & Paas,2012)。

转换和图式训练:已经解决的问题实例。实例在很多学科领域都是有用的。在澳大利亚,从实例中学习有助于中学生学习几何,只要所提供的指导符合学生的专业水准（Bokosmaty et al.，2015）。在澳大利亚，讲解实例对八年级学生学习物理是有效的（Glogger-Fey et al.，2015）。西尔克·施文和亚力山大·伦克尔（2007）用视频的例子来帮助学生学习如何想出令人信服的论点来支持或反对一个立场。

为什么实例有效？部分是由于前一章讨论过的认知负荷理论。当学生缺乏特定领域的知识时——比如分数或比例——他们尝试用一般的对策来解决问题，例如寻找关键词、套用死记硬背的步骤或者使用试误法。但是这些途径会给工作记忆带来更大的压力——这里有太多东西需要马上"记住"。如果你使用"试误法"解决问题，你常常不知道为什么这样做，所以，你并没有学习到在未来如何解决类似的问题。对比之下，已经解决的问题实例把一些步骤组块化，提供线索和反馈，集中于相关的信息，对工作记忆的要求也相对较少，所以学生能够用认知资源去理解，而不是胡乱地搜索解决方案（Wittwer & Renkl，2010）。着重于例子中问题的关键特征在学生尚未掌握这些特征时是特别有用的（Guo，Pang，Yang，& Ding，2012）。

然而，要是想从实例中得到最大的好处，学生需要积极地参与——只是"浏览"实例是不够的。当你思考是什么促进学习和记忆时，这并不出乎预料。你需要去注意、深入加工信息并将其与你已经知道的东西联系起来。学生应该自己解释这些实例。这种自我解释很关键，它可以使学生更主动地从实例中学习，而不是被动学习。自我解释的实例策略包括尝试去预测解决方案中的下一步，然后检查是否正确，或者尝试解决问题背后的基本原则。在对师范生的研究中，施文和伦克尔（Schworm & Renkl，2007）加入了一些提示，要求师范生思考和解释他们在录像带上看到的论点的要素，例如，"这个序列包含哪些论点要素？它与克尔斯腾的声明有什么关系？"（p. 289）。学生必须从心理上理解这些例子，而自我解释是其中一个关键之处。（R. K. Atkinson & Renkl，2007；Wittwer & Renkl，2010）.

使用已经解决的问题实例的另一种方法是让学生比较用不同的方法得出正确答案的实例。每个解决方案中有什么是一样的？有什么是不同的？为什么？（Rittle-Johnson & Star，2007）并且，实例应该在一次处理信息的一个来源，而不是让学生在文字段落、图表、表格等之间来回翻看。如果新手需要结合太多的信息来源才能弄明白实例的话,他们的认知负担太重(Bokosmaty et al. ,2015)此外,在学习实例和实际解决问题之间交替,可以帮助学生应用和扩展他们正在学习的内容(Renkl,2011)。

已经解决的问题实例可以作用解决新问题的类比参照或模型。但是要注意,要是没有说明和指导,新手可能会记住实例或者个案的表面特征而不是更深层的意义或者结构。帮助解决类似的新问题的意义或结构,而不是表面的相似性(Gentner,Loewenstein, & Thompson, 2003;Goldstone & Day, 2012)。我曾听到学生抱怨,他们的测验的预习题是关于船只和河流的,但是他们测验中问的是飞机以及风速。他们反对说:"在测验中没有问题是问关于船只的,而且我们从来都没有在课当中学过飞机!"事实上,测验中风的问题与"船只"的问题解决方法是完全一样的,但学生却只专注于表面上的特征——交通工具的类型。有一个方法去克服这个倾向,就是让学生比较实例或者个案,这样他们就能够发展出捕捉案例的共同结构而不是表面特征的问题解决图式(Gentner et al. ,2003)。

实例和具身化认知。缩合使用更多的学习渠道也能够有助于学习实例。比如,当学生用他们的食指来描绘外形时,就像图9.6所示,他们学到更多,也许是因为他们综合使用了视觉、触觉和运动(Hu,Ginns, & Bobis,2015)。这种参与学习的方法与最近提出的具身化认知(embodied cognition)①理论相一致。该理论基于这样的假设:"我们思考和表达信息的方式反映出我们需要与世界互动的事实"(Ashcraft & Radvansky,2010, p.32)。这些互动是通过我们的感官和身体发生的,然后我们的身体与世界互动以达到目的的方式影响我们的思维。换句话说,我们的认知过程深深植根于我们的身体与现实世界的互动——认知的发展依赖于我们和世界的感官运动联系。在某种程度上,这些观点类似于皮亚杰的观点,即思维最早浮现于婴儿感官运动和世界之间的互动。我们的感官和运动神经的反应是影响我们如何思考的关键,它们并非仅仅是感受外界声音和图像的简单渠道。所以,为了认识我们的思维,我们需要明白我们物质的身体是如何与世界互动的(Chandler & Tricit,2015;Wilson,2002)。观察学习就是一

---

①具身化认知——理论表明认知过程是由人类和环境之间的实时、目标导向的相互作用发展而来的。

个例子。观察某人做动作能够激发观察者大脑中与自己做该动作的相同区域——就好像在脑中排练该动作来学习一样。所以,使用模型、手势、姿态或其他类型的动作能够促使学习(de Koning & Tabbers,2011;Novack, & Goldin – Meadow, 2015)。

　　在需要表征问题的特殊学科领域学生还有哪些方式发展图式能力呢?迈耶(1983)建议给学生实施以下练习:(1)将多种问题进行识别和分类;(2)解决问题——运用具体的图片、符号、曲线图或文字;(3)筛选题目中相关和无关信息。

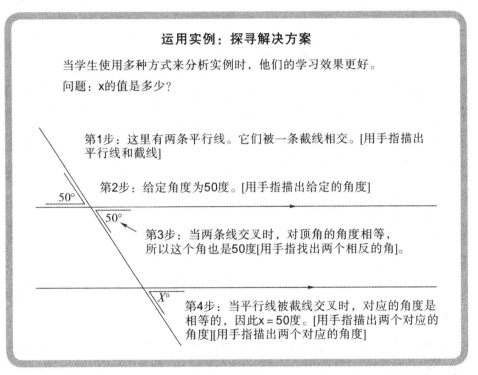

运用实例：探寻解决方案

当学生使用多种方式来分析实例时，他们的学习效果更好。

问题：x的值是多少？

第1步：这里有两条平行线。它们被一条截线相交。[用手指描出平行线和截线]

第2步：给定角度为50度。[用手指描出给定的角度]

50°

50°

第3步：当两条线交叉时，对顶角的角度相等，所以这个角也是50度[用手指找出两个相反的角]。

X°

第4步：当平行线被截线交叉时，对应的角度是相等的，因此x=50度。[用手指描出两个对应的角度][用手指描出两个对应的角度]

资料来源：Hu, F–T, Ginns, P., & Bobis, J. (2015). Getting the Point: Tracing Worked Examples Enhances Learning. Learning and Instruction, 35, 85–93, p. 88

图9.6　运用实例:探寻解决方案

　　问题表征的结果。如图9.7所示,在解题前,问题解决中的题目表征阶段会产生两种主要结果。如果你把问题表征出来以后,就立即有了解题方法,那么你的任务就完成了。从某种意义说,你并没有真正地解决新问题,而仅仅是识别出这个新问题是你已经会做的旧问题的"翻版"而已。这种方法就是图式驱动解题法(schema-driven problem solving)①。在图9.7中,你应当学会运用图式驱动法找到解法。

但是,如果你没有现存的图式可以解题或者激活图式失败了该怎么办呢?你所要做的就是立即寻找新方法!

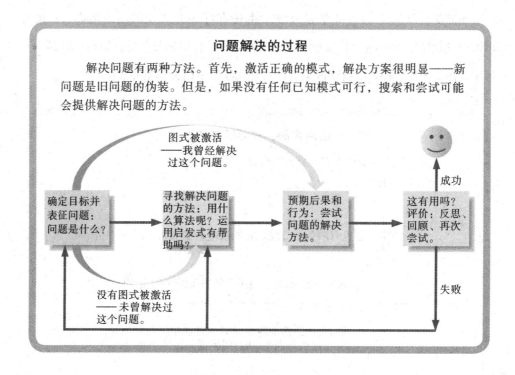

问题解决的过程

解决问题有两种方法。首先,激活正确的模式,解决方案很明显——新问题是旧问题的伪装。但是,如果没有任何已知模式可行,搜索和尝试可能会提供解决问题的方法。

图式被激活
——我曾经解决过这个问题。

确定目标并表征问题:问题是什么?

寻找解决问题的方法:用什么算法呢?运用启发式有帮助吗?

预期后果和行为:尝试问题的解决方法。

这有用吗?评价:反思、回顾、再次尝试。

成功

失败

没有图式被激活——未曾解决过这个问题。

图9.7　问题解决的过程

搜寻问题解决的可能策略

在搜索解决方案时,你有两种通用的解决方法:算法和启发式。它们都属于程序知识的方法(Schraw,2006)。

算法。算法(algorithm)②是一个逐步实现目标的方法。它通常用于特定领域,也就是说,它与特定领域的主题联系在一起。在解题过程中,如果你选择了合适的算法(例如,为了算出平均值,你需要把所有的数字相加,然后除以数字的个数)并正确地算出它,那你一定能得到正确的答案。不幸的是,很多学生常常随便地使用公式,先试这

---

①图式驱动解题法——认识到新问题是已有解决办法的老问题的伪装。
②算法——一步一步解决问题的程序;解决问题的指令。

个,再试那个,或许会得出正确答案,但他们不明白是怎么算对的,或者是忘记他们是如何解题的。对一些学生来说,随意运用公式表明他们形式运算思维和整体看待问题的能力(如皮亚杰所述)尚未得到发展。但是许多问题不能用算法解决,这个时候该怎么办呢?

启发式。启发式(heuristic)①是一种可能导向正确答案的一般方法(Schoenfeld,2011)。因为许多生活中的问题(职业的、人际关系的等等)都是间接的、没有明显的运算法则的问题,所以发现和进行有效的启发式探索非常重要(Korf,1999)。现在我们来看几种探索的方法。

手段—目的分析(means-ends analysis)②。这种方法把问题分解成不同的中期目标或子目标,然后找出每个子目标的解决方法。例如,写一篇20页的论文可能会成为许多学生不可逾越的困难,当他们把论文分成几部分,例如选择主题、查找信息来源、阅读和组织信息、制作大纲等等。当他们着手从事某特定的中期目标时,很可能会发现其他目标出现了。例如,查找信息时他们需要在脑中搜寻如何利用图书馆的电脑查询系统。记住,心理学家尚未为那些交论文的前一天晚上才开始写的学生探索出有效的启发式解决问题的方法。

有些问题需要采取**逆推策略**(working-backward strategy)③。在这一策略中,你从最终目标开始,而后回到前面最初的未解决问题。逆推策略有时是解决几何证明题的有效的方法。它还是一个面对截止期限的好方法。("让我们想想,如果我必须在四个星期内提交这章,我应该在11号完成初稿,这意味着我最好在……停止搜索新的参考文献并开始写作……")

另外一个有用的启发式方法是**类比思维**(analogical thinking)④(Anderson,2015;Gentner et al.,2003),就是把你寻找解决方法的范围缩小到与现在情况相似的曾经遇

---

①启发式——尝试解决问题的一般策略。
②手段—目的分析——把目标分成若干个子目标的一种启发式方法。
③逆推策略——从最终目标开始,逆向推理以解决问题的一种启发式方法。
④类比思考——只寻找与当前问题类似的问题的解决方法的一种启发式方法。

到的问题上面。例如,当潜水艇首次被设计出来时,设计师必须弄清楚如何让战舰确定存在和隐藏在深海中的船只的位置。通过类比蝙蝠如何在黑暗中飞行,声呐得以发明。但是,要有效地使用类比,你必须注重内在联系而不是表面相似性,所以关注蝙蝠的外观对解决它们之间如何沟通的问题没有帮助。

学生在课堂上可能会使用的类比一定会根据他们的经验和文化而有所不同。例如,陈哲和他的同事们想知道大学生是否可以使用相似的民间故事——一种文化知识——作为类比解决问题(Z. Chen,Mo, & Honomichl,2004)。事情正如他们所预期的那样,中国的学生更善于解决如何给雕像称重的问题,因为这个问题类似于中国关于如何称量大象(通过水位的移动)的民间故事。美国学生通过对一个常见的欧美民间故事的类比——汉塞尔和格雷特奇幻森林历险记,更好地解决了从洞穴中找到出路(通过留下痕迹)的问题。

将问题解决的计划写成文字并给出选择的理由更容易使你成功解决问题。当你对某人解释问题时,解决问题的方法突然进入你的脑海中,你会意外地发现这种言语化(verbalization)①过程的有效性。

预期、行动和反思

在陈述问题和探索可能的解决方案后,下一步就是挑选解决方法并预测结果。比如,如果你决定通过开发培植更坚硬的西红柿解决西红柿易被毁坏的问题,消费者会有什么反应? 如果你花时间学习新的绘图程序来提高你学习论文的质量(与你的成绩),你还会有足够的时间来完成论文吗?

当你选择解决方案并执行它后,通过核对证据来评估结果,证实或否认你的结论。很多人倾向于在达到最佳解决方案之前选择放弃,而选择一个仅适用于某些情况的解决方案。在数学问题上,评估答案可能意味着一次常规的检查,例如运用加法去检查减法问题的答案。另一个可能是估计答案。例如,如果计算 11×21,答案应该在 200 左右,因为 $10 \times 20 = 200$。那些得到的答案为 2311 或 23 或 562 的学生应该很快意识到

---

①言语化——把解决问题的计划和逻辑变成言语文字。

自己的答案是错的。当学生依赖计算器或计算机时,估计答案十分重要,因为他们不能返回并找出数字中的错误。

阻碍问题解决的因素

有时解决问题需要以新的方式看待事物。人们可能因为他们专注于材料的传统用途而错过了一个好的解决方案。这个现象被称为功能固着(functional fixedness)[1](Dunkor,1945)。在日常生活中,你可能会常常表现出功能固着。假想梳妆台抽屉把手上的一颗螺丝钉松了,你会花十分钟的时间去找螺丝刀,还是会用尺子边缘或一角硬币拧紧它?

另外一个阻碍有效的问题解决因素是反应定势(response set)[2],由于坚持一种表征问题的方式而无法解决问题。尝试思考:

在下列四种火柴棍的排列中,要求只移动一根火柴棍改变方程,使其成为正确的等式,如" V = V "。

$$V = VII \quad VI = XI \quad XII = VII \quad VI = II$$

你也许会很快想出怎样解决第一个等式。你只需把等式右边的一根火柴移到左边,便可形成"VI = VI"。第二、三个等式也可用类似简单的方法解决:只需移动一根火柴的位置,把 V 变成 X,或者反之。但是,第四个等式(摘自 Raudsepp & Haugh,1977)很可能会把你难住。为了解决这一问题,你就必须改变你的反应定势或者转换图式,因为对前三个等式有效的方法已不适用于第四个等式,答案就在于改变罗马数字为阿拉伯数字并运用"平方根"的概念。通过克服反应定势,你可以从等式右边移动一根火柴到左边,形成"平方根"的符号;结果为:$\sqrt{1} = 1$,表示"1 的平方根等于 1"。

最近,一位有创造力的读者通过电子邮件发来了一些其他的解决方案。贾马尔·艾伦,后来成为太平洋大学的硕士生,指出可以使用任何一个火柴棍将 = 符号更改为 ≠。那么,最后一个等式就是 VI ≠ II,或者准确地说是 5 不等于 2。他提出:你也可以移动一根火柴棍将 = 变为 < 或 >,这个语句仍然是真(但不是如上面的问题所述的成

---

①功能固着——不能用新方法使用事物或工具。
②反应定势——死板;趋向于用最熟悉的方式反应。

为等式)。阿什兰大学的学生比尔·维塔,提供另一种同时使用阿拉伯数字和罗马数字的解决方案。你可以移动一根火柴棍使第一个 V 成为 X,然后 Ⅵ = Ⅱ 变为 ⅩⅠ = Ⅱ,Ⅱ(罗马数字)等于 11(阿拉伯数字)。就在今天早上我收到了来自俄亥俄州纽瓦克的教育心理学学生雷·帕特洛的有创造力的方法。他注意到"只需从左侧的 V 中取出火柴棍,然后直接放在 Ⅰ 的上面,得到 Ⅱ = Ⅱ。"将一根火柴覆盖到另一根火柴上创造了全新的可能性! 你能提出其他解决方案吗? 要有创造力!

启发式带来的问题。我们经常自动应用启发式做出快速判断,这节省了我们日常解决问题的时间。头脑可以自动并即时反应,但我们经常为这样的高效付出代价,结果可能很糟糕,这是代价高昂的。通过刻板印象做判断,甚至会让聪明人做出愚蠢的决定。例如,我们可能会利用表征启发法(representativeness heuristics)①并基于原本的认识——我们认为是某种类型的代表——做出判断。思考一下:

如果我问你,一个喜欢诗歌的、瘦弱且矮小的陌生人更有可能是一个卡车司机、还是常春藤联盟的文学教授? 你会怎么回答?

你可能会根据你原先对卡车司机和教授的认知来回答问题。但考虑一下事件发生的概率,大约有 10 所常春藤盟校,每所学校有 4 位左右的文学教授,所以在这一问题中我们有 40 位教授。如果有 10 位教授矮小且瘦,其中有一半喜欢诗歌——我们只剩下 5 位教授。但是美国至少有 350 万卡车司机。如果每 5000 名卡车司机中只有 1 名是矮且瘦的诗歌爱好者,我们将有 700 名符合描述的卡车司机。比较 700 名卡车司机与 5 名教授,题中陌生人是卡车司机的可能性是为教授的 140 倍(Myers,2005)。

老师和学生都非常忙碌,他们常常根据他们当时的想法做出决定。当判断基于我

---

①表征启发法——依据事件与原型(你认为是某种类型的代表)的相似程度做判断。

们记忆中的可用信息时,我们正在使用可得性启发(availability heuristic)①。如果相关事件的例子易于回想,我们会认为这些事件很常见,但事实并非如此。事实上,这往往是错误的。人们记得生动的故事,并很快相信这些故事是经常发生的,但同样,这往往是错误的。例如,当你在"鲨鱼周"期间观看部分电视节目后,你可能会高估每年被鲨鱼杀死的人的数量。数据可能不支持我们的判断,但由于信念固着(belief perseverance)②,也就是坚持已有信念的倾向,即使面对与我们的判断矛盾的证据,我们也可能难以改变想法。

确认偏见(confirmation bias)③是寻找与我们想法和信念相符合的信息的倾向:这源于我们希望得到好的解决方案。你经常听到有人说:"不要用事实迷惑我。"这句格言恰好反映了确认偏见的本质。大多数人相比起反驳他们想法的事实,更能读取他们所希望寻求的证据。例如,一旦你决定购买某辆汽车,你更容易注意到有关你选择的汽车具有良好功能的信息,而不是关于你不想买的汽车的优点。自动使用启发式方法做出判断,渴望证实所相信的东西,以及为失败找借口的倾向,都会使我们过度自信。学生们通常对于他们写论文的速度有多快过度自信,而这通常需要比他们预估的多出一倍的时间(Buehler, Griffin, & Ross, 1994)。尽管他们低估了完成时间,但他们对下一次预测仍然过于自信。

"指南:运用问题解决方法"帮助学生成为优秀问题解决者。

指南:运用问题解决方法

问学生他们是否确定自己已经理解了问题。举例:

1. 学生是否能区分相关和无关信息?
2. 学生是否意识到他们所做的假设?
3. 鼓励学生用图表或者绘画把问题可视化。

---

①可得性启发——在使用启发式进行判断时,根据记忆中的经验和信息进行判断,并认为这些容易回想的事情更容易发生。

②信念固着——一种坚持原先信念的倾向,即使面对完全相反的证据。

③确认偏见——寻找支持我们选择和信念的信息,而忽略那些不支持的证据。

4. 让学生给其他人解释问题。一个好的解决方法应该是什么样的?

鼓励学生尝试从不同的角度看问题。举例:

1. 你先提出几个不同的可能性,然后再让学生说。

2. 让学生练习在一些问题上接受和捍卫一个不同的观点。

让学生思考;不要只是把答案给他们。举例:

1. 分别给小组和学生个人一些问题,保证每个人都能得到一定的练习。

2. 如果学生的答案错了,但他们能给出好的理由,就给一部分的分数。

3. 如果学生陷入困境了,不要给学生太多的提示,让他们再彻底思考一下问题。

帮助学生建立系统考虑各种可能性的方法。举例:

1. 解决问题的时候,边想边说。

2. 不时问一问,"如果……,会怎么样呢?"

3. 把各种建议列成清单。

启发式教学。举例:

1. 使用类比来解决商业闹市区停车位供小于求的问题。其他"储存"问题是怎么解决的?

2. 利用逆推策略计划一个宴会。

专家知识和问题解决

大多数心理学家认为:有效解决问题是建立在对有关问题的知识经验的存储上的。例如,为了解决火柴问题,你必须明白罗马数字、阿拉伯数字以及平方根的概念,同时还要知道1的平方根为1。下面,就让我们花点时间了解一下专家知识:

知道什么是重要的。专家知道在什么地方集中注意力。例如,对棒球知识深有了解的棒球迷(别人告诉我的)会注意游击手的动作,以了解投手会投掷快球、曲线球或是弧度不大的曲球。但那些对于棒球知之甚少的人可能永远都不会关注游击手的动作,除非球击中游击手的区域(Bruning, Schraw, & Norby, 2011)。一般来说,专家知道如何判断表现或产品的好坏,例如奥运会、跳水或得过奖的巧克力蛋糕。对于非专业人士来说,大多数优秀的跳水或美味的蛋糕都差不多,除非它们"糟透了"!

模式和组织记忆。对专家的现代研究始于对国际象棋大师的调查研究(De Groot, 1965;D. P. Simon & Chase,1973)结果表明,大师们能快速识别并记忆大约 5 万种不同的棋局。他们可以通过短时间内看任何棋局,而记住此局中每一个棋子的位置,就像是他们有 5 万个棋局的"词汇量"。米其林·奇(1978)证明,第三级到第八级的国际象棋高手都有类似的能力去记忆棋局。对所有棋坛高手来说,棋局就像单词一样。如果你看着你已记住的单词几秒钟的时间,你就立刻能记得这个单词的每一个字母,以及它们的正确序列(如果你可以正确拼写单词)。但是,一堆无序的字母是难以记忆的,正如你在第八章所看到的一样。类似的情况对象棋大师们也是如此,当棋子在棋盘上凌乱地排列时,大师们并不比一般棋手记忆得好。大师们记忆的是有意义的或是在下棋会发生的棋局排列。因此,一个国际象棋大师是基于存储在长时记忆中的对于棋局和走法的广泛知识。

在其他领域也出现了类似的现象,这意味着可能有一种建立在再认棋局和预知正确走法基础上的解决问题的直觉。例如,物理学家以关键的原理(例如波义耳或牛顿定律)为核心来组织他们的知识。相反,初学者们是以问题的细节(例如杠杆或滑轮)为中心来组织他们的为数不多的知识的(K. A. Ericsson,1999;Fenton,2007)。

程序性知识。除了快速识别问题,专家还知道下一步应该做什么并且能做到它。他们有大量的在不同情景下不同的反应图式,或称为"如果—那么"模式。所以,理解问题并选择解决方法的步骤自动同步进行(K. A. Ericsson & Charness, 1999)。当然,这要求他们必须拥有大量可用的图式。成为专家的很大一部分原因就是获得大量专门领域知识,或者针对某一领域的专业知识。因此,你必须要见过这一领域的诸多不同问题,了解他人解决问题的方法,并且练习自己解决问题。事实上,"在任何实际领域中,获得更高的成就都需要多年的练习。"(Tricot & Sweller, 2014, p. 275)。有人估计,要在某领域成为专家,需要花 10 年或者 1 万小时的时间去深思熟虑、专注并持续练习(A. Ericsson, 2011; K. A. Ericsson & Charness, 1994;H. A. Simon,1995)。专家们丰富的知识是经过认真努力和良好的温习得来的,所以他们在需要这些知识时可以很容易地从长时记忆中检索出来(J. R. Anderson, 2015)。

计划和监控。专家们用更多的时间分析问题、画图表,把大问题分解为小问题,并做出计划。但初学者们可能会立刻着手解决问题——写出相关问题的物理公式或者直接撰写论文的第一段——专家们会想好整个解决方法,这常常会令整个解题过程简单化。当他们工作的时候,专家们会注意整个过程,因此,时间不会浪费在寻求错误的答案或不正确的解决方法上(Schunk, 2016)。我们每个人都有可能成为一个领域的专家——通过学习,"指南:成为专家学生"将给你和你的学生提供启发。

指南:成为专家学生

明确你的学习目标。举例:
1. 以阅读或概述特定的页数为目标。
2. 撰写一篇论文的导语。

确保你拥有必要的陈述性知识(事实、概念、想法)以了解新信息。举例:
1. 在学习时记下关键词汇的定义。
2. 运用你的一般知识。问问自己:"我已经知道了什么?"
3. 通过每天学习两三个新单词来扩大你的词汇量,并在日常会话中使用它们。

了解老师会出什么类型的考题(短文、简答),并根据考题的类型来学习。举例:
1. 对于有详细问题的测试,练习写下可能会出现的问题的答案。
2. 对于多选题,运用记忆术记住关键术语的定义。

确保你熟悉要学习的材料的结构。举例:
1. 预习文章的标题、介绍、主旨句和摘要。
2. 注意有关连接的单词和短语,例如"因为""首先""其次""然而""自从"。

了解自己的认知技能,并特意使用它们。举例:
1. 使用例子和类比的方法将新知识与你感兴趣和理解的事物联系起来,例如运动、爱好或电影。
2. 如果一种学习方法不起作用,那就试试另一种——学习的目标是保持参与感,而不是使用某种特定的策略。

3.如果你开始走神,从书桌上站起来,脸不要对着书本,但不要离开,然后坐下来继续学习。

以正确的方法学习恰当的知识。举例:

1.确保你确切知道测试将涉及的主题和阅读材料。

2.花时间学习测试或作业所需的重要但困难和不熟悉的知识。抑制自己去复习已经知道的知识,即使这会带给你成就感。

3.将你在文章中有疑问的部分列出,并将更多的时间花在这些部分上。

4.运用记忆术、建立图像、举例子、回答问题、用自己的方法做笔记以及精细加工文本的方法处理重要信息。不要试图记住作者的原话——用你自己的语言来表述。

检测自己的理解程度。举例:

1.通过给自己提问来检查自己的理解程度。

2.当阅读速度减慢时,决定该段落中的信息是否很重要。如果是,记下这个问题,以便你可以重读或向他人寻求帮助以更好理解文本。如果不重要,请忽略它。

3.通过向朋友提问题来检查自己的理解程度。

管理自己的时间。举例:

1.你最有效的学习时间是什么时候?早上还是深夜?在那个时候学习你觉得最困难的东西。

2.学习短的而非长的组块,除非你非常投入或是在学习中取得很大进展。

3.消除浪费时间和让你分心的东西。在没有电视或室友的房间里学习,然后关闭手机并远离社交媒体——甚至可以完全脱离互联网。

4.利用空闲时间——将你的教育心理学笔记带到医生的办公室候诊室或洗衣房。你可以好好利用时间,避免阅读旧杂志来打发时间。

所以我们可以得出什么结论呢?专家具有以下特质:(1)知道在哪方面集中注意力;(2)在给定的信息中找到大量、有意义的图式;(3)将信息组织成有意义且相互关联的模式和程序以便于在工作和长期记忆中保存更多信息;(4)花费大量时间来分析给定的问题;(5)有自动完成问题的步骤;(6)更好地监测自己的做法(Richey & Nokes –

Malach,2015)。专业知识的增加可能导致专家们忘记了学习这些东西的难度和所花费时间的长短。作为一名教师必须对学生不理解的内容保持高度的感知能力。有时最好的老师可能是另一个刚刚掌握知识的学生,而不是一个想不起不知道这个知识是何种感觉的专家。

当很好地界定了问题解决的区域以后,比如国际象棋、物理或者计算机编程,问题解决专家就不断地根据这些方面的技能来解决问题。在这些领域,即使学生没有专家的广泛背景知识,他们也可以通过花时间分析问题、专注于问题关键特征、使用正确的解决方法,以及不要试图在新问题上强制使用陈旧且不恰当的解决方案来像专家一样地解决问题(Belland,2011)。但如果问题解决的领域并未很好地确定且基本原则较少,比如经济和心理领域中的问题解决,专家和新手之间的差异也就不是那么明显了(Alexander,1992)。

批判性思维和论证

实际上,我在写这一节之前读过的每一篇文章,都以论述当今批判性思维的重要性开始。批判性思维技能在几乎所有的生活环境中都是有用的——甚至在评估不断轰炸我们的媒体和政治广告时也是如此(Huber & Kuncel,2016)。当你看到一群穿着暴露的人在嬉戏,并且赞美某个品牌的橙汁,你必须考虑性感的吸引力是否是选择水果饮料的一个相关因素(记住第七章中巴甫洛夫说的)。批判性思维(critical thinking)①是“一种需要对现有证据进行反思和评估的费力而深思熟虑的认知过程”(Wentzel,2014,p.579)。

批判性思维的目标是影响信念和引导行动。但是,如果你有做出理性判断的认知技能,但在特定情况下仍不使用这些技能来评估政客或网站的主张,那该怎么办呢?你需要有行动的倾向,并将你的批判性思维、认知能力运用到那些具体的问题上。研究批判性思维的专家小组撰写的《德尔福报告》(Delphi Report)列出了批判性思维所需的三种技能:认知技能(解释、分析、对主张和论点的评估、自我调节等);情感倾向(求知

---

①批判性思维——通过逻辑和系统地检查问题、证据和解决方案来评估结论。

欲、心胸开阔、面对自己偏见时的诚实、理解他人观点的能力、重新考虑和修改自己观点的意愿等);具体问题的解决方法(在寻找和关注相关信息方面的勤奋,在陈述问题方面的清晰,在选择和应用标准方面的合理性等)(Abrami et al.,2015)。因此,批判性思维包括有意识地带给你最清晰的思维,并能塑造你的信念和引导你的行动。

批判性思考者做了什么:保罗和埃尔德模型

理查德·保罗和琳达·埃尔德(2014;Elder & Paul,2012)建议将图9.8中的模型作为一种描述批判性考者实际做什么的方式。正如你所看到的,批判性思维的核心是推理的要素,它需要基于理由得出结论。但是,为了进行理性的思考——也就是批判性的思考——我们应该应用清晰、准确、逻辑和公平等标准,如图9.8所示。通过清晰、准确、逻辑(等)推理的练习,我们可以培养出谦逊、正直、毅力和自信等智识特征。

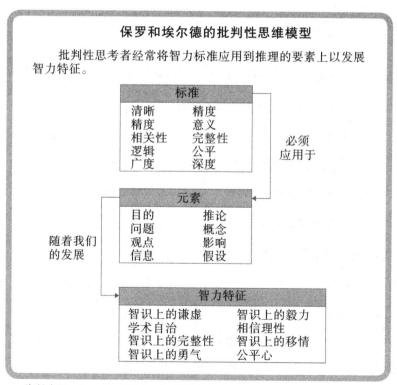

资料来源:Paul, R., & Elder, L. (2012). Critical Thinking: Tools for Taking Charge of Your Learning and Your Life (3rd ed., p. 58). Upper Saddle River, NJ: Pearson. Reprinted and Electronically reproduced by permission of Pearson Education Inc. Upper Saddle River, New Jersey

图9.8 保罗和埃尔德的批判性思维模型

研究结果很清楚:批判性思维技能和运用这些技能的能力可以在所有年级水平上传授(Abrami 等,2015)。那么在课堂上你怎么做呢? 当分析了 340 多种涉及从 6 岁到成年、从小学到研究生院的学生的批判性思维教学的干预措施时,研究者发现了三个有效的要素:对话、仿真式指导和导师制。

- **对话**:教师提出问题并鼓励学生通过全班和小组讨论、辩论、苏格拉底式对话或书面交流进行对话。

- **仿真式指导**:教师通过角色扮演、模拟、案例研究或道德困境等方式,将对话集中在对学生有意义的问题上。

- **导师制**:教师、教练或其他成年人对学生的一对一指导也支持批判性思维的发展(Abrami et al. ,2015)。

不管你用什么方法来发展批判性思维,重要的是要辅之以额外的练习。一节课是不够的。例如,如果你的班级检查了一份特定的历史文件,以确定它是否反映了偏见或鼓吹,你应该对其他书面的历史文件、当代广告或新闻故事加以分析。除非思维技能被超量学习并相对自主化,否则它们不太可能迁移到新环境中(Mayer & Wittrock,2006)。相反,学生们将只使用这些技能来完成社会研究的课程,而不是去评估朋友、网站、政客、汽车制造商、销售人员或减肥计划的主张。

在特定学科应用批判性思维

批判性思维对任何学科都是有用的。但许多批判性思维技能都是针对特定主题的,并指导该主题中的行动(Huber & Kunce,2016)。例如,为了教授历史,杰弗里·诺克斯和他的同事们研究了:(1)使用传统的课本而不是多次阅读;(2)直接而不是间接教授批判性思维技能(Nokes, Dole, & Hacker,2007)。这些文本包括历史小说、演讲摘录、政府文件、照片、图表和历史数据,以及文本的简短部分。所教授的历史批判性思维技能是:

- 来源：阅读前先查看文档的来源，并使用这些信息来帮助解释和推断阅读内容。来源是否有偏差？我能相信吗？
- 证实：将不同文本中的信息联系起来，并注意相似点和矛盾点。
- 情境化：理解构成事件背景的时间、地点、人物和文化，以及所有可能起作用的政治和社会力量。

那些用多种教材而不是传统教科书来学习的学生实际上学到了更多的历史内容。此外，当学生们被直接教授如何使用这些技能时，他们还能够学习并应用三种批判性思维技能中的两种：来源和证实。"情境化"被证明更困难，也许是因为学生缺乏背景知识来填写情境信息。因此，针对特定科目的批判性思维可以随课程一起教授。但正如你在"观点与争论"中看到的，教育工作者不同意学校教育是培养批判性思维的最佳方式。

论证

在数学、自然和社会科学、政治、议论文写作和批判性思维等领域，构建和捍卫观点的能力至关重要。皮亚杰和维果茨基都认为，认知发展是由社会互动、对话、挑战误解和论证所支撑的。与批判性思维一样，论证（argumentation）①——构建和批评论据的过程——被认为是 21 世纪的一项重要技能，并在"共同核心标准"中得到反映（Asterhan & Schwarz，2016）中。

两种论证方式。辩论有两种类型，即争论性和研讨性。争论性论证的核心是用证据和理解来支持你的立场，然后反驳你对手的主张和证据。这是一个竞争的过程，目标是说服对手改变立场，最基本的问题是谁是对的。研讨性论证，目标是在比较、对比和评估备选方案时进行合作，然后得出建设性的结论，最基本的问题是哪种想法是正确的（Asterhan & Babichenko，2015）。这两种论证都很困难。学生们通常会立刻做出让步，否则他们就会坚守最初的信念，而不参与争论。但真正的学习是考虑、理解和驳斥

---

①辩论——与别人辩论某项主张的过程。

论据,然后基于对证据的考量来增进知识(Asterhan & Babichenko,2015)。

观点与争论:学校应该教授批判性思考和问题解决吗?

学校应该关注过程还是内容、高阶思维能力还是学术信息,这个问题的争论已持续多年。一些教育工作者认为,必须教学生如何思考;而另一些教育工作者则断言,学生无法学会抽象地"思考"。他们一定在想些什么———一些内容。教师应该关注内容知识还是批判性思维?

观点: 问题解决和批判性思维可以而且应该被教授。

在《教育心理学评论》(Educational Psychology Review)的一期特刊上,凯伦·墨菲(Karen Murphy)和她的同事(2014)提出了这样的观点:"也许正规教育最重要的目标之一就是让学生具备对复杂话题进行批判性和分析性思考的能力"(p.561)。墨菲说,这种说法并不新鲜。它至少可以追溯到苏格拉底之前的哲学家。但如今,教育工作者和政策制定者强烈主张开始向儿童和青少年传授批判性思维的项目和实践。彼得·法乔恩(2011)认为批判性思维与大学 GPA 和阅读理解相关。学生如何学会批判性思考? 一些教育工作者建议直接用广泛使用的技术来教授思维技能,比如"生产性思维计划"或"CoRT(认知研究信托)"。其他研究人员认为,学习计算机编程语言可以提高学生的思维能力,并教会他们如何进行逻辑思维。有证据表明,即使没有培养批判性思维的具体干预措施,上大学也能提高一般的批判性思维技能和倾向(Huber & Kuncel,2016)。

对立的观点: 批判性思维和解决问题的能力无法迁移。

E·D·赫希(E. D. Hirsch)对批判性思维直言不讳地批评道:

但是,这种直接的批判性思维指导或自我监控是否确实能提高绩效,在研究界是一个有争论的话题。例如,关于批判性思维的研究并不能让人安心。一百年来,批判性思维的教学一直在好几个国家进行。然而,研究人员发现,来自以色列、德国、澳大利亚、菲律宾和美国等不同国家的学生,包括那些接受过批判性思维教育的学生,继续陷入逻辑谬误。(1996,p.136)

CoRT 项目已经在 10 个国家的 5000 多间教室使用。但是波尔森和杰弗里斯

（1985）报告说，"经过10年的广泛使用，我们没有足够的证据证明这个项目的有效性"（p.445）。当如此多的重要技能都是针对特定领域，而一般的批判性思维技能却趋向于自行发展时，总体上关注批判性思维技能是一种浪费（Huber & Kuncel，2016）。

当心"非此即彼"。从当前的学习研究中，我们可以清楚地看到，特定主题的知识和学习策略都很重要。今天的学生需要成为各种知识的批判性消费者，但仅仅拥有批判性思维是不够的。学生需要知识、词汇和概念来理解他们正在阅读、看到和听到的东西。最好的老师既能教数学内容，又能同时教如何学习数学，还能教历史和如何批判性地评估历史信息来源。

儿童不擅长论证，青少年略好一些，成年人更好一些，但也不完美。孩子们不太注意论证中其他人的主张和证据。青少年知道他们的对手在论证中有不同的立场，但他们倾向于花更多的时间来表达自己的立场，而不是试图理解和批评对手的主张。就好像青少年认为"赢得一场辩论"意味着做一个更好的陈述，但他们没有意识到理解和削弱对手的主张的必要性（Kuhn & Dean，2004；Nussbaum，2011）。儿童和青少年更关注自己的位置，因为同时记住和处理自己和对手的主张和证据太难了——认知负荷太大了。此外，辩论技巧也不是天生的。它们需要时间和指导来学习（Kuhn，Goh，Iordanou，& Shaenfield，2008；Udell，2007）。

但我们必须学会什么呢？在争论性论证中，在理解和反驳对手的论点时，你必须意识到你在说什么，你的对手在说什么，以及如何反驳对手的主张。这需要计划，评估计划的进展，反思对手说了什么，以及根据需要改变策略——也就是元认知知识和辩论技巧。德亚娜·库恩（Deanna Kuhn）和她的同事（2008）设计了一个开发元认知论证技能的过程。他们给六年级的学生布置了下面这个难题：

科斯塔一家带着11岁的儿子尼克从遥远的希腊搬到了小镇边缘。在希腊，尼克是一名优秀的学生和足球运动员。尼克的父母已经决定，在这个新的地方，他们想把尼克留在家里和他们在一起，而不是让他和其他孩子待在学校。这家人只会说希腊语，他们认为如果尼克坚持自己家的语言，不学英语，他会学得更好。

他们说他们可以教他在家里需要的一切。应该怎么办？科斯塔一家住在镇上，但把尼克留在家里可以吗？还是应该要求他们像其他家庭一样把儿子送进镇上的学校？（p.1313）

根据他们对这一问题的最初立场，班上28名学生被分成两队——"尼克应该去上学"和"尼克应该在家接受教育"。这两队学生又被分组，同性别学生两两一组，所有"尼克应该去上学"的学生都转到隔壁教室。在大约25分钟的时间里，每一组用即时通信(instant message, IM)与另一间教室的一组"辩论"。本周晚些时候，这一过程又重复了一遍，但与不同的两人组辩论。总共进行了七场即时信息辩论，所以几周后每个"上学"组和每一"待在家里"组都辩论过。在七场辩论中的四场之后，给参与者发放上次辩论的对话记录，同时发一张工作单，帮助他们对自己或对手的论点进行反思。学生们对他们的论证进行了评估，并在成人的指导下努力改进，这些反思环节重复了三次。

接下来是一场"一决胜负"的辩论——"去学校"队与"待在家里"队辩论，每队有一台电脑和一块智能白板。在这场辩论中，各队有一半的成员都以本队观点专家身份准备辩论，另一半则以对手观点专家身份准备。寒假春假之后，整个过程又针对一个新的两难辩题重复了一遍。

那么发生了什么？这个过程提高了争论性论证的技巧——竞争性辩论。对大多数学生来说，配对、即时通信和反思策略在帮助他们考虑对手的立场和创造策略反驳对手论点方面是成功的。成对工作似乎特别有帮助，当青少年甚至是成年人单独工作时，他们通常不会提出有效的反驳(Kuhn & Franklin, 2006)。

库恩的研究集中在争论性论证——一种经典的竞争辩论风格。那么研讨性、协作性的论证呢？最近克丽斯塔·阿斯特罕(Christa Asterhan)和她的同事对比了研讨性论证和争论性论证，发现协作的方法更适合学习学科内容和改变观念。也许争论性论证的辩论风格把学生的注意力集中在获胜和他们如何表现上，所以他们更抵制改变——而学习往往需要改变(Asterhan & Schwarz, 2016)。

给教师的建议。为了提高学生的辩论和说服能力，帮助他们学会辩论，辩论法是一个很好的方法。库恩提出的策略在这里很有用。但为了学习某个主题,为了通过论证来学习,研讨性辩论也是有意义的。通过这种方法,教师鼓励学生讨论和争论,以建立基于证据的最佳理解。

为迁移而教

停下来想一想:回忆一下高中阶段某科目的一节课(该科目在大学不上)。想象一下老师、课堂和课本。现在回忆你真正所学的东西。如果是一堂理科课,你都学了什么公式? 氧化还原? 波义耳定律?

如果你和我们中的大多数一样的话,你应该记得你学过的那些东西,但不是太肯定学了什么。那些时间是否浪费了呢? 这个问题便关系到学习迁移的重要话题。首先让我们从迁移的定义开始。

当先前学过的东西对现在正在进行的学习产生一定的影响,或原先解决的某个问题影响新问题的解决,这时候就产生了迁移(transfer)①。莎娜·卡佩特(Shana Carpenter,2012)将迁移简单地定义为"已学知识在新语境下的应用"(p. 279)。所以迁移是做一些新的事情,而不仅仅是复制先前对特定信息的应用。如果学生在课堂上学习一个数学原理,然后在几天或几周后的另一个课堂上解决一个物理问题,迁移也发生了。尽管如此,以前知识对现在所学的影响并不总是积极的。功能固着和反应定势(在本章的前面描述过)就是消极迁移的例子,因为对于一个新的情况,他们都企图运用熟悉但不恰当的方法。

迁移有几个层面(Barnett & Ceci, 2002;Carpenter, 2012)。你可以跨学科(数学技能应用到解决科学问题)、跨物理情境(学校里学到的知识应用到工作中)、跨社会语境(适用于个人的知识、应用到家人或团队身上)、跨时间(大学中学到的东西、几个月或几年后进行应用)、跨功能(学术上学到的知识,在爱好或娱乐上应用)以及跨模态(从观看"家庭和花园"有线电视频道了解到的知识应用到与景观设计师讨论庭院设计)。

①迁移——已学材料对新材料的影响;创生的(非复制的)使用认知工具和动机。

所以说,迁移涉及很多不同的超越时间、地点、方式应用知识和技能的例子。

众多迁移观

过去一百多年里,迁移一直是教育心理学的研究焦点。毕竟,对知识、技能和动机的终生性有效应用是教育基本的目标(Goldstone & Day, 2012;Shaffer, 2010)。早期的研究关注特定技能的迁移以及从学习希腊语或数学等严谨学科中获得的心智训练的普遍迁移。但在1924年,E.L·桑代克证明了从学习希腊语中获得不了任何心智训练的好处,学习希腊语只是帮助你学习更多的希腊语。所以,多亏桑代克,你在高中时不需要学希腊语。

最近,研究人员已经在诸如日常阅读或写作等自动的、直接的技能的迁移,和为了能为问题提供创造性的解决方案而对知识和策略进行的反思式迁移之间进行了区分(Bereiter, 1995;Bransford & Schwartz,1999)。自动迁移可能获益于不同情境下的练习,但是反思式迁移需要的不仅仅是练习。米其林·奇和库尔特·范莱恩(Michelene Chi & Kurt Vanlenhn,2012)指出反思式迁移涉及两个步骤——初始学习以及应用所学。要想获得成功,学生必须首先学习基本原理或概念,而不仅仅是表面过程或算法。因此,在最初的学习阶段,反思式迁移是一种有意识的抽象,即有意识地识别不是与一个特定的问题或情况联系,而是可以广泛适用的一个原则、主要思想、策略或过程。这样的抽象成为你的元认知知识的一部分,可以用来指导未来的学习和解决问题。表9.3总结了迁移的类型。

表9.3　迁移种类

	直接应用	为未来学习的准备
定义	高度熟练技能的自动迁移	把抽象知识有意识地应用到一个新的情景 认知工具和动机的创造性使用
关键条件	大量练习 变化情况和条件 过度学习进而自动化	集中思考抽象原理、主要思想或者在许多情况下都能使用的程序 在有效的教学环境下学习
例子	开许多不同的车 在机场找到你的入口	应用 KWL 或 READS 策略 应用数学方法为校报设置一个页面

为正向迁移而教

以下是大卫·帕金斯和加夫瑞尔·所罗门（David Perkins & Gavriel Salomon，2012）关于迁移的一个很好的视角。

> 学校应该在生活中"落脚"，而不止于学校本身。他们提供的信息、技能和理解是知识的，而不仅仅是在网站上使用。可以肯定的是，周一最引人注目的话题是周二的问题集、周五的测验，或者是年底的考试。然而，从原则上讲，这些话题是一项在家庭、公民、文化和职业生活中蓬勃发展的投资。（p. 248）

多年的研究和经验表明学生并不总是可以利用所学知识。他们可能在星期一学习了新的观念、解决问题的步骤和学习策略，但是不会在期末考试甚至是星期五去应用它们，除非受到提醒或引导。例如，真实世界中的数学研究表明，人们并不总是能运用在学校所学的数学方法去解决家庭或者杂货店里遇到的问题（Lave，1988；Lave & Wenger，1991）。这是因为学习是受限于某种情况的学习，学习发生在某些具体的情况下。我们学习特定问题的解决方法，并不是适合任何问题的、普遍通用的解决方法。因为知识作为一种工具是用来解决特定问题的，当我们遇到难题的时候，我们也许没有意识到知识是有意义的，至少表面是这样。只有在明显合适的情况下，我们才倾向于应用所学的知识（Driscoll，1994；Singley & Anderson，1989）。当情况发生变化的时候，你怎样能保证你的学生还会运用他们所学的知识呢？

什么值得学习? 首先，你必须回答这个问题:什么是值得学习的? 最基础的知识，如读、写、计算、合作和讲话很明确地要迁移到其他领域，因为这些知识对你日后在学校内外的工作——写工作报表、读小说、付账、团队工作、定位和评估卫生保健服务等等都是必要的。所有的学习都是依靠这些基础知识在新的领域的迁移。

教师也必须意识到不论是对个人还是对集体，未来什么知识对他的学生最重要。什么知识他们成年了以后还需要? 作为一个成长在世纪五六十年代的得克萨斯州的孩子，我没有学习任何有关计算机的知识，即使我的父亲是一个程序分析员。即使现在我花数小时在计算机上,当时我的大学课程还是没有计算机的影子,除了如何使用计算尺。可现在计算器和电脑已经让这个技能过时了。高中时我的母亲鼓励我上高等数学和物理课,而不是打字。那些都是很棒的课程,但是我每天都要在电脑前为打字挣扎——谁知道呢? 不用怀疑,你将来要教的学生必会面对巨大的不可预知的变化,因为这些原因,一些原理法则、态度、学习策略和问题解决的能力等方面的一般迁移就变得和基本技能的特定迁移同样重要。

给教师的建议:促进迁移。对于基础技能来说,更好的迁移能力也可以通过过度学习(overlearning)①获得,即不断练习一项技能直到掌握。很多学生们在小学学到的基本事实,例如乘法表,传统意义上来说是通过过度学习习得的。过度学习可以帮助学生发展自动的基本技能,就像我们在第八章看到的那样。

对于更高层次的迁移来说,学生们必须首先学习然后懂得。如果学生们积极参与学习过程,他们将会更有可能将学到的知识迁移到新情境中去。策略包括:让学生比较两个例子,然后识别出潜藏的理论;让学生就教师给出的事例向自己解释或互相解释;确定问题解决方案中每一个步骤发挥作用的基本原则。学生也可以学习一个新的概念,然后向同龄人解释它,进行小组讨论或制作同伴学习中用到的视频(Chi & VanLehn, 2012; Hoogerheide,. Loyens, & vanGog, 2014; Pai, Sears, & Maeda, 2015)。教师应该鼓励学生们形成他们以后会用到的抽象概念,从而使他们知道迁移是一个重要的目标。如果学生们能在新知识和他们现有的知识结构之间建立起深厚的联系,并与他们的日常经历联系在一起,这也会有所帮助(Perkins & Salomon, 2012; Pugh & Phillips, 2011)。最后,促进迁移的最有力的策略之一是通过频繁地测试和应用知识来进行提取练习(Carpenter, 2012)

当技能在真实的情境,类似于以后将会用到该技能的情境中得到训练时,积极迁移就得到了促进。学生可以通过与其他国家的笔友用电子邮件通信来学习写作。他们可以通过研究自己的家族史来学习历史研究方法。其中一些应用应该涉及复杂的、

---

①过度学习——技能熟练之后仍继续学习。

定义不明确的、非结构化的问题,因为在以后的生活中,无论是在学校还是在外面,对于学生来说,许多问题的出现都不会伴随着指导。

最后一种迁移对学生来说尤其重要——我们之前遇到的学习策略的迁移。学习策略是要在广泛的情况下应用的。

策略迁移的阶段。加里·费(Gary Phye,1992,2001;Phye & Sanders,1994)描述了提高迁移能力的三个阶段。在最初阶段,学生不仅接受有关一个策略的教学,而且知道怎样应用它,还要复述这个策略,并练习以明确在怎样的环境下运用和怎样应用。在保持阶段,通过更多的提供反馈的练习帮助学生正确地运用策略。在迁移阶段,教师应该提供能够用同样的策略解决的新问题,虽然这些问题表面上看来很不同。为激发动机,应告诉学生运用策略能够有助于他们解决许多的问题,完成不同的任务。这些步骤帮助建构程序性知识和条件性知识——如何使用这些策略,以及什么时候和为什么使用它们。

一些学生可以自主学习创造性的策略,但是所有的学生都可以从直接的教学、建模、学习策略和学习技能的练习中获益。这是让所有学生为未来做好准备的重要方法。新掌握的概念、原则和策略必须应用于各种各样的情况和许多类型的问题(Z. Chen & Mo,2004)。"指南:与家庭和社区形成合作伙伴关系"将介绍如何为鼓励迁移提供支持。

指南:与家庭和社区形成合作伙伴关系——促进迁移

让家长了解孩子的课程学习,以便他们给予支持。举例:

1.在各个单元或主要学习计划开始的时候,给家长寄一封信,总结概括重点目标、一些主要任务和学生在学习该单元的材料时容易产生的一般问题。

2.向家长征求如何使他们的孩子对课堂主题感兴趣的建议。

3.邀请家长到学校参加"策略学习"之夜活动——让孩子们向他们的家人传授他们在校所学的其中一种策略。

给学生家长提供有关他们如何鼓励孩子们去练习、延伸或应用在校所学知识的建

议。举例:

1.为了让孩子发展写作本领,建议家长鼓励孩子向一些公司或公民组织写信或发E-mail索取信息或免费产品。并提供信件结构和观点的基本格式,附上供应样品或信息的公司的地址。

2.建议孩子的家里人让他们参与一些要求测量、食材减半或双份、估量费用的工作中。

3.建议学生跟祖父母合作制作一本有关家史的书,并注意结合历史研究和写作。

展现学校学习和社会生活的联系。举例:

1.让家长们讲述他们的孩子如何运用在工作、娱乐或社区生活中学到的技巧。

2.让家长们走进教室演示他们在工作中如何应用体育运动、阅读、写作、科学、数学和其他方面的知识的。

让家庭成员参与学习策略的练习。举例:

1.某段时间内集中学习某种策略——让家长提醒孩子在某周内采用某一特定的策略解决家庭作业。

2.创建一个外借图书馆并制作相应录像带,给家长们教授学习策略。

3.送给家长一份与其孩子年级水平一致的"指南:成为专家学生"的复本。

综合而论:为复杂的学习和稳健知识而教学

我们在这一章的开篇讲了复杂的认知技能和高阶学习。然后,我们继续探索元认知和学习策略、解决问题和专业知识、批判性思维和论证以及在新情境下的知识迁移。尽管教育心理学已经对这些课题进行了多年的研究,但最近,一些研究人员特别关注复杂的学习和稳健知识教学(Richey & Nokes-Malach,2015)。在许多方面,这一当前的研究焦点汇集了我们在这一章中所学到的大部分内容。

什么是稳健知识?

对专家的研究指出了稳健知识(robust knowledge)的三个重要特征——它是深入的、互联的和连贯的。深入的知识是关于深层原则的知识,它允许专家在看似不同的问题中识别相同的基于原理的特性。例如,数学方面的稳健知识可以让学生立即看到,河流的问题和飞机与风的问题可以用同样的基本原理来解决。互联知识意味着许多独立的信息被连接在一起——解决问题的步骤在一个问题中自动连接,抽象的原则与问题的特定特征联系在一起,概念被连接到适当的程序,并且原则是跨不同的学科和领域而连接的。连贯的知识是一致的,没有矛盾。专家在发现知识的不一致性方面比新手好得多(Richey & Nokes-Malach,2015)。作为教师,我们希望所有的学生都能发展出稳健知识。

识别和评估稳健知识

我们怎么能判断一个人在某一领域拥有稳健知识呢?表9.4将初学者与专家的知识内容和结构进行了对比。正如你所看到的,在感知和表征问题方面,新手关注于表面特征,而专家则关注问题背后的结构和更大的概念。专家们可以从他们的长期记忆中回忆起关于问题领域的许多重要细节(比如数学、物理或历史),但新手主要依赖于他们在工作记忆中所能掌握的东西,而且他们经常会不知所措。他们只是没有足够的连接和相关的知识来把工作记忆带到工作台上来解决问题。在实际解决问题的过程中,新手必须依赖于一般的解决问题的策略,比如返工或反复尝试。这需要很长时间,充满了错误和错误的转折,而且常常失败。另一方面,专家们快速而准确地为特定的问题类型应用适当领域的特定策略。最后,因为新手的知识是基于问题的表面细节,他们没有原则或概念知识来迁移到新的环境中,而灵活的、深入的、互联的、连贯的专家知识给他们提供了丰富的有用的知识,便于他们迁移到新的情况和问题。

为稳健知识而教学

帮助学生从新手到专业技能的教学策略是什么——帮助他们培养出深入、互联、连贯的稳健知识?在下一章中,我们将探讨一些教学方法,如探究和以构建稳健的知识为目标的问题导向的学习。在这里,让我们来看看我们在这一章中提到的四种策略,它们可以被纳入大多数教学方法:练习、实例、类比和自我解释(Richey & Nokes-Malach,2015)。

表9.4 实践中稳健知识是什么样的?

这张表对比了初学者和专家对知识掌握的不同,比较基于他们如何感知和表现问题、工作记忆和长期记忆、解决问题的策略、将知识转移到新情况的能力。

	初学者:缺乏稳健知识	专家:拥有稳健知识
对问题的准备	关注诸如"这是一个滑轮问题"这类表面的细节	关注深层原则的结构:"这里运用了牛顿力学原理"
记忆	依赖迅速饱和的工作记忆	能回忆起很多关键的细节,在长期记忆中有丰富的相互联系的知识储备
问题的解决	依靠一般策略;漫长的、充满错误的、经常不成功的过程	快速应用领域相关推理策略来识别准确的解决方案
迁移	缺乏灵活的知识,专注于表面细节——没有有用的知识可以转移到新的情况下	拥有可灵活变通的知识——在很多情况下都适用

资料来源:Source:Based on Richey, J. E., & Nokes－Malach, T. J. (2015). Comparing Four Instructional Techniques for Promoting Robust Knowledge. Educational Psychology Review, 27, p. 186

练习。这本书的好几个章节里,你已经阅读过练习的相关内容了。过度学习,即在掌握了某一技巧或流程的时候仍加以练习,让表现变得流畅、迅速和自动化——几乎不需运用工作记忆。为了记住信息,提取练习或测验要比重新学习效果好。练习对于发展"怎么做"的程序性知识是非常有效的,但它并不十分有利于帮助学生学会触类旁通——解决新问题;构建抽象概念和深层次、原理性的理解、或跨情境联系知识。事实上,如果你的学生在数学、艺术或写作上对于某一过程或技巧过于熟练,他们可能会在不恰当的时候也会试图运用它。所以,发展稳健知识所需的不仅仅是练习。

实例。实例也能够促进稳健知识的发展,它通过管理认知负荷从而使学生的工作记忆不超负荷。这使得足够的工作记忆被运用到识别、记忆问题的关键特征和深层结构。学生能够看到正确的路径并把认知资源集中到学习目标上,而不是通过试错和实验尝试解决问题。但是实例在促进稳知识的发展上存在和练习一样的障碍。学生更擅长做实例反映的某一类问题,而不是不同种类的问题。一个解决方法是将实例和练习问题、其他有步骤遗漏的实例进行交错(交织或交替)。这让学生更深刻地认识到他们正在做什么和为什么而做。但是实例的最佳运用是让学生给他们自己解释每一个步骤的必要性。这有助于学生构建步骤、基本原理和程序之间的联系。你将在后面了解到,自我解释是一个有力的策略。

类比。类比指学生找出两个示例、案例、问题、时间段、艺术作品等之间的相似点或共同特征。运用类比有助于迁移,因为学生运用了他们所学去识别表面上不一样的情境中的相似工作过程。通过把问题中的关键特征和深层原理相联系,学生也能构建稳固的概念知识。然而,有一个问题是,初学者可能会依据与深层结构和潜在原理无关的表面相似点界定类比——比如,他们可能得出"两幅画都是蓝色的"而不是"两幅画都是立体派的代表"。这样的话,仔细选择案例或问题,另外老师的指导是很重要的。

自我解释。在构建稳固知识的效力上,自我解释是大赢家。解释实例中的每一步骤,绘制模型,向同伴解释,提供线索,解释为什么,证实答案——这些自我解释都比老师的详细解释更有利于稳固知识的构建。你将在下一章了解到,在一个学习合作小组中,主动解释的学生学到的多于接收解释的。自我解释促进了知识的联系(为什么,除此之外还有什么,怎么样,什么时候……?)和统一性(是否有意义? 解释中是否有自相矛盾的地方?)

总结

元认知

什么是元认知? 元认知包含知识和技能——关于我们信息处理能力的知识,我们面对的思考和学习任务和所需的策略。管理思维和学习的三元认知技能是计划、监控和评估。计划包含决定在任务上花费的时间多少、用什么方法、怎么开始等。监控是关于"我在做什么"的实时意识。评估包含对过程和结果的评估并根据评估行动。

个体元认知差异的根源是什么? 个体的元认知差异可能来自学习者的发展(成

熟)步调不同或生理性差异。比如,在了解课程目的上,年龄小的学生可能比不上年龄大的。

教师怎么帮助学生发展元认知知识和技能? 对于年龄小的学生,教师可以帮助学生"向内看",从而明确学生能够为提高他们的阅读、写作或学习做什么。一些系统性方法(比如 KWL)可以帮助教师演示、解释和设计策略。对于年龄稍大的学生,教师可以将自我反思性的问题融入学习任务和资料。

学习策略

什么是学习策略? 学习策略是一种特殊的程式性知识——知道怎么去做某件事。一个学习策略可能包括记忆关键术语的记忆法,确定组织结构的略读技巧以及对文章可能提出的问题写下答案。学习策略和技巧的使用反映了元认知知识。

学习策略发挥了什么关键作用? 学习策略帮助学生有认知地参与学习——把注意力集中在材料实质性的、重要的方面。其次,它鼓励学生付出努力、建立联系、推敲、转换、组织以及重组,从而思考和处理得更深入。练习和处理得越好,学习能力越强。最后,策略帮助学生规范和监督他们的学习——追踪什么是有意义的,注意什么时候需要新的方法。

描述使学生形成学习策略的一些步骤。 让学生接触许多不同的策略,不仅是通用的学习策略,还有非常具体的策略,如图形策略。教学生关于何时、何地以及为何使用各种策略的条件性知识。通过展示学生的学习和表现是如何被提高的,发展学生运用策略和技巧的动力。在内容涉及需要使用策略的知识的时候,提供直接指导。

什么是提取练习? 这种学习策略也被称为测验效应或积极检索,并且比重新学习更有效。要从这个强有力的策略中受益,学生可以列出关键思路,绘制概念图,向朋友解释,教另一个学生,完成 KWL 表,做自我测试,或其他任何需要主动提取知识的方法。频繁的测试和检验,即使是不打分的测验,也是一种提取练习。

学生什么时候应用学习策略? 当有了合适的策略,在面对需要良好策略的任务、预估将取得良好效果、采取策略所需的努力是值得的,并且相信自己能够成功地使用策略的情况下,他们就会应用学习策略。同时,要应用深加工策略,学生必须认识到,知识是复杂的,需要时间来学习,并且需要自己积极努力。

问题解决

什么是问题解决? 问题解决既有是一般性的,也有特定领域的。此外,问题可以是结构良好的,也可以是结构不良的,这取决于目标有多明确,以及解决问题的结构有多少。一般问题解决策略通常包括确定问题、设定目标、寻找可能的解决方案、预测可能的后果、采取行动以及最后回过头评估结果。一般性的和具体的问题解决都是有价值的和必要的。

实例如何帮助学生形成问题解决的有效图式? 实例帮助学生管理认知负荷(超负荷),避免低效的试错学习。实例将一些步骤组块、提供了提示和反馈、使注意力集中在相关信息上,减少了对记忆的需求,这样学生就可以运用认知资源去理解,而不是随机地寻找解决方案。然而,为了最大程度上受益于实例,学生必须积极地阅读——仅仅"浏览"这些例子是不够的。在这一点上,自我解释和使用多种学习渠道(视觉、触觉、动作、听觉)都能提高学生的参与度。

问题表征阶段对于问题解决为什么如此重要? 要准确地表征问题,你必须了解整个问题及其元素。图式训练则可以提高这种能力。问题解决的过程遵循完全不同的路径,具体取决于表征和目标的选择。如果你对问题的表征指向直接的解决方法,那么任务就完成了;这个所谓的新问题则被认为是具有明确解决方案的旧问题的"伪装"版本。但是,如果没有解决问题的现有方法或者激活的图式失败,那么学生必须去寻求解决方案。应用算法和启发式——例如手段——目的分析法、逆推法、类比思维和言语化,可以帮助学生解决问题。

描述妨碍问题解决的因素。 妨碍问题解决的因素包括功能固着或反应定势。它们与准确表征问题并深入了解解决方案所需的灵活性相排斥。此外,在做出决策和判断时,我们可能会忽略重要信息,因为我们根据类别(表征启发法)或记忆中的内容(可用性启发法)做出判断,然后仅关注可以证实我们的选择的信息(确认偏见),这样即使面对相互矛盾的证据,我们也坚持原有意见(信念固着)。

特定领域中专家和新手的知识有什么不同? 专业的问题解决者拥有丰富的陈述

性、程序性和条件性知识。他们围绕适用于大类问题的一般原则或模式组织这些知识。他们工作得更快、能记忆相关信息、比新手更好地监控进度。发展专业知识的一个后果是,专家们忘记了学习某些东西的难度和时间花费。作为一名教师,你必须对学生不理解的内容保持敏感。

批判性思维和论证

什么是批判性思维? 批判性思维技能包括界定和澄清问题,对与问题相关的信息的一致性和充分性做出判断,并得出结论。无论使用何种方法来培养批判性思维,都必须通过其他练习来跟进。一堂课是不够的——过度学习才会帮助学生在他们的生活中运用批判性思维。

什么是论证? 论证有两种风格,或者说两种论证——争论性论证和研讨性论证。争论性论证的核心是用证据和理解支撑你的立场,然后反驳对手的主张和证据。这是一个竞争过程,其目标是说服对手改变立场,它的基本问题是谁是正确的。研讨性论证,其目标是协作比较、对比和评估替代方案,然后得出建设性的结论,基本问题是哪个观点是正确的。论证技巧并非天生就有,需要时间和指导去学习。儿童和青少年很难专注于用证据(争论性论证)来理解,以及反驳对手的立场。研讨性论证同样需要学习和练习。

为迁移而教

什么是迁移? 当在某一情境下学习的规则、事实或技能应用于另一情境时,就会发生迁移。例如,应用标点符号规则来写工作申请书。迁移还包括将在其他不同情境下学到的原则应用于新问题。

迁移有哪些范围? 信息可以在各种环境中迁移,包括从一个主体到另一个主体,一个物理位置到另一个物理位置,或者一个功能到另一个功能。这些类型的迁移使将在一个区域中开发的技能用于许多其他任务成为可能。

区分自动迁移和反思式迁移。 熟练知识和技能的自发应用是自动转移。反思式迁移涉及初始学习和重用或应用所学知识。在初始学习阶段必不可少的是有意识的抽象,即有意识地确定一个原则、主要思想、策略或程序,它们与某个特定的问题或情境并不密切相关,但可以适用于许多问题或情境。学习环境应该支持积极的建设性学习、自我调节、协作以及对认知工具和激励过程的自我意识。另外,学生应该处理生活中有意义的问题。此外,教师可以通过直接教学策略、提供实践反馈,然后将策略应用扩展到新的和不熟悉的情境,帮助学生学习迁移策略。

综合而论:为复杂的学习和稳健知识而教学

什么是稳固知识? 稳固知识是深入的、互联的和连贯的。深入的知识是关于基本原则的知识,它使得专家在看似不同的问题中识别相同的原理性特征。互联的知识意味着许多单独的信息连接起来——问题解决步骤在问题中自动相连,抽象原则与问题的特定功能相关联,概念与适当的程序相关联,原理在不同的学科和领域之间相互联系。连贯的知识是一致的,不存在矛盾。

如何识别稳健知识? 就感知和表征问题而言,新手专注于表面特征,而专家则关注问题的结构和更深层的概念。专家们可以从长期记忆中回忆出有关问题领域的许多重要细节,但新手主要依赖于工作记忆中保留的东西,而且经常不堪重负。在实际解决问题时,新手必须依赖一般性的问题解决策略。这些策略不仅花费时间、充满错误,还经常失败。另一方面,专家可以针对特定问题类型快速准确地应用适当的特定领域的策略。最后,因为新手的知识是基于问题的表面细节,因此他们没有原理性或概念性知识可以迁移到新的情境,而专家灵活的、深入的、互联的、连贯的知识,为迁移到新的情况和问题提供了丰富的有用知识。

教学怎样发展稳健知识?

这一章中提到的四个策略可以与大多数的教学方法相结合:练习、实例、类比和自我解释。四个中的每一个策略都是有用的,但最重要的是自我解释。解释实例中的每一个步骤、绘制模型、解释给同伴、提供证据、解释为什么和证实答案——对于发展稳固知识,这些自我解释比教师的详细解释更有用。

关键术语

Algorithm	算法
Analogical thinking	类比思维
Argumentation	论证
Availability heuristic	可得性启发法
Belief perseverance	信念固着
CAPS	CAPS(一种阅读文学作品的策略)
Cmaps	Cmaps(一种图解工具)
Concept map	概念图
Confirmation bias	确认偏见
Critical thinking	批判性思维
Embodied cognition	具身化认知
Executive control processes	执行控制过程
Functional fixedness	功能固着
Heuristic	启发式
KWL (know – want – learn)	策略
Learning strategies	学习策略
Means – ends analysis	手段—目的分析
Metacognition	元认知
Overlearning	过度学习
Problem	问题
Problem solving	问题解决
Production deficiency	产出不足
READS	五步阅读策略
Representativeness heuristics	表征启发法
Response set	反应定势
Retrieval practice/testing effect	提取练习/测试效果
Schema – driven problem solving	图式驱动解题法
Transfer	迁移
Verbalization	言语化
Working – backward strategy	逆推策略

教师案例簿

非批判性思维——他们会做什么？

以下是一些实习教师如何帮助学生学会批判性地评估他们在互联网上找到的信息的例子。

PAUL DRAGIN ESL Teacher, Grades 九至十二年级教师

Columbus East High School, Columbus, OH

这个常见的问题并没有一个简单的解决方法。几年前,一个学生完成了一篇关于"9·11"的研究论文,这篇论文充满了阴谋论,而这个学生把它当作事实来报告。这个没有记录的、未经证实的研究的戏剧性的例子使我认识到需要更明确地向我的学生教授研究方法。这是我的总体战略,以帮助确保学生能写出更多有质量的研究:在让学生探索使用谷歌和其他常见搜索引擎熟悉一下话题时,我指导他们使用数据库,如EBSCOhost 或 ProQuest,这在我们的城市、可以用借书证在公共图书馆网站访问。限制他们可以使用的数据库可以减少不准确和高度偏颇的信息进入他们报告的可能性。向他们展示基于研究的、学术的信息和一般信息之间的区别,对产出真正的研究的成果具有很大帮助。

SARA VINCENT Special Education Teacher 特殊教育教师

Langley High School, McLean, VA

互联网对学生来说是一个有用的工具,但它却充满了过剩的不良信息。幸运的是,在案例描述的情况中,老师可以在学生提交最终草稿之前解决这个问题。作为一名英语教师,我经常遇到这个问题,但是我发现如果我制定了严格的指导方针,大多数学生都会遵守。把初稿交还给学生后,我将下一课用于教学生使用可靠的资料,而不是使用不太可靠的资料。我展示了一些来自互联网上的荒谬言论的例子。我也教学生如何找到合适的信息。然后,学生们交换论文,完成一节同行编辑课。在这节课中,学生们会评论他们同龄人草稿中来源薄弱或不存在的部分。为了制定严格的引用指南,我告诉学生,他们不能使用任何以".com"结尾的网站,只能使用以".edu"或".gov"结尾的网站,或者可以使用在线数据库,如 JSTOR。选择使用不合适的网站会导致作业

自动不合格。如果教师使用这些严格的指导方针,他们的学生很可能会选择可信的网站。

PAULA COLEMERE   Special Education Teacher—English, History   特殊教育教师——英语、历史

McClintock High School, Tempe, AZ

我通常在我们完成论说文阅读和写作之后教我的研究小组。因为我在论说单元教学生如何评估信息是否有偏见,我知道在我们进行研究之前他们有一些先前的知识。我展示了一些来自学术期刊、书籍和一般网站(如维基百科)的例子。然后,正如我们讨论的那样,我出声地思考,以向学生示范为什么我会或不会使用某个信息来源。我通常不允许我的学生使用任何网络资源,并将他们限制在我们图书馆数据库中预先批准的网站上。如果我允许一个基于 web 的源,也会将数目限制为一个。如果你能向学生展示优秀的、令人满意的和较差的研究论文样本,这对他们是非常有帮助的。这样,他们就知道最终成品应该是什么样子了。另一个策略是全班一起阅读一篇文章,然后一起批判性地评价它。批判性思考是一种需要模仿和教授给孩子们的技能。如果认为他们自己就知道如何做到这一点,那就错了。

JESSICA N. MAHTABAN   Eighth – Grade Math Teacher   八年级数学教师

Woodrow Wilson Middle School, Clifton, NJ

向学生展示如何评估网站信息的最好方法是示范。我做一个 PPT 演示,向学生们解释如何评估他们在互联网上阅读的内容的真实性。一旦学生们熟悉了如何评估网站的所有要点,我就可以在智能板上展示各种网站。作为一个班集体,我们可以讨论和审查网站的有效性。

我们需要教学生如何通过扩展他们的想法来表达他们的观点。老师可以将"为什么? 为什么不?"或"解释"加到问题的最后。如果学生接触到更高层次的思考问题,并学会如何提问和回答这些问题,那么他们就可以更批判性地思考学校的课题。

JENNIFER PINCOSKI   Learning Resource Teacher: K – 12   学习资源教师 K – 12

Lee County School District, Fort Myers, FL

认识到互联网在学生的生活中扮演着十分重要的角色,它确实提供了可靠的信息,班级需要教学生如何适当地使用网络进行研究。这包括教给学生关于如何识别可信信息的策略,并为练习提供充足的机会的教学策略。

为了理解网上的信息并非都是准确的,学生们需要看到真实的例子——与他们相关的例子。这可能非常简单,只要给他们看看发布了关于同一主题相互冲突的信息的几个网站,然后让他们定义他们将如何决定相信哪些信息。

一旦学生认识到他们需要在用互联网检索信息时行使判断力,就可以教他们如何做。老师可以提供一个指导问题的列表,这将帮助学生批判性地评估他们的信息来源。最终的目标是让学生独立使用指导性问题,并在不同的环境中应用它们。然而,在开始阶段,学生们将需要更高层次的支持。"我愿意,我们愿意,你愿意"的方法可能是帮助学生发展和练习这些技能的最好方法。

LAUREN ROLLINS　First – Grade Teacher　一年级教师

Boulevard Elementary School, Shaker Heights, OH

如果使用得当,因特网是一种奇妙的资源。不幸的是,因为任何人都可以在互联网上发布信息,所以这些信息并不总是真实或可靠的。关于评估在互联网上找到的信息,我鼓励我的学生访问多个网站的多个观点,这样他们可以权衡每个的相对优点。通过这种方式,他们锻炼了自己的批判性思维能力。

使用在网站上找到的显然与已接受的事实相矛盾的"事实"信息的例子,将教会学生必须在他们所知道的真实情况下评估信息。这将帮助他们理解应该使用多种信息来源,而不仅仅是互联网。此外,我还花了一些时间教我的学生如何正确地引用来自互联网和其他来源的资源。这是一项重要的技能,也是一项必要的技能,这样他们就不会被怀疑抄袭。

LINDA SPARKS　First – Grade Teacher　一年级教师

John F. Kennedy School, Billerica, MA

每当我布置一个新的研究项目时,我都会从一个特定的资源指示列表开始。例如,我可能说我想要两本书、两篇杂志文章和三个 Web 站点。在选定主题之后,我会让学生们收集他们的资源,然后来找我,这样我就可以进行检查,以确保每个学生都朝着正确的方向前进。这也让我更好地了解他们在研究什么,我可以发现他们是否对这个项目有任何误解。我发现我用这种方法得到了更好的结果,因为学生们知道我知道他们在研究什么,并且有他们的资源列表。(即使他们没有使用所有的资源,我也想让他们看看有哪些资源可供他们使用。)我也为教授特定的写作技巧做了很多的准备。当他们练习阅读文章时,我在布置任务之前教他们的第一个技能就是如何获取信息并将其转化为自己的话。限制引用的数量是鼓励进行高层次思考的一种方式。很多时候,如果有机会,学生比他们读的文章的作者更有创造力。

BARBARA PRESLEY　　Transition/Work Study Coordinator—High School Leve

BESTT Program (Baldwinsville Exceptional Student Training and Transition Program) ,

C. W. Baker High School, Baldwinsville, NY

对我来说,讨论是关键:全组讨论、小组讨论和一对一讨论,时刻准备着对所提出的话题进行辩护或批评(在正当的佐证下)。学生可以从错误中学习,只要纠正是充满尊重并对他们个人有意义的。他们无法学会批判性思考,除非有人质疑他们。他们必须捍卫自己的立场——只要讨论进行时没有恶意。他们通过给予和接受批评的过程来获得批判性思维的经验。

第十章 建构主义与学习环境设计

概览

教师案例簿:学会合作——你会做什么?

概述与目标

认知和社会建构主义

　　建构主义学习观

　　知识是如何被建构的?

　　知识:情境的还是普遍的?

　　建构主义以学生为中心教学的共同要素

设计建构主义学习环境

　　指导学习环境设计的假设

　　建构主义课堂里的辅助

　　探究学习和基于问题的学习

　　认知学徒制和交互式教学

协作与合作

　　合作学习的任务

　　建立合作小组

　　合作的设计

　　惠及每一位学生:恰当采用合作学习

　　建构主义实践的困境

在数字化世界中设计学习环境

教师案例簿

学会合作——你会做什么?

你打算在你所教的中学班级的学生中运用合作学习。尽管许多学生经常以小组的形式学习,但是几乎没有人参与过真正的合作学习。当你询问班级成员的体验时,他们大都转动眼睛和叹息,你从中知道他们的体验并不是正向积极的。这些学生的能力各异:有些真的很有天分,有些仅仅是在学习英语,有些非常害羞,还有一些学生如果你由着他们,他们会控制和主导每一次讨论。你坚信在 21 世纪对所有学生而言,合作是一项重要的能力,学生在共同质疑、解释、建立自己的观点的过程中,他们的理解会得到加深。不管怎样,你希望共同学习的体验能够帮助你的学生建立信心,并提升你作为一名教师的效能感。因此,你想取得真正的成功。

批判性思维

- 你怎么开始向你的学生介绍合作学习?

- 你会选择什么样的任务作为开始?

- 你如何建立小组?

- 你将观察和倾听哪些内容来确保学生能最大限度地利用这样的学习体验?

概述与目标

在前面三章,我们已经分析了学习的不同方面。我们从行为主义、信息加工和认知科学的角度分析了人们学习什么以及如何学习,我们也了解了复杂的认知过程,如元认知技能和问题解决的过程。这些对学习活动的解释关注的是个体,是解释他"大脑"里发生了什么。本章我们将扩大学习的范围,包括学习的社会背景和建构主义的概念。建构主义是一个广阔的视角,它关注学习的两个关键方面:社会因素和文化因素。社会文化建构理论由认知理论发展而来,但是又很好地超越了早期的认知解释。我们将探讨与建构主义观点相一致的一些教学策略和方法——教师辅助、探究学习、基于问题的学习、合作学习、认知学徒制以及交互教学。最后,我们将考察数字时代的学习,包括了解技术丰富环境中的学习和翻转课堂。

学完这一章后,你应该能够:

目标10.1　从不同的视角解读作为学习与教学理论的建构主义。

目标10.2　明确当代多数建构主义理论的共同点。

目标10.3　将建构主义的原理应用于课堂实践中,包括探究学习、基于问题的学习以及认知学徒制。

目标10.4　适当地将合作学习融入课堂。

目标10.5　阐述技术在儿童及青少年学习和发展过程中产生的积极和消极影响。

认知和社会建构主义

请你思考以下情境:

　　一个之前从未去过医院的小孩子正躺在儿科的病床上。这时,从床头上方的对讲机传来值班护士的声音:"你好,切尔西,你还好吗?你需要什么帮助吗?"小女孩很迷惑,没有出声。护士又重复了一遍,但小女孩还是没有回应。后来,护士一字一句地说:"切尔西,你在吗?请讲话。"小女孩试探着回答道:"墙壁你好,我在这儿。"

切尔西遇到了一个从未见过的新情境——会讲话的墙。而且,它不停地在问,就像活的一样。她知道不应该和陌生人讲话,但她不知道应该怎样对待墙。结果,她只能利用自己所知道的以及当前的情境来建构意义并做出反应。

还有一个关于建构意义的例子。在这个例子中,凯特和她9岁的儿子伊桑在杂货店买东西时,共同进行了意义的建构。

> 伊桑:(跑着去拿购物篮)我们要拿那个大点的吗?
>
> 凯特:大的总比小的装不下好。这是我们的购物清单,我们先去哪?
>
> 伊桑:我们要去买为聚会准备的冰激凌(伊桑走向冷冻食品区)。
>
> 凯特:哇哦! 还记得你留在橱柜上的那盒冰激凌变成什么样了吗?
>
> 伊桑:融化了! 而且我保证它不能放在外面这么久!
>
> 凯特:对。我们可能要在商店里待一段时间,所以我们先买那些在我们的购物过程中不会融化的东西——我通常会先买农产品。
>
> 伊桑:什么是"农产品"?
>
> 凯特:就是农民们种出来的蔬菜和水果。
>
> 伊桑:好的。清单上写了黄瓜,它们在这儿。等等,有两种黄瓜,你要哪一种? 那种小的是"当地的",什么叫当地的?
>
> 凯特:当地就是指离我们的位置很近的周边地区。
>
> 伊桑:当地的更好吗?
>
> 凯特:也许吧。我喜欢支持咱们当地的农民。那些小黄瓜来自哪儿? 看一下标签上的字。
>
> 伊桑:弗吉尼亚——这个地方离我们近吗?
>
> 凯特:不太近,大概得要6个小时的车程。

让我们看一下这种合作构建起来的知识,它们包括事先制定的计划、词汇、问题解决,甚至还有地理知识。建构主义学习理论关注的是人们如何理解意义,人们既可以像切尔西那样自己构建,也可以像伊桑那样与别人一起互动构建。

建构主义学习观

建构主义(constructivism)①是一个宽泛和备受争议的术语。事实上,建构主义与其说是一种科学的学习理论,不如说是一种关于知识的哲学。建构主义观点是以皮亚杰、维果斯基、格式塔心理学家、巴特莱特、布鲁纳、罗(Rogoff),还有教育哲学家杜威以及人类学家珍妮·拉弗(Jean Lave)等人的研究为基础而建立起来的。但即使许多心理学家和教育家都使用建构主义这个词,他们的意思往往也是非常不同的(J. Martin, 2006;McCaslin & Hickey, 2001;Phillips, 1997)。虽然没有一个统一的建构主义学习理论,但多数建构主义者在两个核心观点上达成了一致:

核心观点1:学习者能够主动建构他们自己的理解——他们通过超越已知的信息来创造知识(Chi & Wylie, 2014)。

核心观点2:社会互动在知识建构过程中很重要(Bruning, Schraw, & Norby, 2011;Schunk, 2016)。

整合建构主义观点的一个途径就是讨论两种符合这些核心观点的建构主义形式:认知建构和社会建构(Palincsar, 1998;Phillips, 1997)。认知建构关注的是个体如何运用信息和资源,以及如何通过接受他人的帮助来建构意义——请参看上面的核心观点1。相反,社会建构把学习看作提高我们自己的能力以在具有某种文化意义的活动中更好地与他人合作——请参看上面的核心观点2(Dohn, 2016;Windschitl, 2002)。下面就让我们更详细地来考察一下不同建构主义的观点。

认知建构主义。很多心理学理论包含某些建构主义的观点,因为这些心理学理论认为,当个体在特定情境下解释他们的经验时,他们在建构自己的认知结构(Palincsar, 1998)。因为这些建构主义者研究个体知识、信念、自我概念或身份认同,所以他们有时被称为个体建构主义者或心理建构主义者,他们都关注人的内在心理世界。前述案

---

①建构主义——强调学习者在建立理解和获取信息意义过程中起积极作用的观点。

例中的切尔西对墙壁说话做出回应,就是她利用自身的知识和信念来理解当前的新情境,她先前的知识和信念中存在当别人(或其他事情)和你说话时你该如何回应的信息(Piaget, 1971; Windschitl, 2002)。当孩子观察到大多数植物的生长需要泥土,并推论说这些植物"吃泥土"时,他们是在利用自己所知道的有关饮食如何支撑生命的信息来理解植物的生长(M. C. Linn & Eylon, 2006)。

从这些理念来看,最新崛起的信息加工理论也是建构性的,因为信息加工理论关注的是个体如何建构可被记忆和提取的内部表征(命题、表象、概念、图式)(Mayer, 1996; Schunk, 2016)。然而,很多心理学家认为信息加工只是"琐碎或弱的建构主义",因为个体唯一的建构贡献就在于建立了关于外部世界的精确的内部表征,而不是建立一种独特的个人理解(Derry, 1992; Garrison, 1995; H. H. Marshall, 1996; Windschitl, 2002)。

相反,皮亚杰的心理(认知)建构观较少关注"正确"的表征,而更多关注个体建构的意义。皮亚杰特别关注的是逻辑以及普遍性的知识结构——像守恒或可逆性(P. H. Miller, 2016)。这些知识是来自我们对自己的认知和思维的反思与思考,而不是来自对外部现实世界的映射。皮亚杰将社会环境看作是儿童发展过程中的一个重要因素,但是他认为社会互动并不是思维改变的主要机制。

个体建构主义的一个极端是激进建构主义(radical constructivism)①。这一观点认为,当我们试图向自己解释我们所感知到的东西时,我们每个人都从自己的经验中建构意义(知识),但我们没有办法理解或"知晓"他人所建构的知识,甚至是我们的知识是否"正确"而也不得而知。对于激进的建构主义者来说,学习就是用另一种建构来取代一种建构,以更好地解释人们对当前现实的感知(Hennessey et al., 2012)。这一观点的不足之处是,如果严格按照极端的相对主义来说,那么所有的知识和信念都是同等的,因为他们都是有效的个体知觉。

这一点对于教育者来说是存在问题的。首先,教师承担着帮助学生树立诸如诚实

---

①激进建构主义——认为知识是由个体建构的,对建构而成的知识不能进行正确或错误的判断。

或公正等价值观的责任,而非促进偏执或欺骗等价值观的形成。这些观点和信念是不能等同的。其次,在数学等许多领域都有正确的答案,如果学生坚持个人的错误观念和幼稚的建构,他们将会在学习上遇到困难。作为教师,我们要求学生努力学习。但如果所有的观念都同样好,那么就算努力学习也不能增进理解了,正如戴维·莫施曼(David Moshman)所言:"我们可能只能让学生继续相信那些他们所相信的东西了。"(David Moshman,1997,p. 230)而且,好像很多知识,诸如数数或者一一对应的关系,并不是建构的,而是与生俱来的。一一对应的关系是每个人必须了解的(Geary,1995;Schunk,2016)。

社会建构主义。在认知建构主义看来,学习意味着个体性地加工信息(核心观点1),而社会建构主义认为,学习意味着从属于某一群体并参与知识的社会建构过程(核心观点2)(Dohn,2016;Mason,2007)。维果斯基强调上面的核心观点2,即社会互动、文化工具以及活动塑造了个体的发展和学习。正如前文的案例,伊桑在杂货店与其妈妈的互动及活动使他学到了预期可能的行为结果(从装满购物车和融化的冰激凌这两件事中)、"农产品"和"当地"的含义,以及地理知识——弗吉尼亚在哪儿? (J. Martin,2006)。通过与他人共同参与广泛的活动,学习者就能内化通过共同学习而获得的东西,包括新策略和新知识。内化(appropriating)①指的是能够运用文化工具进行推理、行动和参与,例如在物理学中运用诸如"力"和"加速度"等认知工具进行推理(Mason,2007)。

由于维果斯基的理论多是根据社会互动和文化环境来解释学习的,因此大多数心理学家将维果斯基归为社会建构主义者(Palincsar,1998;Prawat,1996)。然而,一些理论家将他归为认知建构主义者,因为他主要感兴趣的是个体的发展方面(Moshman,1997;Phillips,1997)。在某种意义上,维果斯基二者兼而有之。他的学习理论的优势是给我们提供了同时考虑认知和社会因素的一种途径:他联结了两大阵营。例如,维果斯基的最近发展区的概念,即儿童可以借助成人或更出色的伙伴的帮助(支架)来解决问题,已被认为是文化和认知互相结合创造的一个领域(M. Cole,1985)。当成人使

---

①内化——能够把与他人或文化工具互动发展而来的知识和技能转化为自己的知识。

用工具并进行文化实践时（如语言、地图、计算机、织布机、音乐等），文化就创造了认知，并引领儿童趋向文化认为有价值的目标（阅读、写作、编织、跳舞等）；而当成人和儿童或者几个成人在一起进行新的实践活动，找到新的问题解决办法，从而成为整个文化的一部分时，认知就创造了文化（Serpell，1993）。所以，人们同时是所在社会和文化的产品和生产者（Bandura，2001）。一种整合认知和社会建构主义的方式就是，将知识既看作是个人建构的，又看作是以社会为中介的（Windschitl，2002）。

正如你将在下面看到的那样，这两种不同的建构主义观点提出了一些一般性问题，产生了一些分歧，并给出了不同答案。

知识是如何被建构的？

其中一个争论问题是人们是如何建构知识的。对于这个问题，共有三种解释（Bruning，Schraw，& Norby，2011；Moshman，1982；Schunk，2016），如表10.1所示。

表10.1　如何建构知识

观点类型	关于学习和知识的假设	代表性理论
外部定向	知识是人们通过建构外部世界的表征而获得的，直接教学、反馈及解释都会影响学习。知识是对外部世界的"事物真实存在方式"的反映，从这个角度说知识是精确的	信息加工理论
内部定向	知识是通过转化、组织和重组先前知识而建构的，尽管经验影响思维，思维也影响知识，但知识并不是外部世界的镜像，探索和发现远比教学更重要	皮亚杰的理论
内部和外部定向	知识是基于社会互动和经验而建构的。知识在反映外部世界的同时，还受到文化、语言、信念、与他人的互动、直接教学以及示范等因素的筛选。有指导的发现活动、教学、示范和辅导，以及个体的先前知识、信念和思维都会影响学习	维果斯基的理论

知识：情境的还是普遍的？

有关建构主义观点的第二个分歧是：知识究竟是内在的、普遍的、可迁移的，还是局限于特定的时间和地点进行建构的？强调知识的社会建构和情境学习的心理学家赞同维果斯基的观点,认为学习是社会的内在属性并依存于特定的文化情境(Cobb & Bowers,1999;Dohn,2016;Schoor,Narciss,& Körndle,2015)。在某时某地是正确的事情——如哥伦布时代之前,认为地球是平的这一"事实"——在另外的时间和地点却会变成谬误。特定的观念可能在特定的实践共同体(community of practice)①中是有用的。比如,前面例子中提到的观点对于 15 世纪的航海是有用的,但在其他情境下可能是没有用的。一个新知识的价值,部分取决于这个新观点与当时认可的实践相吻合的程度。随着时间发展,当前的实践可能遭到质疑或被推翻,但在这种变化出现前,当前的实践仍是有价值的,甚至被看作是知识。

情境化学习(situated learning)②强调真实世界的学习不同于学校中的学习。它更像是一个新手在专家引导和示范下所做的学徒工作:慢慢上手,直到可以独立工作。情境学习的支持者说,情境化学习可以有效地解释发生在诸如工厂、餐桌旁、高中礼堂、街道社团、商务办公室以及绿茵场等情境中的学习。

情境化学习常被描述为一种"文化适应"或对一个共同体的认同,包括对其规范、行为、技能、信念、语言以及态度的认同。一个共同体可以是一群数学家、一个街道团体、一批作家、一些八年级学生或一支足球队。任何具有特定思维方式和行为方式的团体,都可以算是一个共同体。知识不是个体的认知结构,而是一个共同体长期的创造结果。共同体的实践是共同体互动和做事的方式,同时也是共同体创造的用来建构这个共同体知识的身份和工具。学习意味着变得更有能力去参与这些实践、接受这些身份,以及使用这些工具(Dohn,2016;Greeno,Collins,& Resnick,1996;Mason,2007)。

从最基础的层面来看,"情境化学习强调,我们学到的很多东西都是特定于当时的学习情境的。"(J. R. Anderson,Reder,& Simon,1996,p. 5)这样,一些人可能会说,在学校学习算术只能帮助学生做更多的学校运算,因为这些技能只能用于他们当时的学习情境,即只能在学校使用(Lave,1997;Lave & Wenger,1991)。但与此同时,当你

---

①实践共同体——观念得以验证是否有价值或正确的社会情境或背景。

②情境化学习——认为技能和知识是与当时学习的具体情境相联系的,难以应用到新的情境中。

能够阅读并计算你的税收账目时(虽然这些税收计算知识并非属于你的高中课程),也说明了知识和技能是可以跨越当时特定的学习情境并被运用到其他更广泛的情境的(Schunk,2016)。

学校情境下的学习并非都是孤立的或者与现实无关的(Bereiter,1997)。像你在第九章中所看到的,在教育心理学和更广泛的教育领域中,人们关注的一个主要问题就是知识怎样由一个情境迁移到另一个情境中。我们应该如何促进这种迁移呢?下文就将讨论这一问题。

建构主义以学生为中心教学的共同要素

停下来想一想:以学生为中心的课堂是什么样的?列举出这种把学生置于中心地位的课堂特点。

我们已经了解了不同建构主义流派之间的一些分歧,那么他们之间是否存在一些共性呢?所有的建构主义理论都认为,知识是学习者试图理解他们的经验而发展起来的,就像切尔西和伊桑。"所以,学习者并不是一个被动的等待灌输的容器,而是一个积极寻求意义的有机体。"(Driscoll,2005,p. 487)人们建构了心理模型或图式,并继续修正这些模型或图式,以更好地理解自身经验。我们是知识的创造者,而不是复印机或"档案柜"。虽然我们的建构并非一定与外部真实的世界类似,但这却是我们自己建构的独一无二的解释。就像在切尔西看来,与她对话的是一面一如既往保持友好的墙壁。这并不意味着所有的建构都是同等有用的或可行的。学习者会检验他们对经验的理解和对他人的理解,并通过协商共同建构意义,就像伊桑和他母亲所做的那样。

不同的建构主义者对学习目标也有类似的看法。他们都强调可以加以利用的知识,而不仅仅储存摄入的事实、概念和技能。学习目标包括促进学生发现和解决结构不良领域的问题、进行批判性思维、探究、自我决策以及对各种不同观点保持开放的心态(Driscoll,2005)。虽然没有一个单一的建构主义理论,但很多建构主义流派都认为学习应该具备以下五个条件:

1. 学习应该发生于复杂、真实和相互关联的学习环境中。

2. 将社会协商和责任共享作为学习的组成部分。

3. 支持对同一内容有多种观点和多种表征方式。

4. 培养自我觉察和对知识建构过程的认识。

5. 倡导学生的学习主体性。（Driscoll，2005；H. H. Marshall，1992）

在我们讨论具体的教学方法之前，让我们深入了解下建构主义教学的不同维度。

复杂的学习环境和真实任务。建构主义者认为，教师不应给予学生已经分解好、简化了的问题和基础技能训练，而应该让学生面对复杂学习环境（complex learning environments）①，去解决"模糊的"、结构不良领域的问题。因为在学校以外的世界中很少有简单的问题或者有详细步骤的指示，所以学校应该确保让每个学生体验解决复杂问题的经历。复杂问题并不仅仅是难题，而是有很多部分，包含多种多样、互相制约的因素，并有着多种多样的解决方法。这些问题没有唯一正确的解决方案，每种解决办法都可能会带来一系列新的问题。

这些复杂的问题应该被置于真实的任务和活动中。在这些情境中，学生会把自己所学知识应用到真实世界中。在解决这些复杂问题时，学生可能需要支持，教师可以帮助他们查找资料，记录他们的进步情况，并帮助他们将大问题分解为小问题等等。在这一方面，建构主义和情境化学习观点一致：强调学习应该发生于知识能够被运用的情境中。

社会协商。很多建构主义者赞同维果斯基的观点，认为高级心理过程的发展是通过社会协商（social negotiation）②和互动来完成的，因此合作学习很有价值。教学的一个主要目标是培养学生的批判性思维和论证能力——培养学生建立和维护自己观点，同时尊重他人的观点，并与他人合作，共同协商或共同建构意义的能力。为了完成交流，学生需要互相交流和倾听。对于生活在像美国这样注重个人主义又充满竞争力的

---

①复杂学习环境——模仿现实生活中不良结构自然状态的问题和学习情境。
②社会协商——基于与他人的合作以及对不同观点的尊重的学习过程。

文化环境中的儿童来说,秉持所谓的主体间态度(intersubjective attitude)①是一个极大的挑战,这种主体间态度指的是通过发现共同的基础并交流解释而达成的一种共识。

同一内容的多种视角和表征方式。当学生仅仅接触理解复杂问题的一种模型、一个类比或一种理解方式时,他们在应用时常常就会过分简化,将一种方法应用于每一个情境中。在我的教育心理学课堂中,我就发现了这种情况。六个学生在课堂上演示一个指导发现学习的课例时,他们几乎复制了我在本学期早些时候所讲授的一个指导发现学习的课例,而且还存在一些错误概念。我的学生只了解了一种表征发现学习的方式,所以课堂的讲授资料应该通过不同的类比、举例以及比喻,为学生提供多种内容表征(multiple representations of content)②。这一观点与杰罗姆·布鲁纳(Jerome Bruner)提出的螺旋式课程(spiral curriculum)③的观点是一致的。这种课程指的是,在学校学习早期,在教学时给学生介绍所有学科的基本结构——"核心概念",随着时间的推移,再以越来越复杂的形式来重新学习这些学科(Bruner, 1966)。另一个例子是数学中的巧妙处理,允许学生用不同的方式表征数学中的数量和过程(Carbonneau, Marley, & Selig, 2012)。

理解知识建构过程。建构主义观点强调,要让学生明白其自身在知识建构过程中的作用。我们提出的假设、信念以及经历塑造了我们每个人所"了解"的世界。不同的假设和经历会让我们获得不同的知识,就像我们在第六章里探究知识形成过程中文化差异所起的作用所看到的。如果学生能够有意识地注意影响他们思维形成的因素,他们就能更好地以自我批判的方式去选择、发展和辩护自己的观点,同时尊重他人的观点。

学习的学生主体性。"尽管关于建构主义理论的解释尚未达成一致,但大多数人仍认为,这个理论是教学关注点的一个巨大变革,主张把学生通过自己的努力来理解

---

①主体间态度——通过寻找共同点并交流解释而与他人达成共识。
②多种内容表征——利用多种类比、举例和比喻来考虑问题。
③螺旋式课程——布鲁纳提出的教学设计思想。认为在学校学习早期,在教学时应给学生介绍所有学科的基本结构,随着时间的推移,再以越来越复杂的形式来重新学习这些学科。

问题放在教育的中心位置"(Prawat, 1992, p. 357)。重视学生的主体性并非意味着教师放弃教学的责任。因为教学设计是本书的一个中心问题,我们将在本章后面的内容里讨论学习主体性和以学生为中心教学的例子。

设计建构主义学习环境

设计学习环境意味着将我们关于学习和动机的知识转化为活动、任务、评价和其他教学资源(Belland, Kim, & Hannafin, 2013)。教育心理学家并不是唯一研究如何设计学习环境的人。实际上,学习科学(learning sciences)①是一个交叉学科领域,包括心理学、教育学、计算机科学、哲学、社会学、人类学、神经科学以及其他研究学习和学习环境的领域。无论关注点是什么,所有知识工作者都对人们怎么学习类似于科学、数学及文学等学科中的深度知识很感兴趣。

指导学习环境设计的假设

以下是指导我们如何设计有效学习环境的一些基本假设(Sawyer, 2006):

• 专家具有深度的概念性知识。专家知道很多事实和程序,但是仅仅学习事实和程序并不能让你成为专家。专家具有深度的概念性理解,这可以帮助他们将知识付诸实践,他们能够应用并修正知识,以适应每一种情境。

• 学习来自学习者本身。良好的指导本身并不能保证学生从教师那里学会深度理解的方法。学习绝不仅仅是接受和加工由教师或书本所传授的知识。相反,学生必须积极主动地参与到他们个人的知识建构过程中,我们是知识的发明者,而非复制知识的机器(de Kock, Sleegers, & Voeten, 2004)。

• 学校必须创设有效的学习环境。学校有责任创设有效的学习环境。这样,学生才能积极主动地建构个人的深度理解,从而能够对真实世界中的问题进行推论,同时可以把学校所学到的知识迁移到学校之外的生活之中。

• 先前的知识和信念是关键。学生是带着有关世界是如何运作的知识和信念来

---

①学习科学——基于心理学、教育学、计算机科学、哲学、社会学、人类学、神经科学以及其他研究学习的领域所形成的一个有关学习的交叉学科。

到教室的。这些先前概念有些是正确的,有些是部分正确的,而有些则是错误的。如果教学不从学生已经"知道"的部分开始,那么学生只能学习一些用来应付考试的内容,他们有关世界的知识和信念将不会改变(Hennessey, Higley, & Chesnut, 2012)。

● 反思对于发展深度概念性知识来说很有必要。学生需要通过写作、对话、绘画、完成项目、滑稽短剧、作业档案以及报告陈述等方式来表达和呈现他们所知道的知识,但这些方式还远远不够。想要发展深度概念性知识,学生需要进行反思——充分分析他们的活动和进程。

基思·索耶(Keith Sawyer)对比了基于这些假设设计的学习环境与数十年来在很多国家的学校教学中占据主导地位的传统课堂实践(Keith Sawyer, 2006)。请参照表10.2,看看它们有什么不同。

表 10.2 深度学习与传统课堂学习的对比

传统课堂中的学习	认知科学的发现展示了深度学习的其他要求
学习者将课程材料看作是与他们之前所学无关的内容。例如,老师说,"火成岩是……"	学习者将新的认识与先前的知识经验联系起来。例如,老师说:"你们当中有谁在电视节目当中看到过花岗岩柜台? 或者可能你家中就有一个? 它们是怎么样的……?"
学习者将课程材料看作是没有连贯性的知识片段。"变质岩的定义是……"	学习者将他们的知识相互联结、整合到更广的概念系统之中。"我们已经了解了两类岩石,通过上周的学习我们也知道了几个世纪以来地球是如何运动的,以及一些海洋层是如何变成陆地的。今天我们将学习大理石和金刚石是如何……"
学习者记忆事实并执行程序,但不理解如何以及为什么这样做。"想要除以分数,需先将分子分母倒置,再相乘……"	学习者寻找、发现潜在的规律和原则。"告诉我除法的意思是……那么,1/2 除以 3/4 需要进行哪几个步骤……"
学习者较难理解那些不能从课本上直接获得或是以不同方式阐述的观点。"你从课本上获得了什么……"	学习者评估新的观点,即使这个观点可能没有出现在课本中,并将新观点整合到他们的思想中。"昨天电视上说有一种新药对超过 1/8 的病例是有效的……那么这种新药有疗效的概率有多大?"

学习者认为事实和程序是一成不变和精确无误的,是从权威和专家那里传承而来的。"科学家认为……"	学习者认识到知识是人们建构出来的,因此需要对观点进行批判性的验证。"这是对气候变化的两个观点的摘录,我们来思考一下:你是如何判断哪些论点更能够得到论据的支持的……?"
学习者只是进行机械的记忆,而不去思考学习的目标以及服务于这个目标的最佳学习策略。"这个有可能在考试中考到。"	学习者会思考他们为什么学习,监控他们的理解、反思他们的学习过程。"在你的生活中你将如何运用这一概念?你怎么能判断出你理解了这个观点?"

资料来源:Based on Sawyer, R. K. (2006). The New Science of Learning. In R. K. Sawyer (Ed.), The Cambridge Handbook of the Learning Sciences (p. 4). New York:Cambridge University Press.

正如你在表 10.2 中看到的,尽管学生处于建构主义学习观的中心,但这并不意味着教师是不相干的或无用的。在建构主义课堂中,教师是辅助者和学习环境的设计者。

建构主义课堂里的辅助

马克·温斯奇尔(Mark Windschitl,2002)提出了教师鼓励有意义学习的以下方法。为了促进学习,教师们:

● 启发学生关于关键主题的想法和经验,然后创设帮助学生精细加工或重构现有知识的学习情境。

● 为学生提供各种信息资源以及促成学习所需的工具(技术的和概念的)。

● 将自己的思维过程呈现给学生,并鼓励学生通过对话、书写、绘画或其他方式也将他们的思维过程展现出来。

● 结合上述条件,鼓励学生进行反思和自主思考。

● 采用多种评估策略,了解学生想法如何变化,然后对于他们思维的过程和结果给予反馈。(p. 137)。

支架。建构主义方法还包括提供支架/脚手架(scaffolding)①来支持学生发展专门知识和技能。维果斯基认知发展理论的一个应用是,学生要获得深度理解,则需要尝试解决

---

①支架/脚手架——教师与学生在教师所知和学生所知、所需之间建立有意义的联结,以帮助学生学到更多。

处于他们最近发展区内的问题,并在这个区域内获得支持来构建知识;学生需要支架,以便在最近发展区内解决问题。对支架的一个较好的界定是,支架既强调其具有动态的相互作用的特点,又强调它是教师和学生双方代入情境中的知识——他们都是某些方面的专家:"支架是一个重要的教学和学习概念,指的是教师和学生将教师的文化知识和日常经验与学生的知识形成有意义的联结。"(McCaslin & Hickey,2001,p. 137)回过头来看伊桑和他母亲在杂货店的谈话,也许你注意到了他的母亲是如何利用橱柜上融化的冰激凌作为支架——联系伊桑的日常经验和知识——促进伊桑的理解的。

支架的最初定义(Wood et al.,1976)包括动机支持和认知支持——帮助学生保持参与和兴趣,并走进更深层次的学习(Belland,2014)。动机支架包括激发学生参与学习活动的兴趣和热情,保持学生的注意力,并在学生偏离任务时重新定向,以及在学生学习受挫时帮助其控制情绪。这些动机支持对所有学生都很重要,尤其是对面临学习挑战的学生(Radford 等,2015)。

认知支架具有三个特征(Radford,Bosanquent,Webster,& Blatchford,2015;van de Pol,Volman,& Beishuizen,2010):

1. 应变支持:教师会根据学生的情况不断进行调整,给予学生不同的、有针对性的指导。

2. 渐隐:随着学生认知和技能的增加,教师会逐渐撤销对学生的支持。

3. 移交责任:学生逐渐对自己学习承担越来越多的责任。

教师可以通过多种方式提供应变支持,包括提示、树立榜样和暗示。例如,为了研究教师支持在学生关系思维发展中的作用,林子荣(Tzu–Jung Lin)和她的同事分析了超过3.5万次的四年级学生在小组讨论中基于问题的交流。研究人员发现,教师对理性思维的提示——鼓励逻辑推理、使用类比、反驳、替代假设以及详细阐明——这些都有助于学生更好地发展理性思维。一旦教师指导一名学生进行更深入的思考,理性思维就会传播给小组的其他成员——他们互相支撑。其他有效的教师支持包括赞扬学生使用认知策略、鼓励小组继续完成任务、不要打断彼此、轮流进行、确保每个人都做出贡献(Lin et al.,2015)。

渐隐支持可能涉及从具体问题转移到抽象问题。该策略符合美国教育科学研究所的建议,即鼓励教师"将同一概念的抽象表示与具体表示联系起来并将其整合"(Pashler et al., 2007, p. 13)。渐隐的一个重要例子是小学数学学习的三项研究(Fyfe, McNeil, & Borjas, 2015)。研究人员测试了从一年级到三年级的四种数学教学方法:仅使用具体材料呈现的问题、使用抽象教学(仅限数字)呈现的问题、从具体到抽象的问题以及从抽象到具体的问题。在这三个不同的研究中,从具体到抽象的教学更为有效(如图10.1 所示),甚至对于在数学方面有更丰富的已有知识的学生来说也是如此。

从具体材料到抽象问题的渐隐教学

小学时代的学生从具体材料开始学习一些基本的数学概念——你如何给猴子和青蛙提供相同数量的贴纸?然后到一个提问相同问题的工作表,最后仅使用数字解决一个抽象问题。

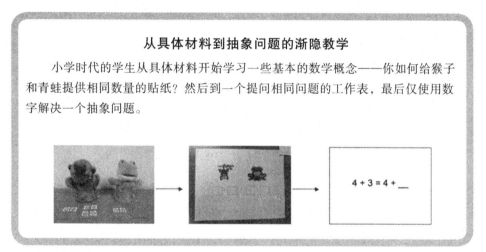

资料来源:From Fyfe, E. R., McNeil, N. M., & Borjas, S. (2015). Benefits of "Concreteness Fading" for Children's Mathematics Understanding. Learning and Instruction, 35, p. 107.

图 10.1　从具体材料到抽象问题的渐隐教学

为了移交责任和支持不断增长的专业知识,支架的设计应该让学生在学习的过程中做出选择,考虑不同选择的后果,制定策略决策,并选择行动路径。如果学生遵循这种方法,他们将能够为自己的学习承担越来越多的责任,因此渐隐将更加成功(Belland, 2011)。这种支架也有助于学生成为"自我支架"(Radford 等, 2015)。

先行组织者作为支架。促进学习与动机的一种方法是借由先行组织者(advance organizer)①开始一个课程或活动(Melrose, 2013),提供足够概括的介绍性材料,以涵盖

_____

①先行组织者——为介绍和总结随后材料对包容性概念所做的陈述说明。

随后学习的所有信息。组织者可以服务三个目的:指引你关注下面材料中的重要内容;强调将要呈现的观点之间的关系;提醒你回想已学的相关信息。

先行组织者分为比较性组织者和说明性组织者两类(Mayer,1984)。比较性组织者激活(进入工作记忆)已有图式。它们会让你想起你已经知道的东西,但你可能意识不到它们与正在讨论的新话题相关。历史课中有关革命一节的比较性先行组织者可能是将军事起义与工业革命中物质和社会变化进行对比的陈述,也可以比较法国、英国、墨西哥、俄罗斯、伊朗、埃及和美国革命的共同之处(Salomon & Perkins,1989)。

相比之下,说明性组织者提供学生需要的新知识,以便理解即将学习的信息。在英语课上,将要学习文学作品中关于成人礼的主题单元,你可以以一篇关于这个主题的非常概括的陈述和简要分析为什么它在文学中如此重要作为开始,就像"一个主要人物的成长必须学会认识自己,经常去自我审视自我发现,并且必须去判断在社会上什么是可以被接受的,什么是应该被拒绝的。"这样的组织者可以先于阅读诸如《哈克贝利·费恩历险记》(The Adventures of Huckleberry Finn)之类的小说。

有关先行组织者的研究得出如下一般性结论:先行组织者确实支持学生学习,特别是当学习材料非常陌生、复杂或困难时——而且要满足两个条件(Langan - Fox,Waycott, & Albert, 2000;Morin & Miller, 1998)。第一,要想有效,学生必须理解先行组织者。丁内尔和格洛弗的一项经典研究戏剧性地证明了这一点(Dinnel & Glover,1985)。他们发现,指导学生改写先行组织者——这当然要求他们理解先行组织者的含义——提高了先行组织者的效率。第二,先行组织者必须是真正的组织者——它必须指出在接下来的课程中将要使用的基本概念和术语之间的关系。具体的模型、图表、概念图、表格、时间表或类比似乎是特别好的组织者(D. H. Robinson, 1998;D. H. Robinson & Kiewra, 1995)。

通过提出和回答深层问题来促进学习。对四年级到大学的学生进行的科学、数学、历史和文学等不同学科的研究表明,教师可以通过培训学生在阅读、听讲座或参与课堂讨论时提出和回答深层次问题来促进学习。为了有效,你首先必须确保所有学生都掌握了深入思考所必需的基本事实和知识。然后,你可以识别一些深层问题,这些问题可以促使学生对内容中的基本原则和重要思想进行推理,提出合理的论点,并提供证据(Pashler et al. , 2007)。提出和回答深层次问题既不容易也不是天生就具备的,学生在学习这些技能时必须得到支持。下面是摘自帕施勒等人的"指南:促进深层提问"提供了一些建议(Pashler et al. , 2007)。

指南:促进深层提问

鼓励学生在学习或讨论某个主题时,随着说出或写出他们的解释而同时进行出声思考。举例:

1. 呈现一个具有挑战性的故事,并要求学生边读故事边出声思考,说出自己的解释,将故事与个人经历和已有知识联系起来。

2. 让学生对彼此的解释做出回应,并考虑多种解释。

3. 在适当的情况下,使用研讨性论证(第九章),就什么是好的解释达成合作共识。

提出需要解释的问题,而不仅仅是背诵事实或重复课文来回答。举例:

1. "蜜蜂的毁灭将如何以及为什么会影响我们星球上的其他生命?""如果有一位候选人分别赢得1860年、1952年和2016年的总统大选,美国将会发生怎样的变化?"

2. 提供好的、深层次的问题范例,并教学生区分像上述那样需要解释的深层次问题和只需要事实回答的表面性问题,例如"什么昆虫给花授粉?""1860年、1952年和2016年的两位主要总统候选人是谁?"

提出挑战学生已有信念和假设的问题。举例:

1. 提出强调令人困惑或矛盾的情况的问题,例如,"为什么定期经历火灾对森林有益?"

2. 提出让学生用事实和证据捍卫自己立场的问题。

资料来源:Based on Pashler, H. , Bain, P. , Bottge, B. , Graesser, A. , Koedinger, K. , McDaniel, M. , & Metcalfe, J. (2007) Organizing Instruction and Study to Improve Student Learning (NCER 2007 – 2004). Washington, DC: National Center for Education Research, Institute of Education Sciences, U. S. Department of Education. Retrieved from http://ncer. ed. gov.

在此重申我赞同的一个主张,教师在建构主义课堂上并不是无关紧要的,相反,他们是辅助者和学习环境的设计者。我们已经探索了建构主义的促进作用。现在让我

们来看看建构主义教和学的几种设计:探究与基于问题的学习、认知学徒制与交互式教学。

探究学习和基于问题的学习

杜威早在1910年就描述了探究学习(inquiry learning)①的基本形式。教育工作者已经将这种教学策略发展出很多变式,但其基本形式通常包括以下一些要素(Echevarria, 2003; Lashley, Matczynski, & Rowley, 2002)。在教师向学生呈现一个有难度的事件、问题或困境后,学生需要:

- 收集数据验证假设;

- 得出结论;

- 反思初始问题及解决问题的思维过程。

这是探究学习的概貌,但探究学习具体是什么? 埃林·弗塔克(Erin Furtak)和她的同事将探究中的实际活动和过程分为程序的(动手实践、提出科学问题、实施科学程序、收集数据、绘图或绘制数据)、认知的(根据证据得出结论、生成和修订理论)、概念的(连接学生的已有知识、激发学生的思维模式和想法)与社交的(参与课堂讨论、争论和辩论思想、演讲、协作)四类(Erin Furtak, 2012)。研究人员分析了从1996年至2006年进行的37项研究,这些研究将探究方法与传统的科学教学进行了比较,他们发现当探究方法包括认知活动或者将认知、程序和社交活动组合起来时对学生学习的影响最大。因此,与传统的以教师为中心的教学方法相比,让学生合作去实际操作科学步骤、收集和表示数据、得出结论、辩论想法和做演讲更有效。但在这些活动中,教师的指导和支持是很重要的,仅仅让学生自己做实验是没有效果的。

探究学习举例。雪莉·马格努森和安玛丽·帕林克萨(Shirley Magnusson & Annemarie Palincsar)编制了一套规划、实施和评价探究不同阶段的科学单元的教师指南,称作"支持学生多元素养的引导性探究模型"(Guided Inquiry Supporting Multiple Literacies, 简称 GisML, 如图 10.2 所示)(Hapgood, Magnusson, & Palincsar, 2004;

---

①探究学习——教师首先提出一个疑难问题情境、然后学生通过收集数据以及检验结论来解决问题的一种教学方法。

Palincsar, Magnusson, Collins, & Cutter)。教师首先需确定好课程内容和一些一般的引导性问题、难题或困境。例如,一个教师选择交流作为探究的内容,与此相对应的一般性问题是:"人类和动物是如何进行交流的? 为什么进行交流?"然后这位教师可提出一些具体的聚焦性问题:"鲸是如何进行交流的?","大猩猩是如何进行交流的?"教师要谨慎选择特定的聚焦性问题,以引导学生获得更重要的理解。在理解动物的交流方式时,一个关键问题是了解动物的身体结构、生存技能和生活习性之间的关系。动物具有某些特殊的身体结构,如大大的耳朵或回声定位器,这些结构的功能是帮助动物寻找食物、吸引异性同伴或辨认敌人。而这些结构和功能都是与动物的习性有关系的——例如用于在黑暗中航行的大耳朵。这样看来,要想了解动物的交流方式,关键问题是找出动物与众不同的用于交流的生理结构、能够得以生存的生理功能以及生活习性。而那些关于某动物与其他动物有何相似或相同类型的生理结构或习性的问题,就不是好的引导性问题(Magnusson & Palincsar, 1995)。

接下来的步骤就是让学生投入探究过程中,可以通过模仿不同动物的叫声,让学生猜测它们的交流方式,并询问学生的猜测及假设。然后学生开始调查一手资料以及二手资料。一手资料指直接经验和实验,如测量蝙蝠的眼睛和耳朵的大小与它们身体之间的关系(借助图片或音像资料而不是实体);二手资料的调查指学生通过书籍、网络、采访专家和其他渠道来收集特殊的信息或有关的新观点。作为调查的一部分,学生还需要确认模式。图10.2 中的曲线表示这样的循环过程是可以重复的。实际上,学生可能已经反复多次进行了调查、确认模式以及报告结果这些步骤,然后才着手整理对问题的解释,并做最后的总结报告。另一种可能是,在做出假设并检验它之前对其解释进行评价,即将解释置于新的情境中。

探究教学使学生能够同时学习具体的内容和探究过程。在上述例子中,学生学习了动物如何交流以及身体结构如何与习性相关等知识。另外,他们还学习了探究过程本身——如何解决问题、评价解决方案、批判性地思考等。

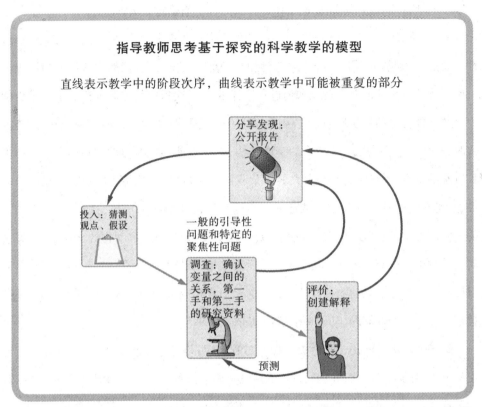

指导教师思考基于探究的科学教学的模型

直线表示教学中的阶段次序，曲线表示教学中可能被重复的部分

分享发现：
公开报告

投入：猜测、
观点、假设

一般的引导性
问题和特定的
聚焦性问题

调查：确认
变量之间的
关系，第一
手和第二手
的研究资料

评价：
创建解释

预测

资料来源：Based on "Designing a Community of Practice: Principles and Practices of the GisML Community," by A. S. Palincsar, S. J. Magnusson, N. Marano, D. Ford, and N. Brown, 1998, Teaching and Teacher Education, 14, p. 12. Adapted with permission from Elsevier.

图 10.2 指导教师思考基于探究的科学教学的模型

基于问题的学习。探究学习由科学实践而来,基于问题的学习则来源于对医学领域专业知识的研究(Belland,2011)。通过基于问题的学习,学生能够形成灵活、有用的知识,而不是惰性知识。惰性知识只是记忆在学生大脑中的信息,很少被应用于实际情境中(Cognition and Technology Group at Vanderbilt,1996;Whitehead,1929)。

基于问题的学习(problem - based learning)①中,学生们分组工作,面对现实生活中真实存在的结构不良问题,并且这些问题不存在唯一正确的解决方案(Belland,Kim, & Hannafin,2013;Lisette et al.,2014)。第一个阶段,即初始问题讨论中,学生根据场

———————

①基于问题的学习——学生们遇到一个问题并展开探究学习,在他们合作寻找解决方案的过程中学习有价值的信息和技能。

景中的事实来识别和分析问题,然后确定他们已经知道的内容。很快就会发现学生需要更多的信息来确定学习问题,这些问题将会指导下一个阶段,即对学习问题的个人研究。在个人研究阶段之后,学生回到小组报告他们的研究结果,并合作寻找解决问题的方案。当他们提出解决方案的各种设想后,学生运用他们的新知识对问题解决方案进行评价,如果有必要的话,还要循环重复研究的步骤。最后,学生对他们自己所获得的知识和技能进行反思。在整个过程中,学生不是单独一人,也不是没有指导的。教师、计算机软件支持系统、相关模型、教练技术、专家提示、指导手册、组织支持以及合作小组中的其他学生,可以为他们的思维和问题解决提供很好的支架作用,因此,他们的工作记忆没有出现过多负荷。例如,当学生进行探究学习的时候,他们需要填写表格,或者在白板上写下事实、想法、学习问题和行动计划四列,而这可以帮助他们对科学论点中的"观点"和"原因"进行区分(Hmelo-Silver, 2003; Hmelo-Silver, Ravit, & Chinn, 2007)。

在真正的基于问题的学习中,问题是真实存在的,学生的行动更是至关重要的。例如,在2010年深海石油泄漏事件发生后,许多老师将其当作了教学案例。学生们从大小、位置、损失、起因和解决办法等方面,将此次石油泄漏事件和其他泄漏事件进行比较。可以采取什么措施? 水流和潮汐会对此产生什么影响? 哪些地区、商业以及野生动物处在危险之中? 会对经济和环境产生哪些短期和长期影响? 学生可以采取哪些有建设性的行动? 后来,许多教师在博客中分享了将这次石油泄漏事件作为基于问题学习的各种案例,并为其他教师提供了可借鉴的资源(请访问 edutopia. org/并搜索"石油泄漏"以找到更多资源)。下面让我们来仔细地看看这些阶段,因为他们也可能发生在高水平的科学课堂中(S. S. Klein & Harris, 2007)。

1. 学习圈始于给全班学生提出一个激发他们兴趣的挑战任务。例如,在学习生物力学时,可以给学生提出这样的挑战:"假设你是生物反应器的一个活细胞,什么会影响你的寿命呢?"或者:"你奶奶患病的臀部正在康复,她该用哪只手扶拐杖来帮助她保持平衡呢?"所有问题的设计,都要求学生利用他们当前的知识和概念。

2. 接下来,学生利用个人、小组或全班的头脑风暴或其他活动产生观点,将他们当前所知道和相信的内容以及他们需要知道的内容组织汇编起来。

3. 学生独自研究某个主题。通过各种外部媒介(电视直播、录像视频以及书本等)、网页、杂志、报刊文章或某一主题的播客等形式,在学习过程中加入多种视角。

4. 学生们更为深入地进行研究和修正。他们查询更多的资源或者听相关讲座,不断地修正自己的观点,并可能将其思维过程记录下来。

5. 学生通过其他学生或教师对其结论的反馈来检验自己的理解。在这一点上,某些形成性(不打分)测验可以检查他们的理解。

6. 学生回到他们的小组,讨论结论,并且通过口头报告、海报展示、项目成果或最终考试等形式,将他们的最后结论或解决方案公开化。

教师在基于问题的学习中的角色是:确定所要解决的问题和提供恰当的资源;通过描述目标和基本原理,引导学生认识问题;帮助学生设定目标、明确任务;当学生收集信息、制定解决方案和准备成果(模型、报告、录像、幻灯片、作品集等)时,给予支持、训练和指导;鼓励学生对其学习过程和结果进行反思(Arends & Kilcher, 2010)。

关于探究与基于问题的学习的研究。使用探究和基于问题学习活动,就会带来更好的学业表现吗? 这一问题的争论已经持续了许多年。其中一些研究得出了"肯定"的结论(Belland et al. , 2013; Furtak et al. , 2012; Loyens et al. , 2015)。但是,并非所有教育心理学家都认同基于问题的学习对所有学生都是有价值的。关于这一点,你可以在后面的"观点与争论——探究和基于问题的学习是有效的教学方法吗?"中看到。

观点与争论:探究和基于问题的学习是有效的教学方法吗?

探究学习、发现学习和基于问题的学习都非常吸引人,但是它们是否真的有效? 具体来说,这些方法是否能使大多数学生获得深刻的理解和扎实的知识?

观点:基于问题学习被高估了。

保罗·克施纳(Paul Kirschner)和他的同事曾在《教育心理学家》(Educational Psychologist)杂志上发文对此进行了明确的批评。甚至这篇文章的标题也很直白:《为什么在教学中给予最少的指导是无效的:对建构主义教学、发现式教学、基于问题的教

学、试验性教学和探索式教学失败原因的分析》。在该文中,他们明确指出:

> 尽管非指导性教学或者说最低限度指导的教学方法非常流行,而且看上去更吸引人。但问题在于这些教学方法忽视了构成人类认知结构的框架,同时还忽视了已有的实证研究证据,即在过去半个世纪以来,研究一直表明相比于强调对学生学习过程进行引导的指导性教学方法,最低限度指导的教学方法并不十分有效。(Kirschner, Sweller, & Clark, 2006, p. 75)

一些广受尊重的研究者(以及近来的一些研究者)通过梳理以往数十年的研究,指出非指导性的发现/探究学习和基于问题的学习是没有效果的,尤其对于那些先前知识匮乏的学生而言更是如此(Kalyuga, 2011;Klahr & Nigam, 2004;Tobias, 2010)。路易斯·阿尔菲里(Louis Alfieri)和他的同事对过去50多年的108个研究的研究结果进行梳理后发现,外显的教学比不给予指导的发现式教学更有益处,尤其是那些发表在高水平期刊上的研究更是如此,他们的结论是:"不给予指导的发现式教学,基本不会促进学习。"(Alfieri, 2011, p. 12)

那么,基于问题的学习情况又怎么样呢?大部分关于基于问题的学习的研究都集中在医学院,研究结果也各异。在一项研究中,学生在基于问题的教学指导下,在诊断技能上表现更好,如确诊和推理能力有所提高,但在基础科学知识上表现更糟,似乎他们在科学知识方面准备不足(Albanese & Mitchell, 1993)。其他研究者在对医学院基于问题学习课程进行研究综述后,也得出了如下结论:这种教学方法在促进学生获得更高层级知识方面,是没有效果的(Colliver, 2000)。

对立的观点:基于问题的学习是一种有效的教学方法。

例如,与那些刚刚听过关于哥伦比亚号航天飞机失事的讲座的学生相比,参与基于问题学习的中学生对此表现出更好的理解能力和推理能力(Wirkala, & Kuhn, 2011)。在一项针对某大城区接近20000名使用探究材料的初中生进行的调查发现,那些参与探究学习的学生在标准化学业测验上有更高的通过率,尤其是非裔美国男孩从这些探究学习方法上受益最多(Geier et al., 2008)。其他几个研究也显示,只要学习过程有支持并且学生有足够的背景知识,探究学习方法就能够提高学生的学习投入,并增强探究学习的动机(Hmelo-Silver et al., 2007)。在荷兰进行的基于问题学习的一个大规模医学项目中,施密特(Schmidt)和他的同事得出了这样的结论:基于问题学习项目的学生相比于传统项目的学生,在实际医学技能和人际互动技能上表现更好,花费更少的时间完成学业,而且在医学知识和诊断推理能力上有微弱的优势(Schmidt, 2009)。在对高中经济学课程和数学课程的研究发现,在学习更复杂的概念和解决多步骤的应用问题时,人们更倾向于使用基于问题的学习方法。擅长自我管理、知道何时寻求帮助的学生会从基于问题学习方法中受益更多(Evensen, Salisbury-Glennon, & Glenn, 2001),而长期使用基于问题学习方法会帮助学生形成自我指导的学习技能。

总之,辛迪·赫梅洛银(Cindy Hmelo-Silver)对以往研究进行回顾后发现,已有证据表明基于问题学习有助于学生建构灵活的知识体系、培养问题解决能力和自我指导的学习技能,但是鲜有证据表明基于问题的学习能激发学生的内在动机或促进学生的合作学习(Hmelo-Silver, 2004;Hmelo-Silver et al., 2007)。

当心"非此即彼"。探究和基于问题学习有效与无效的差别,似乎来自它们是完全非指导性教学、还是有指导有支持有良好支架的教学。阿尔菲里和他的同事总结道:

> 最佳的教学策略应该至少包含下列三个特点之一:(1)有引导性的学习任务,而且具有支架来辅助学习。(2)学习任务需要学习者能够对自身的想法进行解释,并且通过提供及时的反馈来保证这些想法是正确的。(3)能够提供有效的案例来说明如何有效地完成学习任务。(Alfieri, 2011, p. 13)

但让事情变得更复杂的一点是,有证据表明指导和反馈的价值取决于学生的先前知识或年龄。例如,在学习数学问题解决策略时,知识较少的学生在探索可能的解决方案时会从反馈中获益,而拥有一些知识的学生在没有反馈和指导的情况下可以仅从独立探索解决方案中获益更多(Fyfe, Rittle – Johnson, & DeCaro, 2012)。此外,一年级学生通过计算机进行非指导性发现学习比接受直接教学能够更好地学习一些基本的数学推理技能,这可能是体现幼儿非结构性游戏价值的一个例子(Baroody et al., 2013)。

明智地实施基于问题的学习。你不必在探究式学习方法和聚焦于具体内容的学习方法之间进行选择。在中小学里,最好的教学方法可能就是在内容掌握和探究或基于问题的学习这二者之间保持一种平衡(Lisette et al., 2014)。例如,伊娃·托斯、戴维·克拉尔和陈哲在教授四年级学生如何在科学课上使用控制变量策略设计出良好实验中,对这种平衡的教学方法进行了试验(Eva Toth, David Klahr, & Zhe Chen, 2000)。这种方法包含三个阶段:(1)学生以小组的形式先进行探索性实验,以确定能使小球在斜坡上滚得更远的变量。(2)教师带领学生进行讨论,解释什么是控制变量策略,并示范如何进行实验设计的思考。(3)学生设计和实施应用性实验,以分离出那些能使小球滚得更远的变量。提问、讨论、解释和示范的相互结合,能够有效地帮助学生理解概念。显然,支架支持也是探究学习和基于问题的学习获得成功的关键因素。正如里奇·梅耶所观察到的,学生需要足够的自由和探索来获得精神上的积极参与,再加上适量的指导使心智活动富有成效(Rich Mayer, 2004)。

最重要的是,如果有适当的支架和教师辅导,基于问题的学习可以有效地帮助学生学习解决结构不良问题。例如,教师可以选择和限制个人研究阶段的研究材料数量,提供关于所确定的学习主题的问题和答案模型,提供关于良好解决方案特征的指导,并在此过程中给出反馈(Lisette et al., 2014)。

另一个需要支架的建构主义方法是认知学徒制。

认知学徒制与交互式教学

几个世纪以来,学徒式教学已经是一种公认有效的教育形式。通过与师傅或其他学徒一起工作,年轻人能够学会很多技能、学会做生意或者学会一门手艺。知识渊博的引导者提供了学习的榜样、演示和正确做法,同时也提供了有利于提高学习动机的人际关系。在学徒制中,要求学习者进行的操作很真实,也很重要,同时随着学习者技能的愈加娴熟,操作的复杂性也在增加(A. Collins, 2006；Hung, 1999；M. C. Linn & Eylon, 2006)。随着在实际任务中的引导性参与变为参与性内化,学生不断内化知识、技能以及操作任务中涉及的价值观(Rogoff, 1995, 1998)。另外,新加入的学习者与较早参与的学习者,通过双方对技能的掌握和再掌握,能共同促进实践共同体的发展——有时也能够在这个过程中提高自己的技能(Lave & Wenger, 1991)。

艾伦·科林斯(Allan Collins)提出,学生在学校所学的知识和技能与他们在校外所需要的知识与技能是割裂开来的(2006)。为了改变这种不平衡状态,一些教育家建议学校应利用学徒制的许多特征,但并非让学生去学习雕塑、跳舞或做衣柜,学校中的学徒制应该关注认知目标,如阅读理解、写作或数学问题的解决等。认知学徒制(cognitive apprenticeship)①有很多种模式,但大多数都具有以下六个方面的特征:

- 学生观察专家(通常是教师)示范操作；

- 学生通过教师的训练或辅导(包括提示、调整、反馈、示范及提醒)获取外部支持；

- 学生接受概念性支架,随着他们学得越来越娴熟、精通,逐渐撤除支架；

- 学生不断地清晰阐述他们所获得的知识——将其对学习过程的理解以及学到的内容用文字表达出来；

- 学生反思自身的进步情况,将他们解决问题的方式与专家的操作以及他们先前的操作进行比较；

- 要求学生运用自己所学的知识探索解决问题的新方式——这些方式是师傅尚未示范过的。

当学生学习时,会面临很多挑战,他们需要掌握更为复杂的概念和技能,并需要在很多不同的情境下加以运用。

那么,教学过程中如何提供认知学徒关系呢?教学中的导师制就是一个例子。另外一个例子是把不同年龄的学生编排成一个小组。基小学是印第安纳州波利斯市的

---

①认知学徒制——一个经验不足的新手在专家的引导下获得知识和技能的一种教学关系。

一个市内的公立小学,在这个小学里,不同年龄的学生每天在固定的时间聚在一起,在专门设计的具有很多学徒情境的专题中共同学习。这些专题可能针对一项技巧,也可能是一门学科,还可能是园艺、建筑,甚至是"如何赚钱"这样的内容。不同年龄的学生其专业水平显然不同,所以学生可以在舒服自然的情境中学习,并且还能够从水平较高的同学的示范中获益。社区志愿者,包括很多父母,都会去参观有关专题的技能学习情况。

阅读中的认知学徒制:交互式教学。交互式教学(reciprocal teaching)[1]的目标是帮助学生理解和深入思考他们所阅读的内容(Oczuks, 2003; Palincsar, 1986; Palincsar & Brown, 1984, 1989)。为了实现这个目标,学生在阅读小组学习时要学习四个策略:总结一篇文章的内容、问一个关于中心观点的问题、搞清材料中的难点部分、预期接下来要发生什么事情。熟练的阅读者几乎可以自动化地运用这些策略,而阅读困难者却很少用到这些策略——或者他们不知道如何运用。为了有效地运用这些策略,阅读困难者需要在直接指导、示范和在实际阅读情境中练习。

首先,教师对这些策略进行介绍,可以每天只关注一个策略。作为专家,教师解释并示范每个策略,并鼓励学生进行实践。接下来,教师和学生一起默读短文。然后,教师通过在阅读基础上的总结、提问、阐述或预期,再提供一次示范。每个人再读另一篇文章,学生逐渐充当教师的角色,而教师成为小组中的一员。当学生接管教学任务后,教师最终可以放手。通常情况下,学生第一次尝试这些策略时会犹豫不决,也会存在一定的问题。但是教师可以通过提供线索、指导、鼓励、做部分任务来提供支持(如提供问题)、示范以及其他的支架形式来帮助学生掌握这些策略。这样做的目的是让学生学会独立使用这些策略。

交互式教学的应用。尽管交互式教学看起来似乎对任何年龄的学生都有用,但大多数相关研究采用年龄小的青少年做被试,因为他们能正确地大声朗读,但是在阅读理解方面却远远低于平均水平。练习了 20 多个小时交互式教学法后,许多在班上处

---

①交互式教学——学习运用提问、总结、预期和阐述的策略;旨在帮助学生理解和深入思考他们所阅读的内容。

于后四分之一位置的学生进步到了平均水平或在阅读理解测验中高于平均水平。帕林克萨(Palincsar)确定了有效交互式教学的三个指导方针：

1. 逐渐转变。即从教师到学生的责任转换必须是逐渐进行的。

2. 使要求和能力相匹配。即任务的难度和责任必须与每个学生的能力相匹配，并随这些能力的发展而增加。

3. 诊断思维。即教师应该仔细观察对每个学生的"教学"，为学生怎样思考以及学生需要什么类型的教学提供线索。

与试图教40个或更多策略的教学方法相反，交互式教学的好处是它集中关注四个强有力的策略。但是这些策略必须教授给学生，不是所有的学生都能自己形成这些策略。一个进行了三年多的交互式教学研究发现，提问是最常用的策略，但必须教学生怎样问高水平的问题，因为大多数学生的提问都是字面化的或表面化的(Hacher & Tenent, 2002)。交互式教学的另一个优点是，它强调在真实地阅读文学作品和阅读课文等情境中练习这四个策略。最后，给学生提供支架，并逐渐让学生独立和流畅地进行阅读理解，这个观点通常是交互式教学和认知学徒制的关键成分(Rosenshine & Meister, 1994)。如果你想了解一些交互式教学的小片段，请访问 readingrockets. org 并搜索"reciprocal teaching"(交互式教学)。

协作与合作

尽管当今所有学校都在关注学业水平测试以及国际比较，但学校教学远远不止是学业学习。当然，学业成绩依然是学校教育的主要指标，但协作能力是21世纪的一个核心能力。

绝大多数公司在招募职员时，不仅要求对方具有某一专业技能，更要求他能与各种各样的同事合作，形成一个紧密和谐的团队，在工作中表现出主动性、责任

感,并且能高效沟通。(Aronson, 2000, p.91)

自从20世纪70年代,研究者对学校中的协作与合作学习进行了研究。像阿伦森和罗斯切尔(Aronson & Roschelle)等人认为,学会成功协作本身就是一项重要技能,也是未来成功的必要条件。其他教育学家声称协作是学习学业材料的一种方式,所以我们可以说学习协作和协作学习是两个目标(Kuhn, 2015)。当然教师不必做出选择,两者都是有价值的。

尽管研究结果不一致,但大多数研究发现,真正的合作性小组——从幼儿园到大学——对于学生的共情、对差异性的宽容、归属感、友谊、自信、对他人观点的意识、高水平推理、问题解决、决策、写作甚至校园出勤都有积极的影响(Galton, Hargreaves, & Pell, 2009; Gillies & Boyle, 2011; Solomon, Watson, & Battistich, 2001; Zhang et al.)。甚至有人认为合作学习的经验对于预防儿童和青少年遭遇许多社会问题至关重要(Gillies, 2003, 2004)。约80%的小学教师和62%的中学教师经常使用某种形式的同伴学习(Ladd et al. , 2014b)。

协作、小组工作与合作学习。人们经常互换使用"协作"、"小组活动"、"合作学习"这些字眼,好像它们是同一回事。当然,这三者之间的确有一些重叠之处,但也存在一些差异。首先,"协作"与"合作"之间确实较难进行清晰的区分。特德·巴尼茨(Ted Panitz)指出,协作(collaboration)①是如何与他人学习和工作的哲学思想(Ted Panitz, 1996)。我们在协作过程中,尊重差异,分享权利,同时也共享知识。另一方面,合作(cooperation)②则指为了达到某一共同的目标而与他人一起工作(Gillies, 2003)。协作学习源于英国教师的工作,他们希望学生对其所学的文学著作进行积极回应;合作学习则源于美国心理学家杜威(John Dewey)和勒温(Kuit Lewin)的成果。当然,你也可以认为合作学习就是在学校进行协作的一种方式。

另一方面,小组活动仅指几个学生在一起学习——不管他们是否真正在合作。在

---

①协作——如何与他人学习和工作的哲学思想。
②合作——为了达到某一共同目标而与他人一起工作。

小组中,有很多活动可以完成,如学生们可以一起划分区域开展当地调查。人们对于建立新的购物商场的意见如何呢? 一方面商场的建立会带来生意,同时又会使交通阻塞。一个社区的住户是支持还是反对核电站的建立呢? 如果学生在一节生物课上必须要掌握10个新概念,那为什么不让学生把概念和术语分组,并让他们互相教授呢? 然而,我们一定要确定小组中的每个人都能够完成任务。有时,整个小组的工作最后是由一两个人完成的。

小组活动是有用的,但真正的合作学习绝不仅仅是将学生分组和分工。在罗格斯大学,我的同事安杰拉·奥唐奈(Angela O'Donnell)和吉姆·奥凯利(Jim O'Kelly)描述了一个声称自己使用"合作学习"进行教学的老师,他让学生两人一组写一篇论文,每人写一部分。不幸的是,该教师根本没提供时间给学生一起来学习,教师在这个过程中没有具体指导或者未对合作学习中的交往技巧予以指导。学生得到一个个人分数,同时得到整篇文章的一个小组分数。某一学生可能在独立活动中得了"A",但其所在小组仅得"C",这是因为他的同伴得了"F"——他从来没有交过任何作业。所以,一个学生可能因为无法控制局面而受到"C"的惩罚,而另一个学生则可能因在小组内什么也没做而得到"C"的奖励。这并非合作学习,甚至连小组工作都算不上(O'Donnell & O'Kelly, 1994)。

超越小组的合作。戴维·约翰逊(David Johnson)和罗杰·约翰逊(Roger Johnson)作为美国合作学习的两位发起人,将正式的合作学习(cooperative learning)①界定为"学生在一节课或几周的时段内一起学习,以达到共同的学习目标和共同完成某项任务和作业"(David & Roger Johnson, 2009a, P.373)。约翰逊兄弟列举了真正的合作学习小组的5个要素:

- 积极的相互依赖;

- 促进性互动;

- 个人责任;

_____

①合作学习——将精细加工、阐释、解释以及论证等整合到小组活动中,且学习受到其他个体支持的一种学习情境。

● 协作与社交技能;

● 小组自评。

小组成员会体验到积极的相互依赖。成员们相信只有小组其他成员达到了目标,他们才能够达到目标,因此他们会互相支持、解释和引导。促进性互动是指小组成员鼓励并且支持彼此的努力,他们通常面对面或利用数字媒体聚拢在一起进行互动,而不是在教室分散而坐。尽管学生感到有责任在一起学习并互相帮助,但小组成员最终还必须依靠自己来学习。他们在学习中有个人责任,这通常通过个体测验或其他评估方式来衡量。

协作和社交技能对有效的小组运作是很必要的。这些技巧包括:即使你有不同意见也要关注和倾听;有礼貌地反对和分享观点;轮流承担工作;做好分内的事情;甚至与非你选择的合作伙伴一起工作;寻求或提供帮助;给予建设性的反馈;达成共识;让每个成员都充分参与;鼓励和赞美;控制情绪和沮丧;鼓舞伙伴;承认错误以及其他技能(Ladd et al., 2014a, 2014b)。这些技能不是天生的,即使对社交能力强的学生也如此。通常,在小组解决学习任务之前,教师必须教授或让学生练习这些技能。最后,小组成员要监控小组合作过程及关系,以确保小组有效地运作,并了解小组的动力状况。学生需要花时间询问:"我们小组做得如何? 每个人都和他人一起合作了吗? 我们下次有哪些需要改进的?"

不同的学习理论流派对合作学习有着不同的解释(O'Donnell, 2002, 2006)。信息加工理论强调小组讨论的价值,认为小组讨论能够帮助参与者复述、精细加工,并扩展他们的知识。当小组成员提出问题并加以解释时,他们必须组织相应的知识、形成联结,并进行总结——所有过程都支持信息的加工与记忆。皮亚杰流派的支持者认为,组内互动能够对个体构成认知冲突和不平衡,促使个体重新思考自己的理解,并想出新的观点。或者正如皮亚杰所说的"超越现状,达到新的境界"(Piaget, 1985, P. 10)。维果斯基理论的支持者认为,社会互动对学习是非常重要的,因为推理、理解和批判性思维等高级心理机能起源于社会交往,而后被个体内化。学生在独立完成心理任务之前,可以借助社会支持来完成。因此,合作学习为学生进一步学习提供了社会支持和支撑。想要从合作学习中受益,那么小组成员之间必须开展真正的合作——所有成员都必须参与。

合作学习在美国教育上有着悠久的历史,在时间的长河中不断发展着。如今,建构主义的发展推动了人们对合作学习情境的高度关注。这种方法现在在世界大部分地区的学校和大学的每个学科领域都被采用,从幼儿园到研究生院到成人培训项目(D. Johnson & R Johnson, 2009, p. 365)。研究支持这一教学组织方式的广泛使用,例如澳大利亚的一项对八至十二年级学生的研究发现,与无结构的学习小组相比,积极相互依赖和互相帮助的结构化合作小组的学生在数学、科学和英语上学到了更多(Gillies, 2003)。此外,较之无结构小组的学生,结构化小组中的学生也反映学习更为有趣。

但正如任何一位教师或家长所知的一样,将学生放在一个小组内并不能保证合作学习会自动发生。

可能出现的问题:小组学习的误用。 如果缺乏教师的仔细计划和监控,小组互动可能会阻碍或恶化,而非改善班级的社会关系(Gillies & Boyle, 2011;Kuhn, 2015)。例如,如果一个小组内有从众压力——小组中的奖赏使用不当或某个同学占据主导地位——那么互动就是没有收益的,而且不能带来反思。如果没有正确的反馈机制,错误概念可能受到强化,而且更糟糕的是,学生可能建构起非常肤浅的甚至是不正确的理解(Asterhan, Schwarz, & Cohen – Eliyahu, 2014)。在组内学习但得到错误答案的学生可能会更加确信他们是正确的——正所谓"两个错误的头脑与一个相比情况更糟"(Puncochar & Fox, 2004)。此外,无论学生的不同观点是否有价值,当高成就学生的观点被接受或受到强化时,低成就学生的想法可能被忽略,甚至受到嘲笑(C. W. Anderson, Holland, & Palincsar, 1997;E. G. Cohen, 1986)。玛丽·麦卡斯兰和汤姆·古德列举出小组学习可能存在以下缺点(Mary McCaslin & Tom Good, 1996):

- 学生往往重视过程和程序,而忽略了学习本身;他们对速度与任务完成的关注,要先于深思熟虑与认真钻研。
- 学生优先关注社会化和人际关系,而不是学习本身。

●学生可能仅仅把对教师的依赖转移到对小组内的"专家成员"的依赖——学习依旧是被动的,而且学到的可能是错误的。

●组员之间的差异可能会被加大,而不是减小。一些学生学会了虚度光阴,因为小组进步和他们自身对小组的贡献没有什么关系;而其他学生可能更加坚信没有小组的支持,我是无论如何也没法弄懂那些问题的。

德亚娜·库恩(Deanna Kuhn)总结了这种情况:"仅仅将个人置于允许协作的环境中并期望他们有效参与其中是不够的。智力协作是一种技能,是通过参与、实践以及多次尝试和犯错而习得的"(Kuhn, 2015, p. 51)。没有对任务设计的认真关注和对合作的支持,学生很可能无法从协作活动中受益。

那么教师应该如何避免出现这些问题,以及如何鼓励学生进行真正的合作学习?与任何教学活动一样,合作学习有三个阶段需要教师的准备和参与:课前、课中和课后。为了确保合作学习的成功,教师必须在活动前做好计划;在活动中对学习进行监控、支持和巩固;并且在活动后对学习进行反思,如表 10.3 所示。

表10.3　教师在合作学习中的作用

下面是一些成功的合作学习所需要的教师能力的例子,包括教师计划、监督、支持、巩固和最后反思。

活动前	活动中			活动后
规划/设计	监控	支持	巩固	反思
●目标/任务 ●材料 ●小组构成 ●角色/脚本 ●指导 ●计划评估	●确定在这个任务中哪些互动将导致学习。关注解释、提问、挑战、共享信息、阐述和肯定。	●支架和渐隐提示 ●不同层次的提示资源 ●鼓励 ●反馈 ●表扬 ●指导性问题	●课堂展示 ●比较/对比解决方案 ●全班讨论 ●个体测试	重新审视学习目标和计划: 监控揭示了什么? 支持是否合适? 学生学习了吗? 下次应该做些什么改变?

资料来源:*Based on Kaendler, C., Wiedmann, M., Rummel, N., & Spada, H. (2015). Teacher Competencies for the Implementation of Collaborative Learning in the Classroom: A Framework and Research Review. Educational Psychology Review, 27, 505–536.*

合作学习的任务

在一项对成功老师的访谈中,他们强调小组活动必须要周密计划,学生需要准备进行小组学习,老师对任务的期望必须要明确地表达出来(Gillies & Boyle, 2011)。正如教学中许多其他的决策一样,使用合作小组的教学计划也始于目标的设定。期望学生完成什么? 任务是什么? 是一个真正的小组任务吗? ——此任务是基于若干个学生来共同建立知识和技能,还是更适于个体来学习(E. G. Cohen, 1994; O'Donnell, 2006)?

合作小组的学习任务,可能是结构良好的,也可能是结构不良的。高度结构化的任务包括有特定答案的操作——如训练和练习、应用常规或程序、回答阅读中的问题以及计算数学题目等等。结构不良的复杂任务通常都有多个答案并且程序不明,需要发现问题以及高级思维的参与。这些结构不良问题才是真正的小组任务,也就是说,这些任务可能需要所有小组成员运用自身的资源(知识、技能、问题解决策略和创造力)来完成,而个体通常可以像小组合作一样高效地完成高度结构化的任务。了解这些区别是很重要的,因为比起常规任务,结构不良的、复杂的真实小组任务,似乎需要更多和更高质量的互动来进行学习和问题解决(E. G. Cohen, 1994; Gillies, 2004; Gillies & Boyle, 2011)。

高度结构化的、复习类以及技能构建型任务。人们可以很好地使用结构化技术,例如学生小组成绩分工法(student teams achievement divisions,简称 STAD),来完成一项相对结构化的任务,比如为考试复习先前学过的材料。这种分工法要求四人小组之间组与组进行比赛,确定哪个小组的成员比起先前成绩水平有了更大进步(Slavin, 1995)。教师给予学生表扬、认可或外在奖励,可以增强学生的学习动机、努力付出以及坚持不懈的程度,进而促进他们的学习。当学生面对需要练习或复习的任务时,教师通过给学生分派一些限定角色来聚焦对话,可以帮助学生保持对学习的投入。

结构不良、概念理解以及问题解决型任务。如果任务是结构不良的,而且在本质上需要更多认知活动,那么开放性的交流和精细化讨论则更为有益(E. G. Cohen, 1994; Ross & Raphael, 1990)。因此,当想要发展学生的高级思维以及问题解决能力时,使用鼓励学生进行扩展性和创造性互动的教学策略很适合。在这种情况下,高度结构化的过程、小组之间为获得奖励而竞争以及死板的角色分配等,都可能抑制学生互动,同时干扰达到学习目标的进程。使用开放性技术,如循环提问(King, 1994)、交互教学(Palincsar & Brown, 1984; Rosenshine & Meister, 1994)、配对分享(S. Kagan, 1994)以及拼图法(E. Aronson, 2000)都将使学生受到更大启发。因为当恰当使用这些技术时,教师能够鼓励学生在处理复杂的问题材料时进行更为广泛的互动和精细思考。在这些情况下,使用奖励可能会使小组从完成深度认知加工这一目标上分心。当给小组提供奖励时,学习的目标就变为尽可能高效地完成任务以获得奖励了,这可能意味着让成绩最好的学生完成所有工作(Webb & Palincsar, 1996)。

社会技能与交流的任务。当同伴学习的目标是增强社会技能或增强组间理解和欣赏多样性时,给学生分派特定的角色及指定其在小组内的职责,可能会促进学生的交流(E. G. Cohen, 1994; S. Kagan, 1994)。在这些情况下,学生之间互换领导角色将非常有益,这样少数族群学生和女生就有机会展示和发展其领导技能。此外,所有小组成员都能够体验每个个体的领导能力(N. Miller & Harrington, 1993)。这时,奖励可能是不必要的,而且它们可能会起到妨碍作用,因为此时学生关注的是建立一个共同体、获得被尊重的感觉以及让所有小组成员建立责任感。

建立合作小组

一个合作学习小组的规模应该多大呢?这取决于你的学习目标。如果小组学习的目标是复习、复述信息或练习,那么4至6个学生比较合适。而如果小组学习是鼓励每个学生参与讨论、解决问题或学习计算机,那么2至4个学生就是最好的了。还有,当设计合作小组时,通常还需要平衡男生和女生的比例。一些研究揭示,如果一个小组内的女生人数太少,那么除非这些女生的能力是最强或最积极进取的,否则她们往往并不参加讨论。与此形成对比的是,如果在一个小组内只有1或2个男生,那么他们往往能占据主导地位,而且女生总喜欢听取他们的想法,除非这些男生能力弱于女生或非常害羞。不管什么情况下,教师都必须监控合作小组,确保每个成员都对小组有所贡献并参与学习。

如果一个小组里包含一些被认为特殊的或者经常被排斥的学生,那么确保这个小组里有一些友善、包容的学生就很重要。吉利斯(Gillies)和波义耳(Boyle)访谈的一位成功教师这样说道：

> 我也试图确保一个小组里有一两个有包容心的学生。这样问题儿童至少会知道,尽管其他小组成员不会成为他的好朋友,但是他们也不会令他难堪。我试着安排一些温和的孩子与问题儿童在一个组。今年我遇到两个非常善于跟问题儿童相处的女生。她们不会忍受荒唐的行为,但是她们也不会反应过度,并且展现出了良好的社交技能(Gillies & Boyle, 2011, P. 72)。

分派角色。一些教师会给学生分派角色,以鼓励学生合作和全身心参与。表10.4描述了合作学习中的各种角色。如果你给学生分派角色,必须要确保这些角色是支持学生学习的。在小组内,如果我们着眼于改善学生的社交技能,那么所分派的角色应该支持倾听、鼓励以及尊重差异性。如果我们关注的是练习、复习或掌握基本技能,那么所分派的角色应该支持培养学生的毅力、鼓励他人和参与。如果我们重在高水平的问题解决或复杂学习,那么所分派的角色应该支持学生深思熟虑地讨论、互相分享解释和见解、开展大胆的探索、进行头脑风暴和发挥创造力。请确保你没有告知学生小组的主要目标是按照指令完成任务——也就是学生仅仅承担了执行的角色。角色可以支持学生的学习,但角色本身不是最终目标(Woolfolk Hoy & Tschannen - Moran, 1999)。

表10.4　合作学习小组中学生的角色

根据设立小组的目的以及参加者的年龄,以下分派的这些角色能帮助学生进行合作和学习。当然,我们还得教学生如何有效地扮演每种角色,学生要轮流尝试扮演不同角色,这样才能在以后各种类型的小组学习中积极参与。

角色	描述
鼓励者	鼓励那些不情愿或腼腆害羞的同学参与
赞赏者/啦啦队队长	对他人的贡献予以赞赏,认可其成绩
裁判员	平衡各成员的参与活动,防止个别成员一言堂
辅导员	对要学习的学业内容提供帮助,解释概念
问题指挥官	确认所有成员均已提问并得到回答

检查员	检查整个小组的理解情况
监督员	保证小组工作围绕任务而开展
记录员	写下小组成员的观点、决策和计划
反馈员	让小组知悉进展与否
噪音检测员	检测小组的说话声是否干扰了他人
材料保管员	收拾并返还材料

资料来源：*Based on Cooperative Learning by S. Kagan. Published by Kagan Publishing, San Clemente, CA. Copyright © 1994 by Kagan Publishing.*

合作学习的策略通常还包括小组向全班做报告。如果你做过班级汇报的听众，你知道这些报告可能异常无趣。为了令听众和报告者都感到报告过程是有价值的，安尼马丽·帕林克萨(Annemarie Palincsar)和莱斯利·赫伦科尔(Leslie Herrenkohl)教授班级成员在听报告时充当智者角色(intellectual roles)(Palincsar & Herrenkohl, 2002)。这些角色会基于科学的策略，预测和建立理论、总结结论、将预测与理论和结果联系起来。教师可以让一些班级成员检查报告中预测与理论之间的关系是否清晰明确，其他一些学生鉴别哪些发现是清楚确凿的，剩下的学生则负责评价小组报告中的预测、理论与结果发现之间的逻辑关系。研究发现，给学生分派这些角色很好地促进了班级的对话沟通和概念性理解(Palincsar & Herrenkohl, 2002)。

给予与接受解释。从实践来看，小组学习的效果不一，这取决于小组中真正发生了什么以及有谁参与。如果只有少数几个人承担责任、完成小组任务，那么得益的将是这些人；而那些未参与的成员，将获益甚微。提出问题、获得解答并尝试解释的学生，要比那些不提问、不回答的学生更可能获益。事实上，有证据表明，如果一个学生对小组内其他学生的观点进行精细详尽、深思熟虑的解释，那么该解释者将会学到更多。解释远比静听对学习更为重要(O'Donnell, 2006；Webb, Farivar, & Mastergeorge, 2002)。因为为了给别人解释清楚，解释者不得不组织信息、把信息转换成自己的语言、思考恰当的例子或类比（这些例子将信息与你已有的知识联结起来）以及通过回答问题来检验自己的理解等等，这些都是高级的学习策略(King, 2002；O'Donnell & O'Kelly, 1994)。

好的解释总是提供那些相关的、适时的、正确的、详尽的信息,以帮助听者修正错误的理解,最好的解释则是告诉人们为什么(Webb et al., 2002; Webb & Mastergeorge, 2003)。例如,在一节中学数学课上,学生以小组为单位解决下列问题:

请你计算一下,玩20分钟的电子游戏,第一分钟花费为0.25美元,以后每增加一分钟就收费0.11美元,一共需要多少钱?

教师给学生提供的讲解和辅助的水平与学生的学习显著相关。教师讲解水平越高,学生学习得越多。最高水平的辅助是辅助者告诉你如何解决问题以及为什么。例如,一位解释上述问题的辅助者可能会说,"好吧,第一分钟是25美分,然后还有19分钟,每分钟的费用是11美分,所以将11美分乘以19。这等于2.09美元,然后加上第一分钟的25美分,所以要花2.34美元。"一个糟糕的解释可能只是给出解决方案,"11×19+25"或者甚至仅仅给出答案——"2.34美元。"如果帮助者说:"11×19",那么接受者应该说:"为什么是19?"或者"为什么要乘以11呢?"提出好的问题并给出清晰的解释很关键,通常教师需要教授这些技能。

合作的设计

在合作小组内发展深度理解需要所有的小组成员参与到高质量讨论之中。支持学习的讨论包括让学生进行说明、联结、解释以及使用证据来支持论点。现在我们将讨论几种不同的策略,它们为构建学生的参与和高质量讨论提供了支持。

交互式提问。交互式提问(reciprocal questioning)①不需要特殊的材料或测试程序,且适用于不同年龄阶段的学生。当老师讲完课或做完报告后,学生可以两个或三个一组就学习的材料进行提问和回答(King, 1990, 1994, 2002)。教师先给学生提供问题题干(见图10.3),然后教授学生如何根据本节课的内容,从一般的问题题干中生成具体问题。学生提出具体问题,然后轮流提问和回答。这一过程比传统的小组讨论更为有效,因为它鼓励学生对材料进行深度思考,并将课堂所学与先前的知识或经验联结起来。

――――――――――――

①交互式提问——学生两个或三个一组就课堂学习材料进行提问和回答。

在交互提问中鼓励对话的题干

在参加一堂课或独立学习一项作业后，学生使用这些题干形成问题、做出回答和比较答案，并协作形成最佳回答。

什么是_____的日常应用？

用你自己的话怎么定义_____？

_____的优点和缺点是什么？

关于_____你已经知道什么了？

解释为什么_____适用于_____。

_____如何影响_____？

_____的价值是什么？

_____的原因是什么？

有什么针对_____的赞成和反对的论点？

关于_____你的第一选择是什么？你的第二选择？_____？为什么？

如果_____那么_____？为什么？

仅基于_____比较_____和_____。

如果_____有什么不同？

你同意还是不同意_____的说法？你的证据是什么？

图 10.3　在交互提问中鼓励对话的题干

例如,加西亚先生在教授九年级学生学习"世界文化"这一课时,其中的一个小组就使用表 10.3 中的问题题干,对"文化"这一概念进行了如下讨论:

Sally:请大家用自己的话来谈一下什么是"文化"。

Jim:加西亚先生在课堂上曾说,文化是全体社会成员的认识与理解。我认为,文化是社会全体成员所共有的所有事物、信念和活动,包括宗教、法律、音乐、医疗实践等等。

Sally:还包括舞蹈、艺术和家庭角色。

Barry:知识包含语言,所以我想文化还包括语言。

Jim:我也是这么想的。实际上,我有一个问题:文化是如何影响一个社会的语言呢?

Barry:好的,一方面,语言是由词构成的,词对处于某一种文化中的群体具有举足轻重的作用,比如人们用来命名他们所关心之事、所需之物以及所用之物的词语。因此,在不同文化中有不同的词汇。在一些文化中可能没有电话一词,这是因为他们本身就没有电话之物。但是,电话在我们的文化中却很重要,因此我们有大量不同的与电话有关的词汇:像移动电话、数字电话、车载电话、无线电话、电话机等等。

Jim(大笑):我打赌沙漠文化中肯定没有关于雪花或溜冰的词。

Sally(转向 Barry):你有什么问题呢?

Barry:我有一个大问题!你们绝不可能回答出来。如果某一群体没有任何的口头语言,那么会发生什么呢?或许他们所有人都是天生不会说话的,或者类似于这种情况的。那么,这种情况又怎么影响他们的文化呢?他们还有可能拥有所谓的文化吗?(King, 2002, pp. 34 – 35)

拼图法。在埃利奥特·阿伦森(Elliot Aronson)任得克萨斯大学奥斯汀分校社会心理学教授时(当时我还是一名学生),他与他的研究生首创了拼图式课堂(Jigsaw Classroom)①。我的一些朋友在他的研究团队工作,阿伦森将这一方法进一步发展,他认为拼图式课堂是"绝对必要的,它可以化解非常突发性的状况"(E. Aronson, 2000, p. 137)。那时依照法庭命令,奥斯汀的学校刚刚废止了种族隔离,白人、非裔和西班牙裔学生第一次坐在了同一间教室上课。相互敌视、互相对抗自然会引发各种冲突,阿伦森正是通过拼图式课堂来解决这一棘手问题。

在拼图式课堂上,教师给小组每个成员提供部分材料学习,学生通过学习各自的材料而成为"专家"。因为每位同学都必须学习这个较大"拼图"中的部分并接受测试,所以每个学生的贡献都很重要,他们之间是真正相互依赖的。更新的第二代拼图式课

---

①拼图式课堂——每个学生都是小组的一部分,每个小组成员学习一部分的小组材料的学习过程。学生成为他所负责部分材料的专家,然后将其教给小组中的其他成员。

堂,增设了专家小组,成员是来自各学习小组并负责阅读相同材料的同学,他们商讨以确保自己理解分担的阅读材料,然后设计方法将这些信息教给组里的其他成员;下一步,学生带着专业知识返回自己的学习小组;最后,每个学生接受涉及所有材料的个别化测验,为他们的学习小组赢得分数。小组团队可以是为了赢得奖励或仅仅为了得到认可而学习(E. Aronson, 2000; Slavin, 1995)。

建设性/精心组织的争论。建设性的冲突解决在课堂上是很必要的,因为冲突难以避免,甚至是学习过程中必不可少的。皮亚杰理论告诉我们,知识的发展需要不平衡——认知冲突。西德尼·德梅洛(Sidney D'Mello)和他的同事认为,只要学生参与解决冲突,困惑就可以刺激复杂的学习(D'Mello, 2014)。一项对十年级学生的研究发现,学生常常会因为各种原因出错,但如果让这些学生在一起议论他们相互矛盾的错误答案,这时学生可能能够更好地修正他们的错误理解(Schwarz, Neuman, & Biezuner, 2000)。小组中的个体间也会有人际冲突,但这也能促进学习。事实上,过去40年的研究表明,课堂上的建设性/精心组织的争论(constructive/structured controversy)①可以让学生学到更多东西、变得心胸开阔、看到别人的观点,有利于创造力、动力、参与和自尊的提升(D. W. Johnson & Johnson, 2009b; Roseth, Saltarelli, & Glass, 2011)。表10.5显示了学业和人际冲突对于学习共同体可能起到的积极影响。

就像你在表10.5中所见,建设性/精心组织的争论中的精心组织部分是指,学生在四人协作小组内两两配对对一个特定争论进行研究,例如是否应该允许木材厂砍伐国家森林里的树木。小组中的每一对学生都研究这个问题,发表他们的正面或反面观点,将他们的论点和证据呈现给另一对学生,并讨论这个问题。接着对换观点并讨论其他看法。然后,小组做出最后报告,总结出每一种观点的最好的论据,并达成一致认识(D. W. Johnson & Johnson, 2009b; O'Donnell, 2006)。

除了这些方法,斯潘塞·卡根(Spencer Kagan)还开发了很多合作学习的结构,用于实现不同类型的学业和社交任务(Kagan, 1994)。

----

①建设性/精心组织的争论——学生在四人协同小组内两两配对研究一个具体的争论。

表10.5 建设性/精心组织的争论:从学业和人际冲突中学习

冲突如果处理得好,可以促进学习。学业冲突能促进批判性思考和概念的改变。利益的冲突是不可避免的,但如果控制得好,没有谁是失败者。

建设性的学业争论	利益冲突
一个人的看法、信息、理论、结论和观点与他人存有异议,双方希望达成一致	一方试图将自己利益最大化的行为妨碍或干扰了另一方最大化自身利益
争论的程序	整合的(问题解决)协商
研究对方的观点,准备好自己的观点	描述自己的需求
呈现和维护自己的观点	描述自己的感受
驳斥相反的观点,回击他人的辩护	给出要求或感受的理由
转变视角,改变方式	推己及人,从他人的观点看问题
综合分析和整合来自各方的最好的证据和推理	找出三种能将整体利益最大化的可选方案,选择其一并签署

资料来源:From "*The Three Cs of School and Classroom Management,*" by D. Johnson and R. Johnson. In H. J. Freiberg (Ed.), *Beyond Behaviorism: Changing the Classroom Management Paradigm.* Copyright © 1999. Adapted with permission from Pearson Education, Inc.

惠及每一位学生: 恰当采用合作学习

如果计划仔细,合作学习通常有显著成效,但有时由于一些小组中有特殊需要的学生,因此教师必须额外关注合作学习的计划与准备。例如,在合作学习过程中运用脚本式提问和同伴辅导是有前提的,这样的合作结构依赖担任提问或解释角色的人与回答问题或被教授的学生之间进行一种平衡性的互动。在这些互动过程中,你希望亲自看到并听到解释和教学,而不是仅仅将正确答案说出来。但有些学习障碍的学生在理解新的概念方面存在较大困难,所以解释者和学生双方都会感到灰心挫败,这时有学习障碍的学生可能处于拒绝和否定的情绪之中。由于有学习障碍的学生通常存在社交问题,将他们置于可能会产生更多拒绝的情境之中,可能不是好的方法。因此,当你教授全新或较难掌握的概念时,合作学习对学习障碍学生可能就不是明智之举(Kirk et al., 2006)。事实上,研究发现,一般来说合作学习对学习障碍的学生并不总是有效的(D. D. Smith, 2006)。

对于天才学生来说,如果合作学习小组按照能力混合编排,他们也未必能从合作中受益。其原因在于小组学习速度太慢、任务太简单或有太多重复。另外,天才学生在小组内往往担"小教师"的角色,他们的工作似乎更多体现在促进整个小组的学习进度。如果你在分组时,将天才学生和普通学生按能力混合编排在一起,那么必须使用复杂的学习任务,让不同能力水平的学生都能参与,保证让天才学生在积极介入的同时,又不降低其他学生的参与度(D. D. Smith,2006)。

然而,合作学习对英语学习者(ELLs)而言是最明智的选择。拼图式合作学习的结构是大有裨益的。由于小组中的所有学生,包括英语学习者,都掌握着小组需要的部分信息,因此他们之间必须对话、解释和互动。事实上,拼图式方法就是为了让各种各样的小组成员之间形成高度的互赖关系而产生的。在当今很多学校课堂中,学生可能会用四到六种甚至更多种语言来进行表达,但是我们不可能要求教师掌握学生所说的每一种语言。在这些课堂中,合作小组就可以帮助解决这一问题,使学生在学业任务上共同学习。在一个小组内,说两种语言的学生可以帮助小组其他成员翻译或解释课堂所学。而且,对于学习另一种语言的学生来说,在一个更小的组内进行表达,焦虑程度也会少很多,因此英语学习者在这些小组内可能获得更多带有反馈的语言练习(D. D. Smith,2006)。下面的"指南:运用合作学习"提供了将合作学习纳入课堂教学的一些建议。

合作学习的好坏取决于它的设计和执行。合作学习可能发挥不出其有效的功能,出现这种状况的部分原因是,要教会学生合作学习的方法,需要教师花费大量时间,并付出长期努力(Kuhn,2015;Blatchford, Baines, Rubie – Davies, Bassett, & Chowne, 2006)。

指南:运用合作学习

根据学习目标确定小组规模与人员构成。举例:

1.如果以社交技能与团队建设为目标,小组人数宜为2—5人,可以按照兴趣分组、混合分组或者随机分组。

2.如果进行结构化的、基于事实和技能的、练习及复习的任务,小组人数宜为4—6人,可采用混合能力匹配分组,如高—中和中—低搭配,或者高—低和中—中搭配。

3.如果旨在进行高水平概念的学习和思维任务,小组人数宜为2—4人;可以自由选择组员,以鼓励互动。

分配合适的角色。举例:

1.如果以社交技能与团队建设为目标,则应分配专门监控成员的参与和化解矛盾的角色,以及轮流担任小组的领导角色。

2.如果需要进行结构化的、基于事实和技能的、练习及复习的任务,则需有人专门监督大家是否踊跃参与,并且确保低水平学生也能有所贡献,就像在拼图式课堂中的那样。

3.如果旨在进行高水平概念的学习和思维任务,则应设专职人员负责鼓励成员互动、发散思维,并进行扩展性的、相关联的对话,像在辩论队中或小组中的促进者。切忌让角色成为学习的障碍。

确保教师承担了支持性的角色。举例:

1.如果以社交技能与团队建设为目标,教师要成为榜样和鼓励者。

2.如果进行结构化的、基于事实和技能的、练习及复习的任务,教师应该成为榜样、指导者或教练员。

3.如果旨在进行高水平的概念学习和思维任务,教师应该成为榜样和促进者。

在教室来回走动并监控小组。举例:

1.如果以社交技能与团队建设为目标,则应该注意学生是否倾听他人、是否轮流担任角色、是否给予他人鼓励以及如何处理矛盾。

2.如果进行结构化的、基于事实和技能的、练习及复习的任务,则关注学生提问、给出多种详细的解释、注意力状态以及练习情况。

3.如果旨在进行高水平概念学习和思维任务,则关注学生提问、解释、精细加工、探究、发散性思维、证据的提供、综合分析以及使用和联结不同来源的信息的情况。

从小而简单的任务开始,直到你和学生都知道如何进行合作。举例:

1.如果以社交技能与团队建设为目标,则尝试先从一两个技能开始,如倾听与释义。

2.如果进行结构化的、基于事实和技能的、练习及复习的任务,则尝试将学生配对,使其相互诘问。

3.如果旨在进行高水平概念学习和思维任务,则尝试使用配对小组和核心题干来进行交互式提问。

有关合作学习的更多信息,请访问:http://www.co-operation.org

资料来源:Based on "Implications of Cognitive Approaches to Peer Learning for Teacher Education," by A. Woolfolk Hoy and M. Tschannen-Moran, 1999. In A. O'Donnell and A. King (Eds.), *Cognitive Perspectives on Peer Learning. Mahwah, NJ: Lawrence Erlbaum.*

建构主义实践的困境

多年前,拉里·克雷明(Larry Cremin)发现,先进的、创新的教学方法需要训练有素的教师来实施(Cremin,1961)。今天,对于建构主义教学来说也是如此。我们已经看到,对建构主义的不同理解衍生出了不同的建构主义流派以及很多相应的实践操作。我们也知道,今天的所有教学都处于严峻的应试和问责的背景下。在这些情境中,建构主义取向的教师确实面临着许多挑战。如表 10.6 所示,马克·温德希特尔(Mark Windschitl)总结了教师在运用建构主义的实践过程中所面临的四种困境(Windschitl,2002)。

表 10.6　教师实践建构主义的困境

教师在运用建构主义教学的实践过程中,面临着概念性的、教学法方面的、文化和行政方面的困境。以下是这些困境的具体解释以及教师所面对的一些问题的具体形式。

教师面临的困境	教师的代表性疑问
1.概念性困境:掌握基于认知和社会建构主义的理论基础;将当前关于教学的理念与支持建构主义学习环境的理念结合起来	哪一种建构主义的教学法适合我的教学? 我的课堂应该是一个全体同学都积极进行概念转变的集体,还是一个通过学习者参与课堂活动的情况来衡量其发展状况的学习者共同体? 如果专家认为某些概念是正确的,那么学生应该直接将这些概念内化,而不进行自我建构吗?
2.教学法方面的困境:鼓励学生积极思考的同时,保持一定的纪律约束;获得深度理解的学科知识;掌握成为促进者的艺术;有效管理学生的对话和合作学习	我的教学是应该基于学生现有的观念,而非基于学习目标吗? 使我成为一个促进者的必要技能和策略是什么? 如果学生互相交头接耳而不听讲,那么我该如何管理这样的课堂? 我是否应该对学生建构自己的观念加以限制? 什么样的评价方式才能体现出我所要达到的教学目标?

3. 文化方面的困境:留心你课堂上的文化问题;提问让学生思考"什么样的活动是有价值的";充分利用经验、对话模式以及不同文化背景学生所具有的当地知识	我们如何摆脱传统的但行之有效的课堂常规,而与学生就有关什么是有价值的、可以被奖励的达成共识? 我原有的课堂印象如何限制了我看到可能存在的另外一种不同的学习环境? 在我的课堂文化氛围中,如何包容各种不同背景学生的世界观? 我能相信学生能够为自己的学习负责吗?
4. 行政上的困境:应对学校共同体中各方的责任和义务问题;与重要的当局人协商,让其支持为理解而教的理念	我如何才能让行政领导和学生家长支持我使用一种全新的方式进行教学? 我是应该使用尚不能满足学生需求但却得到正式批准的课程,还是应该自己开设一个课程? 各式各样的基于问题的学习经验,如何能够帮助学生满足特定州和地方的标准呢? 建构主义教学是否足以让我的学生为参加高难度的大学入学考试做好准备?

资料来源:*M. Windschitl.* (2002). *Framing Constructivism in Practice as the Negotiation of Dilemmas: An Analysis of the Conceptual, Pedagogical, Cultural, and Political Challenges Facing Teachers. Review of Educational Research,* 72, p. 133. *Copyright © 2002 by the American Educational Research Association. Reproduced with permission of the publisher.*

在数字化世界中设计学习环境

计算机、智能手机、iPads、iTouch、平板电脑、数字阅读器、维基百科、互动型视频游戏、iCloud、Facebook、Twitter、Google、WhatsApp、Snapchat、Instagram、Scratch 以及其他数字化工具和媒体,已经深刻地改变了每个人的生活。家庭和学校都充斥着各种数字媒体。你的许多学生甚至从很小的时候就有了计算机,他们沉浸在虚拟现实游戏中,相比之下,传统的学校活动就会显得平淡乏味(Common Sense Media, 2013; Connor - Zachocki, Husbye, & Gee, 2015; Graesser, 2013; Lenhart, 2015; Turkle, 2011)。

停下来想一想:你现在使用的数字设备有多少?你有多少数字设备?

对学生来说,做家庭作业时经常通过电子邮件、短信或手机与朋友交流信息、浏览网页或下载资源——几乎所有时间学生都在用手机听音乐(D. F. Roberts, Foehr, & Rideout, 2005)。这些学生一直都生活在数字媒体的世界里,因此他们被称为数字原住民(digital natives)、数字化智人(homo zappiens)、网络一代(the Net generation)、云一代(iGenerations)或谷歌一代(Google Generation)(Kirschner & van Merri? nboer, 2013)。学生至少和他们的教师一样擅长使用技术,而且这大部分的专业知识和技术都是在校外获得的(Graesser, 2013)。

技术与学习

技术应用是否有利于学业学习?答案很复杂,甚至令人惊讶。一篇综述得出结论,使用计算机辅导程序似乎可以提高 K - 12 学生的成绩测试分数,但模拟和强化程序收效甚微——这正是一个说明教学和测试才能让孩子们学到东西的例子。如果计算机提供了促进学习发生的基本过程:积极参与、与反馈频繁互动、真实性和现实世界的联系以及高效的小组工作,则更有可能提高成绩(Graesser, 2013; A. Jackson et al., 2006; Tamim, Bernard, Borokhovski, Abrami, & Schmid, 2011)。计算机可以用来教授基本的阅读过程,如单词解码、语音意识或基本的数字感,因为专门的软件可以提供个人反馈,让每个学生以合适的节奏进行学习,并且可以增加动力。精心设计的程序还可以提高听力和阅读理解能力(Baroody et al., 2013; Potocki, Ecalle, & Magnan, 2013; R. Savage et al.,2013)。与任何教学工具一样,计算机如果使用得当也可以很有效,但仅仅使用计算机不会自动提高学业成绩。

技术丰富型学习环境。随着计算机技术的发展,人们越来越感兴趣于技术丰富型学习环境(technology - rich learning environments,简称 TREs)。这些学习环境包括虚拟世界、支持基于问题学习的计算机模拟、智能辅导系统、教育游戏、音频唱片、维基百科、手提无线设备以及多媒体环境等——仅举几例。

在学校里,技术的使用主要有三种形式。首先,教师可以为课堂、虚拟学习环境或者是课堂与虚拟环境的混合模型设计基于技术的活动。其次,学生可以通过多种方式与技术进行交互,例如使用计算机或平板电脑完成作业,或者运用云计算在虚拟环境中与其他教师或者学生之间进行合作。云计算允许计算机用户通过网络在线获取谷歌文档、微软电子邮件等应用软件,还有在线数据及处理等计算资源。最终,管理者通过技术的使用,可跟踪学校、社区或者全国系统内教师、课堂和学生的信息。你可以将上述任何一点或者全部都运用到你的教学中。在任何课堂上技术整合的一条黄金法则就是不要做无用功。聚焦在可以使用的资源优势上,并对其加以调整和使用。

虚拟学习环境。虚拟学习环境(virtual learning Environments, VLEs)①是一个宽泛的概念,用于描述在虚拟系统中的各种学习方式。最传统的虚拟学习环境是指学习管理系统(Learning Management System, LMS)②。学习管理系统使用诸如 Moodle、BlackBoard、RCampus 和 D2L 的应用程序传送网络学习。学习管理系统十分庞大、复杂和昂贵。我所在的大学使用一种叫作"Carmen"的系统辅助校园里的每一门课程。我在 Carmen 系统上的网站有读书资料、讨论组、基于班级建立的维基百科、幻灯片、网站链接、日历以及其他资源。在没有这些资源的情况下,我们已经进行了几十年的教学,但是学习管理系统出现,扩大了我们教学的选择。为了解决费用问题,一些学院使用免费的开源软件来建设虚拟学习环境。支持开源软件的工具包括:Moodle、Google Apps以及 PBWorks。

贝蒂的大脑(Betty's Brain)是范德比尔特和斯坦福大学开发的一个虚拟的学习环境的一个例子(请访问 http://www.vanderbilt.edu 并搜索"Betty's brain"以获取更多信息)。利用这个基于计算机的系统,学生们接受挑战,向一个名叫贝蒂的计算机代理"教授"一个科学主题。该系统为学生提供超文本资源,用于规划他们的教学(以及帮他们学习所涉及的概念和过程)。正如我在生活中多次发现的那样,学习东西的最好方法就是教它。记住,关于合作学习的研究表明,解释者比听者学得更多(O'Donnell,2006)。像所有优秀的老师一样,和贝蒂一起工作的学生必须通过要求贝蒂回答问题和参加测验来跟踪她学习的情况。这个计算机系统还包括一位这方面的专家——戴维斯先生,他给贝蒂的作业打分,并指导贝蒂的"老师"——那些学生们。参见图 10.4"贝蒂的大脑"示例。

---

①虚拟学习环境——用于描述在虚拟或网络在线系统中各种学习方式的一个宽泛的概念。
②学习管理系统———一种可以传送网络学习、提供学习工具和材料、保持记录、进行测试和管理学习的系统。

"贝蒂的大脑"：一个虚拟的学习环境

贝蒂的大脑是一个以计算机为基础的学习环境，利用"边教边学"的方式让学生参与科学主题的学习。

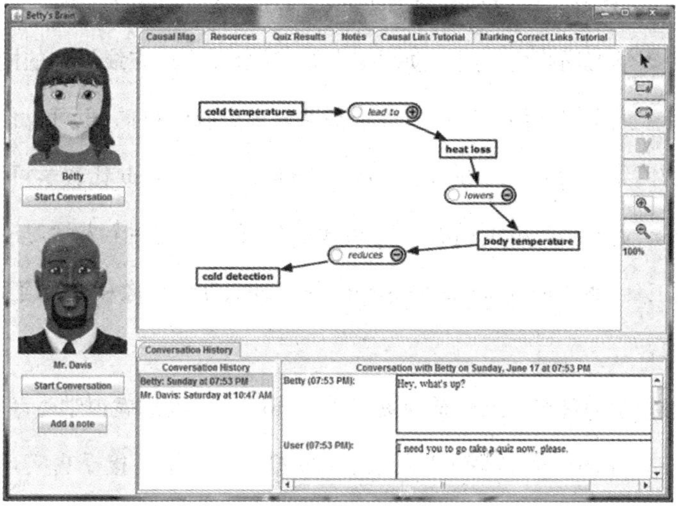

资料来源: Based on http://www.teachableagents.org/research/bettysbrain.php

图10.4 "贝蒂的大脑"：一个虚拟的学习环境

个人学习环境。有多种多样的虚拟学习环境。个人学习环境（personal learning environment，PLE）①框架提供了支持个体在多种情境下学习的工具，学习者可以控制自己的学习的进程与方式。在个人学习环境中学习的学生可以在咖啡店下载作业，在公交车上阅读材料，然后可以凌晨4点时在房间里把他们的分析上传到网上讨论板上。学习是异步的，它可以发生在任何时间、任何地点。复杂的个人学习环境还包括一些工具，这些工具可以评估学习者的知识，进而调整接下来的学习内容，以满足学习者的需要。支持个人学习环境的工具包括基于计算机的训练模块、电子书、认知导师、问答小测验以及自我检测工具。很多都非常成功。例如，智能辅导系统（ITS）《认知导师》（Cognitive Tutors）在全美学校教授数学（Graesser，2013）。数学是结构良好的领域，

---

①个人学习环境——提供工具以支持在多种背景和情境下的个别化学习。

但是像写作这样结构不良的领域呢？智能辅导系统也能提供帮助。在一项针对十年级学生的研究中，尽管学生们发现该系统的某些方面令人讨厌，但《写作伙伴》(Writing Pal)提高了论文写作水平(Roscoe & McNamara, 2013)。

个人学习网络(Personal Learning Network, PLN)①是一个通过同伴在线互动建构知识的框架。个人学习网络由使用互动网络会议、混合课堂或在线讨论的同步技术和异步技术组成。个人学习网络既可以服务于基础教育的教学目的，也可以作为专业发展的资源。社交网络工具如 Facebook、Twitter、Edutopia 和 EdWeb 让教学可以走出学校、城市，甚至国家，走向全球范围内有共同兴趣的学习者。支持个人学习网络的工具包括：网络会议工具，如 Adobe Connect instant messaging、互动录像和录音信息、社交网络、讨论板以及博客。

沉浸式虚拟学习环境。最复杂的虚拟学习环境是沉浸式虚拟学习环境(immersive virtual learning environment, IVLE)②。沉浸式虚拟学习环境是接受真实环境的一种模拟。其目的在于通过接受文化熏陶进行学习，例如成为热带雨林的生态探索者，或者作为记者去报道当地一所学校的食品中毒事件(Gee, 2008；Gibson, Aldrich, & Prensky, 2006；Shaffer et al., 2009)。沉浸式虚拟学习环境被设计应用于现实场景中的特定领域(Bagley & Shaffer, 2009；Shaffer et al., 2009)。沉浸式虚拟学习环境会让学生体验模拟的任务，这种任务需要专业实践，例如为撰写食物中毒事件的新闻稿采访食物供货方、跟踪校领导，从他们那明确问题的来源，创作出一篇精确、有吸引力的文章，最终将现实世界里的努力与虚拟情境相融合。沉浸的环境通常会包括认知导师，这种技术被设计成可通过分析学生的反应之后给出指点以像真实的导师一样与学生互动。

游戏。教育类游戏怎么样？当然，学生们在校外玩游戏。据估计，8 岁至 18 岁的美国学生平均每周花 13 个小时玩电子游戏，有的多一些，有的少一些，但有的高达 30

---

①个人学习网络——一个通过同伴在线互动建构知识的框架。
②沉浸式虚拟学习环境——对现实世界的一种仿真，能够让学生沉浸于任务中，就像在专业实践中所需要的那样。

个小时。学生经常和其他可能在或可能不在同一个房间的人一起玩游戏,他们甚至可能不在同一个时区。超过 50% 的成年人也玩电子游戏——你可能就是其中一个(Arena,2015;Lenhart,2015)。

许多研究人员认为,游戏提供了一种自然的、引人入胜的学习形式,并且"将游戏与教育目标结合起来不仅可以激发学生的学习动机,还能为他们提供互动学习的机会"(Sung & Hwang,2013,p. 44)。游戏可能包括由专家开发的知识库、以问题或角色扮演的形式对学生提出的挑战,以及诸如创建数据库、报告、设计或问题解决方案等最终产品。但作为一名教师,你可能无法接触到与你的课程相匹配或相配套的设计良好的电子游戏。你如何利用学生广泛的校外游戏? 一个建议是将游戏视为一种"耕作土地"的方式,让学生通过发展已有知识为学习做好准备(Arena,2015)。例如,iTunes 应用商店提供的动态数学:《比萨》(Motion Math:Pizza)为学生在经营一家比萨店时提供了供求概念的经验。《愤怒的小鸟》(Angry Birds)让学生体验到科学准确的投射轨迹,这是学习牛顿物理学的基础。还有一些基于《传送门卫》(Portalz)开发的课程,其中有探索动量守恒、终端速度的(请访问门户网站 Teach with Portals)。教师根据《文明》(civilization)游戏系列开发了长达一个学期的项目。要了解更多请访问 Educade 网站。即使不是所有的学生都会玩相同的游戏,你仍然可以围绕他们所玩的游戏开发课程。例如,语言艺术老师可能会布置一篇论说性文章,要求每个学生说服全班其他学生玩他或她最喜欢的游戏。这意味着学生写作的基础是个人的专业知识和动机。更多想法请参见阿里纳 2015 年发表的研究(Arena,2015)。

但即使用游戏学习有其前景,也不能保证学生能从所有的教育游戏中有所收获,或者将他们的学习迁移到游戏之外的环境中(Jabbar,& Felicia,2015;Ownston,2012;Roschelle,2013)。彼得·沃特斯(Pieter Wouters)和他的荷兰同事分析了从 1990 年到 2012 年 38 项关于严格意义上是教育类计算机游戏的研究(Wouters,2013)。他们得出的结论是,游戏在学习和记忆方面比传统教学更有效,但在动机方面却不是——你可能认为这是游戏的一项优势。当游戏不是唯一的方法,而且辅以其他形式的教学时,当有多个课时,当学生分组学习时,参与游戏的学生学得更多。此外,根据对 K - 12 学生的综合研究,道格拉斯·克拉克(Douglas Clark)和他的同事得出的结论是,旨在加强学习的游戏,特别是包括支架的游戏,将游戏设计得适应学生个人需求和兴趣时,会比不包括游戏的教学方法更有效(Clark,2016)。

大型多人在线游戏(massive multi-player online games,MMOGs)①是一种建立在虚拟世界中的互动游戏环境,在这种环境中学习者将会扮演一个角色的化身。很多这些游戏都有亲密小组(affinity groups)②——共享知识、策略、角色扮演情景、对游戏的修改、基于游戏的同人故事小说的在线社区。这些小组提供问题解决、交流、阅读和写作方面的练习。事实上,那些在学校里不擅长阅读的学生,在他们努力提高游戏技能时,即使面对复杂文本,也能成为非常有能力的阅读者,而这个目标对他们来说是有意义的。威斯康星大学休闲学习实验室正在使用广受欢迎的《魔兽世界》(world of Warcraft)作为课外学习项目的一部分。请访问 wowinschool.pbworks.com/获得相关想法(King,2015)。

发展适宜低龄儿童的计算机活动

数字媒体是很吸引人的,但它适合学前的孩子吗? 这是一个激烈争论的问题。当对关于计算机和幼儿的问题进行决策时,请自问以下四个问题(Bullard,2017):

- 它是这项工作的最佳工具吗?
- 它会为活动创造附加值吗?
- 活动本身对孩子有益吗?
- 这些收益是否物有所值?

适宜 3—4 岁儿童使用电脑的方式与我们在幼儿园和小学使用电脑的方式是不同的。以下是一些指导方针。人们不应该用计算机来让孩子做孤立的练习。适合孩子的软件应该包括简单的口头指导语,计算机活动应该具有开放性,并且鼓励发现、探

---

①大型多人在线游戏——一种建立在虚拟世界中的互动游戏环境,在这种环境中学习者将会扮演一个角色或成为某种化身。

②亲密小组——电子游戏用户的在线社区,在这里他们可以共享知识、策略、角色扮演情景、对游戏的修改、基于游戏的同人故事或小说。

究、问题解决、对因果关系的理解以及社会互动。儿童应该能够通过各种反应来保持对活动的控制。最后,计算机上呈现的内容应该是适宜的,而且应考虑使用者不同的文化背景、年龄及能力(M. A. Fischer & Gillespie, 2003; Frost, Wortham, & Reifel, 2012; Tsantis, Bewick, & Thouvenelle, 2003)。

还有需要考虑的一点就是,程序的多媒体特征(如内置的录像、图像放大技术、音乐、增强的声音、图像)是更加有助于学习,还是让学生离学习更远? 事实上,存在着这样一种风险:那些含有吸引人的视觉或听觉效果的技术,实际上会妨碍和干扰学生对一些重要概念的习得。例如,在一个"彼得兔"讲故事的程序中,嘁嘁作响的拉锯以及树木倒下的声效会不会导致注意力分散,从而影响对故事、情节和人物的理解? 也许会吧(Tsantis 等,2003)。因此,低龄儿童使用计算机的一个基本原则是:多媒体元素应当关注意义,而不是仅仅是提供吸引人的视听刺激。图10.5是用于评估幼儿软件的检查表。更多想法请参阅"指南:使用计算机"。

指南:使用计算机

如果教室里只有一台计算机,提供方便的使用途径。举例:

1.如果在教学中要用计算机来展示一些材料的话,尽量将计算机放在中心位置。

2.选择一个最佳观看点以使学生坐着就能看到屏幕,但当计算机被个人或小组使用时,让学生不要拥挤或干扰其他同学。

做好准备。举例:

1.使用前检查计算机,以确定课程或任务所需的软件已安装并运转良好。

2.确保指导学生使用软件或完成任务的指令清晰明确,并置于显眼的地方。

3.提供完成任务所需的清单。

找到"训练有素的专家"来帮助计算机。举例:

1.培训学生做"专家",并轮流做"专家"。

2.招募成年志愿者——父母、祖父母、阿姨和叔叔、兄弟姐妹——任何关心学生的人。

开发使用计算机的机制。举例:

1. 制定一个时间表,确保所有学生都可以访问计算机,没有学生垄断时间。

2. 创建节省学生工作的标准方法。

当教室里有一台以上的计算机时制定好计算机的使用说明,以适合你的教学目标。举例:

1. 在合作小组中应安排好计算机,以使学生更好地围绕自己小组的计算机进行合作。

2. 如果不同的计算机小组有不同的项目,则可以允许组别之间进行简单的轮换。

试验使用计算机的其他模式。举例:

1. 浏览者模式——每四个学生使用一台计算机。一个学生控制键盘和鼠标,另外一个学生主要作为显示器的浏览者。坐在后面的一个学生负责管理小组的进度,另一个学生负责管理小组活动的时间进程。显示器浏览者要接受10—20分钟的关于完成任务所需软件的培训,并且他不可以触碰鼠标。其他三位同学可以轮换岗位。

2. 促进者模式——每六个学生使用一台计算机。促进者有更多关于计算机的经验、专业技能或受到更多的训练——促进者在小组中的作用相当于指导者或教师。

3. 合作小组模式——每七个学生使用一台计算机。将整个小组的最终目标分解为一些子目标,再将小组分解为一些亚小组,每个亚小组负责一个子目标。例如,一个负责写报告,另一个负责画图,第三个亚小组负责通过计算机收集数据。

当教室里的计算机数量不确定时,选择能够鼓励学习、创造力及社会互动的适宜程序。举例:

1. 鼓励两个孩子一起合作,而不是让每个孩子单独学习。

2. 检查程序的暗含信息。例如,一些绘图程序允许学生擦掉自己不喜欢的作品,因此该程序实际上不能让学生解决问题,而只是毁掉了作品。桑蒂斯等(Tsantis 等,2003)建议不要选择"摧毁"选项,而是循环利用。

3. 寻找鼓励发现、探索、解决问题和多元反应的程序。

当学生使用计算机时,进行适当监控。举例:

1. 确保计算机放在成人能够观察到的地方。

2. 与学生讨论为什么一些程序或网页禁止入内。

3. 适当平衡电脑使用时间与动手做项目、堆积木、玩沙、玩水以及制作艺术作品等主动活动时间。

当孩子使用计算机时，保证他们的安全。举例：

1. 教育孩子在网络上隐蔽自己的身份，并监控与他们交流的任何"朋友"。

2. 安装过滤软件，保护孩子远离不适宜的内容。

资料来源：Suggestions from Frost, J. L., Wortham, S. C., & Reifel, S. (2005). Play and Child Development (2nd ed.). Upper Saddle River, NJ：Prentice – Hall, pp. 76 – 80, and Tsantis, L. A., Bewick, C. J., & Thouvenelle, S. (2003, November). Examining Some Common Myths About Computer Use in the Early Years. Beyond the Journal：Young Children on the Web (pp. 1 – 9). Bullard, J. (2017). Creating Environments for Learning：Birth to Age Eight (3 rd Ed.). Boston：Pearson, pp. 342 – 352.

计算思维与编码。在所有年龄段，使用技术学习和生活已经变得非常普遍，以至于一些教育工作者认为学生应该学习计算思维(computational thinking)①——"知道如何使用数据、模型、模拟、算法思维来表述和解决问题"(Malby et al., 2017, p. 160)，换句话说，就像计算机科学家一样思考。根据国家 K – 12 计算机科学标准，计算思维应该是学生在小学开始发展的一项技能(http://www.csteachers.org)。

计算思维包括但不限于编程和编码。自从 20 世纪 80 年代和 90 年代西摩·佩珀特(Seymore Papert)为儿童引入了 LOGO 编程和海龟绘图法以来(Papert, 1980；1991)，人们对教学生编程的兴趣与日俱增。一些教育工作者声称编程可以教会学生在所有领域进行逻辑思考，但其他教育工作者说编程只是帮助学生学习编程。即便如此，人们仍然持续关注和倡导编程作为一种培养计算思维的方式的价值。高中计算机课程越来越受欢迎。例如，2010 年至 2014 年期间，计算机课程的注册人数增加了近 800%(ECS, 2014)。有关课程的想法，请访问"探索计算机科学"网站(exploringcs.org)。

①计算思维——包含问题阐述的思维过程，这样就可以表示出它们的解决步骤和计算算法。

为幼儿选择合适的软件清单

筛选软件时，请考虑以下标准：

☐ 该软件是否具有较高的教育或信息价值？使用该软件是否会获益？或者这些信息是否会以不同方式更好地呈现？

☐ 该软件是否适合使用它的儿童？根据豪格兰（Haugland, 2005)的研究，只有20%的软件适合儿童使用。小心那些只是电子工作表页面的软件。软件应明确规定年龄限制，教育目标和教育理念（Peterson, Verenikina, & Herrington, 2008）。

☐ 该软件是否经过精心设计，以便孩子可以独立使用（简单明了的指示，适当时使用语音，使用图片菜单，并为直观使用而组织）（Prairie, 2005）？

☐ 如果提供模拟，这些模拟应该是现实的和真实世界中的（Peterson, Verenikina, & Herrington, 2008）。

☐ 孩子是否能够在使用软件时进行控制（设定速度，可以重复一个过程，可以停止和恢复，可以从多条路径中选择，并且经常保存）？

☐ 该软件是否鼓励积极学习（要求积极参与、鼓励探索和进一步调查、允许尝试和错误）？

☐ 该软件是否令人兴奋和有趣（利用包括声音、音乐、语音在内的多种感官，内有对儿童有激励作用的图形和声音，并且与使用该软件的儿童群体相关）？

☐ 该软件是否支持儿童的学习（提供更多的、不同水平的挑战；提供无威胁的反馈，让儿童了解他们的进步；提供提示和指导，并且不惩罚错误）？

☐ 该软件是否反歧视？是否包含尊重多元文化、多种语言的图片？其中的人物是否包括具有不同年龄、能力、肤色和家庭结构的人（NAEYC, 1996）？

☐ 该软件是否会促进亲社会价值观（不存在暴力或隐性暴力，例如"将其炸毁"以消除错误）（Tsantis, Bewick, & Thouvenelle, 2003）？

☐ 该软件是否预先选定以配合课程目标，并且该软件是否与其他课程活动紧密相关？软件是否应该支持课程或得到课程的支持？

☐ 该软件是否具有高质量的图形和声音？图形和声音需要提高质量，而不是分散注意力。

☐ 有特殊需要的儿童是否可以使用该软件？

☐ 该软件是否提供愉悦、魅力和冒险的体验，如具有自由探索、发现隐藏的秘密和惊喜的机会（Plowman, McPake, & Stephen, 2012）？

资料来源: Bullard, J. (2017). Creating Environments for Learning: Birth to Age Eight (3rd ed.). Boston: Pearson, p. 348. Reprinted and Electronically Reproduced by Permission of Pearson Education, Inc., New York, NY.

图10.5 为幼儿选择合适的软件清单

目前可用的简单编程语言包括Scratch、Alice、Game Maker、Kodable Pro、Cargo‐Bot、Kodu、Daisy the Dinosaur以及Greenfoot。甚至还有一个版本的Scratch(由麻省理工学院开发)叫作Scratch Jr.,它允许从幼儿园到二年级的孩子进行编程(Guernsey,2013)!许多这些语言甚至允许非常年轻的学生通过在计算机屏幕上拼凑块状的图像来构建程序。这些图块拼凑在一起的方式控制着计算机屏幕上不同字符的移动(Grover & Pea,2013),服装、声音、颜色和其他效果也可与之结合。表10.7提供了学习编程的其他资源。

表10.7 教学编码的资源

组织	网站
Girls Who Code（编程的女孩）	https://girlswhocode.com
Technology Education and Literacy in School（技术教育与学校文化教育）	https://www.tealsk12.org
Made with Code from Google（使用谷歌编程制作）	https://www.madewithcode.com
Garnegie Mellon Center Computational Thinking（卡内基梅隆中心计算思维）	https://www.cs.cmu.edu/~compthink/
Coding in the Classroom, Edutopia（教室里的编程,教育乌托邦）	https://www.edutopia.org/topic/coding‐classroom

资料来源:Based on Malby, R. W., Verock, R‐E., Edwards, S. A., & Woolf, B. P. (2017). *Transforming Learning with New Technologies* (3rd ed.). Boston:Pearson.

媒体与数字化素养。随着数字媒体的到来,人们开始关注一种新的素养——媒体素养或称数字化素养。当今社会,有素养的人意味着能读、能写、能交流,因此,孩子需要通过媒体进行阅读和写作,而不仅仅限于印刷文字。电影、录像、DVD、计算机、图片、艺术品、杂志、音乐、电视、广告牌等,都是通过影像和声音来交流的。孩子如何理解这些信息呢? 这是教育与发展心理学中一个新的研究和应用领域。

作为一个实践案例,你可以参考伊萨卡学院发展心理学家辛西娅·沙伊贝

(Cynthia Scheibe)指导的"Look Sharp"项目。该项目的目的是促进教师将媒体素养和批判性思维整合进课堂教学,同时让这些媒介为教师提供材料、培训和支持。而参与该项目的教师要帮助学生成为媒体的批判性阅读者。例如,在 2016 年美国总统大选期间,"Look Sharp"项目提供了 10 个不同的课程计划,帮助学生解读候选人的竞选广告、视频、网站、文章以及诸如种族平等、国家安全、投票权、经济不平等、气候变化和移民等主题的新闻稿。在第一课中,学生观看每个候选人描述非裔美国男性的视频广告。然后,学生对视频进行解读,以确定每位候选人在保护非裔美国人权利方面的观点,并确定这些态度在视频中传达的具体方式。

"Look Sharp"项目提出以下这样一些问题引导有关媒体的讨论:

1. 这个节目是谁制作的? 谁赞助的? 谁付钱的? 这个节目的目的是什么?

2. 信息的目标受众是谁? 你是如何知道的?

3. 这个节目使用了哪些不同的技术? 为什么要使用这些技术?

4. 这个节目传达(或暗示)了什么信息? 你如何解释? 为什么?

5. 信息的流行性、准确性以及可信性如何?

6. 有哪些东西是人们也许最好知道但它却遗漏了的?

下面的"指南:支持媒体素养的发展"给出了更多来自沙伊贝(Scheibe)与罗古夫(Rogow)用于支持学生媒体素养发展的观点———一项似乎比以往任何时候都重要的技能(Scheibe & Rogow, 2008)。

指南:支持媒体素养的发展

使用媒体来练习观察、批判性思维、分析、观点采择以及沟通技巧。举例:

1. 让学生对广告、新闻节目以及教科书中呈现的信息进行批判性思考。不同的人会以不同的方式诠释信息吗?

2. 让学生根据所学的主题创建一个自己的媒体,以此来培养学生的创造力和沟通能力。

3. 让学生比较信息呈现的方式,如以文件、电视新闻报道、广告、公共服务通告等形式呈现的信息有什么不同?

4.举例说明词语选择、背景音乐、拍照角度以及颜色等等是如何用来渲染情绪或歪曲信息的。

使用媒体来激发学生对新主题的兴趣。举例：

1. 让学生分组阅读、分析和讨论关于这个主题的有争议的杂志、报纸或网络文章。

2. 要求学生在媒体上搜索有关主题的信息。

3. 使用简短的视频、杂志插图、博客或短文来激发讨论,鼓励学生表达他们已经知道的东西或对某个主题的看法。

基于流行媒体上的内容,帮助学生了解他们在某一主题上的理解和确信程度,帮助他们识别出自己的错误信念。举例：

1.学生对时光旅行知道多少？

2.从广告中他们了解了哪些生物学知识？

将媒体作为标准的教学工具。举例：

1.鼓励学生关注(和撰写)时事,包括通过不同的媒体来源追踪一个事件。

2.布置需要使用不同媒体的家庭作业。

3.让学生表达观点或尝试去使用不同的媒体,如图片、抽象拼贴画、录像、诗歌、歌曲、动画电影等。

分析媒体对历史事件的影响。举例：

1.艺术和电影是如何描绘美国土著人的？

2.50 年前有哪些信息来源？100 年前呢？

有效使用视频。举例：

1. 播放短片段,而不是整部电影或节目。

2. 让灯开着,以鼓励积极的观看和讨论。

3. 在观看之前,让学生知道他们应该看/听什么。

4. 在观看过程中要时不时地停下来,以指出重要信息或提出问题。

传统课堂与翻转课堂

	传统课堂	翻转课堂
课上活动	全班、小组和个人的学习由教师主导	全班、小组和个人的学生由学生主导
	学生作为学习者	学生既是教师又是学习者
	老师通过传授信息或指导活动来准备教学	学生通过活动和补充在线信息来学习
课外活动	学生使用纸质工作表和写作提示做作业	学生观看视频或笔播或收听教师演讲的播客
	阅读作业来自纸质教科书	阅读作业来自在线教材或交互式网络资源

资料来源: Maloy, R. W., Verock, R-E., Edwards, S. A., & Woolf, B. P. (2017). Transforming Learning with New Technologies (3rd ed.). Boston: Pearson, p. 42]

图10.8 传统课堂与翻转课堂

翻转课堂

你们中有一些人已经看过萨尔曼·可汗(Salman Khan)关于重塑教育的 TED 演讲。可汗创建了一个非营利性教育组织,该组织制作数学和许多其他学科的视频教程。如果你还没看过,我建议你花些时间浏览一下可汗学院的网站。在他的 TED 演讲中,可汗描述了他的教程的用途之一——"翻转课堂"。在翻转课堂(flipped classroom)中,通常在课堂上发生的事情都会被转移到课堂之外,如课程、讲座、记笔记、作业、直接教学等。而通常发生在家里的事情如家庭作业、课题、实践则会在课堂上在老师的监督和支持下进行。这种安排允许学生在校外按照自己的节奏学习,并将课堂转变为一个更具活力和互动性的小组学习空间,在这里可以花时间用来复习和应用在家里学习的概念,得到教师或同学进一步的解释和支持以及反馈评估。发明创造应该被鼓励。

教师们似乎听取了这些建议。2014 年,一项全国性调查显示,78% 的教师至少翻转过一节课,45% 的教师表示他们每周翻转一两次(Malby et al. , 2017)。翻转课堂是什么样子的? 表10.6 给出了一些基本特征。

在许多方面,翻转课堂是建构主义教学的一个很好的例子。教师不再只是信息的提供者。学生使用老师制作的学案、微课、大纲、阅读材料和其他学习工具在家学习。如果所有学生都能上网,可以增加其他家庭学习活动,如在线资源、视频教程和协作讨论。课堂上,教师的角色转变为学习的促进者和支架。学生小组可以根据他们的水平开展活动,老师可以根据学生的需求来进行差异教学。

对于那些在家里无法使用强大学习技术的学生来说,一些课堂时间可以用于在线研究、学习游戏、维基、博客、创建数字档案、收听或创建播客,或者使用学习应用程序。在大学里,整个课程都可以通过把所有的讲义和阅读材料放到 Blackboard 或者 Moodle 平台上来翻转;但在小学或中学里,老师可能只翻转一节课,例如在课堂外做功课以为课堂上基于课题的活动做准备(Malby 等, 2017)。当然,要想充分利用翻转课堂,学生们必须自律,在家无他人监督地深入学习讲授或课件。

总结

认知和社会建构主义

描述两种建构主义。 建构主义与其说是一种科学的学习理论,不如说是一种关于知识的哲学。认知建构主义者如皮亚杰关注的是个体如何基于自身的知识和信念来理解他们的世界。社会建构主义者如维果斯基认为,社会互动、文化工具和活动塑造了个体的发展和学习。通过与他人共同参与广泛的活动,学习者就能内化通过共同学习而产生的结果,包括新策略和新知识。

在知识的来源、准确性和普遍性方面,建构主义观点有哪些不同? 建构主义者在知识是对外部事实的镜像反映、知识是对内部认知的调整和改变、知识是通过外部世界和内部认知的相互作用而建构的等观点之间存在争论。不过,大部分心理学家认为外部和内部因素都发挥着作用,只是他们强调的侧重点不同而已。此外,对于知识是在某个情境中建构起来并可以应用于另一情境,还是知识是根植于某个特定的情境,仅与这个特定学习情境相联系的,也存在争议。

作为文化适应的思维是什么意思? 文化适应是一个广泛而复杂的获取知识和理解的过程,这与维果斯基的中介学习理论是一致的。就像我们的家庭文化教会我们语言的使用一样,课堂文化也可以通过给我们提供良好的思维模式、在思维过程中提供直接指导、鼓励与他人互动以练习这些思维过程来教授我们如何思考。

建构主义学习理论有哪些共同点? 虽然没有一个统一的建构主义学习理论,但是许多建构主义流派都倡导:复杂且具有挑战性的学习环境和真实任务、社会协商和合作建构、对同一内容的多种表征形式、理解知识是建构而来的、学生是学习的主体。

设计建构主义学习环境

有哪些基本假设可以指导学习环境的设计? 指导设计的关键假设是,专家发展深层概念知识,学习来自学习者,创造学习环境是学校的责任,学生的先前知识是关键,反思是学习的关键组成部分。这些共同假设使来自不同学科的研究人员能够从不同视角分析相同的学习问题。

什么是支架? 支架包括通过提供学习支持——提示、线索、所需信息、指导等,将教师的文化知识与学生的日常经验和知识联系起来。支架包括动机和认知支持——帮助学生保持积极性和兴趣,同时帮助他们迈进深度学习。动机支持包括连接学生的兴趣、转移注意力和应对挫折等支持。认知支持包括应变支持、渐隐支持、移交责任给学生。

教师如何通过使用先行组织者和深层提问促进学习? 先行组织者通过提供足够概括的介绍性材料以涵盖后面将学的信息来促进教学。组织者可以服务于三个目的:它们将你的注意力引向后面教学材料中的重要内容,它们突出了将要呈现的想法之间的关系,并且它们会提醒你联系已经知道的相关信息。教师还可以通过训练学生在阅读、听讲座或参与课堂讨论时如何提出和回答深层次问题来促进学习。这些问题促使学生对内容中的基本原则和重要思想进行推理,提出合理的论点,并提供证据。

区分探究学习和基于问题的学习。 使用探究学习策略时,首先教师呈现一个疑难事件、问题或难题,学生试图来提出问题(在有的探究学习中,只能是"是/否"形式的问题),然后形成假设来解释事件或解决问题。接着,学生搜集证据来验证因果关系的假设,并形成结论和推论。最后,反思最初的问题以及解决问题所需的思考过程。基于问题的学习虽然遵循了类似的路径,但是它是始于一个真实的问题——对学生有意义的问题。其目的在于学习数学、科学、历史或其他重要科目时,让学生找到对真实问题的真正的解决方案。

描述认知学徒制的六个特征。 学生观察一位专家(通常是教师)示范某种操作,通过教练或导师获得外部支持,得到概念性的支架,而随着学生能力的增强和对任务的精通,逐渐撤除支架。然后,学生继续表达他们的知识——将他们的学习过程和所学内容用语言表达出来。学生对自己的进步进行反思,并把自己的解决问题方法与专家的、自己早期的表现进行对比。最后,学生探索出新的运用他们所学知识的途径——是他们在教师那里没有实践过的。

描述交互式教学中对话的使用。 交互教学的目的是帮助学生深度理解和思考他们所阅读的内容。为了实现这个目标,学生在阅读小组中学习四个策略:总结一篇文章的内容,问一个关于中心观点的问题,搞清材料中的难点部分,预期接下来要发生什么事情。这些策略在班级对话中得以练习。首先教师担任中心角色,然后随着讨论的进展,学生越来越多地控制对话过程。

协作与合作

协作与合作的区别是什么? 一种观点认为,协作是有关如何与他人联系——如何学习与工作的观点。我们在协作学习中、尊重差异、分享权利并共享知识。而合作则指为了达到某一共同的目标而与他人一起工作。

描述合作学习的五个要素。 促进互动是指小组成员鼓励并促进彼此的努力。他们通常面对面、紧密地互动,但他们也可以通过数字媒体跨越很远距离进行互动。小组成员体验积极的互相依赖——他们需要彼此的支持、解释和指导。尽管学生在一起学习并互相帮助,但小组成员最终还必须自己单独展现所学。他们在学习中有个人责任,这通常通过个体测验或其他评估方式来衡量。合作技能对有效的小组运作是很必要的。通常地,在小组解决学习任务之前,教师必须教授或让学生练习这些技能,如给予建构性反馈、达成共识以及让每个人都参与等。最后,小组成员要监控小组合作的过程及内外部关系,以确保小组有效地运作,并提升小组的动力。

合作学习中如何设计任务? 教师在合作学习之前、中、后都有自己的角色。首先,他们必须选择适当的任务。相对结构化的任务适用于结构化技术。在这种情况下,外在奖励可以增强他们的学习动机、使他们努力付出并坚持不懈。给学生分配角色也是有效的,特别是那些关注于任务达成的角色。另一方面,当想要发展学生的高级思维以及问题解决能力时,鼓励学生进行扩展性和创造性互动的教学策略是合适之选。在这些情况下,使用奖励可能会让小组从完成深度认知加工这一目标上分心。当同伴学习的目标是增强社会技能或增加组间理解和认可多样性,给学生分派特定的角色及指定其在小组内的职责,可能会支持学生的交流。这时,奖励可能是不必要的,而且可能还会起到妨碍作用,因为此时学生关注的是建立一个共同体、获得被尊重的感觉以及建立所有小组成员的责任感。

合作学习的可能策略有什么? 有效的合作学习策略包括交互式提问、拼图法、精心组织的争论以及斯宾塞·卡根描述的很多合作结构。但是合作学习并不适合所有人。有时,有学习障碍的学生和知识水平更高的学生不能从合作学习中受益。

建构主义实践有哪些困境? 第一个是概念性的:我如何理解建构主义的认知和社会概念,并将这些不同的观点与我的实践相协调? 第二个困境是教学法:我如何以真正的建构主义方式教授,既能尊重学生独立思考的尝试,又能确保他们学习学业资料? 第三是文化困境:采取什么样的活动、文化知识和谈话方式能在多元化的课堂中建立一个共同体? 最后是行政困境:我如何教授深刻的理解和批判性思维,但仍然满足家长的问责要求和国家成就测试的要求?

在数字化世界中设计学习环境

技术在教育中的可能应用是什么? 诸如计算机、iPads、平板电脑、智能手机、数字阅读器和互动性游戏系统等技术,在年轻人中越来越流行。在教育中,虚拟学习环境(VTE)是一个广义的术语,描述了虚拟系统中的许多学习方式。有很多不同方式的虚拟学习环境。最传统的 VLE 被称为学习管理系统(LMS)。LMS 使用 Moodle 和 BlackBoard 等应用程序提供电子学习。个人学习环境(PLE)框架提供支持各种环境和情境中的个性化学习的工具,学习者可以控制学习的方式和时间。个人学习网络(PLN)是通过在线对等交互构建知识的框架。最复杂的 VLE 是沉浸式虚拟学习环境(IVLE)。IVLE 模拟真实环境,学生可以单独或与他人一起解决问题、创建项目、模拟专业技能、访问历史遗址、参观世界级博物馆或玩一些能教授和应用学业技能的游戏。技术本身并不能保证学业成绩的提高。像任何工具一样,技术必须由自信和称职的教师来使用。一些教育工作者建议所有学生都应该学习计算机思维——像计算机科学家一样思考——来制定和解决问题,即一些可以应用计算机通过计算过程解决的问题。许多系统甚至允许非常年轻的学生创建计算机程序。此外,每个学生都应该学会批判性地评估今天给我们带来冲击的所有数字媒体。

什么是翻转课堂? 翻转课堂是使用技术的一种可能性。在一个翻转课堂中,经常在课堂中进行的讲课、记笔记、做学习单、直接教学都被移到课堂之外,通常发生在家庭的作业、项目和练习则在教师监督和支持下在课堂上进行。对于在家中无法使用强大学习技术的学生,可以将一些课堂教学用于在线研究、学习类游戏、维基、博客、创建数字作品集、收听或创建播客、使用学习类应用程序。

关键术语

Advance organizer	先行组织者
Affinity groups	亲密小组
Appropriating	内化
Cognitive apprenticeship	认知学徒制
Collaboration	协作
Community of practice	实践共同体
Complex learning environments	复杂学习环境
Computational thinking	计算思维
Constructive/Structured controversy	建设性/精心组织的争论
Constructivism/Constructivist approach	建构主义/建构主义方法
Cooperation	合作
Cooperative learning	合作学习
Immersive virtual learning environment	沉浸式虚拟学习环境
Inquiry learning	探究学习
Intersubjective attitude	主体间态度
Jigsaw classroom	拼图式课堂
Learning management system	学习管理系统
Learning sciences	学习科学

Massive multi – player online games	大型多人在线游戏
Multiple representations of content	多种内容表征
Personal learning environment	个人学习环境
Personal learning network	个人学习网络
Problem – based learning	基于问题的学习
Radical constructivism	激进建构主义
Reciprocal questioning	交互式提问
Reciprocal teaching	交互式教学
Scaffolding	支架/脚手架
Situated learning	情境化学习
Social negotiation	社会协商
Spiral curriculum	螺旋式课程
Virtual learning environments	虚拟的学习环境

教师案例簿

学会合作——他们会做什么?

回顾本章开篇描述的教师案例薄,看看下面几位教师是如何应对的。

Paula Colemere　特殊教育教师——英语、历史

McClintock High School, Tempe, AZ

首先,合作学习应该早些引入课堂,且应以多种形式开展。一些简单的活动,如"思考—配对—分享"、"告诉同伴你学到的两件事",都是最基本的让学生进行合作学习的方式。此外,苏格拉底式的讨论会也是一种很好的方式,能够让学生彼此对话,获得对某个概念更深的理解。苏格拉底式的讨论会首先开始于教学促进者给小组提出一个开放式的问题,然后鼓励参与者在这个有意义的讨论中进行学习,而非记忆一些信息碎片。当然,这需要练习。但如果在学年开始引入得早,并且在整个学年中都进行练习,那么学生的思维技能会更上一层。最后,让学生在课堂上进行小组活动时,教师必须用心思考小组的划分。教师需要向小组成员教授一些有助于顺利进行小组合作的必备技巧,如主动聆听、怎样给予以及接受批判性评价。小组成员的能力需要多样化,在小组中学生应该被分配特定的任务,这样每个人都有一个角色和目的。

Paul Dragin　高中 ESL 教师

Columbus East High School, Columbus, OH

为了引入合作学习,我会先进行一些不需要说话的练习,如只能够通过小组合作完成、不可以进行口头言语交流的拼图活动。每个小组成员都会拿到组成大拼图的一小部分,问题在于有一些部分可能属于另一组成员的拼图。目标是通过有策略地迅速交换,成为最先完成拼图的小组。鉴于每个人为了完成自己的拼图都需要他人的帮助,这就为下面进行需要合作学习的讨论做了铺垫。所有高效的合作学习都需要每个人的投入,没有这种投入,就无法充分实现活动的意义。小组的建立可以有多种多样的选择,这是一件好事情。随意分配学生以及有策略地分配学生进行合作学习,对于学生而言都是一次非常重要的学习机会,而且这与现实世界更加贴近——现实世界中我们无法选择合作者。

Jennifer Pincoski　学习资源教师

Lee County School District, Fort Myers, FL

为了建立一个高效的小组,学生需要尊重彼此,而且感到被同伴所接纳。因此在小组进行学习任务之前,有必要进行一些班级建设和团队建设。目的在于让学生互相认识,拥有集体感。

如果教师提前对小组成员进行信息收集,就会比较容易建立小组。这些信息包括学生偏好的学习风格、最喜爱的课程以及职业期望等。了解学生目前的学业水平同样也很重要。小组应当是流动的,因为不同类型的小组会产生不同的结果。

教师在让小组进行活动之前,应当明确活动的目标。在一些情境中,将某种能力表现突出的学生与表现不佳的学生分在同一组是合适的。在另外一些案例中,将有着共同兴趣和职业目标的学生分到同一组会更加有效。这取决于教师决定采用哪种分组方式最有助于学生学习。

Linda Sparks　一年级教师

John F. Kennedy School, Billerica, MA

在这些年里我经常使用合作学习,从中我也学到了很多东西。虽然某些学生总是对合作学习感到沮丧,但总体上合作学习还是有帮助的。我也试着以多种方式开展活动,如让学生自己选择组成小组;或者从一个帽子中选择名字纸条,分发给学生不同的话题,然后依据话题组成小组。我也可能依据测验分配小组,以确保每个学生都有某项具体的任务(如计划书编辑、信息管理者、组织者、报告者、研究者等等)。不过,好像总是有这样的学生:坐在最后面,让小组中的其他成员做所有的工作。我们会认真讨论小组合作所需的社交技能。通常我们会在教室前面贴出一些基本原则:使用恰当的语言,讲话要轻声,尊重对方,聆听和鼓励团队成员,当有需要的时候要寻求帮助。当学生进行小组活动的时候,我会在教室进行巡视,并对活动的开展情况进行记录,确保学生没有对活动产生误解。当活动结束后,我会采用多种方式对他们的表现进行打分,根据对活动的贡献度为个人打分,根据小组的成果展示,小组对活动的参与为小组打分。当学生积极参与教学活动时,他们会学得更多。这又是另一种类型的学习。

Jessica N. Mahtaban　八年级数学教师

Woodrow Wilson Middle School, Clifton, NJ

在课程一开始,我会首先给出合作学习的定义以及一个真实生活的例子。开始的活动会比较简单,叫作"编号头脑集合"(从 Kagan 合作学习课堂上借鉴的)。学生在小组内先进行编号,使每个学生都有一个不同的数字,然后教师提出一个问题并且给出思考时间。学生将"头脑汇聚到一起"讨论问题。教师说出一个号码,每个小组中是那个号码的学生就代表整个小组向全班同学分享小组的答案。随着学生逐渐适应合作学习,这项活动可以增加难度。

对班级中的学生进行分组,理想情况下最好每组有四个人面对着面。一边是一个高水平的学生(基于学业成绩),与他相邻的是一个中等偏上的学生,斜对面是一个低水平学生,与他相邻的是一个中等偏下水平的学生。高水平的学生较少会和低水平学生互动,当需要进行配对组活动时,他们通常会和中等偏上或者中等偏下的学生进行合作。基于我十年的教学经验,高水平学生极少有耐心会和低水平学生合作,但是中等偏上和中等偏下的学生会和低水平学生合作得很好。当然,也可以根据人格的异质性来进行分组。